EL OBJETIVO DE BOURNE

Robert Ludlum

El objetivo de Bourne

por

Eric Van Lustbader

Traducción de Antonio-Prometeo Moya

Umbriel Editores

Argentina • Chile • Colombia • España •
Estados Unidos • México • Perú • Uruguay • Venezuela

Título original: *The Bourne Objective*
Editor original: Orion Books, Londres
Traducción: Antonio-Prometeo Moya

1.ª edición Octubre 2013

Aribau, 142, pral. – 08036 Barcelona
www.umbrieleditores.com

ISBN: 978-84-92915-37-8
E-ISBN: 978-84-9944-626-4
Depósito legal: B-20.336-2013

Fotocomposición: Ediciones Urano, S.A.
Impreso por Romanyà Valls, S.A. – Verdaguer, 1 – 08786 Capellades (Barcelona)

Impreso en España – *Printed in Spain*

Para Jaime Levine,
cuyos conocimientos de la edición
de libros y entusiasmo desatado han hecho
que esto sea mucho más divertido

Prólogo

Bangalore, India

La noche cayó como una cortina de veloces insectos que despertaran al ponerse el sol. El ruido era espantoso, al igual que la fetidez que despedían los cuerpos sin lavar, los excrementos humanos, la comida podrida y los cadáveres en descomposición. La basura de Bangalore iba de un lado a otro como una marea de cieno.

Leonid Danilovich Arkadin estaba sentado en una habitación oscura que olía a aparatos electrónicos calientes, humo rancio y *dosas* que se enfriaban. Encendió un cigarrillo con el mechero cromado y se quedó mirando los esqueletos de la Fase Tres, el sector de la creciente Ciudad de la Electrónica que se alzaba entre los barrios pobres que se pegaban a Bangalore como una enfermedad. La Ciudad de la Electrónica, construida en la década de 1990, era ya la capital mundial de las subcontratas tecnológicas; casi todas las compañías de tecnología punta estaban implantadas allí, lo cual la había convertido en el mayor conglomerado de centros de atención al cliente de la industria de las tecnologías de la información, que experimentaban avances cada seis meses.

«Oro del cemento», pensó Arkadin, deslumbrado. Había leído mucho sobre la historia de la alquimia, que había llegado a despertarle un gran interés a causa de su carácter transformador. A aquella temprana hora de la noche (es decir, temprana para el personal subcontratista cuyas oficinas ocupaban gran parte de los edificios), el vestíbulo y los pasillos estaban tan desiertos y tranquilos como lo estarían en Nueva York a las tres de la madrugada. Los empleados de las compañías subcontratistas estaban acostumbrados al horario laboral de Estados Unidos, lo que los hacía tan virtuales como fantasmas cuando estaban ante los ordenadores, con auriculares inalámbricos alrededor de la cabeza.

Después del fracaso de Irán, donde muy olímpicamente había dado por culo a Maslov, había centrado sus operaciones allí, lejos de los elementos a los que quería cazar y que también trataban de cazarlo a él: Dimitri Ilyinovich Maslov y Jason Bourne.

Desde sus oficinas tenía una vista perfecta del solar cuadrado como una manzana de edificios, un pozo abierto en la tierra en el que estaban poniendo los cimientos para levantar otra torre de oficinas. Normalmente, el lugar estaría iluminado por focos cegadores, para que los constructores pudieran trabajar por la noche, pero las obras se habían detenido de repente dos semanas antes, y seguían paralizadas. En consecuencia, el pozo había sido invadido por un variopinto ejército urbano de mendigos, putas y bandas de jóvenes que procuraban limpiar los bolsillos de todo el que pasara por allí.

De vez en cuando, mientras expulsaba el humo por la nariz, oía el cauteloso movimiento felino de sus hombres, apostados estratégicamente en las habitaciones de sus oficinas, aunque él estaba sólo con Hassan, un mago del *software*, fornido y corpulento, que olía ligeramente a circuitos y a comino. Arkadin había llevado con él a sus hombres, todos fieles musulmanes que tenían un único problema, y era que los hindúes locales odiaban a los musulmanes. Había pensado en utilizar mercenarios sijs, pero no estaba convencido de que se pudiera confiar en ellos.

Hassan había demostrado ser de un valor incalculable. Había sido el programador informático de Nikolai Yevsen, el fallecido y no llorado traficante de armas de cuyo negocio se había apropiado Arkadin ante las narices de Maslov. Hassan había copiado del ordenador de Yevsen todos los datos de sus clientes, proveedores y contactos, antes de borrarlos. Ahora Arkadin trabajaba con la lista de Yevsen, y ganaba inimaginables montañas de dinero con la venta de material bélico a prácticamente todos los tiranos y señores de la guerra locales, y a organizaciones terroristas de todo el globo.

Hassan estaba sentado ante el ordenador, utilizando *software* encriptado y conectado a los servidores remotos que Arkadin había instalado en un lugar seguro. Era un hombre que vivía para el trabajo. En las semanas que habían seguido a la deserción de Hassan y a la muerte de Yevsen en Jartum, Arkadin no lo había visto abandonar aquel despacho en ningún momento. Dormía después de tomar un almuerzo ligero, exactamente de una a tres y media, y luego volvía a teclear ante el ordenador.

La atención que Arkadin ponía en Hassan no era absoluta. En un aparador cercano había un ordenador portátil, con puertos intercambiables para periféricos a los que había conectado el disco duro del portátil que uno de sus hombres había robado a Gustavo Moreno poco antes de que el traficante colombiano muriera a tiros en su finca de Ciudad de México. Al volverse hacia el portátil, Arkadin sintió que el fantasmagórico resplandor azul electrónico le bañaba el rostro, duro como el mármol, duro como el puño cruel de su padre.

Tras apagar el cigarrillo, se puso a abrir los archivos, que ya había revisado una y otra vez; tenía varios piratas informáticos en nómina, pero no había permitido a ninguno, ni siquiera a Hassan, que revisara aquel disco duro en particular. Volvió a mirar el archivo fantasma, que no había asomado su resistente y enigmática faz hasta después de haber sido sometido a un potente programa antivirus. Ahora podía verlo, pero seguía cerrado, protegido por una clave que su *software* criptográfico había sido incapaz de descifrar a pesar de que llevaba funcionando más de veinticuatro horas.

El portátil de Moreno, guardado en un lugar seguro, era tan misterioso como aquel archivo fantasma. Tenía una ranura en un costado donde tenía que haber habido un conector de USB, era demasiado grande para que cupiera una tarjeta SD y demasiado pequeña para ser un lector de huellas. Estaba claro que era un puerto añadido, pero ¿para qué?

¿Qué contendría aquel archivo? ¿Y dónde habría encontrado un traficante de drogas una clave tan indescifrable como aquélla? Desde luego no en la tienda local de los piratas informáticos de Cali o Ciudad de México, eso seguro.

Aunque perdido en sus pensamientos, Arkadin levantó la cabeza como si hubiera olido el sonido antes de oírlo. Sus orejas se agitaron como las de un perro de caza y luego, retrocediendo hacia las sombras, dijo:

—Hassan, ¿qué es esa luz que se mueve allá abajo, entre las obras?

El informático levantó los ojos.

—¿Qué luz, señor? Hay muchas hogueras...

—Allí —señaló Arkadin con el dedo—. No, más abajo. Levántate y la verás claramente.

En el instante mismo en que Hassan se levantó y se inclinó hacia delante, una ráfaga de subfusil ametrallador destrozó las ventanas del despacho, rociando al informático, el escritorio y la alfombra con una fría lluvia de cristales. Hassan, tras perder pie, cayó en la alfombra, jadeando y escupiendo sangre.

Arkadin extrajo el disco duro un segundo antes de que otra ráfaga de disparos entrase por las ya rotas ventanas y alcanzara la pared de enfrente. Refugiándose bajo la mesa, cogió un subfusil Škorpion vz. 61 y disparó al ordenador en el que Hassan estaba trabajando, hasta que lo hizo añicos. Por entonces ya había empezado a sonar el entrecortado tableteo de otros subfusiles en el interior de las oficinas. Retumbaban ruidos superpuestos, acompañados de órdenes en voz alta y gritos de moribundos. No podía esperar ayuda de sus hombres, eso estaba claro. Pero reconoció el idioma en que se daban las órdenes: ruso. Más concretamente: ruso de Moscú.

A Arkadin le pareció que Hassan estaba hablando o al menos emitiendo sonidos, pero dijera lo que dijese se perdió entre las explosiones y los disparos. Como los atacantes eran rusos, a Arkadin no le cupo la menor duda de que iban detrás de la valiosísima información de Yevsen. En aquellos momentos se encontraba atrapado entre dos fuegos, uno procedente del interior de las oficinas y otro que llegaba de fuera de las ventanas destrozadas. Apenas tenía unos momentos para actuar. Se levantó y se acercó a Hassan, cuyos ojos inyectados en sangre lo miraban fijamente.

—Ayuda... ayúdame. —Su voz resultaba casi inaudible, obstaculizada por la sangre y el terror.

—Por supuesto, amigo mío —dijo Arkadin amablemente—, por supuesto.

Con suerte, sus enemigos habrían disparado sobre Hassan pensando que era él y la confusión le daría un tiempo precioso para escapar. Tiempo que no tendría si el informático empezaba a gritar. Se guardó el disco duro en el bolsillo y le pisó el cuello hasta que el hombre se arqueó y los ojos casi se le salieron de las órbitas. Con la tráquea rota no podría emitir ningún sonido. Arkadin oyó ruidos confusos detrás de él, al otro lado de la puerta. Sabía que sus hombres lo defenderían hasta la muerte, pero en este caso parecía que los habían pillado con la guardia baja y lo más probable era que en el otro bando hubiera más hombres. Sólo tenía unos segundos para actuar.

Como en todos los edificios de oficinas modernos, las ventanas grandes estaban herméticamente cerradas, tal vez para impedir los intentos de suicidio que se producían de vez en cuando. Arkadin arrancó el panel lateral de una ventana y salió a la intranquila noche. Seis pisos más abajo estaba el solar en el que se levantaría el nuevo edificio. Enormes máquinas excavadoras con la pala levantada se alzaban en medio de las hogueras y de las chabolas construidas con cartones, como dragones de largos cuellos que durmieran en la semioscuridad.

El estilizado edificio posmoderno no tenía alféizar en el exterior de las ventanas, pero entre ellas había filetes decorativos de hormigón y acero que recorrían aquél en sentido vertical. Arkadin se aferró a uno de ellos en el preciso momento en que otra ráfaga de plomo atravesaba la puerta de su despacho. Sus hombres habían perdido valientemente la batalla contra los intrusos.

Los olores nocturnos de Bangalore, a mantequilla semilíquida, a *dosas* friéndose, a jugo de betel y a excrementos humanos, se elevaban desde los cimientos del solar como una mezcla perniciosa. Comenzó a deslizarse por la moldura de acero y hormigón. En aquel momento se fijó en los haces de luz que barrían el aire y se cruzaban por debajo de él: al darse cuenta de que el muerto a tiros de su despacho no era él, habían empezado a buscarlo concienzudamente en la calle. Consciente de lo vulnerable y expuesto que estaba reptando como una araña por el muro del edificio, se detuvo al nivel de la cuarta planta. Las ventanas eran allí más pequeñas y estaban más espaciadas, porque en aquella planta se encontraban los sistemas de aire acondicionado, agua, electricidad y demás servicios. Propinó un puntapié al cristal con la punta de la bota, pero fue en vano: el cristal era inmune a los golpes. Descendió algo más y asestó otro puntapié a una placa de metal que había debajo de la ventana. La placa se abolló y una punta se levantó, pero no se desprendió, así que siguió golpeando hasta que, en aquella precaria postura, consiguió introducir los dedos en el espacio que había quedado entre el metal y la pared. A fuerza de tirones logró levantar la placa. Detrás había un agujero oblongo que parecía lo bastante grande para pasar. Asido a la moldura con las dos manos, introdujo los pies en el agujero, se impulsó, metió las piernas y finalmente el trasero. Sólo entonces se atrevió a soltar la moldura.

La cabeza y el torso de Arkadin quedaron en el aire, suspendidos en el vacío, durante un momento, suficiente para ver, aunque boca abajo, los haces de luces elevándose hacia él, trepando por la fachada del edificio. Un momento después le deslumbraba la luz. Oyó voces y gritos guturales en ruso antes de meterse totalmente por el hueco. Seguido de cerca por los disparos, se arrastró hacia la oscuridad.

Se detuvo unos instantes para recuperar el aliento y el equilibrio. Luego, ayudándose con los pies y las rodillas, se impulsó por aquel reducido espacio, encogiendo primero un hombro y luego el otro. Este método le sirvió durante un par de metros, hasta que llegó a lo que parecía una barrera. Estirando el cuello, distinguió un tenue cuadrado de luz gris en la oscuridad que tenía ante sí, lo que significaba que no se trataba de una barrera, sino que el espacio se estrechaba de improviso. Se impulsó con las piernas, pero sólo consiguió que sus hombros quedaran más encajados, así que se detuvo y no hizo nada, esperando que se le relajaran los músculos mientras su mente ideaba estrategias para salir de allí.

Comenzó a hacer ejercicios respiratorios, reduciendo el ritmo con cada exhalación. Se obligó a pensar en su cuerpo como si no tuviera huesos, como si fuera algo maleable, hasta que su mente quedó convencida. Luego contrajo los hombros, acercándolos al pecho, como había visto hacer una vez a un contorsionista de circo en Moscú. Lentamente, con suavidad, se arrastró hacia delante haciendo tracción con el tacón de las botas. Al principio no ocurrió nada; después, contrayéndose aún más, avanzó un centímetro tras otro, cruzando la estrecha sección y pasando el otro lado. Al poco rato rozó con la parte superior de la cabeza una rejilla interior. Levantando las piernas todo lo que aquel claustrofóbico espacio le permitía, se imaginó atravesando la rejilla. Estiró las dos piernas a la vez, con violencia, y presionó la rejilla con tanta fuerza que la desencajó, y él cayó de espaldas en lo que parecía un armario que apestaba a metal caliente y a grasa.

Una inspección más detallada reveló que el cubículo era la caja de conmutadores eléctricos del ascensor. Al pasar al otro lado vio que estaba en el hueco del ascensor. Oyó los gritos de los sicarios rusos. El ascensor se estaba moviendo hacia abajo, hacia la cuarta planta; los hombres de fuera debían de haber informado a los de dentro del lugar por el que se había colado en la pared del edificio.

Miró a su alrededor y vio una escala vertical fijada al muro, enfrente mismo de donde se encontraba. Pero antes siquiera de moverse, se abrió la trampilla del techo del ascensor y un ruso asomó la cabeza y el torso. Al ver a Arkadin, levantó el subfusil ametrallador.

Arkadin se agachó y una ráfaga de proyectiles se estrelló contra la pared donde había estado su cabeza. En cuclillas, apuntó desde la cadera y respondió lanzando otra lluvia de plomo hacia el rostro del ruso. La parte superior del ascensor estaba casi a su altura y dio un salto para caer encima. En el momento en que sus botas tocaron el techo, salió por la trampilla abierta una ráfaga de proyectiles que estuvo a punto de derribarlo, pero no se detuvo. De una zancada pasó al otro extremo del techo, de aquí saltó a la escala de la pared y empezó a bajarla a toda prisa. El ascensor comenzó a descender detrás de él. Cuando estuvo dos metros por debajo, se detuvo.

Arkadin se sujetó con firmeza, giró los hombros y en el momento en que vio movimiento en la trampilla abierta, disparó rápidamente tres proyectiles que se estrellaron contra el techo. Luego siguió bajando la escala, saltando los peldaños de tres en tres para ser un blanco más difícil de alcanzar.

Los otros comenzaron a responder a los disparos, pero sus balas se estrellaron contra la escala mientras él seguía bajando como una exhalación. De repente, el fuego cesó y, arriesgándose a echar un vistazo, vio que uno de los rusos había salido por la trampilla y había saltado a la escala y estaba bajando detrás de él.

Arkadin se detuvo el tiempo imprescindible para levantar su arma, pero antes de poder disparar, el ruso se soltó de la escala y, cayendo a plomo, se agarró a él. Estuvo a punto de arrancarle los brazos de los hombros. Osciló sin control por culpa de aquel peso añadido y por el ímpetu de su caída; y en aquel momento el ruso le arrebató el arma de la mano, y cayó por el hueco rebotando y despertando ecos metálicos. En el mismo instante, el ascensor reanudó el descenso.

El ruso apretaba con una mano el cuello de Arkadin, mientras con la otra sacaba de la funda un cuchillo K-Bar. A continuación le levantó la barbilla para ponerle el cuello al descubierto. La gruesa y peligrosa hoja trazó un arco en el aire y Arkadin levantó una rodilla. El ruso se dobló como si hiciera una reverencia, cruzándose en la trayectoria del ascensor que bajaba.

A pesar de estar bien sujeto, Arkadin casi cayó al vacío cuando el ascensor se llevó por delante a su atacante. Durante un momento perdió el equilibrio y se vio cabeza abajo, pero se salvó gracias a que tenía enganchados los tobillos en un peldaño de la escala. Siguió balanceándose hasta que se hizo una composición de lugar y se impulsó hacia arriba, agarrando la escala con sus fuertes manos mientras se soltaba los tobillos. Dio la vuelta para quedar otra vez cabeza arriba. Sintió una gran tensión en los hombros, pero esta vez estaba preparado y no vaciló. Sus pies encontraron un peldaño debajo y reanudó el descenso.

Debajo de él, el ascensor siguió su camino hasta la planta baja, pero nadie más asomó la cabeza por la trampilla. Aterrizó en el techo y miró cautelosamente en el interior. Contó dos cuerpos; ninguno estaba vivo. Saltó dentro, cogió el arma de uno de los muertos y pulsó el botón del sótano.

El sótano de la torre de oficinas era un vasto aparcamiento iluminado con tubos fluorescentes. No estaba muy lleno porque pocos de cuantos trabajaban en el edificio podían permitirse un coche. Solían utilizar el servicio de taxis para ir y volver del trabajo.

Exceptuando su BMW, dos relucientes Mercedes, un Toyota Qualis y un Honda City, el aparcamiento estaba vacío. Arkadin los comprobó; no había nadie dentro de ninguno. Optó por no utilizar su coche y subió al Toyota. Después de toquetear cables durante un rato, consiguió dar con el de la puesta en marcha. Se sentó al volante, puso el coche en primera, avanzó sobre el hormigón desnudo y enfiló la rampa que daba a la calle.

Con el chasis echando chispas, Arkadin salió flechado hacia la parte trasera del edificio por la mal pavimentada calle. Tenía delante el solar de los cimientos. Había tantas hogueras entre los escombros y las gigantescas máquinas que parecía que todo el lugar fuera a incendiarse en cualquier momento.

Oyó a ambos lados de la calle el rugido de sendas motos de potentes motores: dos rusos a lomos de bestias mecánicas corrían hacia él para encerrarlo en un movimiento de pinza. Parecía claro que habían estado esperándolo al final de la calle para que no se les escapara. Habría dado lo mismo que hubiera doblado a la derecha o a la izquierda. Pisó el acelerador a fondo, corrió en línea recta, cruzó la calle y se lanzó contra la endeble valla que rodeaba el solar.

El morro del Toyota se hundió inmediatamente y el coche cayó como una piedra en el pozo excavado. Los amortiguadores acusaron la mayor parte del impacto en el momento del aterrizaje, pero Arkadin siguió dando botes en el asiento cuando el vehículo llegó al fondo y, con un chirrido de neumáticos, se niveló. Detrás de él, los dos motoristas saltaron por el aire para seguirlo al interior del pozo, aterrizaron, rebotaron y siguieron persiguiéndolo.

Se dirigió directamente a una de las hogueras, obligando a los vagabundos a apartarse corriendo de su camino. Pasó por encima de una fogata y viró a la izquierda, y se deslizó entre dos gigantescas excavadoras, librándose por los pelos de que el coche patinara en un charco de grasa resbaladiza. Giró a la derecha, en dirección a otra hoguera y otro grupo de almas perdidas.

Miró por el espejo retrovisor y vio que uno de los motoristas aún lo seguía. ¿Se habría librado del otro? Al acercarse a las llamas, esperó hasta el último instante, y cuando el faro estuvo a su altura, pisó el freno con todas sus fuerzas. Mientras la gente corría en todas direcciones, la moto, con el conductor medio cegado, chocó contra la trasera del Toyota y el ruso salió disparado por los aires, cayó rodando sobre el techo del vehículo, rebotó y se deslizó hasta el suelo.

Arkadin ya estaba fuera del coche. Oyó al motorista gruñir, tratando de levantarse del polvo, y le propinó un puntapié en la cabeza. Iba a volver al coche cuando unos disparos dieron contra la valla que había a su lado. Se agachó; el fusil de asalto que le había quitado al muerto del ascensor estaba en el asiento del copiloto, fuera de su alcance. Trató de acercarse a la portezuela del conductor, pero se lo impidieron las balas que se empotraron en el lateral del Toyota.

Se echó cuerpo a tierra y se introdujo debajo del coche mientras el aire espeso y acre le golpeaba como un martillo. Salió por el lado opuesto, abrió la portezuela trasera del vehículo y casi le vuelan la cabeza de un tiro. Volvió a meterse debajo del coche para recuperarse y se dio cuenta de que no le quedaba más remedio que abandonar aquella protección. Entendiendo que esto era lo que su adversario quería, se dispuso a neutralizar, o al menos reducir al mínimo, la ventaja creciente de los rusos.

Cerró los ojos un momento, imaginando dónde estaría el motorista ruso guiándose por la dirección de la que procedían las balas. Entonces se volvió noventa grados y salió de debajo del Toyota agarrándose con los dedos al parachoques delantero.

Las balas hicieron añicos el parabrisas, pero como era un cristal de seguridad, los fragmentos, lejos de desparramarse, formaron una tela de araña, tan tupida que el parabrisas perdió la transparencia, impidiendo que su adversario pudiera ver su vía de escape. Abajo estaba la densa y hedionda masa de indigentes, marginados y pordioseros. Se fijó en sus caras mientras corría, zigzagueando como un loco entre el laberinto de humanos esqueléticos, pálidos como la ceniza. Oyó el rugido gutural de la moto entre el parloteo en hindi y en urdu. Aquella gente maldita se movía como un mar y se apartó cuando pasó dando tumbos por en medio; era aquel movimiento lo que el ruso vigilaba con atención como si fuera el pitido de la pantalla de un radar.

No muy lejos de allí distinguió una estructura de sostén consistente en vigas de metal con una base de hormigón hundida profundamente en tierra, y corrió hacia ella. Con el motor rugiendo, la moto se libró de la ola de gente y enfiló hacia donde él estaba, pero Arkadin se había desvanecido ya en aquella estructura de gimnasio selvático.

El ruso redujo la velocidad al acercarse a las vigas. A su izquierda había una valla provisional de hierro corrugado, oxidada ya por el pegajoso aire indio, así que se volvió a la derecha y comenzó a rodear las vigas de metal. Miró hacia la oscuridad del abismo en el que las macizas patas de hormigón estaban hundidas como molares. Tenía el AK-47 preparado.

El motorista estaba a medio camino cuando Arkadin, tendido sobre una viga como un leopardo, saltó sobre él. Cuando el ruso se dobló hacia atrás, su mano, en un acto reflejo, accionó el puño giratorio del gas; la moto siguió su camino, perdiendo el equilibrio en el momento en que el salto de Arkadin levantó la rueda delantera. La moto siguió corriendo, se alejó de ellos y los dos hombres se vieron lanzados contra las vigas de metal. La cabeza del ruso golpeó una viga y el AK-47 voló de sus manos. Arkadin intentó arremeter contra él, pero advirtió que una punta de metal se le había clavado en el muslo y penetrado hasta el hueso. Estaba inmovilizado. Con un violento tirón que lo dejó momentáneamente sin aliento, se arrancó la punta de la pierna. El ruso corrió hacia él cuando aún seguía viendo estrellas delante de sus ojos y sentía el aire que respiraba como chorros de vapor que le quemaban los pulmones. Recibió una lluvia de golpes en la cabeza, las costillas y el esternón hasta que trazó un arco con la punta de metal y se la clavó a su atacante en el corazón.

El ruso, sorprendido, abrió la boca y miró a Arkadin con los ojos llenos de incomprensión segundos antes de que le bailotearan en las órbitas y él cayera de bruces sobre la tierra ensangrentada. Arkadin dio media vuelta y se dirigió hacia la rampa que subía hasta la calle, aunque se sentía como si le hubieran inyectado un bloqueante neuromuscular. Tenía las piernas rígidas y apenas respondían a las órdenes de un cerebro que parecía adobado en fango. Tenía frío y lo veía todo borroso. Intentó recuperar el aliento, no pudo y se desplomó.

Le dio la impresión de que todo ardía a su alrededor, la ciudad entera ardía, el cielo nocturno era de color sangre y vibraba al mismo ritmo que su agotado corazón. Vio los ojos de los que había matado, rojos como los ojos de las ratas, apelotonándose sobre él. «No quiero compartir la oscuridad con vosotros», pensó mientra se hundía en la inconsciencia.

Y quizá fue este solo pensamiento el que lo impulsó a detenerse, a respirar hondo, y luego, en aquel momento de reposo o debilidad, a aceptar agua de aquellos que se agrupaban a su alrededor, los cuales, ahora se daba cuenta, no eran los muertos conocidos, sino los vivos desconocidos. A pesar de su suciedad, sus andrajos y su desesperación, reconocían a un ser desvalido cuando lo veían y en tales circunstancias afloraba su altruismo innato a la superficie. En lugar de despojarlo de todo como una bandada de buitres, lo acogían con buena voluntad. ¿Acaso los oprimidos, los que no pueden permitirse dar nada, no están más dispuestos a compartir lo que tienen que los millonarios que viven en las torres del otro lado de la ciudad? Esto pensó Arkadin al recibir el trago de agua, dando a cambio un puñado de rupias que llevaba en el bolsillo. Al poco rato ya se sintió con fuerzas suficientes para llamar al hospital local. Se rasgó una manga de la camisa y se vendó el muslo con ella para detener la hemorragia. Había un grupo de muchachos, escapados de casa o niños cuyos padres habían muerto en una de las muchas refriegas entre sectas que de vez en cuando asolaban los barrios como vendavales de odio y sangre. Lo miraban como si fuera el héroe de un videojuego, como si no fuera real del todo. Lo temían, pero también les atraía como la luz a las polillas. Se movió hacia ellos y salieron corriendo como si fueran patas de un insecto gigante. Tenían la moto del ruso allí mismo y comprendió que la habían rodeado, como si la protegieran.

—No voy a quitaros la moto, es vuestra —dijo en hindi—. Ayudadme a llegar a la calle.

El aullar de una sirena se había convertido ya en gemido, y con los niños perdidos ayudándolo, salió cojeando del solar para echarse en brazos de un equipo médico, que lo vendó y lo metió en la trasera de la ambulancia. Uno le tomó el pulso y le auscultó el corazón mientras el otro le inspeccionaba la herida.

Diez minutos más tarde entraba tendido en una camilla plegable en la sala de urgencias y era colocado boca abajo en una cama. El aire helado lo despertó como si hubiera tenido mucha fiebre. Observó al personal que entraba y salía de urgencias hasta que le pusieron una inyección de anestesia local. Luego un cirujano se lavó las manos con el gel desinfectante de un frasco colgado de una barra metálica, se puso los guantes y comenzó el proceso de limpieza, desinfección y sutura de la herida.

Arkadin tuvo tiempo para reflexionar sobre el ataque. Sabía que el que lo había ordenado era Dimitri Ilyinovich Maslov. Maslov era el jefe de la Kazanskaya, la mafia moscovita, conocida como *grupperovka*. Había sido su jefe, el mismo al que Arkadin había arrebatado el negocio ilegal de armas. Aquel negocio era de vital importancia para Maslov, porque el Kremlin se estaba ensañando con la *grupperovka*, y lenta pero inexorablemente iba despojando a las familias de la base de poder que habían construido desde la *glasnost*. Pero con el paso de los años Dimitri Maslov había demostrado ser diferente de los cabecillas de las otras *grupperovka*, que o perdían poder o estaban ya en la cárcel. Maslov prosperó, incluso en aquellos tiempos difíciles, porque aún tenía la influencia política suficiente para desafiar a las autoridades, o al menos para tenerlas a raya. Era un hombre peligroso y un enemigo más peligroso aún.

«Sí —se dijo Arkadin mientras el cirujano cortaba el hilo de los puntos de sutura—, seguro que Maslov ordenó el ataque, pero no fue él quien lo planeó.». Su antiguo jefe estaba rodeado de enemigos políticos que lo asediaban por todos los flancos; además, hacía mucho tiempo que había salido del ambiente de las calles y había perdido esa ventaja que sólo la vía pública proporciona. Arkadin se preguntó a quién le habría encargado el trabajo.

En aquel momento, como por intervención divina, recibió la respuesta. Entre las sombras de la sala, invisible e inadvertido por el personal y los quejumbrosos pacientes, estaba Vylacheslav Germanovich Oserov, el nuevo lugarteniente de Maslov. Oserov y él tenían una larga historia de venganzas que se remontaba hasta Nizhny Tagil, la ciudad natal de Arkadin; entre ellos sólo había odio y veneno. En su memoria seguía vívido el recuerdo de su último encuentro, un desagradable incidente en las montañas del norte de Azerbayán, donde estaba adiestrando a un grupo de asalto para Maslov mientras planeaba traicionarlo. Había llamado a Oserov y le había dado una paliza de muerte, la última de una larga serie de violentas respuestas a las atrocidades que Oserov había perpetrado muchos años antes en la ciudad de Arkadin. Por supuesto, Oserov era el hombre perfecto para planificar un ataque que, estaba seguro, incluía su propia muerte, tanto si Maslov la había ordenado como si no.

Oserov, oculto entre las sombras y con los brazos cruzados sobre el pecho, parecía no fijarse en nada, aunque en realidad observaba a Arkadin con la misma concentración que un halcón pendiente de su presa. Tenía el rostro lleno de granos y cicatrices, pruebas palpables de asesinatos, trifulcas callejeras y encontronazos casi mortales, y las comisuras de su enorme boca de finos labios se elevaron para formar la odiosa y familiar sonrisa que parecía a un tiempo condescendiente y obscena.

Arkadin estaba inmovilizado por sus pantalones. Se los habían bajado hasta los tobillos porque habría sido complicado quitárselos completamente. No sentía dolor en el muslo, desde luego, pero no sabía si el golpe que había recibido afectaría a su capacidad de andar o de correr.

—Ya está —oyó que decía el cirujano—. Mantenga la herida seca al menos durante una semana. Voy a recetarle un antibiótico y un calmante. Podrá recogerlos en la farmacia cuando salga. Ha tenido suerte. La herida era limpia y hemos podido intervenirla antes de que se infectara. —El médico sonrió—. Pero no corra maratones durante un tiempo.

Una enfermera le colocó una venda y se la sujetó con esparadrapo.

—No notará nada durante una hora aproximadamente —dijo—. No se olvide de tomar lo que le han recetado antes de ese tiempo.

Oserov descruzó los brazos y se apartó de la pared. Seguía sin mirarlo directamente, pero llevaba la mano derecha en el bolsillo del pantalón. Arkadin no sabía qué clase de arma escondería, pero no pensaba esperar a descubrirlo.

Pidió a la enfermera que lo ayudara a subirse los pantalones. Cuando se abrochó el cinturón y se irguió, la mujer dio media vuelta y se dispuso a salir. El cuerpo de Oserov acusó cierto grado de tensión. Mientras Arkadin bajaba de la cama y se ponía en pie, susurró algo al oído de la enfermera:

—Soy de la policía secreta. A ese hombre de ahí lo han enviado unos criminales para matarme. —Como la enfermera abriese unos ojos como platos, añadió—: Haga lo que le digo y todo irá bien.

Manteniéndola entre Oserov y él, Arkadin se dirigió hacia la derecha. El ruso lo siguió al mismo paso.

—Se está alejando usted de la salida —le susurró la enfermera.

Arkadin siguió andando, aproximándose a la barra metálica de la que colgaba el gel desinfectante con el que el cirujano se había esterilizado las manos. Habría jurado que la enfermera estaba cada vez más nerviosa.

—Por favor —susurró la mujer—, déjeme llamar a seguridad.

Estaban al lado de la barra.

—Muy bien —dijo, y propinó un empujón tan fuerte a la mujer que ésta tropezó con un carrito de instrumentos y bandejas e hizo caer a otra enfermera y a un médico. En medio de la confusión, vio aparecer por el pasillo a un guardia de seguridad y a Oserov acercándose hacia él, con un estilete de feo aspecto en la mano.

Arkadin cogió el frasco de desinfectante y lo arrancó de la barra. Lo levantó y golpeó con él al guardia de seguridad en la cabeza; el hombre resbaló en el suelo de linóleo y cayó. Con el frasco bajo el brazo, Arkadin saltó sobre el cuerpo caído del guardia y enfiló el pasillo.

Oserov lo seguía de cerca, ganando ventaja con cada zancada. Arkadin se dio cuenta de que inconscientemente corría más despacio, temeroso de que se le rompieran los puntos de la herida. Enfadado consigo mismo, pasó junto a dos asombrados médicos en prácticas y aceleró el paso. El pasillo estaba despejado. Buscó el mechero en el bolsillo y lo encendió. Luego apretó el frasco para que saliera el desinfectante. Oía el rumor de los zapatos de Oserov, imaginaba su respiración jadeante.

De repente se volvió y, con un solo movimiento, encendió el líquido altamente inflamable y arrojó el frasco a su perseguidor. Dio media vuelta y siguió corriendo, pero aun así la explosión lo alcanzó, y lo envió a la mitad del pasillo.

Sonó una alarma de incendios que resonó por encima del alboroto de gritos, alaridos, pies que corrían, cuerpos que se sacudían y llamas devoradoras. Arkadin continuó su avance, reduciendo la velocidad al doblar una esquina. Dos guardias de seguridad y un pelotón de médicos veteranos lo hicieron a un lado cuando pasaron, y estuvieron a punto de tirarlo al suelo. La herida de la pierna comenzó a manar hilos de sangre caliente y vital. Todo lo que veía era claro como el cristal, de bordes bien perfilados, iridiscente, lleno de vida. Mantuvo la puerta abierta para que pasara una mujer en silla de ruedas que llevaba un niño en brazos. La mujer le dio las gracias y Arkadin rió con tanta fuerza que ella se contagió y rió también. En aquel momento, unos policías malencarados entraron de la calle por la puerta que él tenía abierta, pasando por su lado a la carrera.

LIBRO PRIMERO

1

—Sí —dijo Suparwita—, ése es el anillo de Holly Marie Moreau; se lo dio su propio padre.

—Este anillo. —Jason Bourne levantó el anillo en cuestión, un sencillo aro de oro con una grabación en la parte interior—. No lo recuerdo en absoluto.

—No recuerdas muchas cosas de tu pasado —dijo Suparwita—, ni siquiera a Holly Marie Moreau.

Bourne y Suparwita estaban sentados con las piernas cruzadas en el suelo de la casa del chamán balinés, en lo más profundo de la jungla de Karangasem, al sureste de Bali. Bourne había vuelto a la isla para atrapar a Noah Perlis, el espía que había asesinado a Holly años antes. Le había quitado el anillo a Perlis después de haberlo matado, a menos de diez kilómetros de donde se encontraban.

—Los padres de Holly Marie llegaron aquí procedentes de Marruecos cuando ella tenía cinco años —dijo Suparwita—. Parecían refugiados.

—¿De qué huían?

—Es difícil decirlo con seguridad. Si las historias que se contaban sobre ellos eran ciertas, eligieron un lugar excelente para esconderse de las persecuciones religiosas. —Suparwita era oficialmente un *mangku*, sumo sacerdote y chamán al mismo tiempo, pero también algo más, imposible de expresar en términos occidentales—. Querían protección.

—¿Protección? —Bourne frunció el entrecejo—. ¿De qué?

Suparwita era un hombre atractivo de edad indefinida. Tenía la piel de un castaño oscuro, como el de las nueces, y una sonrisa amplia e irresistible que dejaba al descubierto dos filas de dientes blancos y regulares. Era alto para ser balinés, y emanaba un poder espiritual que fascinaba a Bourne. Su casa, un santuario rodeado por un hermoso jardín soleado y por altos muros recubiertos de yeso, era un lugar sombreado, de manera que el interior estaba fresco incluso al mediodía. El suelo era de tierra apisonada y estaba cubierto por una estera de sisal. Aquí y allá, extraños objetos de naturaleza indefinida (frascos con hierbas, manojos de raíces, ramilletes de flores secas aplastadas en forma de abanico) surgían del suelo o de las paredes como entes vivos. Las sombras, que llenaban los rincones hasta desbordarlos, parecían moverse constantemente, como si estuvieran formadas por líquido y no por aire.

—Al tío de Holly —dijo Suparwita—. A él fue al primero a quien quitaron el anillo.

—¿Él sabía que se lo habían robado?

—Pensó que lo había perdido. —Suparwita ladeó la cabeza—. Hay hombres fuera.

Bourne asintió.

—Nos ocuparemos de ellos enseguida.

—¿No te preocupa que irrumpan aquí con armas en la mano?

—No aparecerán hasta que yo salga; me quieren a mí, no a ti. —Bourne tocó el anillo con el dedo—. Continúa.

Suparwita inclinó la cabeza.

—Se escondían del tío de Holly, que había jurado llevarla de nuevo a la casa familiar, en las montañas del Alto Atlas.

—Son bereberes. Claro. *Moreau* significa Moro —reflexionó Bourne—. ¿Por qué el tío de Holly quería llevarla de nuevo a Marruecos?

Suparwita lo miró largamente.

—Creo que tú lo sabías, en otro tiempo.

—Noah Perlis fue el último poseedor del anillo, así que supongo que tuvo que matar a Holly para quitárselo. —Bourne cogió el anillo—. ¿Por qué lo querría? ¿Qué tiene de importante un anillo de boda?

—Eso —repuso Suparwita— forma parte de la historia que intentabas averiguar.

—Eso fue hace mucho tiempo. Ahora no sé por dónde empezar.

—Perlis tiene apartamentos en muchas ciudades —informó Suparwita—, pero tenía la base en Londres, que fue adonde se dirigió

Holly cuando viajó por el extranjero durante dieciocho meses, antes de volver a Bali. Perlis debió de seguirla hasta aquí para matarla y quedarse con el anillo.

—¿Cómo sabes todo eso? —preguntó Bourne.

Suparwita esbozó una de sus irresistibles sonrisas. De repente parecía el genio invocado por Aladino.

—Lo sé —respondió— porque tú me lo contaste.

En el mismo instante en que entró en las oficinas de la Central de Inteligencia (CI) en Washington D.C, Soraya Moore se dio cuenta de las diferencias que había entre la vieja agencia que había dirigido la difunta Veronica Hart y la nueva, que estaba bajo el mando de M. Errol Danziger. Por ejemplo, la seguridad había aumentado considerablemente, hasta el punto de que cruzar por los puestos de control era como ganar acceso a una fortaleza medieval. Otro ejemplo era que no reconoció a un solo miembro del personal de servicio. Todos los rostros tenían ese aspecto duro y suspicaz que sólo el ejército de Estados Unidos puede dar a un ser humano. No se extrañó. Después de todo, antes de ser nombrado director por el presidente, M. Errol Danziger había sido el subdirector de Signals Intelligence, con un largo y distinguido historial en las fuerzas armadas y después en el Departamento de Defensa. También había tenido un largo y distinguido historial como hijoputa con huevos de plomo. No, lo que la sorprendió fue sencillamente la rapidez con que el nuevo director había instalado a su propia gente entre las antaño sacrosantas paredes de la CI.

Desde la Segunda Guerra Mundial, época en que había sido Oficina de Servicios Estratégicos, la agencia había funcionado a su aire, totalmente libre de interferencias tanto del Pentágono como de su brazo de contraespionaje, la Agencia de Seguridad Nacional (NSA). Ahora, debido al creciente poder del secretario de Defensa, Bud Halliday, la CI se estaba fusionando con la NSA, y su ADN exclusivo se estaba diluyendo. M. Errol Danziger era ahora su director, y Danziger era hechura del secretario Halliday.

Soraya, directora de Typhon, una agencia antiterrorista con personal musulmán que operaba bajo la égida de la CI, meditó sobre los

cambios que había introducido Danziger durante las semanas que ella había estado en El Cairo. Se sentía afortunada por el hecho de que Typhon fuera semiindependiente. Ella informaba directamente al mandamás de la agencia, saltándose a los intermediarios. Era medio árabe y conocía a todos sus agentes, que en muchos casos habían sido elegidos por ella. La seguirían hasta el infierno si ella se lo pedía. Pero ¿qué ocurriría con sus amigos y colegas internos de la CI? ¿Se quedarían o se irían?

Llegó a la planta del director, inundada por una tenue luz verde que se filtraba a través de los cristales a prueba de balas y bombas, y se encontró con un hombre joven, delgado como un junco, de mirada acerada, con un corte de pelo militar, tieso y corto. Estaba sentado tras un escritorio, hojeando un montón de periódicos. La placa del escritorio rezaba: «TTE. R. SIMMONS READE».

—Buenas tardes, soy Soraya Moore —anunció—. Tengo una cita con el director.

El teniente R. Simmons Reade levantó los ojos y le dirigió una mirada inexpresiva que pese a todo parecía contener una pizca de desdén. Llevaba un traje azul, una camisa blanca impecable y una corbata oficial de rayas rojas y azules. Sin mirar su ordenador dijo:

—Usted *tenía* una cita con el director Danziger. Eso fue hace quince días.

—Sí, lo sé —replicó la mujer—. Estaba de servicio, terminando con los cabos sueltos de una misión en el norte de Irán que tenía que ser...

El color verde de la luz hacía que el rostro de Reade pareciera más alargado, afilado y peligroso, casi como un arma.

—Usted ha desobedecido una orden directa del director Danziger.

—El nuevo director acababa de instalarse —repuso Soraya Moore—. Él no podía saber...

—El director Danziger sabe todo lo que tiene que saber de usted, señora Moore.

Soraya se enfadó.

—¿Qué demonios quiere decir con eso? Y soy la *directora* Moore.

—Maneja usted información desfasada, lo cual no me extraña, señora Moore —dijo Reade con indiferencia—. La han cesado.

—¿Qué? Tiene que estar de broma. No me pueden... —Soraya se sintió como si la estuviera absorbiendo un agujero que hubiera aparecido bajo sus pies—. ¡Exijo ver al director!

Reade adoptó una expresión aún más endurecida, como si fuera un promotor del eslogan «Sé todo lo que puedas ser».

—Desde este momento se revocan sus privilegios. Por favor, entregue su identificación, las tarjetas de crédito de la compañía y el teléfono móvil.

Soraya se inclinó hacia delante, con los puños en el pulcro escritorio.

—¿Quién se cree que es usted para decirme lo que debo o no debo hacer?

—Soy la voz del director Danziger.

—No me creo una palabra de lo que dice.

—Sus tarjetas no funcionarán. El único camino que le queda es el de la salida.

Soraya se irguió.

—Dígale al director que estaré en mi despacho cuando decida que tiene tiempo para oír mi informe.

R. Simmons Reade se agachó junto al escritorio y con una mano alzó una caja de cartón sin tapa, que le alargó por encima del tablero. Soraya miró dentro y casi se atragantó con su propia lengua. En el interior, bien ordenados, estaban todos los objetos personales que había tenido hasta entonces en su despacho.

—Me limito a repetir lo que tú me contaste. —Suparwita se levantó y Bourne también.

—Así que ya entonces estaba preocupado por Noah Perlis. —No era una pregunta y el chamán balinés no la entendió como tal—. Pero ¿por qué? ¿Y cuál era su conexión con Holly Marie Moreau?

—Fuera cual fuese —repuso Suparwita—, parece que se conocieron en Londres.

—¿Y qué hay de los extraños caracteres grabados en el interior del anillo?

—Ya me lo enseñaste una vez para ver si podía ayudarte. No tengo ni idea de lo que significan.

—No es un idioma moderno —comentó Bourne, exprimiéndose la memoria en busca de detalles.

Suparwita dio un paso hacia él y bajó la voz hasta convertirla en un susurro que, a pesar de todo, penetró en la mente de Bourne como el aguijón de una avispa.

—Como ya te dije, naciste en diciembre, el mes de Shiva. —Pronunció el nombre del dios Shiva como todos los balineses—. Además, naciste el día de Shiva, es decir, el último día del mes, que es tanto el final como el principio. ¿Lo entiendes? Estás destinado a morir y a volver a nacer.

—Eso ya ocurrió hace ocho meses, cuando me disparó Arkadin.

Suparwita asintió moviendo la cabeza con seriedad.

—Si no te hubiera dado antes un bebedizo de lirios de la resurrección, es muy probable que hubieras muerto a causa de aquella herida.

—Me salvaste —le agradeció Bourne—. ¿Por qué?

El chamán le dedicó otra de sus deslumbrantes sonrisas.

—Tú y yo estamos conectados. —Se encogió de hombros—. ¿Quién sabe cómo o por qué?

Bourne, que necesitaba referirse a aspectos prácticos, dijo:

—Hay dos hombres fuera, lo comprobé antes de entrar.

—Y a pesar de todo los condujiste a este lugar.

Ahora le tocó a Bourne sonreír. Bajó la voz aún más.

—Es todo parte del plan, amigo mío.

Suparwita levantó una mano.

—Antes de que lleves a cabo tu plan, hay algo que debes saber y algo que debo enseñarte.

Se detuvo el tiempo suficiente para que Bourne se preguntara en qué estaría pensando. Conocía lo bastante al chamán para entender cuándo estaba a punto de decir algo importante. Había visto aquella expresión poco antes de que le diera la infusión de lirios de la resurrección en aquella misma habitación, unos meses antes.

—Escúchame. —La sonrisa había desaparecido del rostro del chamán—. En menos de un año morirás, tendrás que morir para salvar a los que te rodean, a los que amas y te preocupan.

A pesar de todo su entrenamiento y disciplina mental, Bourne sintió un escalofrío. Una cosa era ponerse en peligro, esquivar la muerte una y otra vez, a veces por los pelos, y otra muy distinta que le dijeran en términos inequívocos que le quedaba menos de un año de vida. Por otra parte, también podía tomarlo a broma; después de todo, era un occidental y había tantas religiones en el mundo que no le resultaría difícil ignorar el 99 por ciento de ellas. Sin embargo, al mirar a Suparwita a los ojos vio en ellos la verdad. Como antes, los extraordinarios poderes del chamán le habían permitido ver el futuro, al menos el futuro de Bourne. «Tú y yo estamos conectados». Había salvado su vida, así que sería una estupidez dudar de él ahora.

—¿Sabes cómo será o dónde?

Suparwita negó con la cabeza.

—No funciona así. Mis visiones del futuro son como sueños, llenos de color y prodigios, pero sin imágenes, ni detalles, ni claridad.

—Una vez me dijiste que Shiva velaría por mí.

—Por supuesto. —La sonrisa volvió al rostro de Suparwita mientras acompañaba a Bourne a otra habitación, llena de sombras y de olor a incienso—. Y las próximas horas serán un ejemplo de su ayuda.

Valerie Zapolsky, la secretaria de Rory Doll, llevó en mano el mensaje al director M. Errol Danziger porque, según le dijo, su jefe no quería confiar el documento al sistema informático, aunque éste fuera tan a prueba de intrusos como el de la CI.

—¿Por qué no me lo ha traído Doll en persona? —Danziger frunció el entrecejo sin levantar los ojos.

—El director de operaciones está ocupado con otro asunto —contestó Valerie—. Por el momento.

Era una mujer bajita y morena, de párpados caídos. A Danziger no le gustaba que Doll la hubiera enviado allí.

—¿Jason Bourne está vivo? ¡Es increíble...! —Saltó de la silla como si hubiera recibido una descarga eléctrica. Mientras estudiaba el informe, conciso y sin detalles, la sangre se le subió al rostro. La cabeza le temblaba.

Valerie cometió entonces el fatal error de querer ser amable.

—Señor director, ¿hay algo que yo pueda hacer?

—¿Hacer, hacer? —Danziger levantó los ojos como si saliera de su estupor—. Pues claro, haga algo, dígame que es una broma de Rory Doll, una broma cretina y de mal gusto. Porque si no, puede estar segura de que la echaré a la calle a puntapiés.

—Eso es todo, Val —dijo Doll apareciendo en la puerta, detrás de ella—. Vuelva al despacho. —La sensación de liberación que experimentó la mujer sólo alivió parcialmente su culpabilidad por haberse puesto en la línea de fuego.

—Maldita sea —rezongó Danziger—. Juro que la despediré.

Doll entró dando zancadas en el despacho y se plantó delante del escritorio del director de la Agencia.

—Si lo hace, Stu Gold caerá sobre usted como las moscas sobre la mierda.

—¿Gold? ¿Quién narices es Stu Gold y por qué carajo tendría que importarme?

—Es un abogado de la Agencia.

—Lo echaré también a patadas.

—Imposible, señor. Su compañía tiene un contrato blindado con nosotros, y es el único con autorización total para...

El director de la Agencia puso cara de pocos amigos y cortó el aire con la mano.

—¿Crees que no puedo encontrar un motivo para echarla? —Chascó los dedos—. ¿Cómo se llama?

—Zapolsky. Valerie A. Zapolsky.

—Cojonudo, ¿qué nombre es ése? ¿Ruso? Quiero que la investiguen a fondo, quiero saber hasta la marca de la laca con que se pinta las uñas de los pies, ¿entendido?

Doll asintió con diplomacia. Era esbelto y rubio, lo que hacía que sus ojos azul eléctrico brillasen como bengalas.

—Por supuesto, señor.

—Y que Dios te ayude si hay una mancha, por pequeña que sea, o una mínima duda en ese informe.

Desde la reciente deserción de Peter Marks, el director había estado de un humor de perros. Todavía no habían nombrado a otro director de operaciones. Marks había sido el jefe de Doll y éste sabía que si podía demostrar su lealtad a Danziger, tenía muchas posibilidades de ocupar su puesto. Apretando los dientes con furia silenciosa, el subordinado cambió de tema.

—Tenemos que hablar sobre el nuevo informe.

—No es una foto de archivo, ¿verdad? ¿No se trata de una broma?

—Ojalá lo fuera. —Doll negó con la cabeza—. Pero no, señor. Jason Bourne fue fotografiado cuando solicitaba un visado temporal en el aeropuerto de Denpasar, en Bali, Indonesia.

—Sé donde está Bali, Doll.

—Era para informar con todo detalle, señor, según las instrucciones que nos dio usted mismo el primer día.

El director, aún enfadado, no dijo nada. Miró el informe con la foto en blanco y negro de Bourne y lo cogió furiosamente con la mano, con su mano armada, como le gustaba decir.

—Como puede usted ver por la leyenda del ángulo inferior derecho, la foto fue tomada hace tres días, a las dos y media, hora local. Nuestro departamento de espionaje electrónico ha necesitado todo el tiempo transcurrido para asegurarse de que no era un error de transmisión o una interceptación.

Danziger respiró hondo.

—Estaba muerto, se suponía que Bourne estaba muerto. Estaba seguro de que lo habíamos silenciado para siempre. —Arrugó la foto y la tiró a la bandeja de la trituradora de papel—. Continúa allí, imagino que eso lo sabes.

—Sí, señor —repuso Doll, asintiendo con la cabeza—. En estos momentos está en Bali.

—¿Lo tienes vigilado?

—Las veinticuatro horas del día. No puede hacer un movimiento sin que nos enteremos.

Danziger meditó un momento.

—¿Quién es nuestro limpiador en Indonesia? —preguntó.

Doll esperaba aquella pregunta.

—Coven. Pero, señor, si me permite señalarlo, en su último informe desde El Cairo, Soraya Moore aseguraba que Bourne había tenido un papel decisivo en reducir el alcance del desastre del norte de Irán que acabó con Black River.

—Casi tan peligrosa como su condición de granuja es su habilidad para... ¿cómo lo diría?, influir demasiado en las mujeres. Está claro que Moore es una de ellas, motivo por el que la he despedido. —El director asintió con la cabeza—. Moviliza a Coven, Doll.

—Puedo hacerlo, señor, pero es posible que tarde un tiempo en...

—¿Quién está más cerca? —preguntó Danziger con impaciencia.

Doll comprobó sus notas.

—Tenemos un equipo de extracción en Yakarta. Puedo llevarlos a Bali en un helicóptero militar en menos de una hora.

—Hazlo y utiliza a Coven de refuerzo —ordenó el director de la Agencia—. Sus órdenes son traer a Bourne aquí. Quiero someterlo a un interrogatorio… a fondo. Quiero conocer sus secretos, cómo se las arregla para escapar de nosotros, cómo esquiva la muerte cada vez. —Los ojos de Danziger brillaron con maldad—. Cuando hayamos acabado con él, le meteremos una bala en la cabeza y diremos que lo han matado los rusos.

2

La larga noche de Bangalore estaba a punto de terminar. Condensado por el hedor de las aguas residuales, las enfermedades y el sudor humano, lleno de terror, cólera desplazada, deseos frustrados y desesperación, el amanecer ceniciento no hizo nada por devolver el color a la ciudad.

Tras encontrar una clínica, Arkadin entró en ella y se apoderó de lo que necesitaba: hilo de sutura, yodo, algodón esterilizado, vendas y los antibióticos que no había podido conseguir en el hospital. Mientras corría por las calles, sabía que necesitaba contener la hemorragia de la herida del muslo. No era una herida mortal, pero era profunda y no quería perder más sangre. Es más, necesitaba un lugar para esconderse, en el que poder detener el reloj que Oserov había puesto en marcha, un lugar para respirar y meditar sobre su situación. Se maldijo por haber permitido que el enemigo lo pillara con la guardia baja. Pero también era muy consciente de que su próximo paso sería crucial, de que el desastre podía convertirse en una catástrofe de proporciones astronómicas.

Con su red de seguridad local rota, ya no podía confiar en sus contactos habituales de Bangalore, lo que sólo le dejaba una opción: el lugar en el que tenía una influencia total. Mientras andaba, marcó una clave que le daba acceso a una línea segura y llamó a Stepan, a Luka, a Pavel, a Alik y a Ismael Bey, jefe fantasma de la Hermandad Oriental, una organización que controlaba él.

—Nos están atacando Maslov, Oserov y toda la Kazanskaya —les dijo bruscamente y sin preámbulos—. En estos momentos estamos en guerra.

Los había entrenado bien. Ninguno hizo preguntas superfluas, sino que se limitaron a acatar la orden con respuestas breves y cortaron la comunicación para poner en marcha los preparativos que

Arkadin había proyectado meses atrás. Cada capitán tenía un papel específico, cada uno activaría su parte del plan, un plan que literalmente se extendía por todo el globo. Si Maslov quería guerra, eso era lo que iba a tener, y no sólo en un frente.

Cabeceó y se echó a reír. Aquel momento había estado siempre en el aire, tan inevitable como su próxima respiración. Ahora que había llegado, tenía una palpable sensación de alivio. No más sonrisas con los dientes apretados, se acabó el fingir amistad donde sólo había amarga hostilidad.

«Eres hombre muerto, Dimitri Ilyinovich —pensó Arkadin—. Aunque aún no lo sepas.»

El cielo se había teñido de rosa y ya estaba cerca de Chaaya. Hora de hacer la llamada difícil. Marcó un número de once dígitos.

—Agencia Nacional Antinarcóticos —dijo en ruso una voz masculina en el otro extremo.

Era el peligroso FSB-2 que, a las órdenes de su jefe, un hombre llamado Viktor Cherkesov, se había convertido en la agencia más poderosa y temida del Gobierno ruso, sobrepasando incluso al FSB, el sucesor del KGB.

—Coronel Karpov, por favor —dijo Arkadin.

—Son las cuatro de la madrugada. El coronel Karpov no está disponible —replicó la voz, que no habría desentonado en la garganta de un muerto viviente de las películas de George Romero.

—Tampoco lo estoy yo —replicó Arkadin, aligerando su tono sarcástico—, pero he sacado tiempo para hablar con él.

—¿Y quién es usted? —preguntó la voz inexpresiva de su interlocutor.

—Me llamo Arkadin, Leonid Danilovich Arkadin. Busque a su jefe.

El hombre contuvo la respiración un momento.

—No cuelgue —repuso.

—Sesenta segundos —murmuró Arkadin, mirando su reloj y empezando la cuenta atrás—, ni uno más.

Cincuenta y ocho segundos más tarde, tras una serie de crujidos se oyó una voz profunda y áspera.

—Coronel Karpov al habla —dijo.

—Boris Illyich, casi hemos llegado a conocernos en varias ocasiones durante todos estos años.

—Ojalá pudiera tachar el «casi». ¿Cómo sé que estoy hablando con Leonid Danilovich Arkadin?

—Dimitri Maslov sigue quitándole el sueño, ¿verdad? —Al comprobar que Karpov no respondía, Arkadin prosiguió—: Coronel, ¿quién más podría ofrecerle la Kazanskaya en bandeja de plata?

Karpov lanzó una carcajada áspera.

—El auténtico Arkadin nunca se volvería contra su mentor. Quienquiera que sea usted, me está haciendo perder el tiempo. Adiós.

Arkadin le dio entonces una dirección secreta del cinturón industrial de Moscú.

Karpov guardó silencio un momento, pero Arkadin, que escuchaba atentamente, oyó el ruido raspante de su respiración. Todo dependía de aquella conversación, de que el coronel creyera que él era, en efecto, Leonid Danilovich Arkadin y le estaba diciendo la verdad.

—¿Y qué se supone que he de hacer con esa dirección? —preguntó el coronel al cabo de un momento.

—Es un almacén. El exterior parece exactamente igual que los cientos de almacenes que lo rodean. Y el interior también.

—Me está aburriendo, *gospadin* Comosellame.

—La tercera puerta a la izquierda, cerca del fondo, conduce al lavabo de caballeros. Deje atrás los mingitorios y vaya al último escusado de la derecha, que no tiene inodoro, sólo una puerta en la pared.

Karpov vaciló un instante antes de hablar.

—¿Y luego?

—Vaya bien preparado —le advirtió Arkadin—. Armado hasta los dientes.

—Insinúa que lleve un pelotón con...

—¡No! Vaya usted solo. Es más, no diga nada, no comunique a nadie adónde va. Cuente que va al dentista o a echar un polvo vespertino, lo que sus camaradas prefieran creer.

Otra pausa, esta vez cargada de amenazas.

—¿Quién es el topo de mi oficina?

—Ah, vamos, Boris Illyich, no sea tan desagradecido. No querrá arruinarme la diversión después del regalo que le acabo de hacer. —Arkadin respiró hondo. Al ver que el coronel había mordido el anzuelo, juzgó que era el momento de obligarlo a tragárselo hasta el fondo—. Pero si yo estuviera en su lugar, no utilizaría el singular..., yo diría topos.

—¿Qué? ¡Oiga...!

—Será mejor que se ponga en marcha, coronel, o sus objetivos habrán hecho el equipaje cuando amanezca. —Rió por lo bajo—. Ya tiene mi número. Llámeme cuando vuelva y hablaremos de nombres y, posiblemente, de muchas, muchas más cosas.

Cortó la conexión antes de que Karpov pudiera decir nada más.

A punto de terminar su turno de trabajo, Delia Trane estaba sentada ante su escritorio mirando el modelo informático tridimensional de un explosivo diabólicamente inteligente, mientras se devanaba los sesos para descubrir la forma de desactivarlo antes de que el temporizador terminara la cuenta atrás. En el interior de la bomba sonaría un zumbido si lo hacía mal: si cortaba el cable equivocado con la navaja virtual o si lo movía demasiado. Ella misma había creado el *software* que había ideado la bomba virtual, pero eso no significaba que no las estuviera pasando moradas para averiguar la forma de desactivarla.

Delia era una mujer anodina, de treinta y tantos años, con ojos claros, cabello corto y una piel morena heredada de su madre colombiana. A pesar de su relativa juventud y su temperamento a veces feroz, era una de las expertas en explosivos más codiciadas de la ATF, la agencia de la Secretaría de Justicia estadounidense que controla el alcohol, el tabaco, las armas de fuego y los explosivos. También era la mejor amiga de Soraya Moore, y cuando uno de los guardias de recepción la llamó para decirle que Soraya estaba en el vestíbulo, Delia le pidió que la enviara a su despacho inmediatamente.

Las dos mujeres se habían conocido en el trabajo, habían descubierto el genio batallador y la independencia de la otra, reconociendo y apreciando ese espíritu afín que tan difícil era de encontrar en el sector público y herméticamente cerrado de Beltway. Como se habían conocido en una de las misiones clandestinas de Soraya, no tenían necesidad de ocultarse sus respectivos trabajos y lo que significaban para ellas, que era el principal factor que acababa con las relaciones en Washington. Además, ambas sabían que, para bien o para mal, su vida entera estaba ligada a sus respectivos empleos; que sólo servían para realizar un trabajo del que no podían hablar con civiles, lo que en cierta manera validaba su existencia, su independencia como mujeres, y su importancia a pesar de la desigualdad de género que existía allí, como prácticamente en toda la capital. Juntas se enfrentaban diariamente a la plutocracia como un par de amazonas.

Delia volvió a la contemplación de su modelo, que para ella era como un mundo entero en miniatura. Poco después estaba totalmente inmersa en el problema, así que no dedicó ni un momento a preguntarse qué estaría haciendo su amiga allí a aquellas horas. Cuando vio una sombra proyectada sobre su ordenador, levantó los ojos hacia el rostro de Soraya y se dio cuenta de que algo no iba bien.

—Por el amor de Dios, siéntate —dijo, acercándole una silla— antes de que te desplomes. ¿Qué ha pasado? ¿Es que se ha muerto alguien?

—Se trata de mi trabajo.

Delia la miró intrigada.

—No te entiendo.

—Me han echado, despedido, enviado a hacer puñetas —replicó Soraya—. Eliminada sin heridas graves..., pero desde luego perjudicada —añadió con mal humor.

—¿Qué ha pasado?

—Soy egipcia, musulmana y mujer. Nuestro nuevo director no necesita más razones.

—No te preocupes, conozco un buen abogado que...

—Olvídalo.

Delia frunció el entrecejo.

—No dejarás que se salgan con la suya, ¿verdad? Es discriminación, Raya.

Soraya sacudió el aire con la mano.

—No voy a pasar los próximos dos años de mi vida peleando con la Agencia y el secretario Halliday.

Delia se retrepó en la silla.

—Así que viene de arriba, ¿eh?

—¿Cómo han podido hacerme esto a mí? —se quejó Soraya.

Delia se levantó y rodeó el escritorio para abrazar a su amiga.

—Lo sé, es como si te dejara plantada un amante, alguien a quien creías conocer, pero que resulta que te estaba utilizando y, peor aún, traicionando desde el principio.

—Ahora sé cómo se sentía Jason —comentó Soraya con aire sombrío—. No para de sacarle las castañas del fuego a la CI y ¿qué recibe a cambio? Ser perseguido como un perro.

—¡Adiós y buen viaje, CI! —Delia le dio un beso en la cabeza—. Es hora de empezar una nueva vida.

Soraya levantó los ojos para mirarla.

—¿De veras? ¿Haciendo qué, exactamente? Este tenebroso mundo es lo único que conozco, lo único que quiero hacer. Y Danziger está tan cabreado por no haberme presentado cuando lo ordenó que me ha puesto en una lista negra secreta, para que no pueda trabajar en ninguna agencia gubernamental de inteligencia.

Delia se quedó pensando un momento.

—Te diré lo que haremos. Tengo que hacer un par de cosas y llamar por teléfono, y luego nos iremos a tomar unas copas y a cenar. Y después conozco un lugar especial que quisiera enseñarte. ¿Qué te parece?

—Mejor que ir a casa, atiborrarme de helado y ver la tele.

Delia se echó a reír.

—Así me gusta. —Agitó un dedo en el aire—. No te preocupes, vamos a pasarlo tan bien esta noche que te olvidarás de estar triste.

Soraya le dirigió una sonrisa compungida.

—¿Y de estar amargada?

—También nos ocuparemos de eso.

Bourne salió deprisa de la casa de Suparwita, sin mirar a derecha ni a izquierda. Para la gente que observaba, parecía un hombre con una misión urgente. Sospechaba que querrían seguirlo hasta su próximo destino.

Los oyó siguiéndolo a través del bosque, acercándose. Corrió entre los arbustos, deseando su proximidad, para que su agitación se convirtiera en la agitación de ellos. Su vida no estaba en peligro, lo sabía, no hasta que lo hubieran interrogado. Querrían saber lo que sabía del anillo. Sin duda querrían ser discretos, pero no había secretos en Bali. Bourne había oído que habían estado preguntando por él en Manggis, el pueblo más cercano. Cuando supo que eran rusos, no le cupo ninguna duda de que trabajaban para Leonid Arkadin. La última vez que había visto a su enemigo, el primer graduado del programa militar de Treadstone, había sido en el norte de Irán, en la zona asolada por la guerra.

Ahora, en medio de la selva esmeralda y ocre de Bali, Bourne dobló de repente a la derecha, dirigiéndose hacia un enorme *beringin* (lo que los occidentales llamaban baniano), el símbolo balinés de la inmortalidad. Saltó a una de las ramas del *beringin*, abriéndose paso entre la laberíntica fronda hasta que alcanzó altura suficiente para tener una visión panorámica de la zona. Los pájaros se llamaban entre sí y los insectos zumbaban. Aquí y allá, los rayos del sol penetraban en la cúpula arbolada, tiñendo la tierra blanda de color chocolate.

Al poco rato divisó a uno de los rusos avanzando cautelosamente entre los densos arbustos, rodeando árboles de espeso follaje. Apoyaba el cañón de un AK-47 en el brazo izquierdo y tenía el índice de la mano derecha en el gatillo, preparado para disparar una ráfaga al menor ruido o alteración. Avanzaba lentamente hacia el *beringin* de Bourne. De vez en cuando levantaba los ojos hacia las copas, con los oscuros ojos entornados y al acecho.

Bourne se movió en silencio entre las ramas, buscando una buena posición. Esperó a que el ruso estuviera debajo de él para lanzarse como un rayo. Cayó con los pies sobre los hombros del ruso, dislocándole uno y haciéndole perder el equilibrio. Rodando como si fuera una pelota, aprovechó la caída para dar una voltereta sin sufrir ningún daño. Se puso de pie antes de que su perseguidor recuperase el aliento. A pesar de todo, el adiestramiento del ruso se hizo notar, ya que levantó la pierna y le golpeó en el esternón.

Bourne gruñó. El ruso, con los dientes apretados de dolor, trató de ponerse en pie, y pareció que el tiempo se detenía, como si el bosque primigenio que los rodeaba contuviese el aliento. El norteamericano atacó con el brazo derecho, rompiendo con el canto de la mano los huesos del hombro dislocado de su contrincante. Éste gimió, pero al mismo tiempo golpeó con la culata del fusil el costado de su atacante.

Apoyándose en el fusil, el ruso se puso en pie y avanzó tambaleándose hasta donde se encontraba Bourne, enredado en las lianas. Le apuntó con la boca del cañón, pero el estadounidense le hizo una tijereta con las piernas a la altura de las rodillas y lo derribó en el suelo. Un disparo segó las ramas superiores, causando una lluvia de hojas, trozos de corteza y ramas. El ruso asió el AK-47 por el cañón, tratando de utilizarlo como un bate de béisbol, pero Bourne ya se había colocado dentro del arco que trazó el arma. Con un golpe seco propinado con el canto de la mano le rompió la clavícula al ruso, mientras con la otra mano le golpeaba la nariz, con tanta fuerza que le hundió el cartílago y los huesos en el cerebro. Mientras el hombre se desplomaba muerto, Jason Bourne le arrancó el fusil de asalto de las manos ensangrentadas. Vio el tatuaje que el ruso se había hecho en prisión, una serpiente enroscada en una daga, prueba incontestable de que era miembro de la *grupperovska*.

El norteamericano se estaba soltando de las lianas cuando oyó una voz gutural a su espalda.

—Suelta el arma —dijo en ruso el recién llegado. Tenía acento de Moscú.

Bourne se volvió lentamente y vio al segundo perseguidor, que sin duda se había guiado por el disparo.

—He dicho que la sueltes —insistió el hombre. También empuñaba un AK-47, con el que apuntaba directamente a Jason.

—¿Qué quieres?

—Sabes muy bien lo que quiero —replicó el ruso—. Ahora suelta el arma y entrégamelo.

—¿Que te entregue qué? Dime lo que quieres y te lo daré.

—Me darás el anillo ahora. Después de que sueltes el fusil de mi socio. —Le hizo una seña con la mano—. Vamos, capullo. Si no, te dispararé en una pierna, luego en la otra y, si eso no basta, bueno, ya sabes lo doloroso que puede ser un tiro en la barriga, y todo lo que sufrirás hasta que mueras desangrado.

—Tu socio. Una lástima lo que le ha pasado —le espetó Bourne, soltando el fusil en aquel momento.

Por puro instinto, el ruso, sin poder evitarlo, echó un vistazo a su compañero caído. Al hacerlo, el movimiento del AK-47 le hizo bajar la dirección de la mirada. Fue entonces cuando Bourne cogió la liana y la agitó hacia arriba y hacia un lado. Enlazó al ruso por el cuello y, con un fuerte tirón, lo arrastró hacia él, hasta donde su puño alcanzaba. El tipo se dobló, y él, soltando la liana, lo golpeó detrás del cuello, con ambos puños.

El hombre se tambaleó. Bourne se le subió encima y lo hizo caer al suelo. Su contrincante seguía aturdido, jadeando y agitándose como un pez en el fondo de una barca. Aprovechó para abofetearlo con ganas y luego le clavó la rodilla en el esternón, descargando todo su peso.

El ruso lo miró fijamente con sus ojos azules. Tenía el rostro muy rojo y una gota de sangre le resbaló por la comisura de la boca.

—¿Por qué te ha enviado Leonid? —le preguntó Bourne en ruso.

El hombre parpadeó.

—¿Quién?

—No sigas por ese camino. —Apretó y el tipo soltó un gruñido—. Sabes muy bien de quién hablo. De Leonid Arkadin.

Durante un momento, el ruso se le quedó mirando, sin poder hablar. Luego, a pesar de las circunstancias, rió levemente.

—¿Eso crees? —Las lágrimas le resbalaron por las mejillas—. ¿Crees que trabajo para ese saco de mierda?

La respuesta había sido demasiado espontánea, demasiado inesperada para ser falsa. Además, ¿por qué iba a mentir? Bourne se quedó callado un momento, meditando la situación.

—Si no ha sido Arkadin —arguyó lenta y detenidamente—, ¿quién ha sido?

—Soy miembro de la Kazanskaya. —El tono orgulloso de su voz no dejaba lugar a dudas; le estaban diciendo la verdad.

—Entonces te ha enviado Dimitri Maslov. —No hacía mucho, Bourne había conocido al jefe de la Kazanskaya en Moscú, en unas circunstancias poco agradables.

—Es una forma de decirlo —manifestó el ruso—. Yo informo a Vylacheslav Germanovich Oserov.

—¿Oserov? —Bourne nunca había oído hablar de aquel tipo—. ¿Quién es?

—El director de operaciones. Vylacheslav Germanovich planea todas las fases de la acción en la Kazanskaya, mientras que Maslov se ocupa del cada vez más molesto Gobierno.

Bourne meditó unos momentos.

—Vale, pongamos que informas al tal Oserov. ¿Por qué te hizo tanta gracia que creyera que te había enviado Arkadin?

Los ojos del ruso relampaguearon.

—Eres más ignorante que una coliflor. Oserov y Arkadin se odian como perros en celo.

—¿Por qué?

—Hace muchos años que empezaron sus rencillas. —El ruso escupió algo de sangre—. ¿Ha terminado el interrogatorio?

—¿Cuál es el motivo de que se odien?

El tipo sonrió enseñando los dientes ensangrentados.

—Joder, levántate ya de mi pecho.

—Claro. —Bourne se puso en pie, cogió el AK-47 y le propinó un culatazo en la cabeza.

3

—Debería haberlo imaginado —dijo Soraya.

Delia se volvió hacia ella guiñándole el ojo.

—¿Imaginado qué?

—Que una jugadora empedernida como tú me llevaría al mejor garito de póquer del distrito.

Delia sonrió mientras Reese Williams las conducía por un pasillo empapelado y salpicado de cuadros y fotos de la fauna africana, sobre todo de elefantes.

—Había oído hablar de este lugar —comentó Soraya dirigiéndose a Williams—, pero es la primera vez que Delia ha decidido traerme.

—No lo lamentarás —replicó Williams por encima del hombro—. Te lo prometo.

Se encontraban en su mansión de los tiempos del Partido Federalista, próxima a Dupont Circle, el lujoso barrio de Washington. Reese Williams era el fuerte brazo derecho del Director de la Policía, Lester Burrows, un brazo indispensable para él en muchos aspectos, uno de los cuales era los muchos contactos que tenía la mujer en los peldaños más altos de la política washingtoniana.

Williams empujó la puerta doble, dejando al descubierto una biblioteca que había sido convertida en una sala de juego, con una mesa de paño verde, seis cómodas sillas, y nubes de aromático humo de puro. Al entrar, los únicos sonidos de la habitación eran el tintineo de las fichas y el apenas audible susurro de las cartas que se barajaban y se repartían entre los cuatro hombres sentados alrededor de la mesa.

Además de Burrows, Soraya reconoció a dos senadores, uno joven y otro veterano, un destacado miembro de un poderoso grupo de presión y... abrió los ojos de par en par. ¿Sería...?

—¿Peter? —exclamó con incredulidad.

Peter Marks dejó de contar sus fichas y levantó la mirada.

—Santo Dios, Soraya —dijo, poniéndose en pie—. No me dé cartas. —Rodeó la mesa verde para abrazarla—. Delia, ¿puedes ocupar mi sitio?

—Encantada —dijo ella, se volvió hacia su amiga—. Peter es un cliente habitual y lo llamé desde el despacho. Creí que te gustaría ver a un viejo compatriota.

Soraya sonrió y le dio un beso.

—Gracias.

Delia asintió con la cabeza y los dejó para ir a sentarse a la mesa. Cogió su habitual paquete de fichas de la banca y firmó un recibo por la cantidad tomada.

—¿Qué tal estás? —preguntó Marks, poniéndole una mano en el hombro.

Soraya lo examinó con aire crítico.

—¿Cómo crees que estoy?

—Mis amigos de la CI ya me han contado lo que te hizo Danziger. —Sacudió la cabeza—. La verdad es que no me sorprende.

—¿Qué quieres decir?

Marks la condujo por el pasillo hasta un tranquilo rincón de la desierta salita, donde podían gozar de intimidad total. Unas puertas de cristales daban a un sombreado espacio lleno de plantas. El papel de las paredes era de un cálido color caqui y había más fotos de Reese Williams en África, rodeada de grupos tribales. En algunas fotos aparecía además un hombre mayor, probablemente su padre. Alrededor de una chimenea con repisa de mármol se habían dispuesto lujosos sofás y varios cómodos sillones con tapizado de rayas. Completaban el cuadro una mesa baja de madera y un aparador con dos bandejas de botellas de licor y vasos de cristal. No había sueldo municipal ni soborno que pudiera pagar aquella magnífica casa. Reese debía de pertenecer a una familia muy rica.

Se sentaron juntos en el sofá, medio vueltos, para mirarse a la cara.

—Danziger anda buscando excusas para librarse de la cúpula de la CI —dijo Marks—. Quiere poner a su gente, y con eso me refiero a la gente del secretario Halliday, en puestos de poder, pero sabe que tiene que actuar cuidadosamente para que no parezca que está cargándose a toda la vieja guardia, aunque ése haya sido el plan desde el principio. Por eso me largué al saber que iba a ser el jefe.

—Pues yo he estado en El Cairo. No sabía que habías dejado la CI. ¿Dónde has aterrizado?

—En el sector privado. —Marks enmudeció durante unos momentos—. Escucha, Soraya. Sé que puedes guardar un secreto, así que voy a arriesgarme a contártelo. —Se detuvo y miró hacia la puerta, que había cerrado cuidadosamente al entrar.

—¿Y bien?

Marks se inclinó aún más, para que sus rostros estuvieran más juntos.

—Estoy en Treadstone.

Durante un momento sólo hubo un silencio sorprendido y el tictac del reloj de bronce de estilo náutico que se veía en la repisa de mármol de la chimenea. Soraya trató de sonreír.

—Vamos, Treadstone está muerto y enterrado.

—El antiguo Treadstone sí —replicó Marks—. Pero hay un nuevo Treadstone, resucitado por Frederick Willard.

El nombre de Willard borró la sonrisa del rostro de Soraya. Conocía su reputación; se rumoreaba que dentro de la NSA había sido agente de reserva de Treadstone y que había desempeñado un papel decisivo a la hora de denunciar las criminales técnicas de interrogatorio del antiguo director. Pero desde entonces, por lo visto, se había esfumado del radar de todo el mundo. Así que lo que acababa de confiarle Peter era muy verosímil.

Soraya cabeceó con expresión preocupada.

—No lo entiendo. Treadstone era una operación ilícita, incluso para lo que era habitual en la CI. Fue cancelada por muy buenas razones. ¿Por qué has fichado ahora por ellos?

—Muy sencillo. Willard detesta a Halliday tanto como yo... y tanto como tú. Me ha prometido que va a utilizar los recursos de Treadstone para destruir su credibilidad y su base de poder. Por eso quiero que te unas a nosotros.

Ella se quedó sin habla.

—¿Qué? ¿Unirme a Treadstone? —Peter asintió con la cabeza y Soraya entornó los ojos con aire suspicaz—. Espera un momento. Tú sabías que iba a ser despedida en cuanto cruzara las puertas de la central.

—Todo el mundo lo sabía, menos tú.

—Santo Dios.

La mujer se puso en pie y comenzó a pasear por la habitación, acariciando con los dedos los lomos de los libros que había en las estanterías, los elefantes de bronce y el tejido de las gruesas cortinas, sin siquiera ser consciente de que lo hacía. Peter tuvo la sensatez de no decir nada. Finalmente, se volvió hacia él desde el otro extremo de la habitación.

—Dame una buena razón para fichar con vosotros..., y por favor, no me vengas con simplezas.

—Vale, aparte del hecho de que necesitas un trabajo, piénsalo un minuto. Cuando Willard cumpla su promesa y Halliday se haya ido, ¿cuánto crees que durará Danziger en la agencia? —Se puso en pie—. No sé tú, pero yo quiero que vuelva la vieja CI, la que dirigió el Viejo durante décadas y de la que yo me sentía orgulloso.

—Te refieres a la que utilizó a Jason una y otra vez, cuando convenía a sus fines.

Marks se echó a reír, desviando la puñalada del sarcasmo femenino.

—¿No es ésa una de las cosas que las organizaciones de inteligencia hacen mejor? —Se acercó a ella—. Vamos, dime que no quieres que vuelva la antigua agencia.

—Quiero volver a dirigir Typhon.

—Sí, bueno, no querrás saber cómo ha jodido Danziger las redes de Typhon que organizaste.

—Si te digo la verdad, en lo único que he pensado desde que salí esta tarde del cuartel general es en el futuro de Typhon.

—Pues únete a mí.

—¿Y si Willard fracasa?

—No fracasará —le aseguró él.

—Nada es seguro en esta vida, Peter, tú deberías saberlo mejor que nadie.

—Sí, tienes razón. Si fracasa él, fracasamos todos. Pero al menos sabremos que hemos hecho todo lo posible por recuperar la vieja CI, que no nos hemos doblegado ante Halliday y una NSA en expansión.

Soraya suspiró y se acercó a Marks.

—¿Dónde ha conseguido Willard los fondos para resucitar Treadstone?

Sólo por hacer la pregunta comprendió que había aceptado la oferta. Se dio cuenta de que estaba pillada. Pero mientras lo sopesaba, estuvo a punto de no advertir la expresión de contrariedad de Peter.

—No me va a gustar, ¿verdad?

—A mí tampoco me gustó, pero... —Se encogió de hombros—. ¿Te suena el nombre de Oliver Liss?

—¿Uno de los jefazos de Black River? —Lo miró con ojos como platos y se echó a reír—. Estás de broma, ¿verdad? Jason y yo tuvimos un papel activo en el descrédito de Black River. Pensaba que los tres habían sido condenados.

—Los compañeros de Liss lo fueron, pero él había cortado todos los lazos con Black River meses antes de que la mierda que Bourne y tú le echasteis diera en el ventilador. Nadie pudo encontrar ni rastro de su participación en las actividades ilegales.

—¿Se enteró?

Peter se encogió de hombros.

—Posiblemente sólo fue suerte.

Soraya lo miró fijamente.

—No me lo creo, y tú tampoco.

Él asintió con la cabeza.

—Tienes toda la razón, joder, no me gusta. ¿Cómo se concilia con el sentido de la ética de Willard?

Marks respiró hondo y expulsó el aire lentamente.

—Halliday juega más sucio que nadie que haya conocido. Se necesite lo que se necesite para derrotarlo, lo derrotaré. Te lo aseguro.

—Aunque tengas que hacer un pacto con el diablo.

—Quizá se necesite un diablo para destruir a otro.

—Aunque lo que dices sea verdad, es una pendiente peligrosa.

Peter Marks sonrió.

—¿Por qué crees que te quiero a bordo? En algún momento necesitaré a alguien que me saque de la mierda antes de que me cubra la cabeza. Y no se me ocurre nadie mejor que tú.

Moira Trevor, con una pistola Lady Hawk en la funda de la cadera, miraba las oficinas vacías de su reciente pero ya amenazada compañía, Heartland Risk Management, LLC. El espacio se había vuelto tóxico tan rápidamente que no sentía lástima por abandonarla, sólo consternación por el hecho de que hubiera durado menos de un año. Allí no había más que polvo, ni siquiera recuerdos que pudiera llevarse.

Se volvió para irse y vio a un hombre en el vano de la puerta que daba al vestíbulo. Iba vestido con un terno de aspecto caro, relucientes zapatos ingleses y, a pesar de que el día era claro, un paraguas cerrado con empuñadura de madera.

—La señora Trevor, supongo.

La mujer lo miró fijamente. Sus cabellos eran como cerdas de acero, tenía ojos negros y un acento que no habría sabido definir. Llevaba una bolsa de papel marrón, que miró con recelo.

—¿Y usted quién es?

—Binns. —El desconocido le tendió la mano—. Lionel Binns.

—¿Lionel? Debe de estar de broma, nadie se llama Lionel en esta época.

El recién llegado la miró sin pestañear.

—¿Me permite entrar, señora Trevor?

—¿Por qué quiere entrar?

—He venido a hacerle una oferta.

Ella vaciló un momento y luego asintió con la cabeza. El hombre cruzó el umbral sin dar la sensación de haberse movido.

—Oh, cielos, ¿qué es esto? —dijo, mirando a su alrededor.

—Desolation Row.

Binns sonrió.

—A mí también me gustaba Bob Dylan.

—¿En qué puedo ayudarlo, señor Binns?

Se puso tensa cuando el hombre levantó la bolsa de papel marrón y la abrió. Sacó dos vasos de papel.

—He traído un poco de té de cardamomo.

Primera pista.

—Qué amable —dijo Moira, aceptando el té. Quitó la tapa de plástico para mirar dentro. Llevaba leche. Tomó un sorbo. Muy dulce—. Gracias.

—Señora Trevor, soy abogado. Mi cliente quiere contratarla.

—Estupendo. —Echó un vistazo a Desolation Row—. Me vendría bien un trabajo.

—Mi cliente quiere que busque un ordenador portátil que le robaron.

Moira detuvo el vaso a medio camino de los labios. Sus ojos color café miraron a Binns, escrutándolo. La mujer tenía un rostro duro, acorde con su personalidad.

—Debe de haberme confundido con una investigadora privada. No escasean en el barrio, cualquiera podría...

—Mi cliente la quiere a usted, señora Trevor. Sólo a usted.

Ella se encogió de hombros.

—Está sacudiendo el árbol equivocado. Lo siento. No es mi oficio.

—Oh, claro que lo es. —No había nada siniestro, ni siquiera desagradable, en el rostro de Binns—. Veamos si he entendido bien. Usted era agente de campo de Black River, una agente de alto nivel. Hace ocho meses renunció y fundó Heartland después de sisarle a su antiguo jefe lo mejor y más brillante que tenía. No se echó atrás cuando Black River trató de intimidarla, de hecho repelió la agresión y sacó a la luz pública los trapos sucios de la compañía. Ahora, por ese problema, su antiguo jefe, Noah Perlis, está muerto, los empleados de Black River han huido en desbandada y dos de sus principales fundadores han sido imputados. Corríjame si me he equivocado hasta ahora.

Moira, atónita, no dijo nada.

—En lo que respecta a mi cliente —prosiguió el hombre—, es usted la candidata perfecta para buscar y recuperar su portátil robado.

—¿Y dónde exactamente está su cliente?

Brinns sonrió.

—¿Interesada? Hay una bonita recompensa para usted.

—No me interesa el dinero.

—¿Aunque necesite trabajo? —Binns ladeó la cabeza—. No importa. No estaba hablando de dinero, aunque sus honorarios habituales le serán abonados por adelantado. No, señora Trevor, estoy hablando de algo más valioso para usted. —Recorrió la habitación con la mirada—. Estoy hablando de la razón por la que deja usted esto.

Moira se quedó helada, con el corazón acelerado.

—No sé a qué se refiere.

—Tiene un traidor en su organización —dijo Binns con voz neutral—. Alguien que está en la nómina de la NSA.

Ella frunció el entrecejo.

—¿Quiere decirme quién es su cliente, señor Binns?

—No tengo autorización para revelar su identidad.

—Y supongo que tampoco la tendrá para decirme cómo es que sabe tanto de mí.

Él abrió los brazos.

—Muy bien —añadió Moira, asintiendo con la cabeza—. Encontraré a ese maldito traidor yo misma.

Sorprendentemente, aquella reacción despertó una sonrisa felina en la cara de Binns.

—Mi cliente dijo que ésa sería su respuesta. Yo no me lo creí, así que ahora le debo mil dólares.

—Estoy segura de que encontrará la forma de incluirlo en su minuta.

—Cuando me conozca mejor, se dará cuenta de que no soy esa clase de hombres.

—Es usted muy optimista —replicó Moira.

—Posiblemente —adujo Binns, asintiendo con la cabeza. Se retiró hacia la puerta y levantó una mano—. Si me acompaña... —Como ella no se movió ni un palmo, añadió—: Sólo por esta vez le ruego que me haga caso. No le robaré más de quince minutos de su tiempo, ¿qué tiene que perder?

A Moira no se le ocurrió nada, así que dejó que la condujera al exterior.

Chaaya vivía en el ático de una de las deslumbrantes ciudades en miniatura de Bangalore, en una comunidad residencial rodeada por una verja y vigilada día y noche para protegerla de los muchos saqueadores que pululaban por los alrededores. Si las precauciones alejaban los peligros de la ciudad o tenían prisioneros a sus moradores, pensaba Arkadin, era sólo cuestión de punto de vista.

Chaaya abrió la puerta cuando llamó, como siempre hacía, fuera la hora que fuese. La verdad es que no tenía elección. Procedía de una familia rica y vivía en el regazo del lujo, pero todo eso se evaporaría si se enterasen de su secreto. Era hindú y el hombre del que se había enamorado musulmán, un pecado mortal a ojos de su padre y sus tres hermanos si se enterasen de la trasgresión. Aunque Arkadin no conocía a su amante, había conseguido que su secreto estuviera a salvo; Chaaya se lo debía todo y obraba en consecuencia.

De figura exuberante, piel morena y con un salto de cama de gasa y los párpados caídos de sueño, atravesó el apartamento con la gracia sensual de una actriz de Bollywood. No era muy alta, pero su porte producía esa ilusión; cuando entraba en una habitación, las cabezas se volvían hacia ella, tanto las masculinas como las femeninas. No le interesaba en absoluto si le gustaba Arkadin ni qué pensaba de él. Chaaya le temía, y eso era todo lo que necesitaba.

Había más luz por encima de los tejados, dando la falsa impresión de que ya había comenzado el día. Claro que aquel apartamento, que reflejaba la vida de ambos, estaba lleno de falsas impresiones.

Ella vio enseguida su pierna ensangrentada y lo condujo al cuarto de baño, todo espejos y mármol de vetas rosas y doradas. Mientras Arkadin se quitaba los pantalones, Chaaya abrió el grifo de agua caliente. Le cosió la herida con destreza y él le preguntó si lo había hecho antes.

—Una vez, hace mucho tiempo —respondió con aire enigmático.

Tal era el motivo de que hubiera acudido allí en unos momentos en que la confianza escaseaba. Chaaya y él reconocían algo de ellos mismos en el otro, algo oscuro y roto. Ambos se sentían marginados e incómodos en el mundo que habitaba la mayoría, preferían rozar los límites, medio ocultos por las sombras oscilantes que atemorizaban a todos los demás. Eran seres aparte, extranjeros quizás incluso para ellos mismos, pero amigos debido precisamente a ese hecho.

Mientras Chaaya lo lavaba y seguía cerrándole la herida, Arkadin meditó su próximo movimiento. Tenía que salir de la India, de eso no había duda. ¿Dónde imaginaría Oserov que iría? ¿A Campione d'Italia, en Suiza, donde la Hermandad Oriental tenía una villa? ¿O al cuartel general de Múnich? La lista de posibilidades de Oserov tenía que ser forzosamente corta; incluso Maslov tenía sus limitaciones para enviar a sus matones por todo el mundo en lo que podría resultar una empresa imposible. El jefe de la Kazanskaya nunca había reparado en gastos en lo referente a hombres y recursos, por eso seguía al mando de la familia *grupperovka* más poderosa en una época en que el Kremlin estaba desmantelando a la mafia sin contemplaciones.

Arkadin sabía que tenía que mudarse a un lugar que fuera totalmente seguro. Tenía que elegir un sitio en el que ni Oserov ni Maslov pensaran ni por asomo. Y no se lo contaría a nadie de su organización, al menos hasta que supiera cómo había localizado Oserov su cuartel general en Bangalore.

Así que tendría que ingeniárselas para salir de la ciudad y del país. Pero antes tenía que sacar el portátil de Gustavo Moreno de su escondite.

Cuando Chaaya hubo terminado y se sentaron en el salón, le dijo:

—Por favor, trae el regalo que te di.

Ella ladeó entonces la cabeza con una débil sonrisa bailándole en la boca.

—¿Estás diciendo que por fin puedo abrirlo? Me moría de curiosidad.

—Tráelo.

La mujer salió deprisa de la habitación y volvió al momento con una caja dorada de buen tamaño y atada con una cinta roja. Se sentó frente a él, en tensión y a la expectativa, con la caja sobre los muslos.

—¿Puedo abrirla ya?

Arkadin estaba mirando el paquete.

—Ya la has abierto.

Una expresión de temor cruzó el rostro femenino con la velocidad de una gaviota que atravesara un muelle. Luego se esforzó por sonreír.

—Oh, Leonid, no pude evitarlo, y es un vestido precioso. Nunca había visto una seda como ésa, tuvo que costarte una fortuna.

Arkadin alargó las manos.

—La caja.

—Leonid... —dijo, pero hizo lo que se le ordenaba—. No llegué a sacarlo, sólo lo toqué.

Él deshizo el nudo, dándose cuenta de que lo habían vuelto a hacer con esmero, y levantó la tapa.

—Me gusta tanto que habría matado a cualquiera que se hubiese acercado.

La verdad era que él había contado con eso. Cuando le dio la caja rogándole encarecidamente que no la abriera, había visto la avidez en sus ojos y supo que no sería capaz de resistirse. Pero también supo que protegería el paquete con su vida. Así era Chaaya.

El vestido, que en realidad era excepcionalmente caro, estaba doblado tres veces. Sacó el portátil, que había escondido entre los lujosos pliegues, y le dio el vestido.

Ocupado en desatornillar la parte inferior del ordenador para poder insertar el disco duro, apenas oyó los gritos de placer de Chaaya ni sus expresiones de gratitud.

El director de la CI, M. Errol Danziger, solía almorzar en su escritorio mientras hojeaba los informes de los miembros de los jefes de sección y los comparaba con los duplicados que le enviaban diariamente de la NSA. Pero dos veces por semana almorzaba fuera del recinto de la Agencia. Siempre acudía al mismo restaurante, el Occidental, en Pennsylvania Avenue, y comía con la misma persona, el secretario de Defensa Bud Halliday. Danziger, muy consciente de la forma en que habían matado a su antecesor, recorría las dieciséis manzanas que lo separaban del restaurante en un GMC Yukon Denali blindado, en compañía del teniente R. Simmons Reade, dos guardaespaldas y un secretario. Nunca iba solo; le inquietaba estar solo, una sensación que tenía desde la infancia, una época llena de imágenes de conflictos familiares y abandono.

Soraya Moore lo estaba esperando. Se había enterado de los horarios del director de la CI por mediación de su antiguo director de operaciones, que dirigía Typhon temporalmente. Sentada a una mesa del Café du Parc del Hotel Willard, que lindaba con la sección exterior del Occidental, vio la llegada del Denali a la una en punto. Cuando se abrió la portezuela trasera, se puso en pie, y cuando el séquito estuvo reunido en la acera, estaba tan cerca de Danziger como los guardaespaldas lo permitían. Uno de ellos, con un pecho tan ancho como la mesa a la que había estado sentada, ya se había puesto delante de ella, mirándola desde las alturas.

—Director Danziger —dijo en voz alta—, soy Soraya Moore.

El otro guardaespaldas ya tenía la mano en el arma cuando Danziger les ordenó que se estuvieran quietos. Era un hombre bajo y cuadrado, de hombros caídos. Se había empeñado en estudiar la cultura islámica, lo que había conseguido aumentar su antipatía por una religión, más aún, por una forma de vida que le parecía atrasada, incluso medieval por sus convenciones y costumbres. Tenía la firme creencia de que los islamistas, como los llamaba en privado, nunca podrían conciliar sus creencias religiosas con el ritmo y el progreso del mundo moderno, por mucho que aseguraran que sí. A sus espaldas, no sin admiración, era conocido por el sobrenombre de Árabe, por su confesado deseo de librar al mundo de terroristas islámicos y de cualquier otro islámico lo bastante atolondrado para ponerse en su camino.

—Es usted la egipcia que consideró necesario quedarse en El Cairo, a pesar de haber sido convocada —dijo Danziger, poniéndose entre los guardaespaldas.

—Tenía que hacer un trabajo allí, donde las balas y las bombas son reales, no simulaciones generadas por ordenador —replicó Soraya—. Y que conste que soy estadounidense, lo mismo que usted.

—Usted no es nada lo mismo que yo, señora Moore. Yo doy órdenes. Los que se niegan a acatarlas no son de confianza. No trabajan para mí.

—Ni siquiera llegó a escucharme. Si supiera...

—Métaselo en la cabeza, señora Moore, ya no trabaja para la Central de Inteligencia. —Danziger, inclinado hacia delante, había adoptado la postura belicosa de un boxeador en el cuadrilátero—. No tengo ningún interés por oír sus informes. ¿Una egipcia? Sólo Dios sabe a quién le será leal. —Le lanzó una mirada de desprecio—. Bueno, quizá lo adivine. ¿A Amun Chalthoum, tal vez?

Amun Chalthoum era el jefe de Al Mojabarat, el servicio secreto egipcio en El Cairo. Soraya había trabajado con él recientemente y con él estaba en El Cairo cuando Danziger había ordenado sumariamente que regresara a casa, contraviniendo las directrices de la misión encargada por la CI. En el cumplimiento de la misma, Amun y ella se habían enamorado. La sorprendió, más bien la dejó atónita, que el director de la Agencia estuviera en poder de una información tan personal. ¿Cómo diantres se habría enterado?

—Pájaros del mismo plumaje —sentenció Danziger—. Lejos de la conducta profesional que espero de mi gente, fraternizan, ¿es la palabra correcta?, con el enemigo.

—Amun Chalthoum no es el enemigo.

—Está claro que no es enemigo de usted. —El hombre retrocedió un paso, una señal clara para que sus guardaespaldas cerraran filas, bloqueando el pequeño acceso que había tenido Soraya—. Le deseo buena suerte para que encuentre otro trabajo en la administración, señora Moore.

R. Simmons Reade sonrió con desdén antes de dar media vuelta y echar a andar detrás del director de la Agencia, que, rodeado por su séquito, entró dando zancadas en el Occidental. Los transeúntes se quedaron mirándola. Llevándose una mano a la cara, notó que sus mejillas estaban ardiendo. Había deseado su momento de justicia; pero allí estaba su tribunal, y ella había menospreciado seriamente tanto su inteligencia como el alcance de sus conocimientos. Había supuesto erróneamente que el secretario Halliday había engañado al presidente para colocar en la dirección de la Agencia a un peón, un títere que Halliday podría controlar sin problemas. Peor para ella.

Mientras se alejaba lentamente de la escena del desastre, se juró que nunca más volvería a cometer aquel error.

El hombre que lo había llamado por teléfono, quienquiera que fuese, tenía razón en una cosa: el almacén de las afueras de Moscú no se diferenciaba de los demás: todos parecían construidos en filas iguales. Boris Karpov, escondido entre las sombras frente a la puerta principal, comprobó la dirección que había escrito durante la conversación telefónica con el hombre que decía llamarse Leonid Arkadin. Sí, era el lugar exacto. Se volvió para señalárselo a sus hombres, todos armados hasta los dientes, con chalecos antibalas y cascos antidisturbios. Karpov tenía buen olfato para las trampas y aquella apestaba. Habría sido absurdo acudir solo, por muy bien armado que fuera, absurdo presentarse para meter voluntariamente el cuello en un nudo corredizo ideado para él por Dimitri Maslov.

Entonces, ¿por qué estaba allí?, se preguntó por enésima vez desde que había recibido la llamada. Porque había una posibilidad de que el hombre fuera realmente Leonid Danilovich Arkadin y le hubiera dicho la verdad; y sería un grave error desaprovechar aquella pista. El FSB-2 y en especial Karpov iban detrás de Maslov, detrás de la Kazanskaya en general, desde hacía años, con escaso éxito.

Su inmediato superior le había dado una orden: llevar a Dimitri Maslov y la Kazanskaya ante la justicia. Aquel superior era Melor Bukin, el hombre que lo había sacado del FSB ascendiéndolo a coronel y dándole el mando absoluto. Karpov había observado la meteórica carrera de Viktor Cherkesov y estaba dispuesto a formar parte de la cúpula de mandos. Cherkesov había transformado el FSB-2, que había sido una división antidroga y ahora era una fuerza de seguridad nacional que rivalizaba con el mismísimo FSB. Bukin era amigo de Cherkesov desde la infancia, pues así funcionaban estas cosas en Rusia casi siempre, y ahora él contaba con la confianza de Cherkesov. Bukin, mentor de Karpov, lo había acercado aún más a la cima de la pirámide de poder e influencia del FSB-2.

Bukin estaba al teléfono cuando Karpov le contó adónde se dirigía y por qué. Le había escuchado brevemente y le había dado su bendición.

Ahora, tras haber apostado en silencio a sus hombres alrededor del objetivo, los lanzó contra el almacén. Ordenó a uno que disparara contra la cerradura de la puerta y luego los condujo al interior. Les indicó que se situaran en los pasillos flanqueados por cajas de cartón. Ya hacía horas que había terminado la jornada laboral, así que no esperaban encontrar empleados, y estaban en lo cierto.

Cuando todos los hombres que habían entrado terminaron de comprobar que había vía libre, Karpov los condujo por la puerta del lavabo de caballeros, que era donde le había dicho la voz telefónica que estaría. Los mingitorios estaban a la izquierda, enfrente de la fila de los escusados. Sus hombres abrieron las puertas de golpe mientras avanzaban, pero todos estaban vacíos.

Él se detuvo ante el último escusado y entró por las bravas. Tal como había descrito la voz, no había inodoro, sino una puerta en la pared del fondo. Karpov, a quien se le estaba formando una bola fría en el estómago, rompió la cerradura propinándole un golpe terrible con la culata del fusil de asalto AK-47 y entró inmediatamente. Al fondo se veía una especie de despacho. Estaba en un nivel superior, por encima del suelo, y se accedía a él por una escalera de metal.

No había nadie en el despacho. Los teléfonos habían sido arrancados de los enchufes de la pared; los archivadores y escritorios, con los cajones abiertos, estaban tan vacíos que parecían burlarse de él. Era obvio que los habían limpiado a toda prisa. Se volvió lentamente, observando con mirada experta todo lo que lo rodeaba. Nada, no había nada.

Se puso al habla con los hombres apostados en el perímetro y éstos le confirmaron lo que la bola de su estómago le había advertido: nadie había entrado ni salido del almacén desde su llegada a la zona.

—¡Joder! —Karpov apoyó el voluminoso trasero en un escritorio. El hombre del teléfono había estado en lo cierto desde el principio. Le había advertido que no se lo dijera a nadie, que la gente de Maslov podía enterarse. Tenía que ser Leonid Danilovich Arkadin.

El Rolls-Royce era gigantesco, como un ejemplar semoviente del Jurásico. Brillaba como un tren de plata en el bordillo de la acera que había frente al edificio de oficinas. Adelantándose a la mujer, Lionel Binns abrió la portezuela trasera. Cuando Moira se agachó para subir al coche, la envolvió una oleada de incienso. Se sentó en el asiento de piel mientras el abogado cerraba la puerta tras ella.

Se puso cómoda y cuando sus ojos se acostumbraron a la oscuridad del interior, comprobó que estaba sentada al lado de un hombre más bien alto y cuadrado, con la piel del color de las nueces y unos ojos brillantes, negros como el fondo de un pozo. Tenía el pelo abundante, oscuro y casi con tirabuzones, y del mentón le caía una barba larga y espesa, tan rizada como la de Nabucodonosor. Ahora entendía lo de la infusión de cardamomo. Era un árabe. Al fijarse más, se dio cuenta de que su traje, aunque claramente occidental, le envolvía los hombros y el pecho como una túnica bereber.

—Gracias por venir —dijo el desconocido con una voz profunda que resonó en las pulidas superficies del espacioso interior—, por asumir un pequeño riesgo. —Hablaba con acento pesado, gutural, pero su inglés era impecable.

Un momento después, el conductor, oculto tras un panel de color nuez, puso en marcha el Rolls y se introdujo entre el tráfico en dirección sur.

—Es usted el cliente del señor Binns, ¿no es así?

—Así es. Me llamo Jalai Essai y soy de Marruecos.

Sí, ciertamente, bereber.

—Y le robaron un ordenador portátil.

—Exacto.

Moira estaba sentada con el hombro derecho pegado a la portezuela. De repente sintió un escalofrío; el interior parecía ahora asfixiantemente estrecho, como si la presencia del hombre ocupara más espacio que su cuerpo, dominando y oscureciendo el asiento trasero, invadiéndola, metiéndosele dentro. Intentó respirar con regularidad, pero sólo consiguió tiritar. El aire parecía silbar o vibrar, como si estuviera viendo un espejismo del desierto.

—¿Por qué yo? Sigo sin entenderlo.

—Señora Trevor, usted tiene... digamos ciertas habilidades que creo de un valor incalculable para encontrar mi ordenador y devolvérmelo.

—Y esas habilidades son...

—Usted se enfrentó con éxito a Black River y a la Agencia de

Seguridad Nacional. ¿Cree que yo podría encontrar un investigador privado que haya hecho algo así? —Se volvió y le sonrió enseñando una doble fila de dientes brillantes y blancos que resplandecían en un rostro moreno, definido por planos bidimensionales, pómulos salientes y ojos hundidos, con los párpados caídos como los de un halcón—. No es necesario que conteste, no era una pregunta.

—Muy bien, entonces le haré yo la pregunta. ¿Cree que hay agencias secretas implicadas en el robo?

Essai meditó unos segundos, aunque Moira tenía la impresión de que lo sabía ya con seguridad.

—Es posible —respondió al fin—. Incluso probable.

Moira cruzó los brazos sobre el pecho como para protegerse de la lógica masculina que corroía su resolución, de las oleadas de oscura energía que emanaban del hombre de una forma que no había sentido antes, como si estuviera sentada al lado de un acelerador de partículas. Sacudió la cabeza con vehemencia.

—Lo siento —dijo.

Essai asintió con la cabeza. Era como si nada de lo que ella dijera o hiciera le causara sorpresa.

—En cualquier caso, esto es para usted.

Le alargó una carpeta de color marrón, que Moira observó con creciente recelo y cierto temor. ¿Por qué se sentía como Eva cogiendo la manzana del conocimiento? A pesar de todo, como si sus manos obedecieran órdenes ajenas, recogió la carpeta.

—Por favor. Sin compromisos —la tranquilizó Essai—. Se lo aseguro.

La mujer vaciló un momento y abrió la carpeta. Dentro había una foto hecha con teleobjetivo en la que se veía a un agente de alto rango reunido con el director de operaciones de campo de la NSA. Moira lo había apartado de Black River al igual que a otros agentes de alto nivel.

—¿Tim Upton? ¿Es el topo de la NSA? Esta foto no habrá sido trucada, ¿verdad?

Essai no dijo nada, así que Moira deslizó los ojos hacia abajo para leer la hoja que acompañaba la foto y en la que figuraban los lugares y fechas en que Upton se había reunido clandestinamente con varios miembros de la NSA. Moira suspiró profundamente, recostándose en el asiento, y cerró la carpeta despacio.

—Es usted muy generoso.

Essai se encogió de hombros como si aquello no tuviera importancia. Y como si hubiera obedecido una orden, el Rolls redujo la velocidad y se acercó a la acera.

—Adiós, señora Trevor.

Moira asió la manija de la portezuela antes de volverse hacia el hombre de la barba.

—¿Y qué es lo que hace tan valioso su ordenador? —preguntó.

La sonrisa de Essai relumbró como un faro.

4

Bourne llegó a Londres una deprimente mañana nublada y ventosa. Una lluvia pertinaz acribillaba el Támesis, oscureciendo el Big Ben, y el cielo bajo y pesado como el plomo parecía desmoronarse sobre los modernos edificios de la City. El aire olía a gasolina y a carbonilla, aunque era muy probable que se tratara de arena industrial arrastrada por el viento.

Suparwita le había dado la dirección del piso de Noah Perlis. Era la única pista concreta que había dejado él mismo en relación con aquella época ya olvidada de su vida. Sentado en el taxi que había tomado en Heathrow, miraba las calles que recorría sin ver nada. Le parecían simples tramos rectos ahora que había olvidado que había tenido una vida anterior a su amnesia, hasta que de repente, como un bofetón en la cara, un recuerdo inesperado le hacía pensar en lo que se estaba perdiendo, en lo que nunca podría recuperar. En aquel primer momento se sentía reducido, como un hombre que viviera una vida a medias, con una sombra que nunca podía ver, ni siquiera sentir. Sí, allí estaba, una parte de él que sólo podía tocar brevemente y de una manera frustrantemente limitada..., vislumbres en la periferia de su campo visual.

Eso es lo que le había ocurrido en Bali varias semanas antes, cuando, buscando a Suparwita, había subido al primer templo del complejo de Pura Lempuyang. Estaba en el mismo sitio que había soñado y descubrió que, antes de su amnesia, había tenido que asistir en aquel mismo lugar a una cita con Holly Marie Moreau. Un recuerdo se había abierto paso hasta la superficie. Recordó haber visto, desde una distancia demasiado grande para ayudarla, que se mataba al caer por la escalera de peldaños de piedra. En realidad, según había averiguado después, la había empujado Noah Perlis, que había estado escondido entre las sombras de las grandes puertas esculpidas en piedra.

El piso de Perlis estaba en Belgravia, una zona del oeste de Londres, entre Mayfair y Knightsbridge. En tiempos había sido la mansión georgiana de un rico comerciante, pero en la actualidad estaba dividida en apartamentos. El brillante edificio blanco tenía una ancha terraza que daba a una calle flanqueada de árboles. Belgravia abundaba en magníficas casas blancas de estilo georgiano, embajadas y hoteles elegantes, un barrio precioso para pasear.

La cerradura de la puerta principal no le supuso ningún problema, como tampoco la de la vivienda de Perlis, que se encontraba en la primera planta. Bourne entró en una sala de generosas proporciones, moderna y bien amueblada, seguramente no por Perlis, que no habría tenido tiempo para ocuparse de asuntos domésticos. A pesar de que le daba el sol, el lugar era frío, sombrío, espeso y deprimente a causa del abandono; flotaba allí la tenue tristeza de los olvidados o los desaparecidos. Una pequeña vibración sacudió sus sentidos, como si la hubiera dejado Perlis antes de irse por última vez. Pero allí no había nada, salvo el leve susurro del viento que se colaba por los resquicios de las viejas ventanas de guillotina y el soñoliento bailoteo de las motas de polvo en los haces de luz.

Aunque la sala tenía un aire indiscutiblemente masculino (sofá de piel color whisky, muebles macizos, paredes oscuras), Bourne se dio cuenta de que había un toque femenino en los accesorios, en los candelabros de peltre pertrechados con velas color marfil a medio gastar, las delicadas volutas de unas lámparas marroquíes, los azulejos mexicanos de la cocina, tan llamativos como el plumaje de un pájaro tropical. Pero era el cuarto de baño, con sus baldosas rosas y negras y tan limpio como una patena, lo que revelaba claramente la mano femenina. Ya que estaba allí, miró detrás de la cisterna del inodoro y, levantando la tapa, también dentro, por si Perlis hubiera dejado algo adherido en aquel escondite habitual.

Como no encontró nada, se dirigió al dormitorio de Perlis, que le interesaba mucho más. Los dormitorios eran los lugares donde los individuos, incluso los profesionales y precavidos como Perlis, solían esconder sus posesiones íntimas, los objetos que podían proporcionar pistas sobre su personalidad más íntima.

Empezó por el armario, con sus filas de pantalones y chaquetas negros o azul oscuro (pero no trajes), todo acorde con la moda de aquel año. Alguien los había comprado para Perlis. Apartó la ropa y golpeó el fondo del armario en busca de zonas huecas, pero no encontró nada. Hizo lo mismo con los laterales, luego levantó los zapatos, uno tras otro, en busca de un escondite en la parte inferior. Después se dirigió a la cómoda, mirando los cajones por debajo por si Perlis había puesto allí algo pegado con cinta adhesiva. Detrás del cajón inferior encontró una Glock. La observó y comprobó que estaba bien lubricada y cargada. Se la guardó en el bolsillo.

Finalmente se dirigió a la cama y levantó el colchón para ver si en el somier había documentos, fotografías, lápices USB o algún compartimento secreto que pudiera contenerlos. La parte inferior de un colchón era un lugar infantil para esconder cosas de valor, pero eso era precisamente lo que hacía la mayoría de la gente. Las viejas costumbres nunca mueren. Desencajó el bastidor del somier del armazón de metal para mirar debajo, pero no encontró nada fuera de lo normal. Tras rehacer la cama, se sentó en el borde y contempló las siete fotos enmarcadas que había sobre la cómoda. Estaban colocadas de tal forma que probablemente eran lo último que vería Perlis antes de irse a dormir y lo primero cuando se levantara por la mañana.

Perlis aparecía en todas menos en una. Había estado paseando en Hyde Park con Holly Marie Moreau. Se habían detenido frente a uno de los oradores del parque y, obviamente, Noah había pedido a alguien del público que les hiciera la foto. En otra, que se habían hecho ellos mismos, iban remando, quizá Támesis arriba. Holly reía, seguramente por algo que había dicho Noah. Parecía feliz, lo que a Bourne, que conocía a Perlis y el final de su trágica historia, se le antojaba de lo más desconcertante.

En la tercera foto se veía a Noah al lado de un atractivo joven vestido con un terno elegante. Tenía la piel oscura y rasgos exóticos. Algo en su rostro intrigó a Bourne, como si lo hubiera visto en la vida que no recordaba, o al menos a alguien parecido. Otra foto de los dos con sendas hembras de adorno en un club pijo de Londres. Había al fondo una especie de mesa de juego, alrededor de la cual se apelotonaban los jugadores con aire ávido, doblados por la cintura como los ancianos. Bourne se interesó más por la hembra de adorno. Las dos mujeres estaban medio ocultas tras los hombres, ligeramente desenfocadas, pero al observar la foto más de cerca reconoció a Holly... y a Tracy. Se quedó atónito. Había conocido a Tracy un mes antes en un vuelo a Sevilla y se habían convertido en aliados mientras viajaban juntos a Jartum, donde la joven había muerto en sus brazos. Fue después de aquello cuando supo que ella estaba a las órdenes de Arkadin.

Así que Tracy, Perlis, Holly y el desconocido habían formado un cuarteto. ¿Qué extraño giro del destino los habría reunido, haciéndolos amigos?

La siguiente era un retrato del joven desconocido, mirando a la cámara con una mezcla de recelo y sarcasmo, una sonrisa burlona que sólo los hijos de familias adineradas estaban capacitados para utilizar como arma o como cebo. La séptima y última foto era de los tres: Perlis, el joven y Holly Marie Moreau. ¿Dónde estaba Tracy? Sin duda, haciendo la foto, o quizás en uno de sus innumerables viajes. Sus rostros estaban iluminados desde abajo por las velas de un pastel. Era el cumpleaños de Holly. Ella estaba entre los dos hombres, ligeramente inclinada, con una mano apartándose el largo cabello de la cara, las mejillas hinchadas, preparada para apagar las velas. Tenía la mirada perdida, como si pensara en el deseo que debía pedir. Parecía muy joven y totalmente inocente. Bourne pensó en el orden de las fotos, se levantó y las fue cogiendo una por una. Pegado con adhesivo a la parte posterior de la foto del cumpleaños había un pasaporte a nombre de Perlis, un duplicado. Se lo guardó en el bolsillo y volvió a colocar la foto en el marco. La observó con atención. ¿Cómo sería Holly Marie Moreau? ¿Cómo la había conocido Perlis? ¿Habían sido amantes, amigos o la había utilizado? ¿Lo habría utilizado ella a él? Se pasó la mano por el cabello, frotándose el cráneo como si pudiera estimular su cerebro para que recordara lo que no podía. Tuvo un momento de pánico, como si fuera en una barca a la deriva, en medio de la oscuridad y de la bruma. Ni intentándolo con todas sus fuerzas pudo recordar el tiempo que había pasado con ella. En realidad, si no hubiera sido por el sueño repetitivo que había tenido en Bali y en que la veía morir, no la habría recordado en absoluto. ¿Es que no iba a tener fin la pesadilla de la amnesia, en la que la gente iba y venía entre la densa niebla de su pasado, moviéndose como fantasmas atrapados en los confines de su visión? Normalmente controlaba sus emociones, pero sabía por qué esta vez era diferente. Aún podía sentir el momento en que la vida había abandonando a Tracy Atherton mientras la tenía en sus brazos. ¿Habría abrazado a Holly de la misma forma mientras yacía con el cráneo roto al pie de las escaleras del templo balinés?

Se sentó en la cama y se dobló por la cintura, contemplando absorto el interior de un pozo de recuerdos, de gente cercana a él que ahora estaba muerta... ¿Por su culpa? ¿Porque lo habían amado? Él había querido a Marie, de eso estaba seguro, pero ¿y Tracy? ¿Se puede amar a alguien a quien se conoce desde hace sólo unos días, una semana? Incluso un mes parece poco tiempo para saberlo. Y a pesar de todo Tracy seguía en su mente, vibrante e infinitamente triste, una mujer a quien quería tocar, hablar, y no podía. Se frotó los ojos. Y además estaba el dolor de saber que Holly había significado algo para él, que había caminado a su lado, posiblemente riéndose como con Noah Perlis, pero nunca lo sabría. Su único recuerdo era verla caer por las escaleras del templo, caer, caer..., y ahora estaba solo de nuevo, porque no quería que Moira corriera la misma suerte que todos los que habían querido ayudarlo. Solo, siempre y para siempre...

Tracy se había estremecido entre sus brazos, como si exhalara su último aliento.

—*Jason, no quiero estar sola.*

—*No estás sola, Tracy.* —Recordaba sus labios pegados a la frente de la muchacha—. *Estoy aquí, contigo.*

—*Sí, lo sé, y es magnífico, te siento a mi lado.* —Poco antes de morir había lanzado un suspiro, semejante al ronroneo de placer de un gato.

Las cortinas del piso de Noah Perlis se agitaron como si estuvieran vivas, y una risa áspera y monocorde brotó de sus labios crispados. Holly le había susurrado al igual que Tracy: «En nuestra hora más oscura es cuando nuestros secretos nos devoran». Qué poco imaginaba Tracy que cada hora de su vida amnésica era la más oscura, que los secretos que lo devoraban eran secretos incluso para él. La echaba de menos, la echaba de menos con la fuerza de un estilete clavado entre sus costillas, tanto que le hizo emitir un quejido. Las cortinas se agitaban sacudidas por el viento y era como si Tracy estuviera de nuevo allí con él, mirándolo con sus grandes ojos azules, su sonrisa amplia y resplandeciente como la de Suparwita. Oyó su risa en el viento, sintió el dorso de su mano en la mejilla, refrescándole la piel.

Sólo la había conocido unos días, pero aquellos días fueron tan apasionantes como el tiempo que dura una batalla, cuando seguir vivo se convierte en el sentido y razón de la existencia, cuando cada momento está teñido de muerte, cuando los compañeros se convierten en amigos eternos.

Tracy le había tocado un lugar muy bien defendido a la vez que crudamente tierno. Se le había metido dentro y ahora se había quedado allí, agazapada y respirando, incluso después de muerta.

Y entonces, muy cerca de ella, escuchando su voz mentalmente, recordó algo que había dicho la noche antes de que la asesinaran: «Vivo en Londres, Belgravia. Si vieras mi piso... Es muy pequeño, pero es mío y me gusta. Hay unas antiguas caballerizas detrás, con un peral en flor en el que anidan las golondrinas en primavera. Y un chotacabras que me canta serenatas al anochecer».

Contuvo la respiración. ¿Era una coincidencia que Tracy y Perlis vivieran en Belgravia? Bourne no creía en las casualidades, y menos en aquel grupo de personas: Tracy, Holly, Perlis, los Herrera, Nikolai Yevsen, Leonid Arkadin. Perlis y Yevsen estaban muertos, al igual que Tracy y Holly, y Arkadin estaba Dios sabía dónde. Esto dejaba a los Herrera como los tendones vivos que mantenían unida la musculatura del conjunto.

Sólo le faltaba por mirar la foto del joven atractivo de la media sonrisa burlona. ¿Dónde había visto antes aquella cara? Le resultaba muy familiar y a la vez sutilmente diferente, como si lo hubiera visto cuando era más joven... *o más viejo*. De repente se le ocurrió quitar el cartón que había detrás y encontró una pequeña llave pegada en el reverso de la foto. La despegó. El tamaño indicaba que era de una consigna, o de un aeropuerto o de una estación de ferrocarril; o... Había una etiqueta colgando de un pequeño cordel con una serie de números escritos a mano con tinta. La llave de una caja de seguridad. Dio la vuelta a la llave. Troquelada en el reverso había una marca de fábrica consistente en dos letras entrelazadas: AB.

Todas las piezas encajaron de súbito. Aquel hombre era Diego Herrera, hijo y heredero de don Fernando Herrera, que había tenido negocios ilícitos con el difunto Nikolai Yevsen, el legendario traficante de armas a quien Bourne había matado el mes anterior. La empresa legal de don Fernando era Aguardiente Bancorp: AB. Diego trabajaba de director de la sucursal londinense de Aguardiente.

Noah Perlis era amigo de Diego Herrera y ambos conocían a Holly. Cogió la foto en que estaban los tres juntos en el cumpleaños de Holly, miró sus caras una por una y advirtió la expresión cómplice de los ojos del trío. Perlis había sido amigo de Holly y la había matado. Una expresión cómplice de amistad... y luego asesinato.

Sintió el choque con la fuerza de un tren en marcha. Él era parte del conjunto. Según Suparwita, Holly había recibido el anillo de manos de su padre, Perlis la había matado para quedárselo y ahora lo tenía él. Lentamente, sacó el anillo y le dio vueltas entre sus dedos. ¿Qué significaba la inscripción grabada?

La foto de los tres, Perlis, Diego y Holly, se burlaba de él. ¿Cuál había sido la base común de su amistad? ¿Se trataba de un trío sexual, una atracción física que al final no había significado nada para Perlis, o se había hecho amigo de la muchacha por una razón concreta? ¿Y qué relación tenían aquellos tres con Tracy? Había algo allí que Bourne no entendía, algo íntimo y al mismo tiempo repelente. Pero había algo que sí sabía con seguridad: entender la relación que los unía era de vital importancia para descubrir el secreto del anillo.

El hombre conocido como Coven en la Junta Operativa de la Agencia había llegado a Bali justo a tiempo de seguir a Bourne hasta Londres. En aquellos precisos momentos se encontraba en Belgravia, sentado en un coche de alquiler, mirando por unos prismáticos la ventana del primer piso de la vivienda del difunto Noah Perlis. Las cortinas se agitaron de nuevo y trató de distinguir qué había en el apartamento. En el portátil tenía un PDF con el archivo de Perlis que había solicitado. Ahora sabía todo lo que la Agencia conocía del espía muerto, que en realidad no era mucho, pero sí suficiente para que Coven se preguntara por qué había despertado la atención de Jason Bourne. Aunque su misión había consistido al principio en reducir a éste y llevarlo esposado a la CI, las órdenes habían cambiado cuando había pedido el expediente de Perlis. Nada más hacer la solicitud, el director Danziger se había puesto al teléfono y lo había interrogado sin compasión sobre los motivos que lo habían llevado a interesarse por Perlis. Coven no solía meter las narices en asuntos ejecutivos. Prefería infiltrarse, cumplir su misión lo más rápida, limpia y eficientemente posible y largarse sin hacer preguntas. Pero de una manera que no podía definir, la presente situación era distinta. Desde el momento en que Danziger se hizo con el control de la operación, se le pusieron los pelos de punta. Cuando el director de la CI cambió el curso de la misión, se confirmaron sus sospechas y se avivó su curiosidad. Sus órdenes eran ahora descubrir la conexión entre Bourne y Perlis antes de que Coven detuviera al maldito agente.

Oscuridad a mediodía. Las nubes bajas dejaron escapar las primeras gotas y la lluvia comenzó a caer con fuerza, salpicando las aceras, corriendo por las alcantarillas, tamborileando en el techo del coche, en el parabrisas, convirtiendo el mundo en algo borroso, despojándolo de color.

Coven había mantenido una actitud escéptica cuando llegó el cambio de guardia en los mandos de la Agencia. Un asesinato era un asesinato; no creía que su trabajo, a un universo de distancia del distrito, estuviera en peligro, dirigiera quien dirigiese el espectáculo. Pero eso había sido antes de que Danziger diera nuevas órdenes, que él consideraba poco profesionales en el mejor de los casos, un desastre en potencia en el peor.

Ahora, mientras observaba a Bourne en el momento de salir del edificio, bajo la lluvia, Coven se estaba preguntando por los verdaderos planes, los planes ocultos de Danziger. No sería la primera vez que un director de la CI los tuviera, pero aquel hombre era nuevo, no había ascendido poco a poco por los peldaños del escalafón, ni se había ganado la lealtad de individuos como Coven, que arriesgaban la vida en el trabajo cada hora de cada día y de cada noche. La idea de que aquel intruso pudiera estar manipulándolo para conseguir sus propios fines le daba cien patadas en el estómago. Así que en el momento en que vio a Bourne saliendo del edificio, decidió hacer las cosas a su manera y que se jodieran Danziger y sus planes ocultos. Si Bourne tenía algo que el gran jefe deseaba con tantas ganas, él haría bien en quedárselo.

—Toda la historia de mi familia está en ese ordenador —dijo Jalal Essai.

—No creo que ésa sea una razón para que Black River y la NSA anden tras él —observó Moira.

—No, claro que no.

Essai suspiró y se retrepó en la silla. Estaban sentados en un rincón de la terraza del restaurante de Caravanserai, un pequeño y exclusivo hotel de Virginia, propiedad del marroquí. Estaban rodeados por tres paredes de ladrillo cubiertas de hiedra y por una fila de grandes puertas de cristales que daban a la parte interior del restaurante.

En la mesa tenían té de menta y un elegante menú con las sugerencias del día, aunque Moira estaba mucho más interesada en su anfitrión. Parecía estar más relajado, ya fuera porque ella estaba a punto de aceptar su oferta, ya fuera porque estaban en un entorno controlado por él. Aunque el restaurante interior estaba bastante lleno, su mesa era la única ocupada de la terraza. Los atendía una auténtica flota de camareros que esperaban a ser llamados por el amo. Había algo indudablemente oriental en la actitud del servicio que hacía fácil imaginar que se sentían lejos de las fronteras de Estados Unidos. Muy lejos.

—Podría mentir, pero la respeto demasiado. —Essai se humedeció los labios con el té—. La historia de mi familia es de interés, posiblemente de gran interés, para algunos elementos de su Gobierno, así como para varios individuos y organizaciones del sector privado.

—¿Y eso por qué? —preguntó ella—. Y, por favor, sea concreto.

Essai sonrió.

—Sabía que me gustaría usted desde el momento en que nos conocimos, y no me he equivocado.

—¿Hizo una apuesta con el señor Binns?

Essai se echó a reír, generando un sonido oscuro y metálico que sonó siniestramente como un gong cuando lo golpean.

—Le habló de nuestra apuesta, ¿eh? —Sacudió la cabeza—. Nuestro señor Binns es del tipo conservador, una apuesta es lo máximo que está dispuesto a aceptar.

Moira se fijó en aquel «nuestro», pero optó por pasarlo por alto por el momento.

—Volvamos a lo que importa.

Essai tomó otro sorbo de té. Como para la mayoría de los árabes, las conversaciones directas no formaban parte de su repertorio; prefería dar un rodeo que diera a ambas partes tiempo suficiente para conocer detalles valiosos antes de cerrar un trato. Moira lo sabía, desde luego, pero Binns y Essai la habían engañado y no le gustaba. Necesitaba recuperar el terreno que había perdido durante la serie de sorpresas que el marroquí había puesto ante ella en el Rolls, y calculaba que la mejor manera de hacerlo era marcar el ritmo de la conversación.

—Todo esto tiene que ver con Noah, ¿verdad? —dijo de repente—. Trabajé para él en Black River y estaba involucrado en lo del ordenador portátil, motivo por el que me ha elegido a mí, ¿me equivoco?

Essai la miró directamente.

—Es usted la persona idónea para este trabajo por muchas razones, como le dije. Una de ellas es, en efecto, su relación con Noah Perlis.

—¿Qué hizo Noah? ¿Fue él quien robó el portátil?

Él había cogido su menú y lo estaba mirando.

—Ah, el lenguado es el plato del día. Se lo recomiendo encarecidamente. —Levantó los ojos con expresión seria—. Viene acompañado de auténtico cuscús marroquí.

—¿Quién podría resistirse?

—¡Espléndido! —Parecía sinceramente encantado y, cuando se volvió, había un camarero a su lado. Pidió para los dos y le devolvió las cartas. Cuando estuvieron solos de nuevo, juntó las manos y dijo con el mismo tono de voz—: Su difunto, y deduzco que no llorado jefe, el señor Perlis, estaba muy involucrado.

Moira adelantó la cabeza con curiosidad.

—¿Y?

Essai se encogió de hombros.

—No podemos seguir avanzando hasta que nuestro trato no esté cerrado. ¿Va a acceder o no a recuperar mi ordenador?

Moira respiró hondo; se sentía como si se hubiera salido de su cuerpo y estuviera mirando la escena desde arriba. En otras palabras: aún podía decir que no. Pero tampoco quería rechazar la misión. Necesitaba trabajo, necesitaba que se le abriera una nueva puerta, y ya que aquel hombre le había dado una información que podía salvar su nueva empresa de la ruina, pensó que debía decir que sí.

—Muy bien —respondió con voz que le pareció ajena—. Pero quiero el doble de mis honorarios habituales.

—Hecho —Essai aceptó, asintiendo con la cabeza como si estuviese esperando aquella respuesta desde el principio—. Me complace mucho, señora Trevor. Le doy las gracias de todo corazón.

—Me dará las gracias cuando le haya devuelto el ordenador —replicó la mujer—. Y ahora hablemos de Noah.

—Su señor Perlis era algo así como un pez piloto. Es decir, prosperaba yendo detrás de las iniciativas de otros. —Abrió las manos como quien bendice—. Pero no le estoy diciendo nada que no sepa, ¿verdad? —Ella negó con la cabeza—. La última vez no fue una excepción. El señor Perlis entró en el juego un poco tarde.

Un timbre de alarma sonó en la cabeza de Moira.

—¿Un poco tarde o muy tarde?

—La misión para buscar y quedarse con mi ordenador por medios ilegales fue idea de la CI. Más exactamente del pequeño MN...

—¿MN?

—Muerto de Noche —explicó Essai—. ¿No conoce la expresión? —Sacudió el aire con la mano: no tenía importancia—. La rama de MN conocida como Treadstone.

Moira se quedó atónita.

—¿Alex Conklin quería su ordenador?

—Exacto. —Essai se retrepó mientras le ponían delante la ensalada de gambas, a las que no habían quitado la cabeza. El camarero desapareció sin pronunciar palabra.

—¿Y él ideó el robo?

—Oh, no, no fue el señor Conklin.

Essai empuñó el tenedor con la mano derecha y por un momento se concentró en cortar hábilmente las cabezas de las gambas. Sin apartar la atención de la punta del tenedor, su mirada se cruzó con la de Moira de una forma tan inesperada que la mujer se echó atrás instintivamente, como si huyera de la línea de fuego.

—Fue su amigo Jason Bourne quien entró en mi casa, donde mi familia come, duerme y ríe.

En aquel gélido momento en que el corazón pareció dejarle de latir, Moira supo lo que era realmente no poder gobernar las propias emociones: ese momento terrorífico en que los frenos del coche fallan y, con la velocidad fuera de control, vemos otro vehículo a punto de estrellarse contra el nuestro.

—Donde mi mujer me cose la ropa, donde mi hija apoya la cabeza en mis rodillas, donde mi hijo aprende un día tras otro a ser un hombre. —Una oscura vibración, como de un grito de venganza, convirtió la voz masculina en expresión de furia—. Jason Bourne violó todos los principios sagrados de mi vida cuando me robó el ordenador. —Levantó la cabeza de la gamba como si fuera un estandarte en el campo de batalla—. Y ahora, señora Trevor, por todo lo más sagrado que hay en el mundo, usted lo va a recuperar.

5

La City de Londres, con poco más de tres kilómetros cuadrados, es el centro histórico de lo que hoy es el Londres propiamente dicho. En la época medieval abarcaba Londres, Westminster y Southwark, protegidos por una muralla construida por los romanos en el siglo II, alrededor de la cual la moderna metrópoli alarga sus múltiples patas como una araña que tejiera su red. En la actualidad, la City, un poco más grande, es el centro financiero de Londres. Aguardiente Bancorp, que era más un banco comercial que un banco hipotecario y de crédito, tenía su única sucursal en Chancery Lane, inmediatamente al norte de Fleet Street. Desde sus amplios ventanales, orientados al sudoeste, Bourne se imaginaba la construcción de la Temple Bar, la Barrera del Temple, la histórica puerta que hasta un siglo antes había unido la City, el centro financiero, con la carretera de Westminster, el centro político. Temple Bar, que se llamaba así por la iglesia del Temple, sede de los Caballeros Templarios, estaba sobriamente coronada por las esculturas de un grifo y un par de dragones. Bourne, por supuesto, no tenía el aspecto de Bourne, sino más bien el de Noah Perlis, después de haberse gastado una buena cantidad de dinero en una tienda de maquillaje teatral de Covent Garden.

La piedra gris y el mármol negro del interior del banco eran igualmente sobrios, como correspondía a una institución entre cuyos clientes había multitud de compañías internacionales que hacían negocios en la City. El abovedado techo estaba a tanta altura que parecía el nublado cielo exterior, que, tras haber soltado su carga, permaneciera suspendido en el aire como los cuervos en la Torre de Londres. Bourne cruzó el vestíbulo, de suelo ligeramente resonante, hasta el mostrador de las cajas de seguridad, donde atendía un hombre que parecía salido de una novela de Charles Dickens: hombros delgados como una percha, piel cetrina y un par de ojos hundidos que parecían haber visto ya todo lo que la vida podía ofrecerles.

Bourne se presentó utilizando el pasaporte de Perlis como prueba de su identidad. La caricatura dickensiana frunció los labios para mirar la letra pequeña, mientras sus manos de color hígado acercaban el pasaporte a la luz.

—Un momento, por favor —dijo, cerrando el pasaporte de golpe.

En el cristal que protegía el cubículo del empleado, Bourne vio el tenue reflejo de la gente que tenía a sus espaldas, clientes y personal del banco que iba y venía a sus asuntos. Su mirada se detuvo en un rostro que había visto antes. Lo había visto en la tienda de Tavistock Street en que había estado por la mañana temprano. No tenía nada que llamara la atención, de hecho era de lo más normal. Sólo Bourne, y quizá también unas cuantas personas con las mismas experiencias y habilidades, habría percibido la intensidad de su mirada, la minuciosidad con que aquellos ojos repasaban y convertían el vasto vestíbulo del banco en una cuadrícula matemática. Vio moverse los ojos a un lado y otro, siguiendo una pauta que no le era desconocida. El hombre estaba imaginando diferentes caminos para sí, distancias de rutas de escape hasta las salidas, la posición de los vigilantes del banco y detalles por el estilo.

Al poco rato regresó la caricatura de Dickens, sin ningún cambio aparente en su expresión, que seguía tan hermética como la cámara acorazada del banco.

—Por aquí, señor —dijo con una voz pastosa que a Bourne le recordó un hombre haciendo gárgaras. Levantó una trampilla del mostrador de mármol y Bourne pasó por ella. El empleado cerró la trampilla con un suave chasquido del mecanismo de cierre y le condujo entre filas de escritorios de madera pulida ante los que se sentaba un batallón de hombres y mujeres vestidos con ropa oscura y anticuada. Unos hablaban por teléfono, otros atendían a clientes sentados al otro lado del escritorio. Nadie levantó los ojos cuando el empleado de cutis cetrino y Bourne pasaron por su lado.

Al final de los escritorios, la caricatura dickensiana pulsó un botón que había al lado de una puerta con un panel de cristal esmerilado que sólo dejaba pasar la luz. Respondiendo a la llamada, la puerta se abrió y el empleado se hizo a un lado.

—Todo recto y luego a la izquierda. El despacho del rincón —dijo, añadiendo con una sonrisa maliciosa—: El señor Herrera atenderá su solicitud. —Incluso hablaba como un personaje de Dickens.

Tras hacer una inclinación de cabeza, Bourne dobló a la izquierda y siguió andando hasta el despacho del rincón, cuya puerta estaba cerrada. Llamó y oyó que lo invitaban a pasar.

Al otro lado de la puerta se encontró con un amplio despacho, lujosamente amueblado, con una maravillosa vista de la bulliciosa City, tanto de los chapiteles históricos como de los extravagantes rascacielos posmodernos, el pasado y el futuro mezclados, pensó Bourne con incomodidad.

Aparte de los habituales muebles de oficina, escritorio, sillas, cómodas y demás, había a la derecha una zona dominada por un sofá de piel y sillones a juego, una mesita de cristal, lámparas y un aparador en forma de barra de bar.

Al entrar Bourne, Diego Herrera, que en persona se parecía a su padre más que en las fotos, se levantó, salió de detrás de su escritorio y, con una amplia sonrisa, alargó la mano para estrechar la de Bourne.

—Noah —dijo con campechanía—. ¡Bienvenido a casa!

En el momento en que Bourne le dio la mano, la punta de una navaja automática se apretó contra su chaqueta, a la altura del riñón derecho.

—¿Quién cojones eres? —preguntó Diego Herrera.

Bourne no dejó ver ninguna emoción.

—¿Es ésta la forma de comportarse de un banquero?

—Déjate de chorradas.

—Soy Noah Perlis, exactamente como lo atestigua mi pasaporte...

—Y una mierda —le espetó Diego Herrera—. Noah fue asesinado en Bali por un desconocido, hace menos de una semana. ¿Lo mataste tú? —Apretó más la navaja contra la chaqueta de Bourne—. Dime quién eres o haré que te desangres como un cerdo el día de San Martín.

—Muy amable —replicó Bourne, sujetando el brazo armado de Diego Herrera e inmovilizándoselo. El banquero se tensó—. Haz un solo movimiento y te fracturaré el brazo en tantas partes que te quedarás inválido de por vida.

Los ojos de Diego Herrera relampaguearon de furia.

—¡Maldito cabrón!

—Cálmate, Herrera, soy amigo de tu padre.

—No te creo.

Bourne se encogió de hombros.

—Llámalo y lo verás. Dile que Adam Stone está en tu despacho. —Bourne no tenía ninguna duda de que el padre de Herrera reconocería el alias que Bourne había utilizado cuando lo conoció en Sevilla unas semanas antes. Diego Herrera no dio muestras de hacerle caso, así que cambió de táctica. Su tono ahora era conciliador—. Yo era amigo de Noah. Hace un tiempo me dio una serie de instrucciones. En caso de que muriera, tenía que ir a su apartamento de Belgravia, donde encontraría en unos escondites determinados un duplicado de su pasaporte y la llave de una caja de seguridad de este banco. Quería que me quedara con lo que sea que haya en la caja. Es todo lo que sé.

Diego Herrera seguía sin estar convencido.

—Si eras amigo suyo, ¿por qué nunca me habló de ti?

—Imagino que para protegerte. Sabes tan bien como yo que Noah llevaba una vida llena de secretos. Todo lo tenía bien compartimentado, incluidos amigos y asociados.

—¿Y los conocidos?

—Noah no tenía conocidos. —Bourne había intuido esto por sus breves pero intensos encuentros con Perlis en Múnich y Bali—. Lo sabes tan bien como yo.

Diego Herrera gruñó. El estadounidense estuvo a punto de añadir que había sido amigo de Holly, pero un sexto sentido, fruto de años de experiencia, le advirtió que era mejor no hacerlo. En su lugar añadió—: Además, fui un buen amigo de Tracy Atherton.

Aquello pareció afectar a Diego Herrera.

—¿Es cierto?

Bourne asintió con la cabeza.

—Estaba con ella cuando murió.

El banquero entornó los ojos.

—¿Dónde fue?

—En las oficinas de Air Afrika —respondió sin vacilar—. Sitas en el siete, siete, nueve de la avenida El Gamburia, Jartum, para ser exactos.

—Joder. —Diego Herrera se relajó al fin—. Fue una tragedia, una tragedia de primer orden.

Bourne retiró el brazo. Herrera cerró la navaja y le indicó por señas que se dirigiera a la zona dominada por el sofá de piel. El estadounidense se sentó y el banquero se quedó delante del bar.

—Aunque es temprano, creo que podríamos tomar algo. —Sirvió tres dedos del tequila añejo, Herradura Selección Suprema, en dos macizos vasos pasados de moda. Alargó uno a Bourne y se sentó. Cuando los dos hubieron saboreado el primer trago, dijo—: ¿Puedes contarme qué fue lo que pasó?

—Tracy tenía que entregar un cuadro —explicó lentamente—. Quedó atrapada en medio de un tiroteo cuando las oficinas fueron atacadas por fuerzas de seguridad rusas que iban detrás de Nikolai Yevsen.

Diego Herrera levantó la cabeza.

—¿El traficante de armas?

Bourne asintió.

—Utilizaba su compañía, Air Afrika, para pasar las armas de contrabando.

Al banquero se le humedecieron los ojos.

—¿Para quién estaba trabajando Tracy?

Bourne se llevó el vaso a los labios, observando con disimulo el rostro del banquero.

—Para un hombre llamado Leonid Danilovich Arkadin. —Tomó otro sorbo del tequila—. ¿Lo conoces?

Diego Herrera frunció el entrecejo.

—¿Por qué lo preguntas?

—Porque quiero matarlo —respondió Bourne muy despacio.

«Está vivo —pensó Leonid Arkadin—. Vylacheslav Germanovich Oserov no murió en el incendio del hospital de Bangalore. Maldita sea, ese cabrón sigue vivo.»

Estaba mirando una foto tomada por cámaras de seguridad en la que se veía a un hombre con el lado derecho del rostro horriblemente desfigurado.

«Pero le hice mucho daño —se dijo, tocándose la herida de la pierna, que se estaba curando sin problemas—, de eso puedo estar seguro.»

Se había instalado en un viejo convento, polvoriento y seco como un manual de filosofía desfasado, que se levantaba en las afueras de Puerto Peñasco, una población costera del noroeste del estado mexicano de Sonora. Claro que casi todo en Puerto Peñasco estaba desfasado. Una desagradable mancha industrial, salvada por su amplia playa blanca y sus cálidas aguas.

Puerto Peñasco figuraba en muy pocos mapas y ésa era una de las razones por las que lo había elegido, aunque no la única. Otra era que en aquella época del año cruzaban en masa la frontera los estudiantes de Arizona, para surfear, e invadían los grandes hoteles con la connivencia de una policía que se hacía la despistada cuando unos cuantos dólares cambiaban de mano. Con tanta gente joven alrededor, Arkadin se sentía relativamente a salvo; aunque Oserov y sus hombres se las arreglaran para descubrir su paradero, como habían hecho en Bangalore, llamarían la atención como monjes de vacaciones en Semana Santa.

Cómo le había seguido la pista Oserov hasta Bangalore seguía siendo un misterio desconcertante. Sí, el ordenador de Gustavo Moreno estaba a salvo y había conseguido conectarse otra vez con el servidor remoto que contenía los pedidos de sus clientes, pero media docena de sus hombres habían muerto y, peor aún, su seguridad tenía un agujero. Alguien de su organización estaba pasando información a Maslov.

Estaba a punto de bajar a la playa cuando sonó su teléfono móvil, pero como en aquel lugar remoto había una cobertura desigual, se quedó donde estaba, mirando los jirones de nubes que relucían al oeste como luces de neón.

—Arkadin.

Era Boris Karpov; sintió cierta satisfacción.

—¿Mantuvo en secreto sus planes? —La elocuente pausa le dijo todo lo que necesitaba saber—. No me diga más, no había nadie, se lo habían llevado todo.

—¿Quiénes son, Arkadin? ¿Quiénes son los topos de Maslov en mi organización?

Arkadin esperó un momento para que el coronel sintiera el filo del anzuelo.

—Me temo que no es tan sencillo, Boris Illyich.

—¿A qué se refiere?

—Tendría que haber ido solo, tendría que haberme hecho caso —explicó Arkadin—. Ahora su parte del trato es mucho más complicada.

—¿Qué trato? —preguntó Karpov.

—Tome el primer vuelo internacional que pueda. —Arkadin observó el sol, que teñía las nubes de colores cada vez más intensos, hasta que las vio tan saturadas que le dolieron los ojos. Pero no quiso apartar la vista. La belleza era impresionante—. Cuando llegue a LAX..., supongo que sabe lo que es.

—Por supuesto. Es el Aeropuerto Internacional de Los Ángeles.

—Cuando llegue a LAX, llame al número que voy a darle.

—Pero...

—Quiere los topos, Boris Illyich, así que no se equivoque. Hágalo.

Arkadin cortó la conexión y paseó por la playa. Se inclinó para arremangarse los pantalones. Sintió las olas rompiendo contra sus pies desnudos.

—Puede que Arkadin no matara a Tracy personalmente —dijo Bourne—, pero es el responsable de su muerte.

Diego Herrera se retrepó, apoyando el vaso en la rodilla y sujetándolo con actitud reflexiva.

—Te enamoraste de ella, ¿verdad? —Levantó una mano, con la palma hacia fuera—. No te molestes en responder, todo el mundo se enamoraba de Tracy. Sin proponérselo, causaba ese efecto en las personas. —Asintió con la cabeza, como si hablara solo—. En lo que a mí se refiere, creo que por eso fue un golpe tan duro. Algunas mujeres, ya sabes, lo intentan con tanta fuerza que casi hueles su desesperación, algo repugnante. Pero con Tracy era otra cosa. Ella tenía... —chascó los dedos varias veces—, ¿cómo lo diría?

—Confianza en sí misma.

—Sí, pero algo más.

—Autodominio.

Diego Herrera lo pensó un momento y asintió vigorosamente con la cabeza.

—Sí, eso es, tenía un gran dominio de sí misma.

—Menos cuando se mareaba en el avión —dijo Bourne, recordando lo mucho que había vomitado la muchacha en el horroroso vuelo de Madrid a Sevilla.

Diego echó atrás la cabeza y lanzó una carcajada.

—No soportaba los aviones, eso es cierto..., lástima que tuviera que utilizarlos tan a menudo. —Bebió otro sorbo de tequila, saboreándolo antes de tragarlo, y dejó el vaso a un lado—. Imagino que querrás continuar con la misión que nuestra común amiga te encomendó a título póstumo.

—Cuanto antes mejor, supongo. —Bourne se levantó y, junto con Diego Herrera, salió del despacho, recorrió varios pasillos, silenciosos y sombríos y bajó por una larga rampa que terminaba en la cámara acorazada, que estaba abierta. El estadounidense sacó la llave, pero comprendió que no hacía falta decirle a Diego el número de la caja de seguridad, porque el banquero se dirigió directamente a ella. Bourne insertó la llave en una de las cerraduras y Diego puso su llave maestra en la otra.

—A la de tres.

Ambos giraron las llaves al mismo tiempo y la pequeña puerta de metal se abrió. Diego sacó la caja alargada y la llevó a una fila de cubículos con cortinas que había en una de las paredes de la estancia.

—Toda tuya, señor Stone —dijo, dejando la caja sobre un saliente y señalándola—. Por favor, toca este timbre cuando hayas terminado y yo personalmente bajaré a buscarte.

—Gracias, señor Herrera. —Bourne entró en el cubículo, corrió la cortina y se sentó en el sillón de madera. Durante un momento, mientras oía alejarse los pasos de Diego Herrera, no hizo nada. Luego, inclinándose, abrió la caja de seguridad. Dentro sólo había un pequeño libro. Lo sacó y lo abrió por la primera página. Parecía un diario, aunque tras leerlo un poco vio que era una especie de historia que acumulaba una serie de incidentes, al parecer escritos por diferentes manos. Leyó el primer nombre y los pelos de los brazos se le erizaron. De forma involuntaria echó un vistazo a su alrededor, aunque no había nadie allí con él. Pero a pesar de estar solo, notaba un movimiento, una energía inquieta mientras los fantasmas y duendes salían de las notas privadas de Perlis y se ponían a dar vueltas alrededor de sus pies como perros hambrientos.

Leonid Arkadin, Vylacheslav Germanovich Oserov (o Slava, como lo llamaba Perlis) y Tracy Atherton. Con el sudor perlándole la frente, Bourne se puso a leer.

La arena húmeda y el agua salada se introducían entre los dedos de los pies de Arkadin. Chicas con diminutos bikinis y muchachos delgados con pantalones para surfear que les llegaban hasta las huesudas rodillas jugaban a balonvolea o corrían por la playa, justo más allá de la línea de la marea, con latas de cerveza en la mano.

Arkadin no cabía en sí de cólera por encontrarse en aquel rincón al que Maslov y en especial Oserov lo habían obligado a retroceder. No tenía ninguna duda de que este último había convencido al jefe de la Kazanskaya en Moscú para ir directamente tras él. Un ataque frontal no era el estilo de Maslov, era más cauteloso, sobre todo en tiempos tan llenos de peligros para él y la mafia moscovita. El Gobierno le andaba pisando los talones, esperando a que cometiera un error. Hasta ahora, gracias a una combinación de astucia y amigos que le debían favores se las había arreglado para ir un paso por delante del Kremlin; ni sus inquisidores ni sus fiscales habían sido capaces de presentar cargos contra él. Maslov aún guardaba mucha basura sobre varios jueces federales, algo de vital importancia para esquivar los ataques.

Sin haberlo pensado conscientemente, Arkadin se había adentrado en el agua, que ahora le llegaba por encima de las rodillas, mojándole los pantalones. No le importaba; México le permitía un margen de libertad que no había sentido antes. Quizá fuera el ritmo más lento o un estilo de vida en que el placer consistía en ir de pesca o en ver la puesta de sol o en beber tequila hasta bien entrada la noche, mientras bailaba con una joven de ojos negros cuyas faldas multicolores se levantan con cada giro que daba a su alrededor. El dinero, al menos las cantidades a las que él estaba acostumbrado, era irrelevante allí. La gente se contentaba con poco y era feliz.

En aquel momento la vio, o creyó verla, saliendo de la espuma como Venus sobre su brillante concha rosa. El sol rojizo le daba en los ojos y tuvo que entornarlos, hacerse sombra con la mano, pero la mujer que estaba viendo era Tracy Atherton: alta y esbelta, rubia y de ojos azules, con la sonrisa más amplia que jamás había visto. Pero no podía ser Tracy, porque Tracy estaba muerta.

La vio acercarse a él. En cierto momento se dio la vuelta para mirarlo directamente y el parecido se desvaneció. Arkadin se fue con el último rayo del sol.

Arkadin había conocido a Tracy en San Petersburgo, en el museo del Hermitage. Él había estado dos años en Moscú, trabajando para Maslov. Ella estaba allí para ver los tesoros de los zares, y él había acudido a una fastidiosa cita con Oserov. Claro que todas sus reuniones con Oserov eran fastidiosas y terminaban a menudo de forma violenta. Principal sicario de Maslov en aquella época, había matado a sangre fría a un niño que no tendría más de seis años. Por esta aberración, Arkadin lo había golpeado en la cara hasta dejársela hecha una masa blanda y le había dislocado un hombro. Lo habría matado allí mismo si su amigo Tarkanian no hubiera intervenido. Desde aquel incidente, el resentimiento entre los dos hombres siguió creciendo hasta que explotó en Bangalore. Pero Oserov, como los vampiros, era difícil de matar. Con una carcajada irónica, Arkadin decidió que la próxima vez le clavaría una estaca de madera en el corazón. Que Dimitri Maslov los hubiera obligado continuamente a trabajar juntos, Arkadin estaba convencido, era un acto deliberado de sadismo que el jefe de la mafia moscovita pagaría caro algún día.

Aquella fría mañana de invierno en San Petersburgo había llegado temprano para asegurarse de que Oserov no hubiera preparado una trampa. En su lugar encontró a una rubia alta y delgada con enormes ojos azules y una sonrisa aún más grande que contemplaba un retrato de la emperatriz Isabel Petrovna. La rubia llevaba un abrigo de piel de ciervo hasta los tobillos, con cuello alto teñido de un azul celeste inverosímil, y debajo, asomando apenas, una camisa de seda de color rojo sangre. Sin preámbulos, ella le preguntó qué opinaba del retrato.

Arkadin, que ni se había fijado en la pintura ni en ninguna otra cosa de naturaleza decorativa en aquellas vastas estancias, miró el retrato y dijo:

—Fue pintado en 1758, ¿qué otro significado podría tener para mí?

La rubia se volvió, mirándolo con la misma intensidad con que había mirado la pintura.

—Es la historia de su país. —Señaló con una mano delgada y de largos dedos—. Louis Tocque, el hombre que lo pintó, fue uno de los artistas más importantes de su época. Viajó de París a Rusia a requerimiento de Isabel Petrovna, para pintarla.

Arkadin, ignorante como era, se encogió de hombros.

—¿Y?

La rubia sonrió más ampliamente aún.

—Que el pintor viniera fue una prueba del prestigio mundial y del poder de Rusia. En aquella época, Francia estaba enamorada de Rusia y viceversa. Todos los rusos deberían sentirse orgullosos de este cuadro.

Arkadin, a punto de hacer un comentario mordaz, se mordió la lengua y volvió la mirada a la majestuosa mujer del cuadro.

—Es hermosa, ¿verdad? —dijo la rubia.

—Bueno, nunca he conocido a nadie ni remotamente parecido. No parece real.

—Y sin embargo lo era. —La rubia hizo un gesto para que Arkadin volviera a mirar a la emperatriz—. Imagínese a usted mismo en el pasado, imagínese en el cuadro, a su lado.

Y entonces, como si viese por primera vez a la emperatriz, o como si la viese a través de los ojos de la rubia, Arkadin le dio la razón mecánicamente.

—Sí —concedió—. Sí, supongo que es hermosa.

—Ah, entonces el tiempo que he pasado aquí ha valido la pena. —La sonrisa de la rubia no había desfallecido en absoluto. Le tendió la mano—. Soy Tracy Atherton, por cierto.

Durante un momento, él acarició la idea de dar un nombre falso, cosa que solía hacer casi sin pensar, pero en su lugar dijo:

—Leonid Danilovich Arkadin.

El ambiente se había impregnado de repente de olor a historia, de un picante y misterioso aroma a rosa y cedro. Más tarde caería en la cuenta de qué fue lo que lo había atraído y al mismo tiempo avergonzado. Se sentía como un estudiante, demasiado ignorante y aficionado a hacer novillos para aprender las lecciones. Al lado de Tracy, siempre notaba su falta de educación formal, como si estuviera desnudo. Y no obstante, desde aquel primer encuentro supo que la joven le sería útil, que podría absorber lo que ella había aprendido. Aprendió de ella el valor del conocimiento, pero una parte de él nunca le perdonó la forma en que se sentía ante ella, y en consecuencia la utilizaba sin compasión, tratándola cruelmente, mientras la ligaba a él cada vez con más fuerza.

Esta claridad llegó después, naturalmente. En aquel momento todo lo que sintió fue una ráfaga de ira y, sin pronunciar palabra, giró sobre sus talones y se alejó de ella; y se fue a buscar a Oserov, cuya compañía, por el momento, le pareció preferible a la de aquella criatura.

Pero encontrar a Oserov no consiguió calmar su súbita incomodidad, así que insistió en cambiar el protocolo, para salir juntos del Hermitage. Salieron a la calle Millionnaya, donde encontró un café antes de que sus labios y mejillas se agrietaran a causa del intenso frío.

La nieve había empezado a caer con un extraño susurro seco, como de depredadores olisqueando la maleza, y Arkadin nunca olvidaría cómo se había materializado Tracy Atherton allí mismo. Su abrigo de piel de ciervo se agitaba sobre sus tobillos como espuma helada.

En aquellos días, poco después de que Dimitri Maslov hubiera enviado a Oserov y a Mischa Tarkanian a liberarlo de la prisión de su ciudad natal, Nizhny Tagil, Oserov era su superior, y lo trataba con prepotencia. Oserov estaba dándole una clase sobre cómo matar debidamente a un político, que era la razón de su viaje a San Petersburgo. Aquel político en particular se había alineado en contra de Maslov, así que tenía que ser eliminado lo más rápida y eficazmente posible. Arkadin lo sabía y Oserov sabía que lo sabía, pero aun así aquel cabrón se complacía repitiendo una y otra vez sus opiniones, como si él fuera un niño insolente de cinco años.

No mucha gente se habría atrevido a interrumpir a Oserov, pero Tracy lo hizo. Al entrar en el café, vio a Arkadin y avanzó con seguridad hasta su mesa.

—Vaya, hola, bonita reunión tenéis aquí —dijo con su suave acento británico.

Oserov, detenido en medio de su perorata, le dirigió una mirada que habría convertido en piedra a mucha gente. Tracy se limitó a ensanchar su sonrisa y, cogiendo una silla de una mesa cercana, dijo:

—No os importa que me siente, ¿verdad? —Se sentó y pidió un café antes de que ninguno de los dos pronunciara palabra.

En el momento en que el camarero se fue, la expresión de Oserov se oscureció de un modo que no auguraba nada bueno.

—Escuche, no sé quién es ni por qué está aquí, pero estamos tratando asuntos importantes.

—Ya lo veo —replicó Tracy, agitando una mano—. Pueden seguir, no me importa.

Oserov echó atrás su silla, rascando el suelo con un ruido que daba dentera.

—Lárgate.

—Tranquilo —intervino Arkadin.

—Y tú cierra la boca. —Oserov se levantó y se inclinó sobre la mesa—. Si no te vas inmediatamente, en este preciso momento, te echaré de aquí de una patada en ese culito tan mono.

Ella lo miró sin pestañear.

—No hace falta que utilice ese lenguaje.

—Tiene razón, Oserov. Yo la acompañaré...

Pero en aquel momento, Tracy sostuvo la punta de la corbata de Oserov, que estaba a punto de impregnarse de café. Él se lanzó sobre ella, la asió por las solapas del abrigo y la levantó de la silla. La falda de seda se rasgó y la violenta acción atrajo la atención de los parroquianos y del personal del café. La misión tenía que ser discreta, en teoría, y Oserov estaba cargándosela.

Arkadin se levantó y dijo con suavidad:

—Déjala. —Como no la soltaba, añadió, aún con más suavidad—: Déjala o te doy una cuchillada aquí mismo.

Oserov bajó la mirada y vio que Arkadin le había puesto a la altura del hígado la punta de una navaja automática. Su rostro se ensombreció aún más y en sus ojos duros y brillantes relampagueó algo maléfico.

—No olvidaré esto —amenazó con voz sobrecogedora mientras la soltaba.

Como seguía mirando a Tracy a la cara, no estaba claro a quién se lo decía, pero Arkadin sospechaba que se lo decía a los dos. Antes de que ocurriera nada peor, rodeó la mesa y, asiendo a la mujer por el codo, la acompañó fuera del café.

La nieve caía con singular intensidad y casi inmediatamente el cabello y los hombros de los dos estuvieron cubiertos de copos.

—Bueno, ha sido interesante —comentó la joven.

Arkadin observó su rostro, pero no vio miedo en él.

—Me temo que se ha ganado un enemigo muy malo.

—Vuelva dentro —aconsejó Tracy como si no lo hubiera oído—. Sin el abrigo, se va a morir de frío.

—No creo que entienda...

—¿Conoce el Doma?

El hombre parpadeó. ¿Es que nunca escuchaba lo que le decían? Pero la ola que cabalgaba lo estaba llevando cada vez más lejos de la orilla.

—¿El restaurante que hay al lado del Hermitage? Todo el mundo conoce el Doma.

—Esta noche, a las ocho. —Tracy le dedicó una de sus esplendorosas sonrisas y lo dejó allí, bajo la nieve, observado por un Oserov con el entrecejo fruncido.

La chica a la que había confundido con Tracy se había ido hacía rato, pero Arkadin aún podía distinguir las huellas húmedas de sus pies en la arena de la playa. En el agua había medusas ahora, opalescentes y brillantes. A lo lejos, una mexicana cantaba una triste ranchera por los altavoces de una radio. Las medusas parecían balancearse al ritmo de la música. La noche caía y un cielo negro punteado de estrellas aparecía lentamente. Arkadin volvió al convento, y en vez de pulsar interruptores de luz eléctrica, encendió velas, y en lugar de encender la tele, se quedó escuchando rancheras tristes. Al parecer, México se le metía en la sangre por la noche.

«Empiezo a entender por qué Arkadin y Oserov son enemigos mortales —pensó Bourne, levantando la vista del cuaderno de Perlis—. El odio es una emoción poderosa, el odio convierte a los inteligentes en estúpidos, o al menos los hace estar menos alerta. Quizás haya encontrado por fin el talón de Aquiles de Arkadin.»

Ya había leído suficiente por el momento. Cerró la caja de seguridad, se guardó el libro en el bolsillo y pulsó el timbre para indicar que había terminado. Aunque en principio parecía extraño que Perlis hubiera utilizado un método tan anticuado para registrar lo que él obviamente consideraba información vital, tras pensarlo más despacio comprendió que tenía más sentido. Los aparatos electrónicos eran tan fáciles de rastrear, y había tantas formas de hacerlo, que una copia escrita y a mano era la solución. Guardada en una cámara acorazada, estaba totalmente a salvo, y si hacía falta, podía ser destruida definitivamente con una cerilla. En los tiempos que corrían, no confiar mucho en la tecnología era a menudo la mejor defensa contra los piratas informáticos, que podían infiltrarse en las redes más sofisticadas y hacerse incluso con archivos ya borrados.

Diego Herrera apartó la cortina, cogió la caja de metal y la devolvió a su sitio. Los dos hombres cerraron el compartimento con sus respectivas llaves.

—Necesito un favor —dijo Bourne cuando salían de la cámara.

El banquero lo miró con expectación, sin comprometerse.

—Me ha estado siguiendo un hombre. Está en el banco, esperando a que reaparezca.

Diego sonrió.

—No hay problema. Puedo acompañarte a la puerta que utilizan los clientes que necesitan, digamos..., un grado más alto de discreción que la mayoría. —Estaban llegando a su despacho cuando un atisbo de preocupación cruzó su rostro—. ¿Puedo preguntar por qué te sigue ese hombre?

—No lo sé —respondió Bourne—, aunque parece que colecciono hombres así como si fueran moscas.

Diego se echó a reír.

—Noah decía siempre algo parecido.

Bourne cayó en la cuenta de que aquello era lo más cerca que iba a estar de preguntarle si pertenecía al equipo de Perlis. Empezaba a simpatizar con Diego, casi tanto como con su padre, pero a pesar de eso no había razones para contarle la verdad. Asintió con la cabeza como si respondiera tácitamente a la pregunta que el banquero no había formulado.

—No sé quién es, pero es importante que lo descubra —repuso Bourne.

Diego abrió las manos.

—Estoy a tu servicio, señor Stone —dijo con talante andaluz.

«Puede que Diego viva en Londres —pensó Bourne—, pero su corazón sigue en Sevilla.»

—Necesito que ese hombre salga de tu banco y esté en la calle antes de que yo salga. Una alarma de incendios sería perfecta.

Diego asintió con la cabeza.

—Considéralo hecho. —Levantó un dedo—. Con la condición de que vengas a mi casa mañana por la noche. —Dio a Bourne una dirección de Belgravia—. Tenemos amigos en común, sería de muy mala educación no ofrecerte mi hospitalidad. —Sonrió, enseñando unos dientes blancos y uniformes—. Comeremos algo y después, si te apetece, daremos una vuelta, podemos ir al Club Vesper, en Fulham Road.

Diego parecía hacerse cargo de las situaciones de una forma más sensata que egoísta, muy al estilo de su padre. Aquello encajaba con el perfil que había deducido después de buscar datos sobre él en Internet, unas semanas antes, pero el Club Vesper, un casino sólo para socios, estrictamente para jugadores empedernidos, no encajaba en absoluto. Bourne se guardó aquella incoherencia en lo más profundo de su mente y se preparó para entrar en acción.

La alarma contra incendios saltó en Aguardiente Bancorp. Bourne y Diego Herrera observaron a los guardias de seguridad, que, ágil y metódicamente, hicieron salir a todos por la puerta principal. Entre ellos al perseguidor del estadounidense.

Bourne salió por la puerta lateral del banco y, mientras los clientes se arremolinaban en la acera, sin saber muy bien qué hacer, localizó a su seguidor, con la multitud entre ellos. El hombre vigilaba la entrada principal del banco, buscándolo, desde una posición que también le permitía ver la puerta lateral.

Deslizándose entre el gentío, que se había duplicado gracias a los peatones y conductores que se detenían a mirar, Bourne se situó detrás de su perseguidor.

—Camina en línea recta hacia Fleet Street —le ordenó, clavándole un nudillo en los riñones—. Todo el mundo tomará un disparo con silenciador por el tubo de escape del camión de los bomberos. —Lo golpeó con el canto de la mano en la nuca—. ¿Te he dicho que te des la vuelta? Comienza a andar.

El hombre hizo lo que Bourne le ordenaba, y echó a andar entre la multitud, enfilando Middle Temple Lane, ahora con más rapidez. Era de espaldas anchas y llevaba el pelo cortado al rape; tenía el rostro vacío como un solar abandonado y la piel cuarteada, como si hubiera tenido una alergia o hubiera estado a la intemperie durante muchos años. Bourne sabía que intentaría algo antes o después. Un empresario, absorto en su teléfono móvil, los adelantó a toda prisa y vio que Pelo Rapado se inclinaba hacia él. Pelo Rapado tropezó adrede con el hombre, consiguiendo así echarse a un lado, y estaba a punto de volverse hacia el estadounidense, con el brazo derecho preparado, juntando los dedos para formar un bloque de cemento, cuando Bourne lo golpeó con el pie en la corva. Casi en el mismo instante, le atrapó el brazo derecho entre su codo y el antebrazo, y le rompió el hueso.

El hombre se dobló gruñendo. Cuando Bourne se inclinó para ponerlo en pie, el otro estuvo a punto de clavarle el zapato en la ingle, pero él lo esquivó y la patada fue a parar al muslo; fue un golpe doloroso, pero inofensivo.

En aquel punto, vio que se acercaba un coche en dirección prohibida, demasiado rápido para reducir la velocidad y mucho menos para pasar sin atropellarlos. Arrojó al tipo delante del vehículo y, utilizando sus hombros como punto de apoyo, saltó encima del auto. Con un chirrido de frenos, el conductor trató de desacelerar. En el momento en que caía de pie en el techo del coche, las balas lo perforaron desde el interior, buscándolo a ciegas, pero Bourne ya se estaba deslizando por el maletero.

Oyó un impacto seco a sus espaldas cuando el coche arrolló al hombre caído, y luego percibió el olor a caucho quemado de los neumáticos. Mirando por encima del hombro, vio que salían dos tipos armados con sendas Glocks: el conductor y el que le había disparado. Cuando se volvieron hacia él, la masa de clientes y empleados que había estado en la puerta de Aguardiente Bancorp llegó corriendo por la acera, hablando a gritos; parecían una plaga de chicharras haciendo fotos con los teléfonos móviles; acorralaron a los dos hombres y los inmovilizaron donde estaban. Aparecieron más peatones y curiosos procedentes de Fleet Street. Al poco rato, el aire se llenó con el conocido ulular de las sirenas de la policía, y Bourne, escurriéndose entre la multitud, se alejó lentamente, dobló por Fleet Street y se perdió en la ciudad.

6

—He perdido el contacto con él —dijo Frederick Willard.

—Ya lo habías perdido antes —observó Peter Marks.

—Esta vez es diferente —puntualizó Willard. Llevaba un traje clásico de rayas, camisa azul almidonada, de cuello y puños blancos y una pajarita azul marino con lunares blancos—. Si no somos precavidos y listos, esto se puede convertir en algo permanente.

Desde que se había embarcado en el resucitado proyecto Treadstone, Marks había aprendido que era un pecado mortal creer que la edad de Willard significaba pérdida de vigor. El hombre rondaría los sesenta años, pero aún podía ganar una carrera a la mitad de los agentes de campo de la CI, y en cuanto a cerebro, a su habilidad para encontrar la mejor solución de un problema, Marks creía que era tan bueno como Alex Conklin, el fundador de Treadstone. Y para rematar el retrato, tenía la increíble habilidad de descubrir los puntos débiles del adversario y de encontrar las formas más novedosas de explotarlos. Willard era algo sádico, no le cabía ninguna duda, aunque una disposición así no era un ingrediente nuevo en la línea de su trabajo secreto, donde sádicos, masoquistas y todas las demás variantes psicológicas se apelotonaban como moscas en un cadáver putrefacto. El truco, había descubierto Marks, estaba en descubrir la peculiaridad de cada persona antes de que la utilizara para enterrarte.

Se habían acomodado en un sofá, en el vestíbulo de un club sólo para socios, y a juzgar por su aspecto sólo para varones, al que pertenecía Oliver Liss.

—Club Monition —murmuró Marks durante su enésima mirada a su alrededor—. ¿Qué es este lugar?

—No lo sé —replicó Willard con mordacidad—. Llevo todo el día tratando de descubrirlo sin encontrar ni un retazo de información sobre él.

—Tiene que haber algo. ¿De quién es este edificio, por ejemplo?

—De una compañía de Granada —gruñó Willard—. Una empresa fantasma, está claro, y el rastro se complica después. Quienquiera que sea esta gente, no quiere ser conocida.

—No hay leyes contra eso —dijo Marks.

—Quizá no, pero me resulta extraño y sospechoso a la vez.

—Tendré que investigar un poco más.

El interior era tan retumbante como una catedral y, con sus paredes de piedra, sus arcos góticos y cruces doradas, parecía una institución eclesiástica. Gruesas alfombras y unos muebles enormes acentuaban el carácter opresivo del ambiente. De vez en cuando pasaba alguien, hablaba brevemente con la mujer uniformada que había tras la alta mesa del centro del vestíbulo y se perdía en las sombras.

La atmósfera recordaba a Marks el clima que imperaba en la nueva CI. Por lo que había sabido gracias a sus antiguos colegas, infestaban los pasillos una nueva colección de rostros serios en el personal de base y un nivel de melancolía rayano en el resentimiento. Aquel ambiente tóxico aliviaba de alguna manera el sentimiento de culpa que sentía por haber abandonado la Agencia, sobre todo porque no había estado allí cuando Soraya había regresado de El Cairo. Sin embargo, Willard le había asegurado que sería de más ayuda a la muchacha ahora que se había ido.

«De este modo tu sabiduría y tus consejos parecerán más objetivos y por tanto tendrán más peso», le había dicho. Resultó que tenía razón. Marks estaba seguro de que era la única persona que podía haberla convencido de que se integrara en Treadstone.

—¿En qué piensas? —preguntó Willard inesperadamente.

—En nada.

—Respuesta equivocada. Nuestra prioridad número uno es idear la forma de restablecer el contacto clandestino con Leonid Arkadin.

—¿Por qué es tan importante Arkadin? Aparte del hecho de haber sido el primer graduado de Treadstone y el único que escapó.

Willard lo fulminó con la mirada. No le importaba que le arrojaran sus propias palabras a la cara, aunque lo hiciera un subordinado. Ése era el problema de Willard, una de sus muchas particularidades, como bien había comprendido Marks: que pensaba más aprisa que ninguno de cuantos habían entrado en las filas de la CI. Willard estaba convencido de su superioridad y trataba a todo el mundo según ese convencimiento. Que hubiera un par de miligramos de verdad en ello hacía más sólido su feroz control. En realidad, Marks suponía que su arrogancia era lo que le había permitido infiltrarse y mantener su posición en la NSA durante tantos años. Tenía que ser mucho más fácil acatar órdenes de los jefes cuando uno sabía que iba a joderlos a todos.

—Me duele tener que decirte esto, Marks, pero dentro de la mente de Arkadin están los últimos secretos de Treadstone. Conklin lo sometió a una serie de técnicas psicológicas que ya no existen.

—¿Y qué pasa con Jason Bourne?

—A causa de lo que ocurrió con Arkadin, Conklin no utilizó la misma técnica con Bourne, así que en ese sentido los dos son diferentes.

—¿Cómo hay que entender eso?

Willard, cuya atención al detalle era legendaria, se estiró los puños de la camisa para que los dos tuvieran exactamente la misma longitud.

—Arkadin no tiene alma.

—¿Qué? —Marks sacudió la cabeza como si no hubiera oído bien—. A menos que me equivoque, no hay técnica científica conocida que sea capaz de destruir un alma.

Willard entornó los ojos.

—Por el amor de Dios, Peter, no estoy hablando de una máquina sacada de una novela de ciencia ficción. —Se puso en pie—. Pero pregunta al cura de tu parroquia la próxima vez que lo veas. Te sorprenderá su respuesta. —Le indicó por señas que se levantara—. Ahí viene nuestro nuevo amo y señor, Oliver Liss.

Marks miró su reloj.

—Cuarenta minutos tarde. Justo a tiempo.

Oliver Liss vivía en otro mundo. Parecía, se comportaba y posiblemente incluso imaginaba que era una estrella de cine. Era guapo, según el estilo promovido por la élite de Hollywood, con la diferencia de que no parecía costarle ningún esfuerzo. Quizá fuera porque tenía unos genes superiores. En cualquier caso, cuando entraba en un lugar público, no necesitaba más séquito que su propio sol personal. Era alto, esbelto y atlético, y despertaba amargas envidias entre los hombres que conocía. Le gustaban las bebidas fuertes, las carnes rojas y las mujeres jóvenes, rubias y pechugonas. En resumen, era el tipo de hombre en que Hugh Hefner había pensado al crear *Playboy*.

Esbozando una sonrisa mecánica sin perder el paso, Liss les indicó por señas que cruzaran con él las puertas del infierno y entraran en el Club Monition propiamente dicho. Era la hora del desayuno. Al parecer, siguiendo la tradición del club, aquella comida se tomaba en una terraza cerrada de paredes de ladrillo, que daba a un patio cuyo centro estaba tan limpio como un jardín de hierba, aunque en aquella época del año apenas había nada que ver, salvo tierra baldía y unas pequeñas vallas de hierro forjado, presumiblemente para mantener la menta apartada de la salvia.

Liss los condujo a una espaciosa mesa de piedra. El buen hombre olía a cera de abejas y a colonia cara. Aquel día iba vestido como un propietario rural, con pantalones de franela, chaqueta de mezclilla y una corbata estampada con imágenes de zorras hambrientas. Sus lujosos mocasines de color sangre de toro relucían como espejos.

Después de pedir, tomarse el zumo recién hecho y saborear el tonificante café de cafetera de émbolo, fueron al grano.

—Sé que están ocupados mudándose a sus nuevos despachos, familiarizándose con los aparatos electrónicos y demás, pero quiero que hagan todo eso a un lado. He contratado a un administrativo para esa función, ya que son ustedes demasiado valiosos para perder el tiempo con esas minucias. —Su voz era tan rica y brillante como sus zapatos. Se frotó las manos como si fuera un querido tío encantado con la última reunión familiar—. Quiero que se concentren en un asunto, y sólo en uno. Sé que con su prematuro fallecimiento Noah Perlis dejó varios cabos sueltos.

A Willard lo pilló aquello por sorpresa.

—No irá a pedirnos que investiguemos los residuos tóxicos de Black River, ¿verdad?

—No, en absoluto. Pasé seis meses desenganchándome de la organización que contribuí a fundar porque vi que el tren iba a descarrilar. Imaginen qué se siente, caballeros. —Levantó un dedo—. Oh, sí, Frederick, en su caso tiene una idea de lo que he tenido que soportar. —Sacudió la cabeza—. No, Noah se ocupaba de ese asunto por orden mía, nadie más de Black River sabía algo al respecto. —Se echó hacia atrás cuando le sirvieron el desayuno y luego, mirando los huevos Benedict perfectamente cocinados, prosiguió diciendo—: Noah tenía un anillo. Lo consiguió a un elevado precio y, según creo, a costa de una tragedia personal. Es, digámoslo así, un anillo singular. Aunque por fuera parece un sencillo anillo de boda, en realidad es algo muy diferente. Echen un vistazo a esto. —Les pasó varias fotos en color del objeto en cuestión—. Como ven, tiene unos símbolos, grafemas si prefieren los tecnicismos, grabados en el interior.

—¿Qué es un grafema? —preguntó Marks.

—La unidad básica de un idioma, de cualquier idioma.

Willard entornó los ojos.

—Ya, pero ¿de qué maldito idioma estamos hablando?

—De un idioma inventado, hecho con elementos del antiguo sumerio, el latín y sólo Dios sabe qué otra lengua, posiblemente alguna que se perdió y no llegó a la época moderna.

—¿Y quiere que lo dejemos todo por esto? —Marks no parecía acabar de creérselo—. ¿Quién cree que somos, Indiana Jones?

Liss, que había estado masticando un bocado, sonrió.

—No es tan antiguo, mi sabihondo amigo. En realidad, es probable que se fabricara hace menos de diez años.

—¿Un anillo? —Willard sacudió la cabeza—. ¿Para qué lo quiere?

—Sólo para verlo. —Liss guiñó un ojo y se tocó la nariz—. En cualquier caso, Noah tenía el anillo cuando Jason Bourne lo mató. Está claro que lo mató para quedarse con el anillo.

Marks cabeceó. Su simpatía por Bourne era bien conocida.

—¿Por qué iba a hacer algo así? Debía de tener una buena razón.

—Lo que tienen que tener presente es que Bourne ha vuelto a matar sin provocación —Liss lo miró fijamente—. Encuentren a Bourne y encontrarán el anillo. —Rompió cuidadosamente una yema y mojó un triángulo de tostada en ella—. Me he enterado de que ha sido visto en la terminal de llegadas del aeropuerto de Heathrow, así que apostaría a que fue al apartamento de Noah en Belgravia. Empiecen por ahí. Les he enviado todos los detalles al móvil y les he reservado pasajes para un vuelo nocturno a Heathrow, así que repongan fuerzas y prepárense para pisar el asfalto con brío y entusiasmo cuando lleguen mañana por la mañana.

Willard dejó a un lado las fotos y adoptó una expresión que hizo sonar la alarma en la cabeza de Marks.

—Cuando accedió a invertir en Treadstone —dijo con voz que no auguraba nada bueno—, estuvo de acuerdo en que yo estaría a cargo de las operaciones.

—¿Estuve de acuerdo? —Liss miró hacia arriba como si intentara recordar y negó con la cabeza—. No, no lo estuve.

—Esto es... ¿Qué es, una broma?

—No creo que sea una broma, no. —Liss se introdujo la tostada triangular en la boca y la masticó con fruición.

—Tengo un programa muy concreto. —Willard pronunció cada palabra con un deje cortante—. Una razón particular para haber puesto en marcha Treadstone.

—Soy muy consciente de su obsesión por ese ruso, Leonid Arkadin, pero la cuestión, Frederick, es que usted no ha puesto en marcha Treadstone. Lo hice yo. Treadstone es mío. Lo financio yo de arriba abajo. Usted trabaja para mí y pensar otra cosa sería malinterpretar los parámetros de su singular empleo.

Marks sospechaba que Willard empezaba a darse cuenta de que al cambiar la CI por Oliver Liss se había limitado a cambiar un odiado jefe por otro. Y como él mismo le había dicho al reclutarlo, no había vuelta atrás en un pacto con el diablo. Ambos estaban allí hasta el amargo final, en el círculo del infierno al que todo aquello los precipitara.

Liss también miraba a Willard. Sonrió benignamente y señaló la mesa con las puntas manchadas de huevo del tenedor.

—Será mejor que coma, se le está enfriando el desayuno.

Después de tomar un bocado mientras seguía leyendo la descripción que había hecho Perlis de la contienda sangrienta entre Oserov y Arkadin, Bourne volvió a Belgravia, esta vez a la calle en la que había vivido Tracy Atherton. Era verde y fresca en medio de la niebla que se arremolinaba en las alcantarillas y alrededor de las chimeneas de las casas adosadas. La de la muchacha era limpia y elegante, al igual que las de los vecinos. Unos peldaños llevaban hasta la puerta, donde había una placa de bronce con los nombres de la gente que vivía en los seis apartamentos.

Pulsó el botón de T. ATHERTON como si todavía estuviera viva y esperase pasar la tarde con ella sesteando, bebiendo, comiendo, haciendo el amor y hablando de arte y de su larga y compleja historia. Le sorprendió pues que se oyera un zumbido y la puerta quedase abierta. La empujó, accedió al pequeño zaguán, oscuro y húmedo, como sólo los interiores de Londres pueden estar en invierno o primavera.

La vivienda de Tracy estaba en el segundo piso, de modo que subió por las estrechas y empinadas escaleras, cuyos peldaños crujieron bajo su peso una y otra vez. Lo encontró al fondo y recordó a la joven diciéndole: «Hay unas antiguas caballerizas detrás con un peral en flor en el que anidan las golondrinas en primavera». Imaginó que los pájaros estarían anidando en aquella época. Fue un pensamiento agridulce.

La puerta se entreabrió cuando se acercó a ella. La figura que apareció estaba iluminada por detrás y por un momento se quedó paralizado, con el corazón latiendo muy aprisa, porque estaba casi seguro de que estaba mirando a Tracy. Alta, esbelta, rubia.

—¿Sí? ¿Deseaba algo?

Los ojos de la mujer rompieron el hechizo; eran castaños, no azules, y no eran tan grandes como los de Tracy. Sintió que volvía a respirar.

—Me llamo Adam Stone. Era amigo de Tracy.

—Ah, sí, Tracy me habló de usted. —No le ofreció la mano. Su expresión era neutral—. Soy Chrissie Lincoln, la hermana de Tracy. —Siguió sin moverse del umbral—. Se conocieron en un vuelo a Madrid.

—En realidad fue en un vuelo de Madrid a Sevilla.

—Exacto. —Chrissie lo miró con recelo—. Trace viajaba mucho. Menos mal que le gustaba ir en avión.

Bourne se dio cuenta de que lo estaba poniendo a prueba.

—Detestaba los aviones. Se mareó cinco minutos después de subir al avión. —Esperó a que la mujer dijera algo—. ¿Puedo pasar? Me gustaría hablar con usted acerca de Tracy.

—Bueno. —La mujer se hizo a un lado sin muchas ganas.

Bourne entró y cerró la puerta. Tracy tenía razón, la vivienda era diminuta, pero tan hermosa como ella. Los muebles de color amarillo mantequilla y naranja vivo, cortinas color crema enmarcando las ventanas, cojines de lunares, estampados animales y rayas, tirados al tuntún, para que pusieran brillantes notas de color. Cruzó la salita y entró en el dormitorio.

—¿Busca algo en concreto, señor Stone?

—Llámeme Adam. —Unas puertas de cristales daban a la parte trasera, y allí estaba el peral—. Estoy buscando el nido de las golondrinas.

—¿Disculpe? —La voz de la hermana era más aguda, más delicada, y hablaba más aprisa que Tracy.

—Su hermana me contó que en primavera anidaba una pareja de golondrinas en ese peral.

Chrissie estaba a su espalda. Su cabello olía a limón. Llevaba una camisa de algodón masculina con las mangas subidas, dejando unos brazos bronceados al descubierto; y tejanos, no los de cintura baja, que estaban tan de moda, sino unos viejos Levis con los bajos vueltos, lisos y desgastados. Sudaba ligeramente, como si hubiera estado limpiando o recogiendo durante un buen rato. No llevaba joyas, ni siquiera un anillo de boda. Y sin embargo su apellido era Lincoln, no Atherton.

—¿Ve algún rastro de la parejita? —preguntó con voz crispada.

—No —respondió él, dando media vuelta.

La muchacha frunció la frente y se quedó en silencio un largo rato.

—¿Chrissie?

Como no respondiera, Bourne fue a buscarle un vaso de agua fría a la cocina. La joven se la bebió sin decir nada, lenta y metódicamente, como si fuera una medicina.

Cuando dejó el vaso en la mesa, le dijo:

—Me temo que ha sido un error dejarle pasar. Preferiría que se fuera.

Bourne asintió con la cabeza. Ya había visto la casa; no sabía qué esperaba encontrar, quizá nada, quizá sólo su aroma, retenido allí mucho después de su partida. La noche que habían compartido en Jartum había sido mucho más íntima que si hubieran hecho el amor, un acto que a pesar de su nombre puede ser impersonal, incluso indiferente. La revelación que se produjo después, que Tracy había estado trabajando para Leonid Arkadin, había llegado como un seco bofetón en la cara, aunque las semanas posteriores a su muerte le había perseguido la idea de que había algo que no funcionaba en aquella fórmula. No es que dudara que hubiera estado al servicio de Arkadin, pero en lo más profundo de sí mismo no podía dejar de pensar que la historia no podía ser tan simple. También era posible que hubiera ido a su casa en busca de algún tipo de prueba, una confirmación de su sospecha.

Estaban cerca de la puerta y Chrissie la abrió para que saliera.

—Señor Stone —dijo cuando ya casi estaba en el pasillo.

—Adam.

La joven intentó sonreír, pero no pudo; su rostro parecía rígido y dolorido.

—¿Sabe qué fue lo que ocurrió en Jartum?

Bourne titubeó. Volvió la cabeza hacia el pasillo, pero lo que veía era el rostro de Tracy, salpicado de sangre, mientras la acunaba en sus rodillas.

—Por favor, sé que no he sido muy hospitalaria. Yo..., yo no tengo la cabeza muy en su sitio, ¿sabe? —Se apartó para que volviera a entrar.

Bourne apoyó una mano en la puerta abierta.

—Su muerte fue un accidente.

Chrissie lo miró con temor, a la expectativa.

—¿Cómo lo sabe?

—Estaba allí.

Vio que la sangre abandonaba el rostro de la joven. Lo miraba fijamente, como si no pudiera apartar la vista, como si estuviera viendo con terrible claridad que iba a ocurrir algo desagradable.

—¿Puede contarme cómo murió?

—Creo que no querrá oír los detalles.

—Sí —dijo—. Sí quiero. Yo... necesito saber. Era mi única hermana. —Cerró la puerta, echó la llave y se acercó a un sillón de brazos, pero sin sentarse. Se quedó detrás del mueble, mirando un punto entre ambos—. He vivido un infierno desde que me lo dijeron. La muerte de una hermana es... bueno, es diferente de cualquier otra muerte. Yo... yo no sé explicarlo.

Bourne la miró tal como estaba, de pie, con los dedos clavados en el respaldo alto y arqueado del sillón.

—Le cayó una lluvia de cristales rotos y uno la atravesó. Se desangró en pocos minutos; nadie habría podido hacer nada por impedirlo.

—Pobre Trace. —Apretaba el respaldo del sillón con tanta fuerza que los nudillos se le pusieron blancos—. Le supliqué que no fuera, igual que le supliqué que no aceptara aquella maldita misión.

—¿Qué misión?

—El maldito Goya.

—¿Por qué le habló del Goya?

—No era el cuadro, sino la misión. Dijo que sería la última. Quería que yo lo supiera. Supongo que porque sabía que yo no aprobaba lo que hacía. —Se estremeció—. Aquella Pintura Negra era algo malvado.

—Lo dice como si fuera un ser vivo.

Chrissie se volvió hacia él.

—En cierta manera lo era, porque estaba conectada con aquel hombre.

—Arkadin.

—Nunca me dijo su nombre. Por lo que deduje, él le encargaba misiones muy peligrosas, pero le pagaba tan bien que las aceptaba todas, al menos eso fue lo que me dijo.

—¿No creía lo que le contaba?

—Oh, claro que la creía, cuando éramos jóvenes hicimos un pacto: no mentirnos nunca.

Su cabello era un tono más oscuro que el de su hermana, y más espeso, más lustroso incluso, y su rostro era menos lineal, más suave, más abierto. También más agobiado. Se movía más rápido que Tracy, o quizás es que se movía por impulsos nerviosos, causados por una serie de diminutas explosiones interiores.

—El problema surgió cuando crecimos —prosiguió—. Estoy segura de que había muchas cosas sobre su vida privada que se negaba a contar.

—Y usted no la obligaba a hacerlo.

—El secreto era elección suya —replicó la muchacha a la defensiva—. Yo acataba sus deseos.

Bourne la siguió al dormitorio. La joven se quedó mirando a su alrededor, como mareada, como si hubiera perdido a su hermana y ahora, inexplicablemente, no la pudiera encontrar. La luz que entraba por la ventana formaba rombos y rectángulos debido al peral. Era apacible, armoniosa, como la superficie de una foto en sepia. Chrissie se colocó en una de las luminosas formas geométricas.

Tenía los brazos alrededor de la cintura, como si tratara de controlar la emoción.

—Pero de una cosa estoy totalmente segura. Aquel hombre es un monstruo. Ella nunca habría trabajado voluntariamente para él. Estoy segura de que él la tenía atrapada de alguna forma.

Un eco de las propias sospechas de Bourne. Después de todo, quizá Chrissie tuviera algo que contarle.

—¿Se le ocurre qué podía ser?

—Ya se lo he dicho. Trace era la persona más celosa de sus secretos que había en este mundo.

—Así que no hubo nada, ninguna respuesta extraña a sus preguntas, nada de ese estilo.

—No. —Chrissie pronunció la negación alargando la sílaba—. Bueno, sí que hubo algo, pero, en fin, es ridículo.

—¿Ridículo? ¿Por qué?

—Recuerdo que estábamos juntas en cierta ocasión y, por una vez, nos quedamos sin saber de qué hablar después de que yo le contara con pelos y señales qué tal me iba. Estaba harta de todo aquello, ¿sabe?, era mi vida y ya me la sabía. Supongo que estaba algo irritada, porque le dije riendo que me estaba ocultando a alguien.

Bourne ladeó la cabeza.

—¿Y?

—Bueno, a ella no le pareció gracioso, en absoluto. No se rió, eso seguro. Yo me refería a un novio o marido, pero ella dijo, bastante enfadada, que yo era toda su familia.

—No creerá...

—No, no lo creo —dijo Chrissie con vehemencia—. No habría sido propio de ella. No se llevaba bien con nuestros padres, todo lo relativo a ellos le resultaba molesto. Y ellos estaban profundamente molestos por culpa de su rebeldía. Yo era la hija buena. Siguiendo los pasos de mi padre, fui profesora titular en Oxford. Pero Trace... sólo Dios sabe qué creían ellos que hacía. En todo caso, desde que tenía trece años se llevaban como el perro y el gato, hasta que un día ella salió de casa como una exhalación y no volvió más. No, puedo asegurarle que no quería tener familia propia.

—Y a usted eso le parece triste.

—No —repuso Chrissie, casi con actitud desafiante—. Lo encuentro admirable.

—Bueno, al menos iremos detrás de Bourne —dijo Marks—. Es un consuelo; es la mitad de la ecuación Treadstone, ¿no?

—No seas idiota —replicó Willard—. Liss ni siquiera se molestó en mencionarlo como una oferta de paz porque sabía que me reiría en su cara. Sabe que soy la única persona sobre la faz de la tierra, al menos bajo su control, que puede llegar a Bourne sin que le rompan el cuello. No, esto lo ha planeado desde el primer momento, era su única razón para recuperar Treadstone y yo le he seguido el juego desde el principio.

—Es un precio demasiado alto por un anillo, joder —se quejó Marks—. Tiene que ser único, caro o importante.

—Me gustaría echar otro vistazo a la foto del grabado —musitó Willard—. Es nuestra mayor oportunidad para descubrir algo del anillo, ya que Liss no nos lo quiere decir.

Habían estado paseando por el centro, desde el monumento a Washington hasta el Lincoln Memorial, con las manos en los bolsillos del abrigo y los hombros inclinados para protegerse del viento, pero en el último momento decidieron dar un rodeo para pasar ante el Vietnam Veterans Memorial. Durante el paseo, ambos, cada uno a su manera, habían estado pensando en los pros y los contras. No se fiaban de nadie, y mucho menos de Oliver Liss.

Se detuvieron y Willard miró el muro, adusto con sus eternas sombras; suspiró hondamente y cerró los ojos. Una sonrisa secreta se dibujó en sus labios con el sigilo de un gato.

—Cree que me ha hecho jaque mate, pero tengo una reina que no puede controlar.

—No sé a qué te refieres —opinó Marks.

—Soraya Moore —respondió Willard, abriendo mucho los ojos.

Marks lo miró alarmado.

—Oh, no.

—Te dije que intentaras reclutarla y lo hiciste.

Dos veteranos de uniforme, uno empujando al que iba en silla de ruedas, bajaron por la larga y elegante rampa hasta la majestuosidad del muro y se detuvieron frente a los nombres. El veterano de la silla de ruedas no tenía piernas. Le dio a su amigo un ramo de flores y una diminuta bandera estadounidense con base de madera. Su amigo la colocó al pie del muro, en el que los nombres de sus compatriotas estaban grabados para siempre.

Los ojos de Willard brillaban cuando dejó de mirar la escena.

—Tengo la primera misión para ella. Encontrar a Leonid Arkadin.

—Dijiste que lo habías perdido. ¿Por dónde quieres que empiece a buscar?

—Ése es su problema —se desentendió Willard—. Es una chica lista. He seguido su trayectoria desde que empezó a destacar en Typhon. —Sonrió—. Ten un poco de fe, Peter. Ella es material de primera mano, además tiene una ventaja sobre nosotros dos. Es una mujer muy atractiva..., muy deseable..., lo que siginifica que Arkadin percibirá su aroma a una manzana de distancia.

Su cerebro corría a gran velocidad en su órbita peculiar.

—La quiero con él, Peter. Quiero verla ligada a Arkadin. Ella me dirá qué está haciendo y por qué lo hace.

Los dos veteranos tenían la cabeza inclinada, estaban entregados a sus recuerdos privados como turistas y parientes de otros caídos que figuraban allí, nombres dispersos que les afectaban. Una guía turística japonesa, con un banderín levantado, reunía a su grupo para hacerles una foto.

Marks se pasó una mano por la cabeza.

—No puedes esperar que yo... ¿qué? Joder, ¿quieres que sea su chulo?

Willard tenía cara de estar chupando un limón.

—¿Desde cuándo te has vuelto un buen chico? Desde luego, no en la Agencia. El Viejo se habría comido tu corazón para almorzar.

—Es amiga mía, Fred. Desde hace mucho tiempo.

—En este asunto no hay amigos, Peter, sólo personal duramente oprimido. Yo soy esclavo de Liss y tú eres esclavo mío, y ella es tu esclava. Así funcionan las cosas.

Marks estaba tan mohíno como Willard al final del desayuno con Liss.

—Le encargarás la misión antes de que salgamos hacia el aeropuerto —miró su reloj—, así que tienes menos de seis horas para preparar el equipaje que necesites en Londres y hacer tu cometido. —Sonrió con todos los dientes—. Tiempo suficiente para un tipo listo como tú, ¿no te parece?

7

—Es hora de que me vaya —dijo Bourne—. Deberíamos dormir algo.

—No quiero irme a dormir —repuso Chrissie, que, con una débil sonrisa, canturreó—: «Pesadillas por la noche...» —Ladeó la cabeza con aire inquisitivo—. Kate Bush. ¿Conoces sus canciones?

—Eso es de «Wuthering heights», ¿no?

—Sí. A mi hija Scarlett le gusta mucho. En Oxford no se la escucha demasiado, te lo aseguro.

Era más de medianoche. Bourne había ido a un restaurante hindú, había comprado la cena y la había llevado al piso de Tracy, donde, después de tragar un par de bocados sin ganas, Chrissie lo había observado mientras comía. Teniendo en cuenta los violentos sucesos ocurridos delante del banco unas horas antes, no era aconsejable aventurarse muy lejos ni volver a su hotel.

Viéndola sentada delante de él, en el sofá, recordó otro fragmento de la conversación que había sostenido con Tracy en Jartum la noche anterior a su muerte.

«En tu imaginación puedes ser cualquiera, hacer cualquier cosa. Todo es maleable, mientras que en el mundo real resulta tan difícil hacer un cambio efectivo, cualquier cambio, pues el esfuerzo es agotador.»

«Puedes adoptar una identidad completamente nueva —había respondido él—, una identidad en la que el cambio efectivo sea menos difícil porque podrás rehacer tu propia historia con ella.»

Ella había asentido con la cabeza.

«Sí, pero eso conlleva otros escollos. Ni familia, ni amigos..., a menos, por supuesto, que no te importe estar completamente aislado.»

—La noche antes de su muerte —dijo a Chrissie— me contó algo que me indujo a creer que en otro momento, en otro lugar, le habría gustado tener su propia familia.

Durante unos segundos pareció que Chrissie se hubiera quedado sin aire.

—Pues vaya ironía para ti. —Tras recuperarse, prosiguió—: ¿Sabes? Lo gracioso es... la verdad es que es bastante trágico si lo pienso... que de alguna manera la envidio. No estaba atada, no se había casado, podía ir donde quisiera, cuando quisiera, y lo hacía. En ese sentido, era como un cohete, por lo mucho que le gustaba caminar por el lado oscuro. Como si el peligro fuera, no sé, un afrodisíaco, o quizás era más como la sensación que se tiene cuando se sube a la montaña rusa, la sensación de ir tan rápido que se pierde el control, aunque no del todo. —Rió con amargura—. La última vez que subí a una montaña rusa, se me revolvió el estómago.

Una parte de él la compadecía sinceramente, pero otra parte, la profesional, la identidad de Bourne, por decirlo de algún modo, estaba buscando la forma de llegar más lejos, una prueba de si había algo más que pudiera contarle Chrissie sobre Tracy y su misteriosa relación con Leonid Arkadin. Él la veía sólo como a una persona que podía ayudarlo, como una piedra en el camino y no como a un ser humano. Se detestaba por sentir aquello, aunque aquella frialdad formara parte de su eficacia. Así era él o al menos lo que Treadstone había hecho de él. En cualquier caso, para bien o para mal, había sido dañado, entrenado y adoctrinado a fondo. Igual que Arkadin. Y sin embargo había un abismo entre ellos, un abismo tan profundo que Bourne no podía ver el fondo, ni siquiera imaginar la profundidad. Arkadin y él se enfrentaban desde ambos lados de la sima, quizás invisible para los demás, y buscaban formas de destruir al otro sin resultar destruidos en el proceso. Había veces en que Bourne se preguntaba si eso sería posible, si para librar al mundo de uno de ellos no sería necesario que murieran los dos.

—¿Sabes qué me gustaría? —Chrissie se volvió hacia él—. ¿Recuerdas la película *Superman*? No era una gran película, ya lo sé, pero bueno, Lois Lane muere y Superman está tan apenado que se lanza al aire, vuela alrededor de la tierra, cada vez más deprisa, más deprisa que el sonido, que la luz, tan rápido que viaja en el tiempo hasta el momento anterior a la muerte de Lois, y la salva. —Estaba mirando al rostro de Bourne, pero era otra cosa lo que veía—. Ojalá yo fuera Superman.

—Retrocederías en el tiempo y salvarías a Tracy.

—Si pudiera. Pero al contrario que los guionistas de Superman, si no pudiera salvarla, bueno, al menos... al menos entendería qué demonios hacer con este sufrimiento. —Trató de respirar hondo, pero sólo consiguió atragantarse con las lágrimas—. Me siento pesada, como si tuviera un ancla enganchada a la espalda, o el cadáver de Tracy, fría y rígida y... sin moverse nunca más.

—Ese sentimiento pasará —la animó Bourne.

—Sí, supongo que pasará, pero ¿y si no quiero que pase?

—¿Quieres seguirla a la oscuridad? ¿Y qué ocurre con Scarlett? ¿Qué será de ella?

Chrissie se ruborizó y se levantó de un salto. Bourne la siguió hasta el dormitorio, donde la encontró mirando el peral a través de las puertas de cristales, el peral iluminado por la luz plateada de la luna.

—Dios mío, Trace, ¿por qué te has ido? Si estuviera aquí, juro que le retorcería el pescuezo.

—O al menos la obligarías a prometer que no volvería a relacionarse con Arkadin.

Bourne esperaba que introducir el nombre del ruso en la conversación le despertara algún recuerdo que se hubiera saltado. Creía que estaban en un momento crucial. No tenía intención de irse mientras ella no lo echara de la casa. No creía que fuera a hacerlo, porque él era el único eslabón con su hermana y había estado con ella en el momento de su muerte. Para ella significaba mucho. Él creía que eso los acercaba, que convertía la muerte de Tracy en algo más soportable.

—Chrissie —dijo con suavidad—, ¿te contó alguna vez cómo lo conoció?

La muchacha negó con la cabeza.

—Quizás en Rusia. ¿En San Petersburgo? Ella viajó allí a ver el Hermitage. Lo recuerdo porque yo iba a ir con ella cuando Scarlett pilló una infección de oído, con fiebre, desorientación y todo eso. —Sacudió la cabeza—. ¡Qué vidas tan diferentes hemos llevado! Y ahora... ahora esto. Scarlett lo va a pasar fatal. —Frunció el entrecejo—. ¿Por qué has venido, Adam?

—Porque quería algo que me la recordara, porque no tenía otro sitio donde ir. —Se dio cuenta, un poco tarde, de que lo último era la verdad o al menos lo máximo que estaba dispuesto a confesarle.

—Yo tampoco —repuso la joven con un suspiro—. Scarlett estaba con mi familia cuando recibí la llamada. Se lo estaba pasando muy bien, aún lo está pasando muy bien, a juzgar por nuestros últimos mensajes. —Lo miró de nuevo, aunque su atención estaba en otra parte—. Puedes mirar lo que quieras, por supuesto, y llevarte cualquier recuerdo suyo.

—Te lo agradezco.

Chrissie afirmó con la cabeza, con aire ausente y volvió a contemplar las reformadas caballerizas y el peral lleno de brotes. Al poco rato, lanzó una exclamación.

—¡Mira, ahí están!

Bourne se levantó y fue junto a ella.

—Han vuelto —añadió Chrissie—. Las golondrinas.

Arkadin despertó al amanecer, se puso un bañador y salió a correr por la playa. El cielo estaba poblado de cormoranes y pelícanos. Las codiciosas gaviotas caminaban por la arena, picoteando los restos de las fiestas de la noche anterior. Corrió hacia el sur hasta que llegó cerca de uno de los grandes complejos hoteleros y dio media vuelta. Luego se introdujo en el agua y nadó durante cuarenta minutos. Cuando volvió al convento tenía más de veinte mensajes en el teléfono móvil. Uno era de Boris Karpov. Se duchó y se vistió, y luego cortó fruta fresca. Piña, papaya, plátanos, naranjas. Se comió los pedazos con una buena dosis de yogur. Era irónico, pero estaba aprendiendo a comer saludablemente en México.

Tras limpiarse la boca con el dorso de la mano, cogió el teléfono para hacer la primera llamada. Le informaron de que el último cargamento de Gustavo Moreno no había llegado a su cliente. Se había retrasado o posiblemente perdido. De momento, le dijeron, era imposible asegurarlo. Ordenó a sus hombres que lo mantuvieran informado y colgó.

Pensando que tendría que ocuparse él mismo del cargamento perdido y, si era necesario, castigar duramente a los culpables, marcó el número de Karpov.

—Estoy en LAX —dijo Boris Karpov desde el otro lado—. ¿Y ahora qué?

—Ahora nos veremos las caras —respondió Arkadin—. Hay un vuelo a Tucson a última hora de la mañana. Llame antes, pida un coche de alquiler, un descapotable de dos plazas, cuanto más viejo y gastado mejor. —Le dio instrucciones y direcciones—. Aproxímese con la capota bajada. Prepárese para esperar una hora en el lugar de la cita, quizá más tiempo, hasta que me haya asegurado de que ha cumplido todas las condiciones de nuestro acuerdo. ¿Está claro?

—Estaré allí —repuso Karpov— antes de la puesta de sol.

Bourne seguía despierto, escuchando los ruidos de la casa, del edificio, del barrio, escuchando la respiración de Londres, como si fuera un animal gigantesco. Volvió la cabeza cuando Chrissie apareció en la salita. Una hora antes, a las cuatro, la chica se había ido al dormitorio, pero por la lamparilla de la mesita y el seco rumor de las páginas comprendió que no había dormido. Posiblemente ni siquiera lo había intentado.

—¿Todavía no te has ido a dormir? —La voz de la muchacha era suave, casi pastosa, como si acabara de despertar.

—No. —Bourne estaba sentado en el sofá, con la mente tan quieta y oscura como si estuviera en el fondo del mar. Pero no había conciliado el sueño. Una vez le pareció oír que ella suspiraba, pero sólo era la respiración de la ciudad.

Chrissie se sentó en el otro extremo del sofá, encogiendo las piernas.

—Me gustaría quedarme aquí, si no te importa.

Él asintió con la cabeza.

—No me lo has contado todo de ti.

Bourne guardó silencio; no tenía ganas de mentirle.

Por la calle pasó un coche, luego otro. Un perro ladró en medio del silencio. La ciudad parecía paralizada, como congelada, ni siquiera su corazón latía.

Un asomo de sonrisa apareció en los labios de Chrissie.

—Igual que Trace.

Al cabo del rato le empezaron a pesar los párpados. Se encogió como un gato y apoyó la cabeza en los brazos. Suspiró y enseguida se quedó profundamente dormida. Poco después, él también se durmió.

—Debes de estar loco —dijo Soraya Moore—. No voy a seducir a Arkadin ni por ti ni por Willard ni por nadie.

—Entiendo tu preocupación —adujo Marks—. Pero...

—No, Peter, no creo que lo entiendas. Yo, desde luego, no entiendo nada. Si no, no habría ningún *pero.*

Se levantó y se acercó a la barandilla. Habían estado sentados en un banco, al lado del canal de Georgetown. Las luces reverberaban y las barcas estaban quietas y dormidas en los atracaderos. Tras ellas había jóvenes yendo y viniendo, bebiendo y acariciándose. De vez en cuando surgía una carcajada en un corro de adolescentes que parecían estar poniéndose a prueba. La noche era cálida, con algunas nubes cruzando el cielo borroso.

Marks se levantó y se acercó a ella. Suspiró como si el ofendido fuera él, lo que aún irritó más a Soraya.

—Por qué será —se quejó con acaloramiento— que las mujeres están tan devaluadas que los hombres sólo las utilizan por su físico.

No era exactamente una pregunta y Marks se dio cuenta. Sospechaba que buena parte de su enfado era por el hecho de que fuera él, un buen amigo, un amigo querido, quien le pidiera algo así. Y por supuesto que hubiera sido idea de Willard. Sabía que aquella misión sería ofensiva para Soraya, más aún quizá que para otras mujeres que no tenían una imagen tan constructiva de sí mismas; pero también sabía que Marks era la única persona capaz de convencerla. Más aún, Marks estaba casi seguro de que si Willard le hubiera encomendado aquella misión directamente, ella lo habría mandado a tomar por culo y se habría ido sin volver la vista atrás. Y no obstante, como Willard había previsto, allí estaba ella. Aunque visiblemente enfadada, no se había marchado, dejándolo plantado.

—Durante siglos, mientras las mujeres eran sistemáticamente pisoteadas por los hombres, idearon la única forma de conseguir lo que querían: dinero, poder, una posición decisiva en una sociedad dominada por hombres.

—No necesito un discurso sobre el papel de las mujeres en la historia —replicó Soraya.

Marks decidió no hacer caso de aquel comentario.

—Creas lo que creas, el hecho indiscutible es que las mujeres poseen una habilidad única.

—¿Quieres dejar de decir «única», por favor?

—La habilidad de atraer a los hombres, de seducirlos, de encontrar los resquicios de su armadura y de utilizar esa debilidad contra ellos. Sabes mejor que yo qué arma tan poderosa puede ser el sexo aplicado con habilidad. Esto es especialmente cierto en los servicios secretos. —Se volvió hacia ella—. En *nuestro* mundo.

—Eres insufrible, ¿lo sabías? —Se apoyó en la barandilla con los dedos enlazados, como haría un hombre, con la confianza masculina que era típica de ella.

Marks sacó el móvil, buscó una fotografía de Arkadin y le pasó el teléfono.

—Es guapo, ¿eh? Y lleno de magnetismo, según me han dicho.

—Me das asco.

—Esa clase de indignación no es propia de ti.

—¿Y follar con Arkadin sí? —le espetó, tirándole el móvil; él no hizo nada por recogerlo.

—Lucha contra ello todo lo que quieras, pero el hecho es que te dedicas al espionaje y eres una espía. Más aún, esta es la vida que elegiste. Nadie te ha retorcido nunca el brazo para obligarte.

—¿No? ¿Y qué estás haciendo tú ahora?

Marks corrió un riesgo calculado.

—No te he dado un ultimátum. Puedes irte en el momento en que lo desees.

—¿Y luego qué? No tendré nada. No seré nada.

—Puedes volver a El Cairo, casarte con Amun Chalthoum, tener niños.

Lo dijo con amabilidad, aunque la idea en sí era más bien despreciable. En cualquier caso, le llegó al alma a Soraya. Y de repente, la plena conciencia de cómo M. Errol Danziger le había destrozado la vida, le asestó su último y peor golpe. Estaba acabada en la Agencia, lo cual ya era malo de por sí, pero es que encima se había asegurado de que no pudiera conseguir un puesto en ninguna agencia rival del Gobierno. Una compañía privada de gestión de riesgos también estaba descartada; no iba a acabar metiéndose en una organización de mercenarios como Black River. Dio media vuelta y se mordió el labio para contener las lágrimas de frustración. Se sentía como imaginaba que se habrían sentido las mujeres a lo largo de los años, al aventurarse en un mundo de hombres, obedecer órdenes, callar sus opiniones, guardar secretos revelados entre susurros después de tener relaciones sexuales, hasta que llegara el día...

—Ese tipo no es desconocido para ti —insistió Marks, guardándose de revelar su ansiedad con la entonación—. Es tan malo como dicen, Raya. Que juegues con él será una buena acción.

—Eso es lo que todos decís.

—No, todos hacemos lo que hay que hacer. Es el principio y el final de todo.

—Es muy fácil decirlo, no te lo han pedido a ti.

—Tú no sabes lo que me han pedido.

Soraya se volvió de nuevo. Marks la miró mientras observaba el canal, los reflejos de la luz en el agua. Los jóvenes que estaban a su izquierda rompieron a reír más ruidosamente.

—Daría cualquier cosa por ser uno de ellos —dijo la nujer suavemente—. Sin ninguna preocupación en este mundo.

Él exhaló un silencioso suspiro de alivio; sabía que ella se iba a tragar la amarga píldora que le había ofrecido. Soraya aceptaría la misión.

—Curioso, muy curioso. —A la cálida luz del sol matutino, Chrissie miraba lo que había grabado en el interior del anillo que Bourne le había quitado a Noah Perlis.

—Sé bastante de lenguas —dijo Bourne—, pero éste no es un idioma conocido, ¿verdad?

—Bueno, es difícil saberlo. Presenta características del sumerio, posiblemente también del latín, aunque no es ninguno de los dos. —Levantó la vista hacia él—. ¿De dónde lo has sacado?

—No tiene sentido, ¿verdad?

La muchacha negó con la cabeza.

—No, no lo tiene.

Había preparado café mientras Bourne hurgaba en el frigorífico. Había encontrado un par de tostadas, aunque a juzgar por los cristales de hielo que las cubrían, debían de llevar bastante tiempo allí. También encontraron mermelada y desayunaron de pie, ambos llenos de una energía nerviosa. Ninguno mencionó la noche anterior. A continuación, él le había enseñado el anillo.

—Pero sólo es mi opinión, y estoy lejos de ser una experta —arguyó Chrissie, devolviéndole el anillo—. La única forma de averiguarlo es llevarlo a Oxford. Tengo un amigo que es profesor en el Centro de Estudios de Documentos Antiguos. Si alguien puede descifrarlo, seguro que él lo conoce.

Era más de medianoche cuando el teniente R. Simmons Reade fue a buscar a su jefe a una cancha de squash de Virginia que permanecía abierta toda la noche y en la que el director de la Agencia jugaba durante dos horas agotadoras con uno de los entrenadores del gimnasio, tres veces por semana. Reade era el único miembro de la CI capaz de darle malas noticias a Danziger sin el menor reparo. Había sido el alumno predilecto del director cuando éste había sido, brevemente, profesor en la secreta Academia de Operaciones Especiales de la NSA, que el Viejo, que despreciaba todo lo que la NSA significaba, solía llamar Academia Nacional de Operaciones, para poder hacer un chiste refiriéndose a ella como ANO.

Reade se sentó a esperar el final del partido y luego puso de manifiesto su presencia entrando en la cancha, que estaba caliente y olía a sudor, a pesar del fuerte aire acondicionado.

Danziger lanzó su raqueta al instructor, se enroscó una toalla en el cuello y se acercó a su ayudante.

—¿Son muy malas? —No hacían falta preliminares; que Reade hubiera aparecido a aquella hora y que hubiera optado por ir en persona en lugar de llamar por teléfono eran pistas suficientes.

—Bourne ha neutralizado el equipo de extracción. O están muertos o detenidos por la policía.

—¡Maldita sea! —exclamó Danziger—. ¿Cómo lo hace? No me extraña que Bud me necesitara para este cargo.

Se acercaron a un banco y se sentaron. No había nadie más en las canchas y lo único que se oía era el zumbido del aparato de aire acondicionado.

—¿Está Bourne todavía en Londres?

Reade asintió con la cabeza.

—En estos momentos sí, está allí, señor.

—¿Y Coven está allí, teniente?

Danziger sólo lo llamaba por su grado cuando estaba realmente furioso.

—Sí, señor.

—¿Por qué no ha intervenido?

—El lugar era demasiado público, había demasiados testigos para secuestrar a Bourne en plena calle.

—¿Otras opciones?

—Lamentablemente no —repuso Reade—. ¿Puedo decir algo al respecto? Podría recurrir a nuestra gente de la NSA para...

—A su tiempo, Randy, pero de momento no puedo sacudir el árbol para movilizar a todos mis hombres. No sería prudente, como Bud se apresura a recordarme. No, tenemos que aprovechar al máximo las cartas que nos han tocado.

—A juzgar por su historial de capturas, señor, Coven es muy bueno.

—Estupendo. —El director de la CI se golpeó los muslos y se puso en pie—. Que siga ocupándose de Bourne. Dígale que tiene libertad de acción y que haga lo necesario para traérnoslo.

8

Después de que Peter Marks le encargara la misión de encontrar y pegarse a Arkadin, Soraya Moore había vuelto al apartamento de Delia Trane, en el que se había alojado. Durante las dos últimas horas había estado colgada del teléfono móvil, hablando con sus agentes de campo de Typhon. Aunque sus vínculos con Typhon se habían toto, no se podía decir lo mismo del personal que había contratado, adiestrado y dirigido durante las misiones altamente especializadas que consistían en vigilar e infiltrarse en diversas unidades suníes y chiíes, grupos insurgentes, yihadistas y facciones políticas radicales de prácticamente todos los países de Extremo Oriente y Oriente Próximo. No importaba cuáles fueran sus actuales órdenes ni quién tuviera el mando de Typhon en aquellos momentos; eran leales a ella.

Ahora estaba hablando con Yusef, su contacto en Jartum. Arkadin era bien conocido en aquella parte del mundo ahora que suministraba la mayor parte del armamento.

—Arkadin no está en Oriente Próximo —dijo Yusef—, ni escondido en las montañas de Azerbayán.

—Y tampoco está en Europa, ni en Rusia, ni en Ucrania. Ya me he asegurado de eso —repuso Soraya—. ¿Sabes por qué ha desaparecido de la faz de la tierra?

—Dimitri Maslov, su antiguo mentor, ha emitido una *fatwa*, o como la llamen los rusos, contra él.

—Entiendo por qué —adujo ella—. Maslov lo contrató para hacerse con el negocio armamentístico de Nikolai Yevsen; eso es lo que estaba haciendo en Jartum hace varias semanas. En lugar de seguir a sus órdenes, se apoderó de la lista completa de los clientes de Yevsen, que estaba guardada en un servidor informático.

—Bueno, se dice que Maslov encontró a Arkadin en Bangalore, pero no consiguió matarlo ni capturarlo, así que ahora se ha desvanecido.

—En estos tiempos —opinó Soraya— nadie puede desvanecerse, no por mucho tiempo.

—Bueno, al menos ahora sabes dónde no está.

—Cierto. —Se quedó pensando—. Encargaré que revisen las grabaciones de seguridad de los puntos de entrada de extranjeros de todo el continente americano, quizá también de Australia, a ver si encuentran algo.

David Webb había estado en la Universidad de Oxford, la institución académica más antigua del mundo de habla inglesa, en dos ocasiones, que Bourne recordara, aunque, por supuesto, podía haber hecho más visitas. En aquellos días el Centro de Estudios de Documentos Antiguos estaba situado en el Centro de Clásicos de la universidad, en la Old Boys' School de George Street. Ahora ocupaba una nueva sede, la ultramoderna Facultad de Investigación de Estudios Clásicos y Bizantinos Stelios Ioannou, en el número 66 de Saint Giles, tan inapropiado para el estudio de lenguas antiguas como incongruente entre los majestuosos edificios de los siglos XVIII y XIX del núcleo universitario. Aquella parte de Saint Giles estaba en el centro de Oxford, antigua ciudad cuyos fueros habían sido promulgados en 1191. El centro era conocido como Carfax, una palabra derivada del francés *carrefour*, que significaba «encrucijada». Y efectivamente, las cuatro grandes avenidas de Oxford, incluida High Street, se encontraban en aquel cruce, tan famoso a su manera como Hollywood y Vine, y con mucha más historia.

Chrissie había llamado a su amigo, un profesor llamado Liam Giles, antes de que salieran de Londres. Oxford estaba a ochenta kilómetros de la capital y tardaron una hora en llegar en su viejo Range Rover. Tracy se lo había regalado cuando había adoptado la costumbre de viajar al extranjero.

La ciudad estaba tal como la recordaba: los visitantes que llegaban se sentían transportados en el tiempo, a una época de chisteras, togas, coches de caballos y correo postal. Era como si la ciudad y todos sus habitantes se hubieran conservado en ámbar. Todo Oxford pertenecía a otra época, más sencilla.

Cuando Chrissie encontró sitio para aparcar, el sol había empezado a asomar entre los nubarrones y el día se volvió más cálido, como si ya fuese primavera. Encontraron al profesor Liam Giles en su despacho, una gran sala que hacía de taller y laboratorio. Las estanterías estaban llenas de manuscritos y gruesos volúmenes encuadernados a mano. El hombre estaba inclinado sobre uno de ellos, estudiando la fotocopia de un papiro con una lupa.

Según Chrissie, el profesor Giles ocupaba la cátedra Richards-Bancroft del departamento, pero cuando levantó la vista, a Bourne le sorprendió ver a un hombre que no tendría ni cuarenta años. De nariz y barbilla prominentes y medio calvo, llevaba unas pequeñas gafas redondas, levantadas sobre una frente cada vez más despejada. Tenía vello en los antebrazos, que también eran cortos, como los de un canguro.

Lo único que preocupaba a Bourne de aquel regreso a Oxford era que alguien lo reconociera como David Webb. Pero aunque el personal docente siguiera allí, década tras década, Oxford era un complejo inmenso, englobaba en realidad muchas facultades y centros de estudios, y ellos estaban lejos de All Souls, el centro en el que había dado clases como profesor invitado.

En cualquier caso, Giles lo aceptó como Adam Stone. Parecía muy contento de ver a Chrissie y le preguntó solícitamente por ella y por Scarlett, a la que conocía personalmente.

—Dile que se pase por aquí algún día —dijo—. Tengo una sorpresa para ella que creo que le gustará. Ya sé que tiene once años, pero tiene la mentalidad de una chica de quince, así que esto le gustará mucho.

Chrissie le dio las gracias y luego pasó a contarle lo del enigma del anillo y su curioso grabado. Bourne le enseñó el anillo y Giles, encendiendo una lámpara especial, observó el grabado, primero a simple vista y luego con una lupa de joyero. Se acercó a una estantería, sacó varios manuales y los hojeó, recorriendo con el dedo las grandes páginas de densos párrafos y pequeñas ilustraciones a mano.

Anduvo de los manuales al anillo y del anillo a los manuales durante un rato. Al final miró a Bourne y dijo:

—Creo que sería conveniente hacer unas fotografías del objeto en cuestión. ¿Le importa?

El estadounidense respondió que adelante.

Giles llevó el anillo a un curioso aparato que parecía el extremo de un cable de fibra óptica. Colocó cuidadosamente el anillo para que el filamento quedara en su centro. Luego les pasó unas gafas de cristales oscuros especiales y él se caló otras. Cuando estuvo seguro de que estaban protegidos, introdujo dos órdenes en el teclado de un ordenador. Hubo una serie de destellos de una cegadora luz azul y Bourne supo que había activado un láser.

El silencioso chisporroteo terminó con la rapidez con que había empezado. Giles se quitó las gafas y lo mismo hicieron los otros dos.

—Genial —dijo el profesor mientras sus dedos volaban por el teclado—. Echemos un vistazo, ¿os parece?

Encendió una pantalla de plasma que había en la pared y aparecieron unas fotografías de alta definición del grabado: primeros planos ampliados.

—Así es como se ve la escritura a simple vista, grabada en una superficie de trescientos sesenta grados —informó—. Pero ¿y si se grabó para que se viera, o leyese, en una superficie plana, como casi todos los escritos? —Manipuló las imágnes digitales hasta colocarlas en una sola línea—. Lo que vemos ahora es una única palabra muy larga, lo cual parece improbable. —Acercó la imagen—. Al menos, así es como aparece en la superficie circular del anillo. Sin embargo, ahora, al ponerla plana, podemos ver dos espacios, así que lo que estamos viendo son tres grupos de letras.

—Palabras —apostilló Bourne.

—En apariencia —replicó Giles con aire misterioso.

—Pero yo veo caracteres cuneiformes —terció Chrissie—. Son caracteres sumerios, está claro.

—Bueno, la verdad es que parecen sumerios —dijo Giles—. Pero de hecho son caracteres del antiguo persa. —Deslizó hacia ella un manual abierto—. Mira, echa un vistazo. —Chrissie lo miró, mientras el profesor hablaba con Bourne—. El persa antiguo deriva del sumerio-acadio, así que podemos perdonar a nuestra querida Christina por su confusión. —El afecto con que lo dijo restó pedantería a sus palabras—. Sin embargo, hay una diferencia crucial entre los dos idiomas sin la cual es imposible descifrar la inscripción. El acadio es silábico, sus caracteres cuneiformes representan sílabas, mientras que el antiguo persa es semialfabético, lo que quiere decir que sus caracteres cuneiformes representan letras.

—¿Y qué pintan las letras latinas que aparecen mezcladas con el resto? —preguntó Chrissie—. Y esos símbolos desconocidos, ¿también son de alguna lengua?

Giles sonrió.

—Usted, señor Stone, me ha regalado un misterio de lo más curioso y emocionante. —Señaló la pantalla—. Lo que vemos aquí es una mezcla de persa antiguo, latín y, bueno, a falta de un término mejor, otra cosa que por ahora llamaremos simplemente «otra cosa». Reconozco estar familiarizado con todas las lenguas antiguas que la humanidad ha descubierto y catalogado, y ésta es definitivamente atípica. —Agitó la mano—. Pero voy a ocuparme de ella ahora mismo.

Pulsando el ratón, movió el puntero horizontalmente, por debajo de la inscripción.

—Lo primero que puedo decir es que no existen las lenguas compuestas..., los caracteres cuneiformes no se mezclan con la escritura latina. Así que si esto no es una lengua como Dios manda, ¿qué otra cosa puede ser?

Bourne, que había estado observando la imagen, dijo:

—Es un mensaje cifrado.

Giles abrió los ojos de par en par detrás de las gafas.

—Muy bien, señor Stone. Lo felicito. —Asintió con la cabeza—. Desde luego que parece un mensaje cifrado, pero como todo lo referente a esta inscripción, es muy curioso. —Volvió a manipular la imagen, cambiando los bloques de sitio, separando los caracteres persas y las letras latinas en dos grupos, y formó otro con las presuntas letras de la lengua atípica.

—*Severus* —recitó Bourne, leyendo la palabra latina.

—Eso podría significar muchas cosas y ninguna —apuntó Chrissie.

—Muy cierto —admitió Giles—. Pero ahora llegamos al persa antiguo. —Manipuló los caracteres cuneiformes—. Mirad ahí, ahora tenemos otra palabra más, *Domna*.

—Un momento —intervino Chrissie, quedándose pensativa—. Septimio Severo fue nombrado senador romano por Marco Aurelio en el año 187 de nuestra era. Más tarde, en el año 193 llegó a ser emperador y gobernó hasta su muerte, que aconteció dieciocho años después. Su reinado fue una dictadura estrictamente militar, una reacción a la horrible corrupción de su predecesor, Cómodo. En su lecho de muerte aconsejó a sus hijos: «Enriqueced al ejército y burlaos de los demás».

—Encantador —comentó Giles.

—Algunas cosas interesantes sobre él. Nació en lo que hoy día es Libia y, cuando aumentó el tamaño del ejército romano, añadió cuerpos de auxiliares, soldados de las lejanas fronteras orientales del Imperio romano, lo que debió de incluir a muchos de África del Norte y más allá.

—¿Y qué importa eso ahora? —preguntó Giles.

Fue el turno de Chrissie de dar un aire misterioso a su voz.

—Septimio Severo se casó con Julia Domna.

—Severus Domna —murmuró Bourne. Un timbre sonó en su cabeza, profundo, más allá de los velos que su memoria no podía atravesar. Quizá fuese un efecto de *déjà vu*, quizás una advertencia. Fuera lo que fuese, al igual que los otros fragmentos de su vida anterior que flotaban libremente y que de súbito, de manera misteriosa, salían a la superficie, sería una escocedura que no podría rascar. No le quedaba más remedio que escarbar hasta desenterrar su relación con él.

—Adam, ¿te encuentras bien? —Chrissie lo miraba con expresión confusa, casi alarmada.

—Estoy bien —repuso. Tenía que reprimirse ante ella; era tan perspicaz como su hermana—. ¿Hay algo más?

Ella asintió con la cabeza.

—Cada vez se pone más interesante. Julia Domna era siria. Su familia procedía de la antigua ciudad de Emesa. Sus antepasados eran reyes-sacerdotes del poderoso templo de Baal y por lo tanto muy influyentes en toda Siria.

—Así que aquí tenemos una inscripción —resumió Bourne— que es a la vez un mensaje codificado y un anagrama, y que se ha escrito mezclando dos lenguas antiguas, una oriental y otra occidental.

—De la misma forma que Septimio Severo y Julia Domna fundieron Oriente y Occidente.

—Pero ¿qué significa? —preguntó Bourne—. Parece que todavía nos hace falta la clave. —Miró a Giles con expectación.

El profesor asintió con la cabeza.

—La tercera lengua. Tiene razón, señor Stone. La clave para descifrar el significado de Severus Domna debe de encontrarse en la tercera palabra —aventuró, devolviéndole el anillo.

—Así que esa lengua sigue siendo un misterio —dijo Chrissie.

—Oh, no. Sé exactamente lo que es. Es ugarítico, una protolengua muerta que floreció en una pequeña pero importante zona de Siria. —Miró a Chrissie—. Igual que tu Julia Domna —señaló con el dedo—. Puedes ver ahí, ahí y también ahí que el ugarítico es un importante eslabón entre las protolenguas más antiguas y la palabra escrita tal como la conocemos actualmente, porque es el primer testimonio que tenemos de los alfabetos del Mediterráneo oriental y del grupo semítico meridional. En otras palabras, el griego, el hebreo y el latín proceden del ugarítico.

—Así que sabe que esa palabra es ugarítico —dijo Bourne—, pero no lo que significa.

—De nuevo sí y no. —Giles se acercó a la pantalla y, señalando cada carácter ugarítico, pronunció la letra correspondiente—. Conozco todas las letras, como ve, pero al igual que las otras dos, esta palabra es un anagrama. Aunque el ugarítico aparece brevemente en el plan de estudios de las lenguas de Oriente Próximo, el estudio del ugarítico en sí es un campo especializado, y me temo que no muy amplio, porque se cree que es un callejón sin salida, que es una lengua puente más que una lengua activa. Sólo hay dos o tres expertos en ugarítico en todo el mundo y yo no soy uno de ellos. Descifrar el anagrama podría costarme un tiempo imposible de prever y, francamente, no dispongo de tanto.

—Me sorprende que haya alguien estudiándolo —comentó Chrissie.

—La verdad es que sólo hay una razón para que haya algún experto —explicó Giles, volviendo al teclado de su ordenador—. Hay un pequeño grupo que cree que el ugarítico tiene, no sé, bueno, poderes mágicos.

—¿Qué? —exclamó Bourne—. ¿Como la magia negra?

Giles se echó a reír.

—Oh, no, por favor, señor Stone, no es tan fantástico. No, esta gente cree que el ugarítico tiene un papel clave en las operaciones de alquimia, que fue creado por sacerdotes y utilizado en cánticos para que se manifieste lo divino. Además, creen que la propia alquimia es una mezcla de ugarítico, cuyos sonidos hay que pronunciar correctamente en el orden adecuado, y determinados protocolos científicos.

—Para convertir el plomo en oro —recordó Chrissie.

El profesor asintió con la cabeza.

—Entre otras cosas, de eso se trata.

—Una vez más, la unión de Oriente y Occidente —señaló Bourne—, como Septimio Severo y Domna, como el persa antiguo y el latín.

—Curioso. No había pensado en ello, pero sí. Suena rocambolesco, lo sé, y hay que hacer un esfuerzo para creérselo, pero, bueno, ahora que ha hablado de Julia Domna y sus orígenes, fíjense en esto. —Giles escribió algo en el teclado. La pantalla mostró un mapa de Oriente Próximo en el que aparecía Siria y luego una zona específica del país—. El epicentro de la lengua ugarítica estaba en la parte de Siria que abarca el Gran Templo de Baal, considerado por algunos como el más poderoso de los antiguos dioses paganos.

—¿Conoce a alguno de esos expertos en ugarítico, profesor? —preguntó Bourne.

—A uno —respondió Giles—. Es, cómo lo diría, un excéntrico, como todos los expertos en este misterioso y más bien hermético campo. Jugamos al ajedrez *online*. Bueno, se trata de una forma de protoajedrez al que jugaban los antiguos egipcios. —Rió por lo bajo—. Con su permiso, señor Stone, le enviaré un correo electrónico con la inscripción ahora mismo.

—Tiene mi bendición —dijo Bourne.

Giles redactó el mensaje, adjuntó una copia de la inscripción y lo envió.

—Le encantan los rompecabezas, cuanto más difíciles mejor, como puede imaginar. Si no lo puede traducir él, no podrá nadie.

Soraya, recostada en la cama de la habitación de invitados del apartamento de Delia, soñaba con Amun Chalthoum, el amante que había dejado en El Cairo, cuando notó que el teléfono móvil vibraba en su regazo. Unas horas antes lo había puesto en modo vibrador para no molestar a su amiga, que dormía profundamente en su habitación.

Abrió los ojos de golpe, los velos del sueño se rasgaron y, llevándose el teléfono al oído, respondió en voz baja:

—Sí.

—Tenemos una pista —dijo la otra voz. Era Safa, una de las mujeres de la red Typhon, cuya familia había sido asesinada por terroristas en el Líbano—. O eso parece. Te estoy enviando varias imágenes ahora mismo.

—No cuelgues —indicó Soraya.

Introdujo una tarjeta de una compañía telefónica en su ordenador portátil y lo encendió. Un momento después ya estaba conectada. Vio que el archivo había llegado y lo abrió. Había tres fotografías. La primera era una foto de archivo del busto de Arkadin, la misma que Peter le había enseñado, así que debía de ser la única foto decente que tenían, aunque la presente versión era más grande y nítida. Marks tenía razón, era un tipo atractivo: ojos profundos, rasgos agresivos. Y rubio. ¿Auténtico o teñido? No estaba segura. Las otras dos eran de cámaras de seguridad, imágenes vulgares, con poco color, de un hombre corpulento y musculoso, tocado con una de esas baratas gorras deportivas que ostentan un logotipo de los Dallas Cowboys, que seguramente había comprado en el aeropuerto. No podía ver su rostro lo bastante bien para identificarlo totalmente. Pero en la segunda imagen se había levantado la gorra para rascarse la cabeza. El cabello era muy negro y brillante, como si se lo acabara de teñir. Debía de pensar que estaba fuera del alcance de las cámaras, se dijo Soraya mientras observaba aquel rostro. Lo comparó con la foto de archivo.

—Creo que es él —dijo.

—Yo también. Las imágenes fueron tomadas por las cámaras del mostrador de inmigración del aeropuerto Dallas/Fort Worth hace ocho días.

«¿Por qué habrá ido a Texas —se preguntó Soraya— y no a Nueva York o a Los Ángeles?»

—Llegó procedente del aeropuerto Charles de Gaulle de París con el nombre de Stanley Kowalski.

—¿Bromeas? —preguntó Soraya.

—No, no bromeo.

Decididamente, aquel hombre tenía sentido del humor.

9

Leonid Arkadin miraba con los ojos entornados el abollado descapotable marrón oscuro que llegaba dando tumbos por la carretera de la playa. El sol era una bandera ensangrentada en el horizonte; había sido otro día sofocante.

Ajustando los prismáticos a sus ojos, vio a Boris Karpov aparcar el coche, salir y estirar las piernas. Con la capota bajada y un maletero de risa, el coronel no había tenido más remedio que presentarse solo. Karpov miró a su alrededor, durante un momento miró fijamente hacia donde se encontraba Arkadin y luego sus ojos siguieron recorriendo el paisaje sin verlo. Arkadin estaba perfectamente camuflado en el techo de uralita de un cobertizo de pescadores, oculto por un rótulo pintado a mano que decía: «BODEGA-PESCADO FRESCO A DIARIO».

Las moscas zumbaban sin parar. El olor a pescado lo envolvía como una nube tóxica y la alta temperatura de la uralita, producto de la exposición al sol inclemente, le quemaba la barriga, las rodillas y los codos como si estuviera dentro de un horno, pero ninguna de aquellas molestias interfería en su vigilancia.

Vio al coronel hacer cola para tomar el transbordador del atardecer, pagar el billete y subir a bordo de la embarcación que cruzaba diariamente el mar de Cortés. Al lado de la tripulación y de algunos mexicanos de pelo entrecano, Karpov era el más viejo, al menos treinta años más. Era como un pez fuera del agua, podía pensarse, mientras estaba en cubierta, rodeado de alegres muchachas en bikini acompañadas por amigos borrachos y con las hormonas alteradas. Cuanto más incómodo se sintiera el coronel, más disfrutaría Arkadin.

Diez minutos después de zarpar el transbordador, bajó del techo del cobertizo y se acercó al muelle, donde estaba amarrada la lancha, larga, delgada, de fibra de vidrio, que prácticamente era toda motor.

Heraldo (Dios sabría de dónde habría sacado aquel nombre el tipo de Sonora) lo estaba esperando para hacerse a la mar.

—Todo está listo, jefe, tal y como quería.

Arkadin sonrió al mexicano y le puso la manaza en el hombro.

—¿Qué haría yo sin ti, amigo mío? —dijo, dándole veinte dólares americanos.

Heraldo, un sujeto chaparro, con las piernas muy arqueadas como un viejo lobo de mar, sonrió ampliamente cuando Arkadin subió a la embarcación. Buscó la nevera, la abrió, escarbó en las profundidades y depositó un objeto guardado en una bolsa impermeable con cremallera. Luego se dirigió a la popa. Cuando puso en marcha el motor, el agua se agitó con un gruñido largo y profundo y entre una nube de humo azul. Heraldo soltó la amarra y despidió con la mano al ruso, que alejó la lancha del muelle, abriéndose paso entre las boyas que señalaban el breve canal. Más allá estaban las aguas profundas, donde los cálidos colores del sol poniente salpicaban las olas azul cobalto.

Las olas eran tan pequeñas que podría haberse tratado de un río. Como el Neva, pensó Arkadin. Su mente volvió al pasado, a los atardeceres de San Petersburgo, con un cielo aterciopelado arriba, hielo en el río, Tracy y él mirándose en una mesa del Doma con vistas al agua. Además del Hermitage, se alzaban en las orillas edificios con fachadas ornamentadas que le recordaban los palacios de Venecia, pero sin tocar por Stalin ni por sus sucesores comunistas. Incluso el Almirantazgo era hermoso, sin el menor rastro de la brutal arquitectura militar de edificios similares que habían proliferado en otras grandes ciudades rusas.

Mientras comían *blini* y caviar, la muchacha habló de los trofeos del Hermitage, cuya historia absorbía él completamente. Encontraba divertido que no muy lejos de allí, en el fondo del Neva, yaciera el cadáver del político, envuelto y atado como un saco de patatas podridas, lastrado con lingotes de plomo. El río estaba tan tranquilo como siempre, con las luces de los edificios bailando en su superficie, ocultando la turbia oscuridad del fondo. Se preguntó brevemente si habría peces en el río y, si los había, qué habrían hecho con el espeluznante paquete que había tirado aquel mismo día.

—Tengo que preguntarte algo —tanteó la joven cuando estaban tomando el postre.

Él la había mirado con expectación.

Tracy vaciló, no muy segura de cómo decirlo ni de si debía proseguir o no. Al final, tomó un sorbo de agua y dijo:

—Esto no es fácil para mí, aunque, por extraño que parezca, el hecho de que apenas nos conozcamos lo hace un poco más fácil.

—A menudo es más fácil hablar con gente que acabamos de conocer.

Tracy asintió con la cabeza, pero estaba pálida y las palabras parecían habérsele atragantado.

—En realidad es un favor.

Arkadin lo estaba esperando.

—Si puedo ayudarte, lo haré. ¿Qué favor?

Un gran barco turístico surcaba lentamente el Neva, iluminando con sus luces grandes franjas del río y de los edificios que lo flanqueaban. Podrían haber estado en París, una ciudad en la que Arkadin se las había arreglado para perderse varias veces, aunque sólo por poco tiempo.

—Necesito ayuda —solicitó Tracy con una voz tan tenue que obligó al hombre a apoyar los codos en la mesa e inclinarse hacia delante—. La clase de ayuda que tu amigo... ¿Cómo dijiste que se llamaba?

—Oserov.

—Ése. Siempre se me dio bien calar a la gente. Me da en la nariz que tu amigo Oserov es la clase de hombre que necesito, ¿tengo razón?

—¿Y qué clase de hombre necesitas? —inquirió Arkadin, preguntándose interiormente adónde quería llegar Tracy y por qué una mujer que normalmente se expresaba tan bien tenía tantos problemas para encontrar las palabras que necesitaba.

—Dispuesto.

Él se echó a reír. Era una mujer que sabía lo que quería.

—¿Para qué lo necesitas exactamente?

—Preferiría decírselo en persona.

—Ese hombre te odia, así que harías mejor en contármelo a mí primero.

Durante un momento Tracy miró el río y hacia la otra orilla y luego se volvió hacia él.

—Muy bien. —Respiró hondo—. Mi hermano tiene problemas serios. Tengo que encontrar una manera..., una forma permanente de solucionar el lío en que se ha metido.

¿Sería su hermano un delincuente?

—Y que la policía no lo descubra, supongo.

Tracy rió sin humor.

—Ojalá pudiera acudir a la policía, pero por desgracia no puedo.

Arkadin encorvó los hombros.

—¿En qué anda metido?

—Le debe dinero a un prestamista sin escrúpulos... Ha contraído una deuda de juego. Le di algún dinero para ayudarlo, pero se lo gastó enseguida y después robó un objeto artístico que yo tenía que entregar a uno de mis clientes. He conseguido aplacar al cliente, gracias a Dios, pero si sale a la luz estaré acabada.

—Imagino que la cosa empeoró.

Tracy asintió con la cabeza, tristemente.

—Quiso vendérselo a quien no debía y consiguió la tercera parte de lo que necesitaba, una cantidad en absoluto suficiente. Ahora, a menos que se haga algo drástico, el prestamista lo matará.

—¿Y ese prestamista es tan poderoso como para cumplir su amenaza?

—Oh, sí.

—Tanto mejor. —Arkadin sonrió. Pensó que ayudarla sería divertido, pero también, como un jugador de ajedrez, imaginaba ya cómo acorralarla para hacerle jaque mate—. Yo me ocuparé de todo.

—Lo único que quiero que hagas —pidió Tracy— es que me presentes a Oserov.

—Te acabo de decir que no lo necesitas. Yo te haré ese favor.

—No —respondió la muchacha con firmeza—. No quiero que te involucres.

Arkadin abrió las manos.

—Ya estoy involucrado.

—No quiero que te involucres más de lo que estás. —La luz de la lámpara caía sobre ella como si estuvieran en una escena íntima de una obra de teatro, como si la muchacha estuviera a punto de decir las cosas que hacen que el público ahogue una exclamación después de haber contenido la respiración todo el rato—. Y en cuanto a Oserov, a menos que me equivoque, le gusta el dinero más de lo que me odia.

Arkadin volvió a reír a pesar de sí mismo. Iba a decirle que le prohibía hablar con Oserov, pero vio algo en los ojos femeninos que se lo impidió. Sospechaba que se levantaría, saldría de allí y nunca más volvería a verla. Y no quería que eso sucediera, porque aquella oportunidad de ocuparse de algo vital para ella, de utilizarla, se desvanecería.

Las constantes sacudidas de la lancha le hicieron volver al presente. Había cruzado la estela del transbordador y ahora navegaba a su altura, por la banda de babor. Encendió la radio y habló con el capitán de la nave, con el que ya había llegado a un acuerdo previo.

Cinco minutos después se encontraba pegado al casco del buque; habían lanzado por la borda una escala de cuerda por la que el corpulento Boris Karpov empezó a bajar.

—Bonito sitio para que se encuentren dos rusos, ¿eh, coronel? —dijo Arkadin sonriendo y guiñándole el ojo.

—Admito que quería encontrarme con usted hace tiempo —repuso Karpov—, aunque en unas circunstancias muy diferentes.

—Conmigo esposado o muerto en un charco de sangre, imagino.

Al coronel parecía costarle trabajo respirar.

—Tiene usted reputación de carnicero y asesino.

—Es difícil que un hombre esté a la altura de esos rumores. —A Arkadin le hacía gracia comprobar que Karpov, con el rostro blanco como el papel, no parecía estar de humor para bromas—. No se preocupe, el mareo sólo durará mientras esté en el agua.

Rió cuando recogieron la escala y se apartó del transbordador, cruzando la estela que espumeaba en el agua. La proa se levantó cuando la lancha comenzó a deslizarse entre las olas. Karpov se sentó con un sonoro golpe y la cabeza entre las rodillas.

—Levántese —le propuso Arkadin— y mantenga la vista fija en un punto del horizonte, en aquel carguero, por ejemplo. Así se le pasarán un poco las náuseas.

Karpov hizo lo que le decía.

—Pero no se olvide de respirar.

Arkadin puso rumbo sursureste y cuando juzgó que había suficiente distancia entre la lancha y el transbordador, dejó el motor en punto muerto, se volvió y miró a su invitado.

—Tengo que reconocer una cosa de nuestro Gobierno —manifestó—. Adiestra a sus empleados para que sigan las órdenes al pie de la letra. —Hizo una reverencia burlona—. Felicidades.

—Váyase a la mierda —le espetó Karpov un segundo antes de volverse hacia el agua y vomitar copiosamente por la borda.

Arkadin arrastró la nevera que Heraldo había llenado previamente y sacó una botella de vodka helado.

—En el mar no nos andamos con ceremonias. Aquí hay un fragmento de la patria. Lo ayudará a asentar el estómago. —Le pasó la botella a Karpov—. Pero hágame un favor y enjuáguese la boca antes de echar un trago.

El coronel hundió la mano en el mar y se llenó la boca de agua salada, se enjuagó y escupió. Luego desenroscó el tapón de la botella y bebió un largo trago con los ojos cerrados.

—Ya me siento bien —dijo, devolviéndole la botella—. Ahora vayamos al grano. Cuanto antes vuelva a tierra firme, mejor. —Antes de que Arkadin pudiera replicar, se volvió y vomitó de nuevo, inclinándose por la borda de la lancha, sudoroso y sin fuerzas. Gimió. Y volvió a gemir cuando Arkadin lo cacheó de arriba abajo en busca de armas o de micrófonos ocultos.

Como no encontró nada, se apartó y esperó a que Karpov se hubiera enjuagado la boca.

—Será mejor que lo lleve a tierra cuanto antes —sugirió.

Guardó la botella en la nevera, ofreció un puñado de hielo al coronel y volvió a empuñar el timón de la lancha. Enfiló hacia el sur, siguiendo a una bandada de pelícanos blancos y grises que volaban en perfecta formación, cerca del agua, y giró finalmente hacia el Estero Morúa, donde fondeó lo más cerca posible de la playa. La oscuridad había sepultado ya el cielo por el este. El oeste parecía una gran hoguera de ardientes brasas que reverberaban débilmente como para impedir la caída de la noche.

Vadearon el agua hasta la orilla, Arkadin con la nevera sobre el hombro bronceado. En el momento en que llegó a tierra, Karpov se sentó en la arena, o quizá sería más exacto decir que se desplomó. Parecía un pordiosero. Todavía estaba un poco mareado mientras se quitaba torpemente los zapatos y calcetines empapados. Arkadin, que llevaba sandalias de caucho, no tenía aquel problema.

Recogió un puñado de maderos arrastrados por el oleaje y preparó una hoguera. Se había tomado una cerveza Dos Equis y acababa de abrir otra cuando el coronel le pidió una botella con voz más bien débil.

—Será mejor que coma algo antes.

Sacó un envoltorio, pero Karpov negó con la cabeza.

—Como quiera. —Arkadin se llevó a la boca un burrito de carne asada y aspiró profundamente.

—Santo Dios —exclamó el coronel, apartando la mirada.

—¡Ah, México! —Arkadin atacó el burrito con ganas—. Es una pena que no me hiciera usted caso en lo del ataque al almacén de Maslov —dijo entre un bocado y otro.

—Ni lo mencione. —Karpov mordió las palabras como si cada una de ellas fuera la cabeza de Arkadin—. La situación más probable era que me hubiese tendido una trampa por orden de Maslov. ¿Qué esperaba que hiciera?

Se encogió de hombros.

—Con todo, ha sido una oportunidad desperdiciada.

—¿Qué acabo de decirle?

—Me refiero a que con un hombre como Maslov no tendrá más de dos oportunidades.

—Sé lo que quiere decir, joder —bramó el coronel con ira.

Arkadin se lo tomó con gran ecuanimidad.

—Agua pasada. —Abrió otra cerveza y se la alargó.

Karpov cerró los ojos un momento, como si mentalmente estuviera contando hasta diez. Cuando los abrió, dijo con la voz más normal que pudo:

—He recorrido todo este camino para escucharlo, así que será mejor que me cuente algo valioso.

Tras haber engullido el burrito, Arkadin se limpió las manos y cogió otra cerveza para ayudar a bajar la comida.

—Quiere el nombre de los topos y no lo culpo, yo también los querría si estuviera en su lugar, y voy a dárselos, pero antes quiero ciertas garantías.

—Acabáramos —murmuró Karpov, pasándose la botella por la frente sudorosa—. Muy bien, ¿cuál es el precio?

—Inmunidad permanente para mí.

—Hecho.

—Y quiero la cabeza de Dimitri Maslov en una bandeja.

El coronel lo miró con curiosidad.

—¿Qué hay entre ustedes dos?

—Quiero una respuesta.

—Hecho.

—Necesito garantías —insistió Arkadin—. A pesar de todos los esfuerzos de usted, Maslov sigue teniendo un batallón de gente en el bolsillo, desde burócratas del FSB hasta políticos regionales, pasando por jueces nacionales. No quiero que se libre del tajo del carnicero.

—Bueno, eso dependerá de la calidad, detalles y cantidad de información que me dé, ¿no le parece?

—Por eso no se preocupe, coronel. Todo lo que tengo es sólido como una roca e igual de dañino para él.

—Entonces, como dije, está hecho. —Karpov tomó un trago de cerveza—. ¿Algo más?

—Sí.

El coronel, que había levantado uno de sus zapatos empapados, asintió tristemente.

—Siempre hay algo más.

—Quiero encargarme en persona de Oserov.

Karpov frunció el entrecejo mientras sacaba un alga del zapato.

—Oserov es el segundo de Maslov. Alejarlo de la diana va a ser algo complicado.

—No me importa.

—Por favor, intente sorprenderme —dijo Karpov secamente. Meditó un momento y, tras hacerse a la idea, asintió con la cabeza—. Muy bien. —Levantó un dedo—. Pero tengo que advertirle que cuando ponga en práctica su plan tendrá usted un máximo de doce horas para ocuparse de él. Después, será mío junto con el resto de sus hombres.

Arkadin alargó la mano y estrechó la de Karpov, que le devolvió el apretón con fuerza y sin contemplaciones, como un trabajador. Le gustó aquello. Puede que fuera un empleado del Gobierno, pero no era un zángano. Era un hombre que no lo engañaría, estaba seguro.

En aquel preciso momento, el coronel Karpov saltó sobre Arkadin, le puso una mano alrededor del cuello, le cogió la barbilla y se la levantó mientras con la otra mano le ponía una navaja de afeitar en la nuez.

—Dentro de su zapato —dijo Arkadin sin perder la calma—. Nada de tecnología punta, muy bueno.

—Escucha, matón, no me gusta que me jodan... hiciste que la cagara en el almacén, lo hiciste adrede. Ahora Maslov está advertido y estará en guardia, lo que hará que sea mucho más difícil atraparlo. Lo único que has hecho ha sido faltarme al respeto. Eres un maldito asesino, la forma de vida más baja que puede haber en un apestoso montón de mierda. Intimidas a la gente, la torturas, la martirizas y luego la matas como si la vida humana no tuviera importancia. Me siento sucio sólo por estar a tu lado, pero quiero atrapar a Dimitri Maslov más que matarte a ti, así que tendré que apechugar con esa decisión de por vida. La vida está llena de compromisos, y con cada uno de ellos, tus manos se manchan de sangre cada vez más. He aprendido a vivir con eso. Pero si tú y yo vamos a trabajar juntos, vas a respetarme como merezco o juro por la tumba de mi padre que te rebanaré el pescuezo aquí mismo, ahora mismo, y luego daré media vuelta y olvidaré que te he conocido. —Acercó su rostro al de Arkadin—. ¿Está claro, Leonid Danilovich?

—No podrá usted hacer ni un solo movimiento contra Maslov mientras los topos sigan en sus puestos. —Arkadin miraba al frente, al cielo nocturno, en el que las estrellas brillaban como ojos lejanos que observaran las flaquezas de la humanidad con desdén o, al menos, con indiferencia.

Karpov sacudió la cabeza.

—¡¿Está claro?!

—Como el agua. —Se relajó cuando el coronel apartó la navaja. Había tenido razón sobre la naturaleza de Karpov; no era un hombre que se dejara intimidar, ni siquiera por la temible burocracia rusa. Arkadin le rindió un homenaje silencioso—. Su primer problema será echar matarratas a los topos de la cocina del FSB-2.

—Se refiere usted a echarlo en los zócalos.

Arkadin negó con la cabeza.

—Si ése fuera el caso, mi querido coronel, sus problemas serían sencillísimos. Yo he hablado de la cocina porque Maslov tiene a sus órdenes a uno de los chefs.

Se hizo el silencio durante unos instantes; sólo se oía el suave vaivén de las olas, los últimos gritos de las gaviotas mientras se preparaban para pasar la noche. La luna salió detrás de un banco de nubes, proyectando un manto azulado sobre ellos y reflejándose en el mar oscuro, repartiendo destellos sobre su superficie desigual.

—¿Quién es? —preguntó Karpov al cabo de un rato.

—No estoy seguro de que le guste saberlo.

—Yo tampoco lo estoy, pero ya es demasiado tarde para evitarlo.

—Lo es, ¿verdad? —Arkadin sacó una cajetilla de cigarrillos turcos y ofreció uno al coronel.

—Estoy intentando dejar mis malos hábitos.

—Un esfuerzo inútil.

—Dígamelo cuando tenga la tensión alta.

Arkadin encendió uno, guardó la cajetilla y dio una larga chupada.

—Melor Bukin, su jefe, pasa informes a Maslov —reveló, expulsando el humo por la nariz.

Los ojos de Karpov relampaguearon.

—Maldito cabrón, ¿otra vez me está jodiendo?

Sin decir palabra, Arkadin buscó la bolsa de plástico que había guardado en el fondo de la nevera, abrió la cremallera y le entregó su contenido. Luego echó ramas y astillas al fuego, que se estaba apagando.

Karpov se acercó al fuego para ver mejor lo que Arkadin le acababa de dar: un teléfono móvil barato, de los que se compra en cualquier tienda, un aparato de usar y tirar para que las llamadas no pudieran rastrearse. Lo activó.

—Audio y vídeo —informó Arkadin, mientras ordenaba la leña con un palo. Al planificar aquel día, u otro parecido, había utilizado aquel móvil para grabar en secreto determinadas reuniones entre Maslov y Bukin a las que había asistido. Sabía que en la mente del coronel no quedaría ninguna duda después de haber visto las pruebas.

Al final, Karpov apartó sombríamente la mirada de la diminuta pantalla.

—Necesito quedarme con esto.

Arkadin agitó una mano.

—Es parte del servicio.

A lo lejos se oyó el zumbido de una avioneta, un rumor más débil que el agudo vuelo de un mosquito.

—¿Cuántos más? —preguntó Karpov.

—Sé de otros dos cuyos nombres están en la lista de contactos del teléfono, pero debe de haber más. Me temo que tendrá que preguntarle a su jefe.

Karpov arrugó la frente.

—No será fácil.

—¿Ni siquiera con esa prueba?

El coronel suspiró.

—Tendré que pillarlo por sorpresa, cortarle el paso totalmente antes de que tenga la oportunidad de ponerse en contacto con nadie.

—Arriesgado —comentó Arkadin—. En cambio, si va a ver al presidente Imov con las pruebas, se sentirá tan ofendido que le dejará hacer lo que quiera con Bukin.

Karpov meditó esto último. Bien. Arkadin sonrió para sí. Melor Bukin había ascendido de rango en la burocracia gracias al presidente, antes de que fuera elegido por Viktor Cherkesov, jefe del FSB-2. Dentro del Kremlin se libraba una guerra entre este último y Nikolai Patrushev, del FSB y conocido discípulo de Imov. Cherkesov se había construido una formidable base de poder sin el apoyo del presidente. Arkadin tenía sus propias razones para querer que Bukin cayera en desgracia. Cuando Karpov lo metiera en la cárcel, su mentor, Cherkesov, no tardaría en caer igualmente. Cherkesov era la espina clavada que no había podido sacarse, pero Karpov se ocuparía de hacerlo ahora por él.

No era el momento de cantar victoria todavía. Su inquieta mente ya había vuelto a temas más personales. Es decir, a las diversas estrategias que podía adoptar para vengarse de Karpov por haberle puesto una navaja de afeitar en el cuello. Su mente ya fulguraba con visiones en las que rebanaba el cuello del coronel con su propia navaja de afeitar.

10

Moira y Jalal Essai estaban sentados en la suite del hotel de Washington D.C, su centro de operaciones provisional. Entre ambos se encontraban el portátil de Essai y el que Moira había llevado la víspera y que sabía que estaba totalmente limpio. Lo había revisado en profundidad por si las moscas.

Estaba a punto de preguntarle por dónde empezar, porque tenía que partir del hecho de que todos sus sistemas podían estar infectados, pero no necesitó molestarse. Resultó que el hombre tenía mucha información sobre el portátil y la compartió toda con ella. Últimamente había caído en manos de Gustavo Moreno, un capo de la droga colombiano que había vivido en las afueras de Ciudad de México. Moreno había sido asesinado unos meses antes, cuando su finca fue atacada por un grupo de agentes disfrazados de magnates del petróleo rusos.

—El grupo estaba a las órdenes del coronel Boris Karpov —informó Essai.

Curioso, pensó Moira. Pero entonces comprendió lo pequeño y aislado que era este mundo. Había oído a Bourne hablar del coronel; eran amigos, todo lo amigos que podían ser dos personas así.

—Entonces el portátil lo tiene Karpov.

—Por desgracia no —repuso el marroquí—. El portátil desapareció de la finca de Moreno; lo cogió uno de sus propios hombres antes del ataque.

—Uno de sus hombres que obviamente trabajaba para... para quién, ¿un rival?

—Es posible —dijo Essai—. No lo sé.

—¿Cómo se llama el ladrón?

—Nombre, foto, todo. —Giró la pantalla del portátil hacia ella y le mostró la imagen—. Pero es un callejón sin salida, sin vuelta de hoja. Su cadáver apareció una semana después del ataque.

—¿Dónde? —preguntó Moira.

—En las afueras de Amatitán. —Essai puso en marcha Google Earth y escribió una serie de coordenadas. El globo terráqueo dio vueltas hasta que apareció en pantalla la costa noroeste de México. Señaló Amatitán; estaba en Jalisco, en el corazón del país del tequila—. Exactamente ahí. Resultó que era la residencia de la hermana de Moreno, Berengaria, aunque ahora que está casada con el magnate del tequila Narciso Skydel, se llama Bárbara Skydel.

—Creo recordar un informe de Black River sobre Narciso. Es el primo de Roberto Corellos, el capo de la droga colombiano encarcelado, ¿no es así?

Essai asintió con la cabeza.

—Narciso lleva tiempo intentando distanciarse de su infame primo. Hace diez años que no pisa Colombia. Hace cinco, como al parecer le costaba olvidar la reputación de la familia, se cambió el apellido y compró acciones de la mayor destilería de tequila de México. Ahora le pertenece por completo y durante los dos últimos años ha estado ampliando su radio de acción.

—Casarse con Berengaria no lo ayudaría mucho —señaló Moira.

—No lo sé. Ha demostrado ser una empresaria muy astuta. La mayor parte de la gente opina que ella está detrás de la ampliación de la compañía. Yo creo que está más dispuesta a correr riesgos que él, y hasta ahora ella no ha dado ningún paso en falso.

—¿Cómo se llevaba con su hermano Gustavo?

—Según todos los informes, los dos hermanos estaban muy unidos. Los lazos se estrecharon después de la muerte de su madre.

—¿Cree que estaba metida en las operaciones de él?

Essai cruzó los brazos sobre el pecho.

—Es difícil saberlo. Si tenía algo que ver, desde luego no hay ninguna prueba, no hay nada que la vincule con el tráfico de drogas de Gustavo.

—Pero ha dicho que era una empresaria muy astuta.

Essai frunció el entrecejo.

—¿Cree que tenía un topo dentro del negocio de su propio hermano?

Moira se encogió de hombros.

—¿Quién sabe?

—Ninguno de los dos sería tan estúpido.

Ella asintió con la cabeza.

—Estoy de acuerdo, aunque si alguien quiere hacernos creer que uno de ellos hizo matar al topo, parece que sería de utilidad hablar con ambos. Pero primero quiero hacer una visita a Roberto Corellos.

Essai esbozó la siniestra sonrisa que producía escalofríos en el alma de Moira.

—Creo, señora Trevor, que ya ha comenzado a ganarse el sueldo.

Bourne y Chrissie volvían en coche a Londres bajo una aparatosa tormenta que había llegado sin avisar, cuando sonó el móvil de Bourne.

—Señor Stone.

—Hola, profesor.

—Tengo noticias —informó Giles—. He recibido un correo electrónico de mi compañero de ajedrez. Parece ser que ha resuelto el enigma de la tercera palabra.

—¿Cuál es?

—*Dominion*.

—*Dominion* —repitió Bourne—. Así que las tres palabras grabadas en la parte interior del anillo son: *Severus Domna dominion*. ¿Qué significa eso?

—Bueno, podría ser un conjuro —aventuró Giles— o un epíteto, o una advertencia. Incluso, echándole mucha imaginación, instrucciones para convertir el plomo en oro. Sin más información, me temo que no hay forma de saberlo.

La carretera estaba mojada por la lluvia y los limpiaparabrisas se movían de un lado a otro trazando el arco de rigor. Bourne miró por el espejo retrovisor, como hacía automáticamente cada treinta segundos más o menos.

—Mi amigo me ha contado una leyenda muy interesante sobre el ugarítico, aunque no sé qué importancia podrá tener. Para él y sus colegas, el meollo del interés radica en que hay documentos, bueno, más bien fragmentos, que aseguran que proceden de la corte del rey

Salomón. Parece que los astrólogos de Salomón hablaban ugarítico entre sí, y que creían en su poder alquímico.

Bourne se echó a reír.

—Con tantas leyendas sobre el oro del rey Salomón, no me extraña que los científicos de aquella época tan antigua creyeran que la alquimia era la clave para transformar el plomo en oro.

—Francamente, señor Stone, yo le dije lo mismo.

—Gracias, profesor. Ha sido de gran ayuda.

—Ya sabe dónde encontrarme si necesita algo más. Un amigo de Christina es amigo mío.

Cuando Bourne se guardó el móvil, vio que un camión negro y oro que había entrado en su carril a tres vehículos de distancia se encontraba ahora detrás de ellos.

—Chrissie, me gustaría que salieras de la autopista —aconsejó con calma—. Cuando lo hagas, detente.

—¿Te encuentras bien?

Bourne no dijo nada, pero no dejó de mirar el retrovisor. Alargó la mano para impedir que ella accionara el intermitente.

—No lo hagas.

Chrissie dilató los ojos y ahogó una exclamación.

—¿Qué está pasando?

—Haz lo que te digo y todo irá bien.

—No es muy tranquilizador. —Pasó al carril de la izquierda cuando entre la lluvia se hizo visible la indicación de la siguiente salida—. Adam, me estás asustando.

—No era mi intención.

La muchacha enfiló la salida, que se curvó de inmediato a la izquierda, y miró por encima del hombro.

—Entonces, ¿cuál es tu intención?

—Conducir —dijo—. Apártate.

La joven salió del Range Rover, se cubrió la cabeza, que llevaba encogida entre los hombros, dio la vuelta al coche y subió al asiento del copiloto. Aún no había cerrado la portezuela cuando Bourne vio que el camión tomaba la curva de la misma salida. Inmediatamente cambió de velocidad y arrancó.

El camión se encontraba ya detrás de ellos como si estuviera enganchado al coche por una cadena de remolque. Bourne aumentó la velocidad, pasó un semáforo en rojo y volvió a entrar en la autopista. El tráfico era moderado y pudo cambiar de un carril a otro. Estaba pensando que un camión no era un vehículo práctico para seguirlos y de súbito apareció a su lado un BMW gris.

Cuando vio que bajaban la ventanilla, Bourne gritó a Chrissie que se agachara. La empujó y se inclinó sobre el volante en el momento en que los disparos destrozaron su ventanilla, arrojándole una lluvia de cristales y ráfagas de agua. En aquel momento vio que el camión negro y oro se situaba tras ellos a toda velocidad. Querían encajonarlos.

Ambos vehículos adelantaban y deceleraban, rozándose peligrosamente. Bourne se arriesgó a mirar por el retrovisor. El camión negro y oro estaba justo detrás.

—Sujétate —ordenó a Chrissie, que estaba tan inclinada como se lo permitía el asiento y con los brazos en la cabeza.

Bourne dio un volantazo y pisó a fondo el freno. Durante una fracción de segundo, el Range Rover derrapó sobre el asfalto mojado hasta que se estabilizó. Cuando la esquina exterior del parachoques trasero golpeó el camión, el Range Rover viró bruscamente, para que, como había calculado Bourne, la otra esquina del mismo parachoques diera contra el BMW con una fuerza tremenda, como si hubiera sido disparado por un cañón. Impulsado por el choque, el BMW viró hacia la derecha y, fuera de control, se estrelló contra el guardarraíl con tal fuerza que el lado del conductor se arrugó como un acordeón. Hubo una lluvia de chispas y chirridos de metal cuando el BMW rebotó en el guardarraíl y giró sobre su eje y salió proyectado hacia el Range Rover. El estadounidense dio un volantazo a la derecha, cortando el paso a un mini amarillo. Hubo una reacción en cadena con más chirridos de neumáticos, estridencias de claxon y guardabarros abollados y aplastados. Bourne aceleró colándose por el hueco, cambió de carril y, como había despejado el tráfico, cruzó hasta el carril rápido.

—Dios mío —susurraba Chrissie—. Dios mío.

El motor del Range Rover aún respondía bien. Bourne ya no volvió a ver por el retrovisor el BMW destrozado ni el camión negro y oro.

Después de un choque o un accidente, incluso tras un atisbo de colisión, todo queda en calma, o tal vez sea que el oído humano, traumatizado como el resto del organismo, queda temporalmente insensible. En cualquier caso, en el interior del coche se impuso un silencio sepulcral mientras Bourne abandonaba la autopista, salía del acceso y recorría las calles flanqueadas por mayoristas y almacenes, calles en las que nadie gritaba de miedo ni sonaban cláxones airados ni se oía el chirrido de los frenos, donde aún reinaba el orden, y el caos de la autopista parecía pertenecer a otro universo. No se detuvo hasta que encontró una manzana desierta. Se acercó a la acera.

Chrissie guardaba silencio, con la cara pálida como una muerta. Las manos le temblaban en el regazo. Estaba a punto de llorar de terror y de alivio a la vez.

—¿Quién eres? —preguntó al cabo de un rato—. ¿Por qué intentan matarte?

—Quieren el anillo —respondió él con sencillez. Después de todo lo que había pasado, la joven se merecía como mínimo una parte de la verdad—. Todavía no sé por qué, estoy tratando de descubrirlo.

Chrissie se volvió hacia él. Hasta sus ojos habían palidecido, o quizá fuera un efecto de la luz, aunque él no creía que fuera esto último.

—¿Tenía Trace algo que ver con el anillo?

—Quizá, no lo sé. —Puso en marcha el coche y siguió conduciendo—. Pero sus amigos sí.

La joven sacudió la cabeza.

—Todo esto va demasiado rápido para mí. Está todo patas arriba, creo que me he desorientado.

Se pasó las manos por el cabello y entonces se dio cuenta de algo extraño.

—¿Por qué volvemos a Oxford?

Bourne la miró de reojo mientras enfilaba el acceso a la autopista.

—Como a ti, tampoco a mí me gusta que me disparen.

—Tengo que ver más de cerca el BMW y al amigo que iba dentro. —Al ver la expresión aterrorizada de la joven, añadió—: No te preocupes. Me apearé cuando lleguemos al lugar del accidente. ¿Puedes conducir?

—Desde luego.

Bourne dobló a la izquierda y entró en la autopista, en dirección a Oxford. El chaparrón había pasado y sólo seguía cayendo una ligera llovizna. Aminoró la velocidad de los limpiaparabrisas.

—Siento los daños.

Chrissie se estremeció y le sonrió con tristeza.

—No se pudo evitar, ¿verdad?

—¿Cuándo volverá Scarlett de casa de tus padres?

—La semana que viene, aunque puedo recogerla en cualquier momento —repuso la joven.

—Bien —dijo Bourne, asintiendo con la cabeza—. No quiero que vayas a tu casa de Oxford. ¿Puedes quedarte en algún otro sitio?

—Volveré al piso de Tracy.

—No es recomendable. Esa gente ha debido de localizarme allí.

—¿Y la casa de mis padres?

—Tampoco es segura, pero quiero que recojas a Scarlett y vayas a alguna otra parte, a algún lugar donde no hayas estado antes.

—¿No creerás...?

Deliberadamente, Bourne sacó la Glock que había encontrado en el piso de Perlis y la puso en la guantera.

—¿Qué haces?

—Nos han estado siguiendo, posiblemente desde el piso de Tracy. No tiene sentido arriesgarse a que esos tipos sepan de la existencia de Scarlett... ni dónde viven tus padres.

—Pero ¿quiénes son? —Como Bourne negara con la cabeza, la joven añadió con voz afilada, como si las palabras estuvieran hechas de cristal—: Esto es una pesadilla, Adam. ¿En qué estaba metida Trace?

—Ojalá pudiera responderte.

El tráfico del otro lado de la autopista estaba detenido, lo que indicaba que se encontraban cerca del lugar del accidente. Delante de ellos, en los carriles de su lado, los vehículos avanzaban a paso de tortuga, lo que facilitaría su salida del coche y que Chrissie se pusiera al volante.

—¿Y tú? —preguntó la muchacha cuando él puso el Range Rover en punto muerto.

—No te preocupes por mí —respondió—. Volveré a Londres.

—La expresión preocupada de la mujer revelaba que no le creía. Bourne le dio su número de móvil, pero al verla sacar un bolígrafo del bolso, añadió—: Memorízalo, no quiero que lo escribas.

Bajaron del Range Rover y ella se puso al volante.

—Adam —dijo, cogiéndole el brazo—. Por el amor de Dios, cuídate mucho.

Él sonrió.

—Estaré bien.

Chrissie se resistía a soltarlo.

—¿Por qué haces esto?

Bourne recordó a Tracy muriendo en sus brazos. Llevaba sangre de la muchacha en las manos.

Introdujo la cabeza por la ventanilla y dijo:

—Tengo una deuda con tu hermana que nunca podré saldar.

Bourne saltó la mediana y pasó al otro lado de la autopista, resbaladiza a causa de la lluvia. Mientras se aproximaba al lugar del accidente, su mente volaba, asimilando los aullidos de las ambulancias y los coches de policía. El personal de toda la zona circundante había hecho acto de presencia, lo que era una suerte para lo que tenía pensado hacer. El lugar del accidente aún no había sido acordonado. Vio un cuerpo caído en el suelo, cubierto con una lona. Una brigada de personal forense se arremolinaba alrededor del cadáver, tomando notas o fotografías digitales, señalando indicios forenses con conos de plástico numerados y conferenciando entre ellos. Cada prueba —gotas de sangre, trozos del cristal del intermitente, jirones de tela, una ventanilla del coche hecha añicos, una mancha de aceite— era fotografiada desde varios ángulos.

Bourne se acercó al lateral de uno de los coches de policía y se introdujo en la cabina, buscando en la guantera algún tipo de identificación. Al no encontrar nada, buscó en los parasoles. Uno tenía una goma alrededor. La quitó y encontró varias tarjetas, una de ellas una identificación caducada. Siempre le sorprendía que la gente se encariñara tanto con su propia historia que no quisiera separarse de ninguna evidencia tangible de la misma. Oyó que alguien se acercaba, cogió un par de guantes de látex y salió por el otro lado. Se puso la identificación en la solapa y anduvo con aire resuelto en dirección del personal que intentaba poner orden en el desastre producido sobre el asfalto húmedo de la autopista.

Miró el BMW con los ojos entornados para enfocarlo mejor; el guardarraíl lo había atravesado como un arpón, destrozándolo completamente. Bourne vio la parte del parachoques contra la que había estrellado el coche de Chrissie. Se agachó y frotó con fuerza los restos de pintura del vehículo de la joven, para borrarlos. Acababa de memorizar el número de la matrícula cuando un inspector de la policía local se puso a su lado.

—¿Qué le parece? —Era un hombre pálido con los dientes cariados y un aliento que no desentonaba. Por lo visto, lo habían alimentado de pequeño con cerveza tibia, salchichas, puré de patatas y melaza.

—Debía de ir a una velocidad extraordinaria para causar este estropicio —comentó Bourne con voz ronca y su mejor acento del sur de Londres.

—¿Resfriado o alergia? —preguntó el inspector local—. En cualquier caso, debería cuidarse con este maldito clima.

—Tengo que ver a las víctimas.

—Muy bien. —El inspector se enderezó con un crujido de huesos. Tenía el dorso de las manos agrietado y enrojecido, resultado de un largo y duro invierno encerrado en un despacho con mala calefacción—. Por aquí.

Lo condujo entre los grupos de gente hasta el lugar donde estaba el cadáver. Levantó la lona para que Bourne echara un vistazo. El cuerpo tenía varias fracturas. Le sorprendió ver que el hombre no fuera más joven. Tenía entre cuarenta y cincuenta años, calculó, muy inusual para ser un sicario.

El inspector apoyó las muñecas en sus huesudas rodillas.

—Sin identificación, va a ser complicado avisar a su viuda.

El cadáver llevaba una especie de anillo de boda en el dedo corazón de la mano izquierda. A Bourne le pareció interesante, pero obviamente no pensaba darle al inspector ni su opinión ni ninguna otra cosa. Tenía que mirar la parte interior del anillo.

—Vamos a ver —murmuró el estadounidense.

El inspector lanzó una carcajada.

Bourne le quitó el anillo al muerto. Era mucho más antiguo que el que tenía él. Lo levantó para mirarlo a la luz. Estaba rayado y desgastado, corroído por el tiempo. Cien años o más habían pasado para que el oro estuviera en ese estado. Lo palpó. Estaba grabado por la parte interior. Pudo distinguir el persa antiguo y el latín. Miró más de cerca, girando el anillo entre los dedos. Sólo había dos palabras legibles, *Severus Domna*. La tercera, *Dominion*, se había perdido.

—¿Ha encontrado algo?

Bourne negó con la cabeza.

—Pensé que quizá llevara algo grabado: «Para Bertie de Matilda» o algo por el estilo.

—Otro callejón sin salida —dijo el inspector con resignación—. Por los clavos de Cristo, las rodillas me están matando. —Se enderezó con un gruñido.

Bourne sabía ya lo que era Severus Domna: un grupo o una sociedad. Se llamara como se llamase, una cosa estaba clara: se habían esforzado mucho por mantenerse escondidos del resto del mundo. Y ahora, por alguna razón, habían salido a la superficie y puesto en peligro su secreto, todo por el anillo grabado con su nombre y la palabra *Dominion*.

11

Oliver Liss bajaba a zancadas por North Union Street, en el casco antiguo de Alexandria, Virginia; miró el reloj y, un momento después, entraba en uno de esos *drugstores* en que hay de todo. Pasó ante las secciones de higiene dental y cuidado de los pies, cogió un teléfono móvil barato con treinta minutos de prepago y lo llevó a la caja con el *Washington Post*. Le cobró una mujer amerindia. Pagó en efectivo.

Ya en la calle, con el periódico doblado bajo el brazo, quitó el plástico del teléfono y anduvo bajo un cielo monótono y sin estrellas hasta donde había dejado el coche. Subió y conectó el teléfono al cargador portátil, que cargaría por completo la batería en menos de cinco minutos. Mientras esperaba, apoyó la cabeza en el respaldo y cerró los ojos. No había dormido mucho la noche anterior ni, en general, todas las noches desde que había accedido a resucitar Treadstone.

Se preguntó, y no por primera vez, si había hecho lo correcto. Luego trató de recordar cuándo había sido la última vez que había tomado una decisión profesional por voluntad propia. Hacía más de diez años le había telefoneado un hombre que había dicho llamarse Jonathan, aunque Liss no tardó en recelar que no era su verdadero nombre. Jonathan le dijo que formaba parte de un amplio grupo multinacional. Si Liss jugaba bien sus cartas, si trabajaba a satisfacción de Jonathan y por lo tanto del grupo, Jonathan le aseguraba que el grupo en cuestión sería cliente suyo a perpetuidad. Luego le había sugerido que fundara una compañía privada de gestión de riesgos, en realidad una empresa fantasma a cuya sombra sería contratista privado de las fuerzas armadas de Estados Unidos en puntos conflictivos de ultramar. Así se fundó Black River. El grupo de Jonathan había puesto los fondos, tal y como había prometido, e introducido a dos socios. Fue aquel mismo grupo el que, a través de Jonathan, le había avisado de futuros acontecimientos que harían salir a Black River de su escondrijo antes o después, más bien antes. El grupo lo había sacado de allí sin que se viera comprometido en investigaciones ulteriores, ni en sesiones de control del Congreso, ni en imputaciones criminales, ni en juicios. Evitándole, por consiguiente, que fuera a dar con sus huesos a la carcel.

Semanas después de aquel rescate, Jonathan se había presentado con otra sugerencia, que no era en absoluto una sugerencia, sino una orden: aportar dinero para financiar Treadstone. Él ni siquiera había oído hablar de Treadstone, pero acto seguido le habían dado un archivo codificado en el que se detallaban su fundación y sus operaciones. Fue entonces cuando se enteró de que sólo quedaba un miembro vivo de Treadstone: Frederick Willard. Se puso en contacto con él y el resto se desarrolló según lo previsto.

De vez en cuando se permitía el lujo de preguntarse cómo era posible que aquel grupo poseyera tantísima información clasificada. ¿Cuáles eran sus fuentes? Parecía irrelevante que la información fuera sobre el servicio secreto norteamericano, ruso, chino o egipcio, por mencionar sólo unos cuantos. La información siempre era del más alto nivel y siempre exacta.

El aspecto más misterioso de todo aquel capítulo de su vida era que nunca había conocido a nadie en persona. Jonathan le hacía sugerencias por teléfono a las que accedía sin el menor asomo de queja. No era hombre al que le gustara ser esclavo, pero saboreaba todos los momentos de la vida, y sin aquella gente llevaría mucho tiempo muerto. Todo se lo debía al grupo de Jonathan.

Éste y sus colegas eran muy estrictos, serios y celosos de sus objetivos, pero también generosos en sus recompensas. A lo largo de aquellos años, el grupo había recompensado a Liss mucho más de lo que éste había soñado en sus fantasías más desaforadas, lo cual era otro aspecto de la existencia del grupo que aumentaba el misterio: su ilimitada riqueza. Y más importante aún, el grupo lo protegía. Era una promesa que le había hecho Jonathan y una promesa que éste había cumplido cuando lo salvaron del desastre que había enviado a sus dos antiguos socios de Black River a la cárcel para el resto de su vida.

Un pitido le avisó que el teléfono estaba cargado. Lo desconectó del cargador y marcó un número local. Tras dos timbrazos, una voz respondió:

—Servicio de entrega. —Hubo una breve pausa y luego, otra voz, automatizada y femenina, dijo—: Eclesiastés tres seis dos.

Siempre era un libro de la Biblia, no sabía por qué. Cortó la comunicación y abrió el periódico. «Eclesiastés» era la sección de deportes. «Tres seis dos» quería decir tercera columna, párrafo sexto, segunda palabra.

Recorriendo con el dedo la columna especificada, descubrió la palabra clave de aquel día: *robo.*

Volvió a coger el teléfono y marcó un número de diez dígitos.

—Robo —murmuró cuando respondieron al primer timbrazo. En lugar de una voz, oyó una serie de pitidos electrónicos mientras la compleja red de servidores y *routers* redirigían una y otra vez su llamada hasta un lugar remoto que estaba Dios sabría dónde. Luego oyó el helado chasquido de los mecanismos codificadores y, por fin...

—Hola, Oliver —dijo una voz.

—Buenas tardes, Jonathan.

La codificación ralentizaba el diálogo, despojándolo de emoción y acento, volviéndolo irreconocible, asemejándolo a la voz de un autómata.

—¿Los has puesto en camino?

—Se fueron hace una hora. Estarán en Londres mañana por la mañana. —Era la voz que le había enviado el expediente sobre el anillo al principio de todo—. Tienen instrucciones, pero...

—¿Sí?

—Willard sólo habla de Arkadin y de Bourne, y el programa de Treadstone que los creó. Según él, ha descubierto un método que los haría aún más..., creo que el término que empleó fue *útiles*.

Jonathan rió por lo bajo. Al menos a Liss le pareció una risa, aunque él no percibió más que un susurro seco, como un enjambre de insectos que sobrevolara la hierba.

—Quiero que te apartes de él, Oliver, ¿está claro?

—Desde luego. —Liss se frotó la frente con los nudillos. ¿Qué se proponía Jonathan con aquella maldita historia?—. Pero le he dicho que mantenga su planes en suspenso hasta que aparezca el anillo.

—Que es lo que tenías que hacer.

—Willard no estaba muy contento.

—No me digas.

—Tengo la sensación de que está planeando cerrar la granja.

—Y cuando lo haga —repuso Jonathan—, no harás nada para impedírselo.

—¿Qué? —Liss se quedó atónito—. No lo entiendo.

—Todo está saliendo según lo planeado —informó Jonathan inmediatamente antes de cortar la comunicación.

Soraya recorrió todas las agencias de alquiler de coches del aeropuerto Dallas/Fort Worth con una foto de Arkadin. Nadie lo reconoció. Comió, compró una novela de tapa blanda y una chocolatina. Mientras comía lentamente la chocolatina, se acercó al mostrador de la línea aérea en la que Arkadin había llegado y preguntó por el supervisor de turno, que resultó ser un hombre corpulento llamado Ted, un tipo con aspecto de ex alero de fútbol americano que hubiera engordado demasiado, como les pasaba a todos antes o después. El hombre la calibró a través de los polvorientos cristales de sus gafas y, después de preguntarle su nombre, le sugirió que pasara a su despacho.

—Trabajo para Seguros Continental —dijo la mujer, dando otro bocado a la chocolatina—. Trato de localizar a un hombre llamado Stanley Kowalski.

Ted se retrepó en su asiento, cruzó las manos sobre su estómago y le soltó:

—¿Se burla de mí o qué?

—No —respondió Soraya—. No me burlo. —Le dio la información del vuelo de Kowalski.

Ted suspiró y se encogió de hombros. Se volvió y miró en la terminal de su ordenador.

—Vaya, qué te parece —murmuró—, si está aquí, tal como usted dijo. —Se volvió hacia ella—. Bien, ¿cómo puedo ayudarla?

—Me gustaría averiguar hacia dónde se dirigió cuando salió de aquí.

Ted se echó a reír.

—Ahora sí que creo que esto es una broma. Este aeropuerto es uno de los más grandes y con más movimiento del mundo. Su señor Kowalski podría haber ido a cualquier parte o a ninguna.

—No alquiló un coche —replicó Soraya—. Ni tampoco enlazó con ningún vuelo nacional, porque pasó por inmigración exactamente aquí, en Dallas. Lo sé porque comprobé las grabaciones de las cámaras de seguridad.

Ted frunció el entrecejo.

—Es usted concienzuda, eso debo reconocerlo. —Se quedó pensativo—. Pero voy a decirle algo que apuesto a que no sabía. Hay varios vuelos regionales que salen de aquí.

—También comprobé sus cámaras de seguridad.

Ted sonrió.

—Bueno, sé que no combrobó las cámaras de nuestros vuelos chárter, porque no tienen ninguna instalada. —Escribió algo en una hoja que arrancó de un cuaderno y se la entregó—. Éstos son los nombres. —Le guiñó el ojo—. Buena caza.

Dio en la diana con el quinto nombre que Ted le había dado. Un piloto recordaba la cara de Arkadin, aunque no había dado el nombre de Stanley Kowalski.

—Dijo que se llamaba Slim Pickens. —El piloto arrugó la cara—. ¿No había un actor con ese nombre?

—Casualidad —arguyó Soraya—. ¿Dónde recogió al señor Pickens?

—En el Aeropuerto Internacional de Tucson, señora.

—Tucson, ¿eh?

Soraya pensó: «¿Y para qué coño querría Arkadin ir a Tucson?» Y entonces, como si se le hubiera encendido una bombilla en la mente, lo comprendió.

México.

Tras reservar habitación en un pequeño hotel de Chelsea, Bourne se dio una ducha caliente para quitarse de encima todo el sudor y la mugre que le había reportado la reciente aventura. Los músculos del cuello, los hombros y la espalda le dolían a consecuencia de la colisión y de la larga carrera por la autopista.

Sólo de pensar en las palabras *Severus Domna* despertaba ecos en los rincones de su mente. Era muy irritante no poder recuperar los recuerdos de su neblinoso pasado. Estaba seguro de haberlas oído antes. ¿Por qué? ¿Había sido aquel grupo el objetivo de alguna misión de Treadstone a la que lo hubiera enviado Conklin? Él había conseguido el anillo de Dominion en alguna parte, alguien se lo había dado y se lo había dado por alguna razón muy concreta, pero más allá de estos tres vagos hechos sólo había una niebla impenetrable. ¿Por qué el padre de Holly le había robado el anillo a su hermano? ¿Por qué se lo había dado a Holly? ¿Quién era el tío de la joven y qué significaba el anillo para él? Bourne no podía preguntar a Holly. Eso ponía a su tío, quienquiera que fuese, en el punto de mira.

Cerró el grifo, salió de la ducha y se frotó vigorosamente con una toalla. Quizá debiera volver a Bali. ¿Estarían vivos los padres de Holly? ¿Y vivirían allí, en Bali? Puede que Suparwita lo supiera, pero no tenía teléfono. La única forma de hablar con él era desplazarse hasta Bali y preguntárselo en persona. Entonces se le ocurrió algo. Había una manera mejor de conseguir la información que necesitaba, y el plan que se estaba formando en su cabeza serviría para dos fines, porque de paso atraparía a Leonid Arkadin.

Con la mente funcionando a toda velocidad, se puso la ropa que había comprado en el Marks & Spencer de Oxford Street, camino del hotel. Era un traje oscuro y un jersey negro de cuello de cisne. Se limpió los zapatos con el cepillo de la habitación y tomó un taxi hasta la casa de Diego Herrera, en Sloane Square.

La casa resultó ser un edificio victoriano de ladrillo rojo con un tejado de pizarra muy empinado y un par de torrecillas cónicas que se elevaban hacia el cielo nocturno como dos cuernos. Una aldaba de bronce con forma de cabeza de ciervo miraba estoicamente a todas las visitas. Llamó y Diego en persona le abrió la puerta.

Sonrió ligeramente.

—Veo que no tienes mal aspecto después de la aventura de ayer. —Agitó una mano—. Pasa, pasa.

Diego vestía pantalón oscuro y una elegante chaqueta de etiqueta, más apropiada para el Club Vesper. Bourne, en cambio, conservaba el instinto del profesor académico a la hora de vestir y se habría sentido tan incómodo con traje y corbata como lo habría estado con una armadura medieval.

Diego lo condujo a través de un salón de aspecto anticuado, iluminado por viejas lámparas con tulipas de cristal esmerilado. Pasaron a un comedor en el que destacaba una gran mesa de caoba sobre la que colgaba una araña, encendida a medias, que iluminaba como lo haría un millar de estrellas las paredes empapeladas con lujosos tonos y recubiertas de paneles de roble. Había dos servicios preparados. Bourne se sentó y su anfitrión sirvió unas copas de un excelente jerez para acompañar las sardinas asadas, las patatas fritas, las finísimas lonchas de jamón serrano, las rodajas de chorizo y las tres clases de queso español que había en una bandeja.

—Por favor, sírvete tú mismo —invitó Diego mientras tomaba asiento enfrente de Bourne—. Es la costumbre en España.

Mientras comía, Bourne se percató de que no le quitaba los ojos de encima.

—Mi padre se alegró mucho de que vinieras a verme —dijo al fin.

«¿Se alegró o se interesó?», se preguntó Bourne.

—¿Cómo se encuentra don Fernando?

—Como siempre. —Diego comía como un pajarito, picoteando de los platos. O no tenía apetito o pensaba en algo importante—. Te aprecia mucho, ya lo sabes.

—Le mentí sobre quién era yo.

El banquero se echó a reír.

—No conoces a mi padre. Estoy casi seguro de que a él sólo le interesaba si eras amigo o enemigo.

—Soy enemigo de Leonid Arkadin, como él sabe bien.

—Precisamente —repuso Diego, abriendo las manos—. Bueno, eso es algo que tenemos en común. Es el lazo que nos une.

Bourne apartó su plato.

—La verdad es que me estaba preguntando eso mismo.

—¿En qué sentido, si puedo preguntar?

—Estamos unidos por nuestra relación con Noah Perlis. Tu padre lo conocía, ¿no es cierto?

Diego no perdió un segundo.

—En realidad, no lo conocía. Noah era amigo mío. Íbamos al casino del Club Vesper y jugábamos toda la noche. Era lo que más le gustaba cuando venía a Londres. En el momento en que yo me enteraba de que venía, lo preparaba todo, su crédito, las fichas...

—Y por supuesto, las chicas.

Diego sonrió.

—Por supuesto, las chicas.

—¿No prefería ver a Tracy o a Holly?

—Si estaban aquí, sí, pero la mayor parte de las veces no estaban.

—Erais un cuarteto.

Su anfitrión frunció la frente.

—¿Por qué crees eso?

—Por las fotos del piso de Noah.

—¿Qué insinúas?

Algo casi imperceptible se había introducido en la conducta de Diego. Una tensión, como una onda sutil que emanara de sus entrañas. A Bourne le gustó que aquella sonda hubiera tocado un nervio.

Se encogió de hombros.

—Nada, de verdad, sólo que en esas fotos parecíais muy unidos.

—Como te he dicho, éramos amigos.

—Yo diría que más que amigos.

En aquel momento, Diego miró su reloj.

—Si quieres un poco de acción, ya es hora de que vayamos a Knightsbridge.

El Club Vesper era un casino muy elegante en el muy elegante West End de Londres. Uno de esos lugares discretos que apenas se ven desde la calle, todo lo contrario de los exclusivos clubes nocturnos con cordones de terciopelo de Nueva York y Miami que se complacen en su propia vulgaridad.

El interior consistía en una colección de bancos de cuero, blandos como la mantequilla, en el restaurante, una larga y sinuosa barra de bronce y cristal iluminada con fluorescentes, y una serie de salas de juego decoradas con mármol, espejos y columnas de piedra con capiteles dóricos. Pasaron entre las máquinas tragaperras. A un lado estaba la sala de juegos electrónicos, cuya música rockera a todo volumen y cuyas luces de neón parecían gritar *¡Juega!* Bourne miró dentro y vio un guardia de seguridad patrullando. Supuso que en opinión del club, los clientes más jóvenes eran más capaces de portarse mal que los clientes de más edad que ya habían sentado cabeza.

Bajaron unos escalones y accedieron a la más tranquila pero no menos opulenta zona de apuestas, en la que se encontraban los juegos clásicos: bacará, ruleta, póquer, *blackjack*. En la sala, de forma oval, flotaba el murmullo de las apuestas, el rumor de las ruletas que giraban, los avisos de los crupieres y el omnipresente tintineo de los vasos. Se abrieron paso hasta una puerta revestida de paño verde y custodiada por un hombretón con esmoquin. En el momento en que vio a Diego, sonrió y le hizo una ligera reverencia.

—¿Qué tal se encuentra esta noche, señor Herrera?

—Bastante bien, Donald. —Señaló a Bourne con un movimiento informal—. Éste es mi amigo Adam Stone.

—Buenas noches, señor. —Donald abrió la puerta hacia dentro—. Bienvenidos al Salón Imperio del Club Vesper.

—Aquí era donde a Noah le gustaba jugar al póquer —dijo Diego por encima del hombro—. Sólo apuestas altas, sólo jugadores expertos.

Bourne miró a su alrededor: paredes oscuras, suelo de mármol, tres mesas en forma de riñón, hombros encorvados y expresiones concentradas de hombres y mujeres sentados alrededor del paño verde, analizando las cartas, midiendo a sus oponentes y apostando en consecuencia.

—No sabía que Noah tuviera dinero suficiente para apostar a lo grande.

—No lo tenía. Yo se lo daba.

—¿No era arriesgado?

—Con Noah, no. —Diego sonrió—. En lo referente al póquer, era un experto entre los expertos. En menos de una hora recuperaba mi dinero y algo más. Yo jugaba con los beneficios. Era una buena solución para los dos.

—¿Las chicas vinieron alguna vez?

—¿Qué chicas?

—Tracy y Holly —respondió Bourne con paciencia.

Diego se quedó pensando.

—Creo que un par de veces.

—No lo recuerdas.

—A Tracy le gustaba apostar, pero a Holly no. —El encogimiento de hombros del banquero fue un intento de ocultar su creciente incomodidad—. Pero seguro que eso ya lo sabías.

—A Tracy no le gustaban las apuestas. —Bourne despojó de su voz cualquier matiz acusador—. Detestaba su trabajo, que la obligaba a apostar casi cada día.

Diego se volvió hacia él con cara de consternación, ¿o era de miedo?

—Trabajaba para Leonid Arkadin —prosiguió Bourne—. Pero seguro que eso ya lo sabías.

El hombre se relamió.

—La verdad es que no tenía ni idea. —Parecía deseoso de sentarse—. Pero ¿cómo... cómo era posible una cosa así?

—Arkadin la estaba chantajeando —dijo Bourne—. Sabía algo de ella, ¿qué era?

—Yo... no lo sé —respondió Diego con voz trémula.

—Tienes que decírmelo. Es de vital importancia.

—¿Por qué? ¿Por qué es de vital importancia? Tracy está muerta... Holly y ella están muertas. Y ahora Noah también. ¿No deberían descansar en paz?

Bourne dio un paso hacia él. Aunque bajó la voz, estaba cargada de amenaza.

—Pero Arkadin sigue vivo. Es el responsable de la muerte de Holly. Y fue tu amigo Noah quien mató a Holly.

—¡No! —Diego estaba tenso—. Te equivocas, él no pudo...

—Yo estaba allí cuando ocurrió. Noah la empujó por unas escaleras, en un templo de Bali. Eso, amigo mío, es un hecho, no la ficción que estás intentando hacerme tragar.

—Bebamos —sugirió el banquero en voz baja y ronca a causa de la consternación.

Bourne lo cogió por el codo y lo acompañó hasta la pequeña barra que había al fondo del Salón Imperio. A Diego se le doblaban las rodillas como si estuviera ya borracho. En cuanto se dejó caer en un taburete, pidió un whisky doble. Se zampó el whisky de tres largos tragos y pidió otro. Se lo habría bebido de golpe también si el estadounidense no le hubiera quitado el vaso de la temblorosa mano y lo hubiera puesto sobre la barra de granito negro.

—Noah mató a Holly. —Diego estaba anonadado, indagando en el fondo del vaso de whisky un pasado que había creído conocer—. Qué puta pesadilla.

No parecía hombre dado al lenguaje soez. Se notaba que estaba fuera de su elemento, lo que indicaba que no sabía que su padre era un traficante de armas. Y al parecer tampoco sabía a qué se dedicaba Noah para ganarse la vida.

De repente volvió la cabeza y miró a Bourne.

—¿Por qué? ¿Por qué haría algo así?

—Porque quería algo que ella tenía. Y, por lo visto, ella no quiso dárselo voluntariamente.

—¿Y por eso la mató? —Diego no parecía acabar de creérselo—. ¿Qué clase de hombre sería capaz de hacer una cosa así? —Negó con la cabeza lenta y tristemente—. Soy incapaz de imaginar que alguien quisiera hacerle daño a Holly.

Bourne advirtió que no había dicho «Soy incapaz de imaginar que Noah quisiera hacerle daño a Holly».

—Salta a la vista —dijo— que Noah no era quien tú creías. —Se mordió la lengua para no decir que tampoco lo era Tracy.

Diego cogió el vaso y apuró el segundo whisky.

—Santo Dios —susurró.

—Háblame del cuarteto que formabais —le sugirió Bourne con dulzura.

—Necesito otro trago.

Bourne le pidió otro whisky, esta vez sencillo. Diego se apoderó del vaso como quien se está ahogando y ve que le lanzan un salvavidas. Una mujer con un vestido tachonado de destellos canjeó las fichas en una de las mesas, se levantó y se fue. Su sitio fue ocupado por un hombre que tenía hombros de jugador de fútbol americano. Una mujer que acababa de entrar, gorda, vieja y con el pelo cubierto de polvo brillante, se sentó a la mesa del centro. Las tres mesas quedaron completamente llenas.

Diego tomó dos tragos compulsivos de whisky y dijo con voz apagada:

—Tracy y yo tuvimos un pequeño lío, nada serio, salíamos con otras personas..., al menos ella lo hacía. Era algo muy informal, muy de vez en cuando. Pasamos algunos ratos buenos, nada más. No queríamos estropear nuestra amistad.

Algo que vibraba en la voz de Diego alertó a Bourne.

—Eso no es todo, ¿verdad?

La expresión fúnebre del banquero se entristeció aún más y miró a otro lado.

—No —murmuró—. Yo me enamoré de ella. No era mi intención, no quería —añadió como si hubiera estado en su mano elegir—. Ella fue muy buena, muy amable. Pero aun así... —Su voz se perdió en una marea de recuerdos tristes.

Bourne pensó que era el momento de dar otro paso.

—¿Y Holly?

Diego pareció despertar de su ensoñación.

—Noah la sedujo. Yo vi cómo ocurría, me pareció divertido, en cierto modo, no creí que fuera a causar ningún daño. Por favor, no me preguntes por qué.

—¿Qué ocurrió?

El hombre suspiró.

—La verdad es que Noah estaba colado por Tracy, algo muy fuerte. Pero ella no quería tener nada con él, se lo dijo claramente. —Tomó otro trago de whisky. Se lo estaba bebiendo como si fuera agua—. Lo que ella no quiso decir, ni siquiera a mí, es que no le gustaba Noah, no se fiaba de él.

—¿Y eso qué significaba?

—Tracy era muy protectora con Holly, vio que Noah trataba de seducirla porque no podía tenerla a ella. Opinaba que se comportaba como un cínico y que sólo quería hacerse daño a sí mismo, mientras que Holly se tomaba aquella relación mucho más en serio. Tracy creía que aquello acabaría mal, y que Holly sería quién saldría perjudicada.

—¿Y por qué no le dijo a Noah que desistiera?

—Lo hizo. Y él le respondió, con gran rudeza, según mi opinión, que no se entrometiera.

—¿Hablaste tú con él?

Diego parecía aún más desgraciado que antes.

—Debería haberlo hecho, lo sé, pero no creí a Tracy, o quizá preferí no creerla porque, si lo hacía, la situación aún se habría complicado más y yo no quería...

—¿Qué no querías? ¿Ensuciarte las manos?

Asintió con la cabeza, pero sin mirarlo a los ojos.

—Pero debías de tener tus propias sospechas sobre Noah —añadió Bourne.

—No lo sé, quizá sí. Pero el hecho es que quería creer en nosotros, quería creer que todo saldría bien, que lo haríamos bien porque nos preocupábamos unos de otros.

—Os preocupabais unos de otros, sí, pero no de la forma adecuada.

—Al recordarlo ahora, todo me parece retorcido, nadie era quien decía ser, ni le gustaba lo que decía que le gustaba. Ni siquiera entiendo qué nos unía.

—Ésa es la cuestión, ¿no crees? —apuntó Bourne con amabilidad—. Cada uno de vosotros quería algo de algún miembro del grupo; de una manera u otra, todos utilizabais la amistad para sacar algo.

—Todo lo que hicimos juntos, todo lo que nos dijimos o nos confiamos era mentira.

—No necesariamente —replicó Bourne—. Tú sabías que Tracy estaba trabajando para Arkadin, ¿verdad?

—Ya te dije que no lo sabía.

—Cuando te pregunté qué sabía Arkadin de ella, ¿recuerdas lo que dijiste?

Diego se mordió el labio, pero no respondió.

—Dijiste que Tracy estaba muerta —prosiguió Bourne—, que Holly y ella estaban muertas y habría que dejarlas descansar en paz. —Escrutó el rostro del banquero—. Es la respuesta de un hombre que sabe exactamente de qué le están hablando.

Diego golpeó la barra con la palma de la mano.

—Le prometí que no se lo contaría a nadie.

—Lo entiendo —admitió Bourne amablemente—. Pero guardar el secreto ahora no la ayudará.

El banquero se pasó la mano por el rostro, como si tratara de borrar un recuerdo. Dos mesas más allá, un hombre exclamó:

—Se acabó. —Echó la silla atrás, se puso en pie y se estiró.

—Muy bien. —Diego miró a su compañero a los ojos—. Me contó que Arkadin había ayudado a su hermano a salir de un terrible apuro y que ahora estaba utilizando la ayuda prestada contra ella.

Bourne estuvo a punto de decir que Tracy no tenía ningún hermano. Pero se contuvo y dijo:

—¿Qué más?

—Nada. Fue después... antes de que nos fuéramos a dormir. Era muy tarde, ella había bebido demasiado, había estado deprimida toda la noche y cuando terminamos no paraba de llorar. Le pregunté si yo había hecho algo malo, y lloró con más fuerza. Le hice compañía durante un largo rato. Cuando se calmó, me lo contó.

Algo no encajaba en aquella historia. Ni por asomo. Chrissie le había dicho que no tenían hermanos y Tracy le había contado a Diego que sí. Una de las dos hermanas mentía, pero ¿cuál? ¿Qué motivo podía tener Tracy para mentir a Diego, y qué motivo podía tener Chrissie para mentirle a él?

En aquel punto, Bourne vio con el rabillo del ojo que el hombre que había canjeado las fichas se acercaba a la barra, y en cuanto dio un par de pasos, se dio cuenta de que se dirigía directamente hacia ellos.

Aunque no era corpulento, tenía una aspecto que imponía. Se habría dicho que sus ojos negros despedían llamas en un rostro que parecía de cuero curtido. El color de su cabello abundante y la barba recortada compaginaban con aquellos ojos. Tenía nariz de halcón, una boca de labios gruesos y mejillas como bloques de cemento. Una pequeña cicatriz cortaba en diagonal una de sus pobladas cejas. Se movía con el centro de gravedad bajo, los brazos sueltos y relajados, aunque no oscilaban y ni siquiera se movían.

Y era aquel modo de andar, aquella manera de comportarse lo que lo delataba como profesional, como hombre al que acompañaba la muerte desde el anochecer hasta el amanecer. También fue aquello lo que disparó un recuerdo que atravesó los enloquecedores velos de la amnesia de Bourne.

Un escalofrío recorrió su espina dorsal cuando lo reconoció; era el tipo que lo había ayudado a conseguir el anillo de Dominion.

Bourne se apartó de Diego. Aquel hombre, quienquiera que fuese, no lo conocía por el nombre de Adam Stone. Cuando se le acercó, el otro le tendió la mano y una sonrisa cruzó su rostro.

—Jason, por fin nos encontramos.

—¿Quién es usted? ¿De qué me conoce?

La sonrisa del hombre perdió quilates.

—Soy Ottavio. ¿No me recuerdas?

—En absoluto.

Ottavio sacudió la cabeza.

—No lo entiendo. Trabajamos juntos en Marruecos, en una misión de Alex Conklin...

—Ahora no —murmuró Bourne—. El hombre que está conmigo...

—Diego Herrera, lo he reconocido.

—Herrera cree que me llamo Adam Stone.

Ottavio asintió con la cabeza y su expresión se modificó.

—Lo entiendo. —Miró por encima del hombro de Bourne—. ¿Por qué no nos presentas?

—No creo que sea prudente.

—A juzgar por la cara que pone Herrera, parecería raro que no lo hicieses.

Bourne vio que no tenía elección. Giró sobre sus talones y acompañó a Ottavio hasta la barra.

Los presentó.

—Diego Herrera, éste es Ottavio...

—Moreno —dijo aquel tipo, alargando la mano para estrechar la del banquero.

Al estrechársela, Diego abrió los ojos de par en par y cayó del taburete. Bourne vio entonces que el hombre de la cicatriz arrancaba la delgada hoja de un cuchillo cerámico, que con un movimiento de la mano había clavado en el pecho del banquero. La punta de la hoja estaba ligeramente curvada hacia arriba, al igual que la sonrisa del asesino, que ahora parecía espeluznante.

Bourne lo asió por el cuello de la camisa y lo levantó del suelo, pero el hombre de la cicatriz no soltó la mano de Diego. Era increíblemente fuerte y lo sujetaba como unas tenazas. El estadounidense se volvió hacia Diego, pero vio que la vida estaba abandonando su cuerpo. La punta del cuchillo debía de haberle atravesado el corazón.

—Te mataré por esto —susurró Bourne.

—No lo harás, Jason. Soy uno de los buenos, ¿recuerdas?

—No recuerdo nada, ni siquiera tu nombre.

—Entonces tendrás que confiar en mí. Tenemos que salir de este sitio...

—No dejaré que vayas a ninguna parte —replicó.

—No te queda más remedio que confiar en mí. —El hombre de la cicatriz miró hacia la puerta, que se acababa de abrir—. Mira la alternativa.

Bourne vio a Donald el gorila entrando en el Salón Imperio. Iba acompañado por dos matones con esmoquin. Los tres, según vio con un escalofrío que lo atravesó de parte a parte, llevaban un anillo de oro en el índice de la mano derecha.

—Son Severus Domna —informó el hombre de la cicatriz.

LIBRO SEGUNDO

12

En la absoluta calma de la inacción, el único sonido era el murmullo de los jugadores que perdían dinero. Ottavio dio a Bourne unos auriculares amortiguadores.

—Ahora —susurró.

Bourne se puso los auriculares. Vio en el bolsillo de Ottavio algo que parecía un rodamiento de bolas, que el hombre sujetaba con el índice y el corazón de la mano izquierda. Sólo su superficie rugosa y los auriculares amortiguadores le indicaron lo que podía ser: un arma ultrasónica.

En aquel momento, Ottavio dejó caer el objeto al suelo de mármol resbaladizo. El arma ultrasónica se fue rodando hacia los agentes de Severus Domna que estaban entre ellos y la puerta de paño verde. El aparato se activó nada más caer al suelo, disparando un campo de ondas que percutieron en el oído interno de todos los que se encontraban en la sala, haciéndolos caer al suelo mareados.

Bourne siguió al asesino de Diego entre las mesas, pasando sobre los cuerpos caídos. Donald y los otros dos gorilas estaban en el suelo, junto con los jugadores, pero cuando Ottavio pasó por encima de uno, el gorila alargó la mano y, asiéndolo por la chaqueta, lo tiró de espaldas y luego lo golpeó con fuerza por encima de la oreja derecha. Bourne saltó sobre el caído Ottavio. Cuando el gorila se puso en pie, el estadounidense lo reconoció: era el hombre que vigilaba la sala de juegos electrónicos y llevaba auriculares para no oír la música rockera. No eran como los que llevaban Bourne y Ottavio, pero habían amortiguado las ondas lo suficiente para no perder el sentido de la orientación.

Le propinó un puñetazo en el costado. El gorila gruñó y, al volverse, Bourne vio que empuñaba una Walther P99. Golpeó con el canto de la mano la muñeca del gorila, le quitó la Walther y trató de darle con la culata en la cara, pero el tipo se agachó y esquivó el golpe. Bourne lo empujó contra la pared y el hombre lo golpeó con fuerza en el bíceps derecho, dejándole dormido el brazo. El gorila, tratando de aprovecharse de su ventaja, le lanzó un puñetazo al plexo solar, pero el estadounidense esquivó el golpe, ganando tiempo para recobrar el movimiento del brazo derecho.

Lucharon salvajemente y en silencio, en una sala llena de personas caídas sobre las mesas de juego o tendidas en el suelo como mermelada derramada. La furia muda que desplegaban ambos contrincantes era una mancha en intenso movimiento en una sala inmóvil, dando al despiadado toma y daca del combate una cualidad irreal, como si estuvieran librando una batalla bajo el agua.

La circulación se reactivó en el brazo derecho de Bourne cuando el gorila rompió su defensa y le lanzó un fuerte puñetazo al mismo sitio. Bourne dejó caer el brazo como si fuera de piedra y vio la sonrisa de triunfo en el rostro del gorila. Amagó a la derecha, maniobra que no confundió al gorila, cuya sonrisa se ensanchó. Bourne le endilgó un codazo en la garganta y le rompió el hueso hioides. El gorila emitió un sonido extraño, como un crujido, se desinfló y cayó al suelo.

Ottavio se había puesto ya en pie y se estaba sacudiendo los efectos del golpe recibido en la cabeza. Bourne abrió la puerta y salieron juntos a la sala principal del casino, caminando rápidamente, pero no tanto como para llamar la atención. El campo de ondas no había llegado hasta allí. Todo se desenvolvía a un ritmo normal, nadie sospechaba aún lo que había ocurrido en el Salón Imperio, pero Bourne sabía que era sólo cuestión de tiempo que el jefe de seguridad o uno de los encargados fuera a buscar a Donald o a cualquiera de los otros gorilas.

Caminaba deprisa, pero el hombre de la cicatriz se se estaba quedando atrás.

—Espera —dijo jadeando—. Espera.

Se habían quitado los auriculares amortiguadores y los chirridos, rascaduras y crujidos del enrarecido mundo que los rodeaba los envolvieron como el rugido de una ola gigante.

—No podemos permitirnos el lujo de esperar —urgió Bourne—. Tenemos que salir de aquí antes de que...

Pero ya era demasiado tarde. Un hombre con la espalda erguida y un inconfundible aire de autoridad se dirigía hacia ellos cruzando la sala. Aunque había demasiada gente alrededor para ponerse a repartir golpes, el estadounidense vio que Ottavio se dirigía hacia él.

Bourne se puso en su camino y, con una amplia sonrisa, preguntó:

—¿Es usted el gerente de planta?

—Sí, Andrew Steptoe. —Hizo ademán de mirar por encima del hombro de Bourne, hacia la puerta de paño verde ante la que tendría que haber estado Donald de guardia—. Me temo que ahora mismo estoy, ejem, ocupado. Yo...

—Donald me dijo que hablara con usted. —Asió a Steptoe por el codo e, inclinando la cabeza hacia él, le susurró confidencialmente—: He hecho una de esas superapuestas que sólo se dan de uvas a peras, no sé si me entiende.

—Me temo que no...

Bourne lo apartó de la puerta del Salón Imperio.

—Por supuesto que me entiende, un duelo mano a mano en la mesa de póquer, lo tiene que entender. Es una cuestión de dinero.

Dinero era la palabra mágica. Ahora tenía toda la atención de Steptoe. A espaldas del gerente, vio que el hombre de la cicatriz esbozaba una sonrisa zorruna. Anduvo con Steptoe hacia el cajero, que estaba a la derecha de la sala de máquinas recreativas y estratégicamente cerca de la puerta para que la clientela pudiera comprar fichas al entrar y los ganadores pudieran canjearlas por dinero al irse... si conseguían evitar los demás brillantes señuelos que la profesión lúdica les echaba encima.

—¿Cuánto dinero? —Steptoe no pudo evitar una nota de avaricia en su voz.

—Medio millón —respondió Bourne sin vacilar.

Steptoe no supo si fruncir el hocico o relamérselo.

—Me temo que no lo conozco, señor...

—James. Robert James. —Estaban ya al lado del cajero y cerca de la puerta principal—. Soy socio de Diego Herrera.

—Ah, ya entiendo. —Steptoe frunció los labios—. Aun así, señor James, este establecimiento no lo conoce personalmente. Entenderá que no podamos darle una cantidad tan elevada...

—Oh, no, no quería decir eso. —Bourne fingió sorpresa—. Lo que necesito es su permiso para salir del recinto durante la partida y conseguir la cantidad en cuestión. No quiero perder la apuesta.

El gerente arrugó el entrecejo.

—¿A estas horas de la noche?

Bourne irradiaba confianza.

—Basta con una transferencia bancaria. Sólo tardaré veinte minutos..., treinta a lo sumo.

—Bueno, es sumamente irregular, no sé si lo sabe.

—Medio millón de libras, señor Steptoe, es una elevada cantidad de dinero, como usted mismo ha señalado.

El hombre asintió con la cabeza.

—Desde luego. —Suspiró—. Supongo que en estas circunstancias puedo permitirlo. —Agitó un dedo en la cara de Bourne—. Pero no tarde, señor. No puedo darle más de media hora.

—Entendido. —Estrechó la mano del gerente—. Gracias.

El hombre de la cicatriz y él dieron media vuelta, subieron los peldaños, cruzaron la entrada por las puertas de cristal y salieron a la ventosa noche londinense.

Varias manzanas más allá, al doblar una esquina, Bourne cogió a Ottavio y lo lanzó contra un coche aparcado.

—Ahora dime quién eres y por qué has matado a Diego —exigió.

El hombre de la cicatriz buscó su cuchillo, pero Bourne le sujetó la muñeca.

—Será mejor que te olvides de eso —sugirió—. Respóndeme.

—Yo nunca te haría daño, Jason, lo sabes.

—¿Por qué has matado a Diego?

—Le habían ordenado traerte al club a una hora determinada de esta noche.

Bourne recordó que Diego había mirado su reloj y le había dicho: «Ya es hora de que vayamos a Knightsbridge». Una extraña manera de decirlo, salvo que aquel hombre estuviera diciendo la verdad.

—¿Quién ordenó a Diego que me trajera aquí? —preguntó Bourne, aunque ya lo sabía.

—Los Severus Domna llegaron hasta él, no sé cómo, y le dieron instrucciones precisas sobre cómo traicionarte.

Bourne recordó que Diego picoteaba la comida como si pensara en algo importante. ¿Estaría pensando en su inminente traición? ¿Tenía razón Ottavio?

El hombre de la cicatriz lo miró a la cara.

—¿Es cierto que no me reconoces?

—Ya te dije que no.

—Me llamo Ottavio Moreno. —Esperó una reacción—. Soy el hermano de Gustavo Moreno.

Un ligero temblor identificativo recorrió a Bourne cuando los velos de su amnesia se agitaron y pugnaron por romperse.

—Nos conocimos en Marruecos. —La voz del estadounidense era apenas un susurro.

—Sí. —Una sonrisa iluminó el rostro de Ottavio Moreno—. En Marraquech, viajamos juntos a las montañas del Alto Atlas, ¿no?

—No lo sé.

—¡Santo Dios! —El tipo parecía sorprendido, quizás incluso atónito—. ¿Y el portátil? ¿Qué hay del portátil?

—¿Qué portátil?

—¿No te acuerdas del portátil? —Asió a Bourne por los brazos—. Vamos, Jason. Nos conocimos en Marraquech buscando el portátil.

—¿Por qué?

Ottavio Moreno frunció el entrecejo.

—Me dijiste que era una clave.

—¿Una clave de qué?

—De Severus Domna.

En aquel momento oyeron el familiar aullido de las sirenas de policía.

—El lío que hemos dejado en el Salón Imperio —dijo Moreno—. Venga, vámonos.

—Yo no voy a ninguna parte contigo —se negó Bourne.

—Pero tienes que venir, me lo debes —insistió Ottavio Moreno—. Tú mataste a Noah Perlis.

—En otras palabras —resumió el secretario de Defensa Bud Halliday mientras leía el informe que tenía delante—, entre jubilaciones, bajas por enfermedad y peticiones de traslado, que por lo visto se han concedido y además expedido, la cuarta parte de la Agencia del Viejo ya no está aquí.

—Y ha entrado nuestro nuevo personal. —Danziger no se molestó en bajar la voz para que no se le notase la satisfacción que sentía. El ministro apreciaba la confianza tanto como despreciaba la indecisión. El director de la CI recogió el informe y lo dobló cuidadosamente—. Dentro de unos meses, se habrá reemplazado a la tercera parte de la vieja guardia.

—Bien, bien.

Halliday se frotó las grandes manos cuadradas encima de los restos de su espartano almuerzo. El Occidental estaba hasta los topes de políticos, reporteros, publicistas, agentes de bolsa y altos ejecutivos de diversas industrias. Todos le habían presentado sus respetos de un modo u otro, pero siempre con discreción: con una sonrisa ligeramente horrorizada, una breve inclinación de cabeza o, en el caso del anciano e influyente senador Daughtry, un apretón de manos y un rápido «Qué tal estamos». Los senadores de los estados oscilantes acumulaban poder incluso durante los años en que no había elecciones y ambos partidos buscaban ganar favor. Nada del otro jueves, el procedimiento habitual en Washington D.C.

Los dos hombres se quedaron en silencio durante un rato. El restaurante empezó a despejarse cuando los habitantes de los fosos políticos de la capital regresaron a sus puestos de trabajo. Pero su lugar no tardó en ser ocupado por turistas con camisa de rayas y gorras de béisbol que habían comprado en el centro comercial y que ostentaban las iniciales CIA o FBI impresas en la parte delantera. Danziger volvió a su almuerzo, que, como de costumbre, era más sustancioso que el filete sin guarnición de Halliday. En el plato del secretario sólo quedaban ya algunos charcos de sangre salpicados de cuajarones de grasa.

La mente de Halliday vagaba en busca del sueño que no podía recordar. Había leído en algunos artículos que los sueños eran una parte necesaria del descanso, los listos la llamaban fase REM, y sin ella un hombre podía volverse loco con el tiempo. De todos modos, era cierto que no podía recordar ni un solo sueño. Toda su existencia de durmiente era una pared en blanco en la que nunca había ni un maldito garabato.

Se sacudió como un perro mojado por la lluvia. ¿Por qué se preocupaba? Bueno, él lo sabía. El Viejo le había confiado una vez que también sufría de aquella extraña enfermedad. Así la había llamado el Viejo, enfermedad. Era extraño pensar que ambos habían sido amigos, más que amigos si se pensaba bien... ¿Cómo los habían llamado en aquel entonces? Hermanos de sangre. De jóvenes se habían confiado todas sus manías y pequeños hábitos, los secretos que habitaban en los rincones oscuros de sus almas. ¿Cuándo se había estropeado todo? ¿Cómo se habían convertido en enemigos encarnizados? Quizás hubiera sido por la creciente divergencia de sus opiniones políticas, pero los amigos a menudo tienen desacuerdos. No, su distanciamiento tenía que ver con una sensación de traición, y en hombres como ellos, la lealtad era la única y definitiva prueba de amistad.

La verdad era que ambos habían traicionado lo que habían construido de jóvenes, cuando su idealismo había desaparecido en el crisol de la capital de la nación, donde habían optado por permanecer condenados a cadena perpetua. El Viejo había sido un acólito de John Foster Dulles, mientras que él se había unido a Richard Helms, hombres con historial, metodologías y, lo más importante, ideologías totalmente diferentes. Y como estaban en la profesión de las ideologías y esa profesión era su vida, no les quedó más remedio que enfrentarse, tratar de demostrar por todos los medios posibles que el otro se equivocaba, tratar de derribarlo y destruirlo.

El Viejo lo había derrotado en cada encuentro desde hacía décadas, pero ahora habían cambiado las tornas, el Viejo estaba muerto y él tenía el trofeo en el que había puesto la vista durante tanto tiempo: el control de la Agencia.

Danziger se aclaró la garganta y despertó a Halliday de sus recuerdos.

—¿Hay algo que no hayamos previsto?

El secretario de Defensa lo miró como un niño que estudiara una hormiga o un escarabajo, con la curiosidad reservada para esas especies tan inferiores que parecen inconcebiblemente lejanas. Danziger estaba lejos de ser un estúpido, motivo por el que Halliday lo había escogido para que hiciera de caballo, para adelantarlo y hacerlo retroceder por el tablero de ajedrez que eran los servicios secretos norteamericanos. Pero aparte de su utilidad en el tablero, veía a Danziger como totalmente prescindible. Halliday se había replegado en el momento mismo en que había intuido la traición del Viejo. Tenía mujer y dos hijos, es verdad, pero apenas pensaba en ellos. Su hijo era poeta... ¡joder, tenía que ser poeta! Y su hija, bueno, cuanto menos hablara de ella y de su novia, mucho mejor. En cuanto a su mujer, también ella lo había traicionado con dos decepciones. En aquellos momentos, exceptuando las reuniones formales donde el estricto código de valores familiares de Washington exigía que ella fuera de su brazo, vivían cada uno a su aire. Hacía años que no dormían en la misma habitación y más tiempo aún que no compartían la cama. A veces se encontraban en el desayuno, una tortura menor de la que escapaba tan rápido como podía.

Danziger se inclinó con aire confidencial sobre la mesa.

—Si hay algo en lo que pueda ayudarlo, sólo tiene que...

—Creo que me confunde con un amigo suyo —replicó Halliday—. El día que le pida a usted ayuda será el día que me ponga una pistola en la boca y apriete el gatillo.

Se levantó de la mesa y salió sin mirar atrás, dejando que Danziger pagara la cuenta.

Solo en aquellos instantes, mientras Boris Karpov dormía en el convento, Arkadin se sirvió un mezcal y salió con la bebida a la tórrida noche de Sonora. El amanecer no tardaría en abrirse camino entre las estrellas, extinguiendo su luz en el proceso. Los pájaros ya habían despertado y abandonado los nidos para recorrer volando la orilla del mar.

Arkadin, aspirando profundamente la sal y el fósforo, marcó un número en su móvil. Oyó varios timbrazos. Sabía que no habría contestador automático y estaba a punto de colgar cuando una voz ronca sonó en su oído.

—Por el infame nombre de san Esteban, ¿quién es?

Arkadin se echó a reír.

—Soy yo, Ivan.

—Vaya, hola, Leonid Danilovich —dijo Ivan Volkin.

Volkin había sido en su día el hombre más poderoso de la *grupperovka*. Sin afiliarse a ninguna familia, había hecho de negociador durante muchos años tanto entre familias como entre los jefes de ciertas familias y los empresarios y políticos más corruptos. En suma, era un hombre al que prácticamente todos los poderosos debían algún favor. Y aunque hacía tiempo que se había retirado, había echado por tierra las convenciones haciéndose aún más poderoso con la edad. También sentía un gran cariño por Arkadin, cuyo extraño ascenso en el hampa había observado desde el día en que Maslov lo había sacado de su pueblo natal de Nizhny Tagil e instalado en Moscú.

—Creí que sería el presidente —rezongó Ivan Volkin—. Ya le dije que no podía ayudarlo esta vez.

La idea de que el presidente de la Federación Rusa pudiera llamar a Ivan Volkin para pedirle un favor hizo que Arkadin riera con más ganas.

—Lo siento por él —dijo.

—He hecho algunas averiguaciones sobre tu problema desde que me lo contaste. Está claro que tienes un topo, amigo mío. Conseguí reducir los candidatos a dos, pero eso es todo lo que fui capaz de hacer.

—Es más que suficiente, Ivan Ivanovich. Tienes mi gratitud eterna.

Volkin se rió.

—Ya sabes, amigo mío, que eres la única persona del mundo de la que no quiero nada a cambio.

—Podría darte prácticamente cualquier cosa que quisieras.

—Eso ya lo sé, pero a decir verdad, es un alivio conocer a alguien que no me debe nada y al que yo tampoco debo nada. No ha cambiado nada entre nosotros, ¿verdad, Leonid Danilovich?

—No, Ivan Ivanovich, no ha cambiado nada.

Volkin dio a Arkadin los nombres de los dos sospechosos.

—Tengo otra información que podría interesarte —añadió—. Es curioso que no haya podido relacionar a ninguno de los dos sospechosos con el FSB o, para el caso, con ningún servicio secreto ruso.

—Entonces, ¿quién dirige al espía de mi organización?

—Tu topo se ha tomado muchas molestias para mantener su identidad en secreto..., lleva gafas oscuras y una sudadera con capucha con la que se cubre la cabeza, así que no se han podido obtener buenas fotos. No obstante, hemos identificado al hombre con el que se reúne, un tal Marlon Etana.

—Extraño nombre. —En la cabeza de Arkadin sonó un timbre, pero no consiguió identificarlo.

—Más extraño es que yo no haya encontrado la menor información sobre Marlon Etana.

—Bueno, seguro que es un alias.

—Eso sería lo lógico, sí —admitió Volkin—. Pero si lo fuera es obvio que habría una leyenda para darle credibilidad. Lo único que he encontrado del tal Marlon Etana es que es miembro fundador del Club Monition, una organización que tiene muchas filiales en todo el mundo, pero cuya sede central parece que está en Washington D.C.

—Un brazo muy secreto de la CI o de alguna de las muchas cabezas de esa hidra que es el Departamento de Defensa norteamericano.

Ivan Volkin lanzó un gemido animal desde lo más profundo de su garganta.

—Cuando lo descubras, Leonid Danilovich, no te olvides de comunicármelo.

—No te olvides de comunicármelo —le había dicho Arkadin a Tracy unos meses antes—. Todas y cada una de las cosas que descubras sobre don Fernando Herrera, hasta la más pequeña e irrelevante información.

—¿Incluye eso la regularidad de sus deposiciones?

Arkadin siguió observándola con un brillo salvaje en los ojos, sin moverse, sin parpadear. Estaban en un café de Campione d'Italia, el pintoresco paraíso fiscal italiano escondido en los Alpes suizos. El diminuto municipio se levantaba en pendiente junto a la cristalina superficie azul de un lago de montaña, salpicado de embarcaciones de todos los tamaños, desde botes de remos hasta yates multimillonarios, con helipuertos y helicópteros y, en los más grandes, las hembras incluidas en el lote.

Durante los cinco minutos anteriores a la llegada de Tracy, Arkadin había estado observando un yate obscenamente grande en el que dos modelos de largas piernas se pavoneaban como si posaran para los paparazis. Tenían la clase de bronceado perfecto que sólo las mujeres mantenidas saben adquirir. Mientras sorbía un café expreso en una tacita perdida en su manaza, pensaba: «Es bueno ser el rey». Entonces vio la espalda peluda de aquel rey en particular y se volvió asqueado. Puedes sacar a un hombre del infierno, pero no el infierno de un hombre. Era la frase clave de Arkadin.

Entonces apareció Tracy y se olvidó del infierno de Nizhny Tagil que lo atormentaba como una pesadilla recurrente. Nizhny Tagil era el lugar donde había nacido y crecido, el lugar donde las ratas le habían devorado tres dedos de los pies, dentro del armario en el que lo había encerrado su madre; el lugar donde había matado y estado a punto de morir tantas veces que había perdido la cuenta. Nizhny Tagil era el lugar donde lo había perdido todo, donde podría decirse que había muerto.

Había pedido para Tracy un café con *sambuca*, anís de saúco, que era lo que le gustaba. Mientras observaba su hermoso rostro, seguía perdido en sus conflictivos sentimientos. Se sentía atraído por ella, intensamente, pero también la detestaba. Detestaba su erudición, sus vastos conocimientos. Cada vez que ella abría la boca, Arkadin se acordaba de lo poco que había estudiado. Y para colmo, cada vez que estaba con ella, aprendía algo valioso. Con cuánta frecuencia despreciamos a nuestros maestros, que nos tratan con prepotencia por sus conocimientos superiores, que nos arrojan esos conocimientos y su experiencia a la cara. Cada vez que aprendía algo, recordaba lo inexorablemente ligado que estaba a ella, lo mucho que la necesitaba. Por eso la trataba como si sufriera un trastorno bipolar. La amaba, la recompensaba con más y más dinero cada vez que terminaba una misión, y entre una y otra la colmaba de regalos.

Nunca se había acostado con él. Arkadin no había tratado de seducirla por miedo a que en el calor de la pasión su férreo control se debilitara; temía cogerla por el cuello y apretar hasta que le saliera la lengua por la boca y los ojos de las órbitas. Lamentaría su muerte. Durante aquellos años había resultado indispensable. Con todo lo que le había contado Tracy, habría podido chantajear a sus millonarios clientes artísticos, y a los que no extorsionara, los trataría como a hombres de paja para que distribuyeran drogas por todo el mundo, escondidas en las cajas en que transportaban sus preciosas obras de arte.

Ella pasó una rodaja de limón por el borde de su taza.

—¿Qué tiene de especial don Fernando?

—Tómate el café. —Tracy miró la taza, pero no la tocó—. ¿Qué te pasa? —preguntó Arkadin.

—Prescindamos de él, ¿quieres?

El ruso aguardó un momento, en silencio. Luego, inclinándose bruscamente, le atenazó la rodilla por debajo de la mesa y se la apretó con fuerza. Tracy levantó la cabeza y lo miró a los ojos.

—Ya conoces las reglas —dijo Arkadin con aire amenazador—. Tú no cuestionas las misiones, las cumples.

—Ésta no.

—Todas.

—Me gusta ese hombre.

—Todas. T-o-d-a-s.

Tracy lo miró sin pestañear.

Era lo que Arkadín más despreciaba cuando ella se ponía así, aquella máscara enigmática tras la que ocultaba el rostro, consiguiendo que se sintiera como un niño tonto, incapaz de aprender a leer con propiedad.

—¿Has olvidado las pruebas que tengo contra ti? ¿Quieres que vaya a ver a tu cliente y le explique cómo libraste a tu hermano cuando le robó el cuadro para pagar sus deudas? ¿De veras quieres pasar los próximos veinte años de tu vida en la cárcel? Es más horrible de lo que puedas imaginar, créeme.

—Quiero irme —manifestó Tracy con voz ahogada.

Arkadin se echó a reír.

—Joder, eres una hembra estúpida. —«Una vez, sólo por una vez me gustaría hacerte llorar», pensó—. No hay salida. Firmaste un pacto con sangre, metafóricamente hablando.

—Quiero irme.

Le soltó la rodilla y se retrepó en el asiento.

—Además, don Fernando Herrera sólo es un objetivo secundario... al menos de momento.

Tracy se había puesto a temblar, ligeramente, y en su ojo derecho se percibió un tic. Cogió la taza y se tomó el café de un trago. Cuando volvió a dejar la taza, la loza repiqueteó.

—¿A quién buscas?

«Esta vez ha estado cerca, muy cerca», pensó el hombre.

—A alguien especial —respondió él—. Un hombre que se hace llamar Adam Stone. Y esta misión es un poco distinta. —Le enseñó las palmas de las manos—. Adam Stone no es su auténtico nombre, claro.

—¿Cuál es?

La sonrisa del hombre rebosaba de maldad. Volvió la cabeza y pidió otros dos cafés.

El amanecer extendía sus alas sobre Puerto Peñasco cuando el breve recuerdo de Arkadin se perdió en la oscuridad. Una refrescante brisa del mar lo envolvió con el aroma del nuevo día. Había habido mujeres en su vida: Yelena, Marlene, Devra y otras cuyos nombres no recordaba ya, pero ninguna como Tracy. Aquellas tres, Yelena, Marlene y Devra, habían significado algo para él, aunque le resultaba difícil explicar qué era exactamente. Cada una a su manera había cambiado el curso de su vida. Aunque ninguna la había enriquecido. Sólo Tracy, su Tracy. Apretó el puño. Pero no había sido su Tracy, ¿verdad que no? No, no, no. Maldita sea, no.

La lluvia tamborilea sobre el techo de la casa, grandes gotas se deslizan por las ventanas. Se oye el retumbo de un trueno cercano. Las cortinas de encaje se agitan. En plena noche, Chrissie yace totalmente vestida en una de las camas gemelas, frente a la ventana moteada como el huevo de un petirrojo. Scarlett está encogida en la otra cama, dormida, respirando acompasadamente. Chrissie sabía que tenía que estar durmiendo, que necesitaba descansar, pero después del incidente de la autopista los nervios no la dejaban tranquila. Varias horas antes había pensado en tomarse medio lorazepam para calmarse y poder conciliar el sueño, pero la idea de dormirse la ponía aún más nerviosa.

Su ansiedad había aumentado al recoger a Scarlett de casa de sus padres. Su padre, siempre pendiente de su estado de ánimo, había recelado que le sucedía algo en cuanto abrió la puerta, y no parecía muy convencido cuando ella le aseguró que todo iba bien. Aún veía su cara estrecha y alargada, mirándola mientras ella llevaba a Scarlett al Range Rover. Era la misma expresión compungida que había tenido junto al ataúd de Tracy, mientras lo bajaban a la fosa. Cuando se sentó al volante, lanzó un suspiro de alivio por haber tenido la precaución de aparcar el coche de forma que su padre no viera los arañazos de uno de los costados. Se despidió con la mano al alejarse, con actitud alegre. Él aún seguía en el umbral cuando Chrissie tomó la curva y desapareció de su vista.

Ahora, horas más tarde y varios kilómetros más allá, yacía en la cama de la casa de una amiga que siempre estaba en Bruselas por asuntos profesionales. Chrissie le había pedido las llaves al hermano de su amiga. En la oscuridad, escuchaba todos los ligeros crujidos y gemidos, susurros y rumores de una casa que desconocía. El viento daba zarpazos en las ventanas, buscando una grieta para entrar. Se estremeció y se remetió la manta, pero la manta no la abrigaba. Tampoco la calefacción central. Tenía el frío metido en los huesos, causado por los nervios alterados y por el terror que acechaba sus pensamientos.

«Nos han estado siguiendo, posiblemente desde el piso de Tracy —había dicho Adam—. No tiene sentido arriesgarse a que esos tipos sepan de la existencia de Scarlett... ni dónde viven tus padres.»

La idea de que aquella gente que había querido matar a Adam se enterase de la existencia de su hija le producía una sensación nauseabunda en la boca del estómago. Quería sentirse a gusto allí, quería creer que no corría ningún peligro ahora que se había separado de él, pero las dudas seguían haciendo mella en su ánimo. Otro trueno, esta vez más cerca, y luego otra ráfaga de lluvia que azotaba el cristal de la ventana. Se incorporó jadeando. El corazón le latía a toda velocidad y buscó la Glock que Adam le había dado para protegerse. Tenía alguna experiencia en armas, sobre todo en fusiles y escopetas. A pesar de las objeciones de su madre, su padre la había llevado a cazar los domingos de invierno, cuando la escarcha brillaba y el sol era débil e incoloro. Recordaba el vibrante costado de un ciervo y cómo se estremeció cuando su padre disparó y alcanzó el corazón del animal. Recordaba la expresión de los ojos del ciervo cuando su padre le hundió el cuchillo en el estómago. El animal tenía la boca medio abierta, como si hubiera estado a punto de pedir piedad antes de que le disparasen.

Scarlett gimió en sueños y Chrissie se levantó. Inclinándose sobre ella, le acarició el cabello como siempre hacía cuando su hija tenía una pesadilla. ¿Por qué los niños han de tener pesadillas cuando les esperan tantas en la vida adulta? ¿Dónde estaba la infancia despreocupada que ella había tenido? ¿Era un espejismo? ¿Habría tenido también pesadillas, terrores nocturnos y ansiedades? Ahora no podía recordarlo, lo cual era una bendición.

De una cosa sí estaba segura. Tracy se habría reído de ella por tener esos pensamientos.

«La vida no está exenta de preocupaciones —oía decir a su hermana todavía—. ¿Qué te crees? La vida, en el mejor de los casos, es difícil. En el peor, es una pesadilla.»

«¿Qué la habría impulsado a decir aquello? —se preguntó Chrissie—. ¿Qué desgracias habían caído sobre ella mientras yo tenía la cabeza sumergida en mis libros de Oxford?» De repente tuvo la sensación de que había fallado a su hermana, de que tendría que haber advertido los signos de su estrés, de su difícil existencia. Pero ¿cómo habría podido ayudarla? Tracy se había perdido en un mundo tan lejano, tan diferente, que Chrissie estaba segura de que no lo habría llegado a comprender. Como tampoco entendía lo que le había ocurrido horas antes. ¿Quién era Adam Stone? No le cabía ninguna duda de que había sido amigo de Tracy, pero ahora sospechaba que había sido algo más, un compatriota, un compañero de trabajo, quizá su jefe. Era algo que él no le había contado, que no le había querido contar. Lo único que sabía con seguridad era que la vida de su hermana había sido un secreto, y lo mismo era la de Adam. Habían formado parte del mismo mundo, un mundo desconocido, y ahora, sin saberlo, ella se había visto arrastrada hacia ese mundo. Volvió a estremecerse y, viendo que Scarlett se había calmado, se echó junto a ella, espalda contra espalda. El calor de su hija caló poco a poco en su interior, las pestañas empezaron a pesarle y se adormiló, hundiéndose lenta e inexorablemente en el delicioso almohadón del sueño.

Un ruido seco la despertó de súbito. Durante un momento se quedó completamente quieta, escuchando la lluvia y el viento. Scarlett respiraba al ritmo de la casa. Siguió escuchando en espera de otro ruido. ¿Lo había soñado o no estaba durmiendo en aquel instante? Después de un rato que se le antojó una eternidad, se levantó de la cama de su hija e introdujo la mano debajo de la almohada para empuñar la Glock. Acercándose silenciosamente a la puerta medio abierta del dormitorio, miró bajo la pálida luz de la lámpara que había dejado encendida en la habitación de enfrente para que Scarlett y ella pudieran encontrar el cuarto de baño sin golpearse las espinillas.

Salió al pasillo con el oído alerta. Se dio cuenta de que el sudor le corría por la parte interior de los brazos. El aliento le quemaba la garganta. Cada segundo que pasaba aumentaba su ansiedad, pero también la esperanza de que hubiera soñado el ruido. Deslizándose por el pasillo con los pies descalzos, escrutó el salón a oscuras desde lo alto de la escalera. Se quedó allí hasta convencerse de que había estado soñando. Entonces volvió a oírlo.

Empezó a bajar la escalera, adelantando con mucha lentitud un pie y luego el otro, pasando poco a poco de la semioscuridad a la oscuridad total. Tenía que bajar toda la escalera para poder accionar el interruptor que encendía las luces del salón. La escalera parecía infinitamente larga, y más empinada y peligrosa en la oscuridad. Pensó en retroceder para buscar una linterna, pero tenía la sensación de que perdería el valor si se daba la vuelta. Siguió descendiendo, peldaño tras peldaño. Eran de madera, relucientes a fuerza de pulimento, sin alfombra que los cubriera. En cierto momento resbaló y casi perdió el equilibrio. Buscó la barandilla y se sujetó mientras el pulso se le aceleraba más.

«Cálmate —se dijo—. Calma esos nervios de una vez, Chrissie. No hay nadie ahí.»

Volvió a oír el ruido, esta vez más fuerte porque estaba más cerca. Entonces estuvo segura. Había alguien dentro de la casa.

Inmediatamente después de la puesta de sol, el mismo día que Karpov emprendía su largo viaje de regreso a Moscú, Arkadin y Heraldo estaban en la lancha motora. Arkadin condujo la estrecha embarcación más allá de los atracaderos sin encender las luces, lo cual era ilegal, pero inevitable para ellos. Además, como había aprendido enseguida, la frontera entre lo legal y lo ilegal se movía en México más que un frente en la guerra. Por no mencionar el hecho de que lo ilegal y lo obligatorio a menudo estaban en desacuerdo.

El potente sistema GPS de la motora estaba bien protegido, para que no se filtrara ninguna luz en el terciopelo azul del anochecer. Las estrellas habían aparecido en el cielo oriental, deseosas de lucir su esplendor.

—¿Tiempo? —preguntó Arkadin.

—Ocho minutos —respondió Heraldo consultando su reloj.

Varió el rumbo un par de grados. Aunque ya habían pasado el radio de las patrullas policiales, no encendió ninguna luz. La pantalla del GPS le decía todo lo que necesitaba saber. Los silenciadores que el mexicano había instalado en el escape funcionaban a la perfección; la lancha apenas hacía ruido mientras se deslizaba por el agua a gran velocidad.

—Cinco minutos —anunció Heraldo.

—Estaremos dentro del radio visual en un momento.

Fue el turno del mexicano de empuñar el timón mientras Arkadin miraba hacia el sur con unos prismáticos militares de visión nocturna y gran potencia.

—Los tengo —dijo al cabo de un momento.

Heraldo redujo la velocidad a la mitad.

Arkadin, mirando por los prismáticos la embarcación que se acercaba, un yate que debía de haber costado más de cincuenta millones de dólares, vio los destellos de las luces infrarrojas: dos largos, dos cortos, visibles sólo para él.

—Todo bien —indicó—. Detente del todo.

Heraldo apagó el motor y la lancha siguió avanzando por su propia inercia. El yate surgió de la oscuridad delante de ellos, también con todas las luces apagadas. Mientras Arkadin se preparaba, su acompañante se puso las gafas de visión nocturna y movió el foco de infrarrojos. El yate estaba equipado con un foco igual, para que las dos embarcaciones se acercaran la una a la otra sin causar un accidente.

Una escala de cuerda se deslizó por un costado del yate y Heraldo la afianzó rápidamente a la lancha. Un hombre vestido de negro le dio una pequeña caja de cartón. El mexicano se la apoyó en el hombro y luego la dejó en la cubierta de la motora.

Utilizando una navaja de bolsillo, Arkadin abrió la caja. Dentro había latas de tortillas de maíz biológico previamente envasadas.

Abrió una lata y sacó las tortillas. Entre ellas había cuatro paquetes envueltos en plástico con un polvo blanco. Clavó la punta de la navaja en uno y probó el contenido. Satisfecho, hizo una seña convenida al miembro de la tripulación del yate. Volvió a dejar la bolsa de cocaína en la lata, guardó ésta en la caja de cartón y Heraldo se la devolvió al tripulante.

En el yate sonó un silbido mientras desaparecía el tripulante que había al lado de la escala. Arkadin se quedó a la espera. Al poco rato arriaron dos bultos relativamente grandes con un cabrestante portátil. Los bultos, en posición horizontal, medían algo menos de dos metros de longitud. Venían en una red, como si fueran atunes.

Cuando los bultos llegaron a la cubierta de la lancha, Heraldo los sacó de la red, que inmediatamente fue izada por el yate. Luego, desenganchó la escala del cabo, que también fue recogida.

En el yate sonó otro silbido, esta vez más largo. Heraldo puso en marcha el motor, dio marcha atrás y comenzó a alejarse del yate. Cuando alcanzaron una distancia prudencial, la lujosa embarcación se puso en movimiento, prosiguiendo su viaje hacia al norte, paralelo a la costa de Sonora.

Cuando Heraldo hizo girar la lancha y puso rumbo al este, hacia la orilla, Arkadin cogió una linterna, se agachó y rasgó el envoltorio de los dos bultos por un extremo. Alumbró el interior.

Los dos hombres estaban pálidos con aquella luz, exceptuando la parte inferior del rostro, en la que ya había crecido algo de barba. Aún estaban aturdidos por el anestésico que les habían inyectado cuando los habían secuestrado en Moscú. A pesar de todo, sus ojos, que no habían visto la luz durante unos días, estaban fuertemente cerrados y lagrimeaban sin parar.

—Buenas noches, caballeros —saludó Arkadin, invisible detrás de la linterna—. Habéis llegado al final de trayecto. Al menos uno de vosotros. Stepan, Pavel, sois mis capitanes, dos de mis hombres de más confianza. Y uno de vosotros me ha traicionado.

Les enseñó la hoja de la navaja, convertida en un rayo blanco a la luz de la linterna.

—En menos de una hora uno de los dos confesará y me contará todo lo que sabe de su traición. Su premio será una muerte rápida y sin dolor. Si no..., ¿alguno de vosotros conoce a alguien que haya muerto de sed? ¿No? Que Dios os ayude, ningún ser humano debería morir de esa forma.

Chrissie se quedó paralizada, sin saber qué hacer, debatiéndose entre salir corriendo y luchar. Respiró hondo y trató de enfocar racionalmente la situación. Retroceder no serviría de nada; estaría atrapada en el primer piso y quienquiera que hubiera entrado en la casa estaría mucho más cerca de Scarlett. Todos sus pensamientos giraban ahora alrededor de su hija. Pasara lo que pasase, tenía que velar por su seguridad.

Dio lentamente un paso, luego otro. Cinco escalones para llegar al interruptor. Con la espalda apoyada en la pared, descendió poco a poco. Oyó el ruido de nuevo y se detuvo. Era como si alguien hubiera entrado por la puerta de la cocina y ahora estuviese en el salón. Levantó la Glock, trazando un arco mientras se esforzaba por escrutar la oscuridad. Pero aparte de la silueta del sofá y el brazo de un sillón que había delante de la chimenea, no podía distinguir nada, desde luego ningún movimiento, por furtivo que fuera.

Otro paso, otro escalón más cerca del interruptor. Ya sólo le faltaba uno, y tenía el torso adelantado y la mano libre estirada cuando, ahogando una exclamación, retrocedió. Había alguien cerca, al pie de la escalera. Volviéndose con torpeza, notó movimiento al otro lado de la barandilla y levantó la Glock, apuntando con ella.

—¿Quién está ahí? —Se asustó de su propia voz, como si perteneciera a un sueño o a otra persona—. Quédese donde está. Tengo una pistola.

—Cariño, ¿de dónde has sacado una pistola? —dijo su padre en la oscuridad—. Sabía que algo iba mal. ¿Qué está pasando?

Chrissie encendió la luz y lo vio allí de pie, con la cara blanca como la cal y una mueca de preocupación.

—¿Papá? —Chrissie parpadeó, como si no pudiera creer que fuera realmente él—. ¿Qué haces aquí?

—Cariño, ¿dónde está Scarlett?

—En la planta de arriba. Durmiendo.

—Bien, la dejaremos que siga así —sugirió su padre. Luego cogió el arma por el cañón y bajó el brazo de la muchacha.

—Vamos, ven aquí, encenderé la chimenea y me contarás en qué lío te has metido.

—No estoy metida en ningún lío, papá. ¿Sabe mamá que estás aquí?

—Tu madre está tan preocupada por ti como yo. Su forma de afrontarlo es cocinar, y eso es lo que está haciendo en este preciso momento. Yo he venido para llevaros a Scarlett y a ti a casa.

Como si fuera una sonámbula, bajó las escaleras y entró en el salón. Su padre estaba encendiendo las lámparas.

—No puedo hacer eso, papá.

—¿Por qué? —preguntó el hombre. Sacudió el aire con la mano—. No importa, ya sabía que no ibas a aceptar. —Se agachó para poner unos troncos en la chimenea. Luego miró a su alrededor—. ¿Dónde están las cerillas?

Entró en la cocina y Chrissie lo oyó abrir cajones y rebuscar en ellos.

—No es que no te lo agradezca, papá. Pero la verdad es que eres un idiota por venir aquí a las tantas de la noche. ¿Qué hiciste, seguirme? ¿Y cómo has entrado en la casa? —preguntó, dirigiéndose a la cocina.

Una mano callosa le tapó la boca al mismo tiempo que le arrancaban la Glock de la mano. Una vaharada de perfume masculino. Entonces vio a su padre, caído e inconsciente en el suelo, y se puso a forcejear.

—Quieta —susurró una voz en su oído—. Si no, te llevaré escaleras arriba y le machacaré la cara a tu hija mientras miras.

13

Cuando Soraya llegó al aeropuerto de Tucson, se dirigió directamente a los mostradores de las empresas de alquiler de coches y enseñó la foto de «Stanley Kowalski» a todos los empleados, pero no obtuvo ni una sola pista. Aquel nombre no estaba en sus registros..., aunque tampoco ella esperaba que estuviera. Un profesional de la talla de Arkadin no sería tan imprudente como para alquilar un coche con el mismo nombre falso que había utilizado en inmigración. Sin inmutarse, probó con los gerentes de todas las compañías. Como tenía el día y la hora del paso del ruso por el aeropuerto, se las había arreglado para llegar más o menos a la misma hora. Preguntó a los gerentes que habían estado de servicio nueve días antes. Los empleados eran los mismos, salvo una mujer que respondía al curioso nombre de Biffy Flisser, que ahora trabajaba en el hotel Best Western, del mismo aeropuerto. El personal de ventas no reconoció a Arkadin.

El gerente de la empresa donde había trabajado Biffy tuvo el detalle de llamar al Best Western y ella ya la estaba esperando cuando Soraya entró en el fresco y aireado vestíbulo. Se sentaron en el bar y tomaron algo mientras hablaban. La mujer era de natural sociable y accedió a ayudar a Soraya en aquella investigación.

—Sí, lo conozco —informó, golpeando con el dedo la fotografía que le enseñaba en el teléfono móvil—. Es decir, no lo conozco realmente, pero sí, alquiló un coche en esa fecha.

—¿Está segura?

—Totalmente. —Biffy asintió con la cabeza—. Quería alquilarlo a largo plazo. Un mes o seis semanas, dijo. Le respondí que en ese caso le cobraríamos una tarifa especial y pareció encantado.

Soraya esperó unos momentos.

—¿Recuerda su nombre? —preguntó como no dando importancia a la cosa.

—Necesita saberlo, ¿verdad?

—Me ayudaría mucho, desde luego.

—Veamos —murmuró, golpeando la mesa con sus largas uñas lacadas—. Frank, me parece. Frank nosequé. —Se concentró con todas sus fuerzas y su rostro se iluminó—. ¡Ya está! Frank Stein. Frank Norman Stein, para ser exactos.

Frank N. Stein. Soraya se echó a reír.

—¿Qué? —preguntó Biffy con la confusión pintada en la cara—. ¿Qué le hace tanta gracia?

Aquel Arkadin era un cachondo, pensó Soraya mientras volvía al aeropuerto. Entonces se detuvo en seco. ¿Sería él? ¿Por qué utilizar deliberadamente un nombre que llamara la atención? Lo más seguro es que planeara abandonar el coche al otro lado de la frontera.

De repente se sintió desanimada. No obstante, siguió investigando. Buscó al gerente de la empresa de alquiler de coches y le dio el nombre falso que había usado Arkadin.

—¿Qué coche alquiló?

—Un momento. —El director se volvió hacia el ordenador y tecleó el nombre y la fecha—. Un Chevy negro, modelo antiguo, del ochenta y siete. Una cafetera, la verdad, pero a él le satisfizo.

—¿Tienen coches tan viejos?

El gerente asintió.

—Tenemos nuestros motivos. Aquí en el desierto no se oxidan. Y como nos roban muchos vehículos, merece la pena poner en alquiler los más viejos. Además, a los clientes les gustan los precios de ocasión.

Soraya anotó la información, incluida la matrícula, aunque sin muchas esperanzas de encontrar a Arkadin, incluso en el caso de que localizara el coche. Alquiló un vehículo para ella, dio las gracias al gerente y entró en un bar. Se sentó y pidió un café con hielo. Sabía ya por dura experiencia que no debía pedir té helado fuera de Nueva York, Washington y Los Ángeles. A los norteamericanos les gustaba el té helado insoportablemente dulce.

Mientras esperaba, abrió un mapa de Arizona y del norte de México. Éste era un país grande, pero suponía que Arkadin estaría en un radio de no más de ciento cincuenta kilómetros del aeropuerto. Si no,

¿por qué había elegido Tucson cuando podía haber volado directamente a Ciudad de México o a Acapulco? No, se dijo, su destino tenía que ser el noroeste de México, posiblemente muy cerca de la frontera.

Llegó el café con hielo y se lo tomó sin azúcar, saboreando el cuerpo amargo del líquido, que bajó por su garganta hasta el estómago. Dibujó una circunferencia alrededor del aeropuerto, con un radio de ciento cincuenta kilómetros. Era su zona de búsqueda.

En cuanto Soraya salió de su oficina, el gerente sacó una pequeña llave del bolsillo de su pantalón y abrió el cajón inferior de la columna derecha de su escritorio. Dentro había carpetas, una pistola registrada a su nombre y la foto de una cara. Sacó la foto para verla a la luz y la observó durante unos momentos. Luego, frunciendo los labios, le dio la vuelta, leyó en silencio el número local y lo marcó en su teléfono.

Cuando la voz masculina respondió, dijo:

—Ha venido alguien buscando a su hombre, el de la foto que me dio... Comentó que se llamaba Soraya Moore, no me dio motivos para no creerla... No, ninguna identificación oficial... Hice lo que usted me ordenó... Es pan comido... No, no me entiende. Me refiero a que será fácil, ella me alquiló un coche...

«... un Toyota Corolla, azul plateado, matrícula de de David, uve de Victor, ene de Nancy, tres, tres, siete, ocho.»

Hubo algo más, pero a Soraya ya no le interesaba. El diminuto dispositivo electrónico que había dejado escondido en el escritorio del gerente funcionaba a la perfección y oía la voz del hombre con cristalina claridad. Lástima que no pudiera oír la del otro extremo de la línea. Pero ahora sabía que alguien vigilaba el aeropuerto de Tucson, y posiblemente otros aeropuertos cercanos a la frontera de México. También sabía que quienesquiera que fuesen, la iban a seguir hasta México. Una cosa estaba clara: la persona a la que había llamado el gerente no entendía las expresiones coloquiales norteamericanas. Eso excluía a los mexicanos, cuya trato con sus vecinos del otro lado de la frontera les predisponía a aprender los giros idiomáticos americanos. Tenía que ser un extranjero, posiblemente un ruso. Y si, como sospechaba, era uno de los hombres de Arkadin apostado allí para vigilar si aparecía algún hombre de Dimitri Maslov, aquél era su día de suerte.

Lo primero que hizo Peter Marks al desembarcar en el aeropuerto londinense de Heathrow fue llamar a Willard.

—¿Dónde estás? —preguntó.

—Cuanto menos sepas, mejor.

A Marks le molestó aquello.

—Lo último que uno necesita es volar a ciegas —comentó.

—Trato de protegerte de Liss. Cuando te llame, y puedes creerme si te digo que te llamará, le dirás sinceramente que no sabes dónde estoy y habrás acabado con esto.

Peter enseñó su acreditación oficial en inmigración. El agente puso el sello en su pasaporte y lo hizo pasar.

—Pero tú no.

—Ya me preocuparé yo de eso, Peter. Tú ya tienes bastante con buscar el anillo de Bourne.

—Primero tengo que encontrarlo a él —dijo Marks, acercándose a la cinta móvil de los equipajes.

—Ya has tratado antes con Bourne —le recordó Willard—. Confío en que lo encontrarás.

Marks había salido ya al exterior del aeropuerto. Era una típica mañana nublada de Londres. Miró su reloj. Era muy temprano y el cielo ya estaba escupiendo lluvia en ráfagas intermitentes.

—Nadie conoce realmente a Bourne —advirtió a su interlocutor—, ni siquiera Soraya.

—Eso es porque nada de lo referente a él tiene sentido —señaló Willard—. Es totalmente imprevisible.

—Bueno, no puedes quejarte. Treadstone le convirtió en lo que es.

—No para nada, en absoluto —atajó Willard con ira—. Lo que lo cambió irrevocablemente fue la amnesia. Y hablando de eso, quiero que veas al inspector jefe Lloyd-Philips. Puede que Bourne estuviera complicado en un homicidio que se cometió anoche en el Club Vesper, en el West End. Empieza por buscarlo ahí.

Marks tomó notas en una agenda.

—A ti sí que no hay quien te entienda. —Estaba haciendo cola para coger un taxi, avanzando poco a poco. Hablaba en voz baja, cubriéndose la boca con la mano—. Te saliste de tu camino para ayudarlo en Bali, y ahora parece que quieras diseccionarlo como a un fenómeno de circo.

—Es un fenómeno, Peter. Un fenómeno muy peligroso que ya ha matado a Noah Perlis y que ahora podría estar implicado en otra muerte. ¿Cuántas pruebas más necesitas para saber que está descontrolado? No quiero que olvides ese hecho ni que pierdas de vista tu objetivo. El adiestramiento de Treadstone le convirtió en un soldado de primera, pero luego sucedió algo imprevisto, un fenómeno del destino o de la naturaleza, como quieras llamarlo, que lo alteró aún más. Se convirtió en algo desconocido, en otra cosa. Por eso lo enfrenté con Arkadin. Como ya te expliqué, Arkadin, el primero de los graduados de Treadstone, estuvo sujeto a una clase extrema de entrenamiento que... bueno, cuando escapó y desapareció, Conklin decidió modificarlo, reducirlo, hacerlo menos... menos extremo.

Marks llegó a la cabeza de la cola, subió a un taxi y dio al conductor la dirección de un pequeño hotel del West End que le gustaba.

—Si Treadstone va a seguir adelante, si da buen resultado y si va a cumplir lo que parece prometer, tenemos que descubrir quién prevalecerá. —La voz de Willard zumbaba en el oído de Marks como una avispa golpeándose contra el cristal de una ventana—. Según cuál de los dos siga vivo, procederemos de un modo u otro.

Marks miró por la ventanilla sin ver nada.

—Si entiendo bien, si vence Arkadin, volveréis al método inicial de adoctrinamiento.

—Con unas cuantas variaciones que he planeado.

—Pero ¿y si es Bourne quien acaba con Arkadin? No sabes...

—Está bien, Peter, nos enfrentaríamos a un factor equis. Entonces el proceso tardaría más tiempo. Tendríamos que estudiar a Bourne en un ambiente controlado. Tendríamos que...

—Un momento. ¿Estás hablando de encerrarlo?

—Someterlo a varias series de pruebas psicológicas, sí, sí. —Willard parecía impaciente, como si ya hubiera dado todas las explicaciones y Peter fuera demasiado estúpido para entenderlas—. Es la esencia de Treadstone, Peter. A esto es a lo que Alex Conklin dedicó su vida.

—Pero ¿por qué? No lo entiendo.

—El Viejo tampoco lo entendía, la verdad es que no. —Willard suspiró—. A veces creo que Alex fue el único norteamericano que aprendió de los trágicos errores de la guerra de Vietnam. Tenía un don especial, ya sabes, por eso previó las guerras de Irak y Afganistán. Vio acercarse el nuevo mundo. Sabía que los viejos métodos de hacer la guerra estaban anticuados, tan condenados a fracasar como las tácticas napoleónicas.

—Mientras el Pentágono gastaba miles de millones en almacenar bombas inteligentes, submarinos nucleares, bombarderos invisibles, aviones de combate supersónicos, Alex estaba concentrado en la fabricación de la única arma de guerra que sabía que sería efectiva: seres humanos. La misión de Treadstone desde el primer día de su inicio fue construir el arma humana perfecta: temeraria, despiadada y especializada en infiltrarse, buscar subterfugios, despistar e imitar. Un arma de mil caras que podría ser cualquiera, ir a cualquier lugar, matar a cualquier objetivo sin remordimientos y volver para acatar la siguiente orden.

—Y ahora te das cuenta de lo visionario que era Alex. Lo que él vio ha sucedido, de eso no hay duda. Lo que creamos en el programa de Treadstone se convertirá en el arma más potente de Estados Unidos contra sus enemigos, por muy inteligentes que sean, por muy lejos que estén. ¿Crees que voy a enterrar algo de tan incalculable valor? Hice un pacto con el diablo para que Treadstone resucitara.

—¿Y qué pasa si el diablo tiene otras ideas para Treadstone? —preguntó Marks.

—Entonces —respondió Willard— habrá que hacer otra clase de pacto con él. —Hubo una breve pausa—. Arkadin o Bourne, para mí no hay diferencia. Sólo me interesa cuál ganará la lucha por la supervivencia. Y gane el que gane, yo lo tendré como prototipo de los graduados que producirá Treadstone.

—Empieza por el principio —propuso Bourne—. Esto tiene toda la pinta de ser una pesadilla.

—En resumidas cuentas —dijo Ottavio Moreno con un suspiro—, no tenías derecho a matar a Noah Perlis.

Los dos hombres estaban a salvo en una casa de Thamesmead, una pequeña y moderna urbanización que se alzaba enfrente del aeropuerto de Londres, al otro lado del río. El edificio era uno de esos modernos bloques de lujo que habían construido por todos los barrios periféricos en expansión y que eran tan endebles como parecían. Habían llegado en el Opel gris de Moreno, un coche que pasaba tan inadvertido en Londres como se pudiera desear. Habían comido pollo frío y pasta que había en la nevera, regados con una botella de un buen vino sudafricano. Luego se habían retirado al salón, donde literalmente se habían apoltronado en un sofá.

—Perlis mató a Holly Moreau.

—Perlis cumplió con su trabajo —señaló Ottavio Moreno.

—Y creo que Holly también.

Ottavio Moreno asintió con la cabeza.

—Pero luego se convirtió en algo personal, ¿no?

Bourne no supo qué contestar, aunque la respuesta era obvia para ambos.

—Agua pasada —sentenció Moreno, tomando el silencio de Bourne por una afirmación—. Lo que se te ha olvidado es que yo contraté a Perlis para buscar el ordenador portátil.

—No tenía ningún portátil, sólo el anillo.

Moreno cabeceó.

—Olvídate del anillo y esfuérzate por recordar el portátil.

Bourne se sintió como si se hundiera cada vez más en arenas movedizas.

—Ya mencionaste el portátil antes, pero yo no recuerdo nada.

—En ese caso, imagino que tampoco recordarás cómo se lo robaste a Jalal Essai en su casa.

Bourne movió la cabeza a izquierda y derecha, con impotencia.

Moreno se frotó los ojos.

—Ahora comprendo a qué te referías cuando hablaste de empezar por el principio.

Bourne lo miró atentamente sin decir nada. El eterno problema que planteaban las personas que surgían de su pasado era que no sabía quiénes eran realmente. ¿Le estaban contando la verdad? Es fácil mentir a un hombre sin memoria. Incluso, reflexionó Bourne, puede que fuera divertido mentir a un amnésico para observar sus reacciones.

—Te encargaron apoderarte del ordenador portátil.

—¿Quién?

—Imagino que Alex Conklin —respondió Moreno encogiéndose de hombros—. El caso es que tú y yo nos pusimos en contacto en Marraquech.

Otra vez Marruecos. Bourne se inclinó hacia delante.

—¿Y por qué me puse en contacto contigo?

—Yo era el hombre de Alex Conklin allí. —Como Bourne lo mirase con escepticismo, añadió—: Gustavo y yo somos hermanastros. Mi madre es beréber, del Alto Atlas.

—Tu padre era un hombre de mundo.

—Sí, tómame el pelo, está bien. No te voy a destripar. —Ottavio Moreno se echó a reír—. Joder, qué mundo más cabrón. —Sacudió la cabeza con aire de incredulidad—. Vale, mira, amigo mío. Mi padre tenía la mano metida en un montón de asuntos, la mayoría ilegales, sí, lo admito voluntariamente. ¿Y qué? Sus negocios empresariales le llevaron a muchos lugares del mundo, algunos de ellos extraños.

—Los negocios empresariales no era lo único que despertaba el interés de tu padre —apostilló Bourne.

Ottavio Moreno asintió con la cabeza.

—Cierto. Le encantaban las mujeres exóticas.

—¿Hay más hermanastros Moreno por el mundo?

Ottavio se echó a reír.

—Conociendo a mi padre, es muy posible que los haya, pero yo no lo sé.

Bourne estimó que hablar de la vida amorosa del padre de Moreno no llevaba a ninguna parte.

—Vale, dices que eras el contacto de Conklin en Marraquech.

—No es que lo diga —subrayó Ottavio Moreno con una mueca—. Es que lo era.

—Supongo que no podrás enseñarme ningún talonario de cheques de la cuenta de Treadstone.

—Ja, ja —replicó Moreno, aunque no reía. Cogió una cajetilla de Gauloises rubios, sacó uno y lo encendió. Se quedó mirando a Bourne mientras exhalaba el humo hacia el techo. Finalmente expuso—: ¿Me equivoco si te digo que creo que estamos en el mismo barco?

—No lo sé. ¿Lo estamos?

Bourne se levantó y fue a la cocina a servirse un vaso de agua fría. Estaba enfadado consigo mismo, no con Moreno. Sabía que en aquel momento era muy vulnerable. Y no le gustaba ser vulnerable. Más aún, en su trabajo no podía permitírselo.

Volvió al salón y se sentó en el sillón que había delante del sofá donde estaba Ottavio Moreno fumando lentamente, como si meditara. En ausencia de Bourne, había encendido el televisor y estaba viendo las noticias de la BBC. Aunque había quitado el sonido, las imágenes del Club Vesper hablaban por sí solas. Las luces de las ambulancias y de los coches de policía barrían los alrededores con sus destellos. Por la puerta del club salía gente con una camilla. La persona transportada iba cubierta con un lienzo que le tapaba hasta la cara. Luego la escena cambió a los estudios de la BBC, donde un locutor seguramente recitó lo que le hubieran escrito momentos antes. Bourne hizo un gesto y Moreno subió el volumen, pero no dijeron nada de ellos y Moreno volvió a quitar el sonido.

—Ahora será más difícil que nunca salir de Londres —dijo Bourne con voz queda.

—Conozco más formas de salir de Londres que ellos —apuntó Moreno, señalando al policía de la pantalla al que estaban entrevistando.

—Yo también, pero ése no es el problema.

Moreno se inclinó hacia delante, apagó la colilla en un feo cenicero de forma irregular y encendió otro cigarrillo.

—Si estás esperando que me disculpe, te vas a quedar con las ganas.

—Demasiado tarde para disculpas —dijo Bourne—. ¿Por qué es tan importante el portátil? —El otro se encogió de hombros—. Perlis tenía el anillo —prosiguió Bourne—. Mató a Holly para quitárselo.

—El anillo es un símbolo de los Severus Domna, todos sus miembros lo llevan puesto o consigo oculto a la vista.

—¿De veras? Si no tiene más importancia, ¿por qué Perlis mató a Holly por él?

—No lo sé. Quizá pensó que lo conduciría al ordenador portátil de algún modo. —Apagó el segundo cigarrillo—. Oye, toda esta desconfianza ¿es porque Gustavo era mi hermanastro?

—Yo no lo descartaría —retrucó Bourne.

—Sí, bueno, mi hermano mayor ha sido una espina en el costado desde que puedo recordar.

—Entonces su muerte te habrá venido bien —dijo Bourne con sequedad.

Moreno lo miró fijamente.

—Pero ¿qué te pasa?, ¿crees que me he quedado con su negocio de la droga?

—Sería un idiota si esa idea no me hubiera pasado por la cabeza.

Moreno asintió con aire taciturno.

—Es lógico. —Se retrepó en el sofá y abrió las dos manos—. Bueno, entonces, ¿cómo puedo demostrártelo?

—Lo dejo a tu elección.

Moreno cruzó los brazos y pensó un momento.

—¿Qué recuerdas de los cuatro: Perlis, Holly, Tracy y Diego Herrera?

—Prácticamente nada —respondió Bourne.

—Imagino que le preguntaste a Diego por ellos. ¿Qué te contó?

—Me habló de su amistad y de sus líos románticos.

Moreno arrugó la frente.

—¿Qué líos?

Cuando Bourne se lo contó, Moreno se echó a reír.

—*Mano*, tu amigo Diego te dejó un buen montón de mierda en la puerta de casa. No hubo ningún romance entre ellos. Sólo amistad, hasta que Holly empezó a ponerse el anillo. Uno de los cuatro, quizá Tracy, no lo sé, se interesó por la inscripción de la parte interior. Cuanto más se interesaba por ella, más picaba la curiosidad de Perlis. Hizo una foto de la inscripción y se la llevó a Oliver Liss, su jefe en aquel entonces. Todo lo cual condujo directamente a la trágica muerte de Holly.

—¿Cómo sabes todo eso?

—Porque trabajé para Black River hasta que Alex Conklin me reclutó como agente de Treadstone. Le produjo una gran satisfacción, porque despreciaba a Liss, un individuo tan corrupto y explotador como se pueda encontrar en este negocio. Se aprovechaba de las desgracias ajenas, engañaba al Gobierno sin el menor escrúpulo y enviaba a sus subordinados a cometer crímenes y atrocidades que el Gobierno no osaría cometer por sí mismo. Hasta que contribuiste al hundimiento de Black River, Liss era el agente del caos más eficaz de nuestros días, y créeme que eso es decir mucho.

—Eso no explica todavía cómo...

—En aquella época, Perlis me informaba a mí, hasta que Liss se encargó directamente de él y lo utilizó para llevar a cabo misiones privadas.

Bourne asintió con la cabeza.

—Y el anillo fue una de esas misiones privadas.

—Una de ellas. Perlis necesitaba ayuda y acudió a mí. Yo era el único en el que confiaba. Me dijo que en el momento en que Liss viera el anillo, perdería la cabeza. Entonces fue cuando ordenó a Perlis la búsqueda del ordenador portátil.

—El que me ayudaste a robar a Jalal Essai.

—Exacto.

Bourne frunció el entrecejo.

—¿Y qué fue del ordenador?

—Se suponía que tenías que entregárselo personalmente a Conklin, pero no se lo diste.

—¿Por qué?

—Descubriste algo acerca del portátil..., algo, según me contaste, que probablemente Conklin no quería que tú supieras. Tú mismo decidiste cambiar el curso de la misión sobre la marcha.

—¿Qué fue lo que descubrí?

Moreno se encogió de hombros.

—No me lo contaste y yo estaba demasiado bien entrenado para preguntar.

Bourne se ensimismó en sus pensamientos. El enigma del anillo aumentaba a cada momento. Teniendo en cuenta la reacción de Liss cuando vio el anillo, parecía probable que estuviera relacionado de alguna forma con el portátil. Eso en el caso de que Moreno le estuviera contando la verdad. Se sentía como si estuviera en la barraca de los espejos, cada uno mostrando un reflejo con una distorsión diferente, de tal modo que ya no era posible discernir la realidad de una fantasía cuidadosamente construida, ni la verdad de una ficción astutamente formulada.

En la pantalla del televisor aparecieron imágenes de otras noticias, otros países, pero la del cadáver de Diego Herrera en el momento de ser sacado en camilla del Club Vesper seguía parpadeando en la mente de Bourne. ¿Había sido necesario matarlo, como le había dicho Moreno, o tenía otro motivo más oscuro que le ocultaba? La única forma de descubrir la verdad era tener a ese hombre cerca, y seguir preguntándole lo más sutilmente posible hasta que apareciera una grieta en su coraza... o hasta que demostrara fehacientemente que decía la verdad.

—¿Qué sabes de Essai? —preguntó Bourne.

—Aparte de que es miembro del consejo directivo de Severus Domna, no mucho. Procede de una ilustre familia que se remonta hasta el siglo once, si no me equivoco. Sus antepasados participaron en la invasión de Andalucía por los árabes. Uno de ellos gobernó allí muchos años.

—¿Y en la época que nos ocupa?

—En la actualidad nadie se interesa por los bereberes, o los *imadsiguén*, que es como nos llamamos nosotros.

—¿Y qué me dices de Severus Domna?

—Ah, bueno, en eso puedo ayudarte. Primero debería señalar que se sabe muy poco de este grupo. Vuelan tan bajo que el radar no los detecta y cualquier rastro que pudieran dejar es o invisible o fácil de eliminar. Nadie sabe cuántas personas forman el grupo, pero hay miembros dispersos por todos los rincones del globo, todos en puestos de poder en gobiernos, empresas, medios de comunicación y actividades criminales. Cualquier sector que se te ocurra, ahí están ellos.

—¿Cuál es su objetivo? —Bourne estaba pensando en la palabra «Dominion», que aparecía en el interior del anillo—. ¿Qué quieren?

—Poder, dinero, controlar lo que pasa en el mundo. No lo sé, pero es una conjetura tan buena como cualquier otra. Es lo que queremos todos, ¿no?

—Sí, si uno es entendido en historia.

Ottavio se echó a reír.

—Muchos no lo son.

Bourne tragó una bocanada de aire y lo expulsó lentamente. Se preguntaba qué habría descubierto sobre el portátil para haber cambiado el curso de la misión. No era consciente de haber cambiado ninguna de las que Treadstone le había encargado. Además, recordaba que hasta el asesinato de Conklin, el jefe de Treadstone y él habían tenido una buena relación, incluso amistad.

Cuando lo mencionó, Moreno replicó:

—Me dijiste que le comunicara a Conklin que Essai no tenía el portátil y que no sabías qué había sido de él.

—¿Y se lo comunicaste?

—Sí.

—¿Por qué hiciste una cosa así? Treadstone te estaba pagando el sueldo, Conklin era tu jefe.

—No estoy muy seguro de nada —confesó Moreno—. Sólo de que hay una diferencia fundamenteal entre el personal de campo y el de oficina. El uno no tiene por qué entender necesariamente los motivos del otro, y viceversa. Fuera de aquí, si no nos cubrimos las espaldas entre nosotros, somos carne muerta. —Se guardó la cajetilla de Gauloises—. Cuando me dijiste que habías encontrado algo tan importante como para cambiar el rumbo de la misión, te creí.

—Así que ha venido a ver al famoso Corellos.

Roberto Corellos, primo de Narciso Skydel, sonrió a Moira. Estaba sentado en un confortable sillón, en una habitación espaciosa, llena de luz, con una mullida alfombra, lámparas de porcelana, cuadros en las paredes, en otras palabras, como el salón de una vivienda particular. Pero como Moira estaba a punto de descubrir, las cárceles de Bogotá no se parecían a ninguna otra cárcel del mundo.

—La prensa norteamericana quiere hablar con el famoso Corellos, ahora que está en La Modelo, ahora que está encerrado. —Sacó un cigarro puro del bolsillo de su guayabera y con grandes aspavientos mordió la punta y lo encendió con un viejo mechero Zippo—. Un regalo de un admirador —explicó con otra sonrisa de suficiencia. No quedó claro si se refería al puro o al Zippo.

Exhaló una bocanada de humo aromático hacia el techo y cruzó las piernas enfundadas en pantalones de lino, apoyando una en la otra.

—¿En qué periódico me dijo que trabajaba?

—Soy corresponsal del *Washington Post* —respondió Moira. Las credenciales eran un regalo de Jalal Essai. No sabía dónde las había conseguido ni le importaba. Lo único que le interesaba era que superasen cualquier prueba. El marroquí le aseguró que la superarían y hasta ahora había tenido razón.

Había llegado a Bogotá menos de veinticuatro horas antes e inmediatamente había conseguido el permiso para ver a Corellos. La sorprendió que a nadie pareciera preocuparle.

—Es una suerte que haya venido hoy. Dentro de una semana estaré fuera. —El hombre miró la punta brillante del puro—. Esto ha sido como unas vacaciones para mí. —Hizo un gesto con la mano—. Tengo todo lo que deseo, comida, puros, putas para follar, cualquier cosa y de todo, y no tengo que mover un dedo para conseguirlo.

—Fantástico —comentó Moira.

Corellos la miró. Era un hombre atractivo, al estilo tosco y musculoso. Y con sus oscuros ojos almendrados y su intensa presencia masculina, era ciertamente carismático.

—Tiene que entender algo sobre Colombia, *señorita* Trevor. El país no está en manos del Gobierno, no, no, no. En Colombia el poder está dividido entre las FARC, las Fuerzas Armadas Revolucionarias de Colombia, y los capos de la droga. Los guerrilleros de izquierdas y los capitalistas de derechas, algo así. —Su risa era tan ronca y alegre como el grito de un guacamayo. Parecía estar totalmente relajado, como si estuviera en su casa y no en la cárcel más famosa de Bogotá—. Las FARC controlan el cuarenta por ciento del país y nosotros el otro sesenta.

Moira no ocultó su escepticismo.

—Eso parece muy exagerado, señor Corellos. ¿Debo tomar al pie de la letra todo lo que me cuente?

Corellos alargó una mano a su espalda y puso una semiautomática Taurus PT92 sobre la mesa que los separaba.

Moira se sintió como si le hubieran dado un puñetazo.

—Está cargada, puede comprobarlo si quiere. —Parecía disfrutar con la sorpresa femenina—. O puede llevársela... de recuerdo. No se preocupe, hay muchas más donde estaba ésta.

Volvió a reírse e hizo la Taurus a un lado.

—Mire, *señorita*, como muchos gringos, creo que aquí está usted algo fuera de su ambiente. Sin ir más lejos, el mes pasado tuvimos una guerra aquí, las FARC contra, ejem, los empresarios. Fue un conflicto a gran escala, con fusiles de asalto, granadas de fragmentación, dinamita, lo que quiera. Los guardias, los pocos que hay, retrocedieron. El ejército rodeó la cárcel, pero no se atrevió a entrar porque estamos mejor armados que ellos. —Le guiñó el ojo—. Apuesto a que el ministro de Justicia no le ha contado nada de esto.

—No, no lo ha hecho.

—No me extraña. Fue un rifirrafe sangriento, se lo aseguro.

Moira estaba fascinada.

—¿Cómo terminó?

—Tuve que intervenir. Las FARC me hacen caso. Mire, no estoy en contra de los revolucionarios, desde luego no en contra de lo que defienden. El Gobierno es una puta farsa, al menos eso lo tienen claro. Ellos saben que los defiendo, que reuniría a mi gente para apoyarlos, siempre que nos dejen en paz. Los politicos me importan una mierda, derecha, izquierda, fascistas, socialistas... Dejo la semántica para la gente que no tiene nada mejor que hacer con su apestosa vida. Yo estoy demasiado ocupado ganando dinero, ésa es mi vida. Todo el resto del mundo se puede pudrir en el infierno.

Sacudió la ceniza del puro en un cenicero de bronce.

—Respeto a las FARC, tengo que hacerlo —prosiguió—, soy un pragmático. Los revolucionarios son dueños de casi toda Bogotá, nosotros no. Y son los que tienen los medios para fugarse de la cárcel. Un ejemplo: hace dos semanas, en La Picota, la otra cárcel, los cabrones de las FARC volaron un muro entero y liberaron a noventa y ocho colegas. A un gringo eso le parecerá absurdo, imposible, ¿tengo razón? Pero así es la vida en Colombia. —Rió por lo bajo—. Digan lo que digan de las FARC, tienen cojones y eso lo respeto.

—En realidad, señor Corellos, a menos que lo haya entendido mal, eso es lo único que usted respeta. —Sin decir nada más, Moira empuñó la Taurus, la desmontó y la volvió a montar, mirando a Corellos a los ojos, fijamente y sin pestañear.

Cuando Moira volvió a dejar el arma sobre la mesa, él dijo:

—¿Por qué quiere hablar conmigo, *señorita*? ¿A qué ha venido en realidad? No es para escribir un artículo en un periódico, ¿verdad que no?

—Necesito su ayuda —explicó la mujer—. Estoy buscando un ordenador portátil que tenía Gustavo Moreno. Desapareció poco antes de su muerte.

Corellos abrió las manos.

—¿Por qué ha venido a verme a mí?

—Porque era el proveedor de Moreno.

—¿Y?

—El hombre que robó el ordenador, uno de los hombres de Moreno que trabajaba para algún otro, no se sabe quién, apareció muerto en las afueras de Amatitán, en la finca de su primo Narciso.

—¡Ese maricón, se puso un apellido gringo! No quiero saber nada de él, para mí está muerto.

Moira meditó unos momentos.

—A mí me parece que implicarlo en la muerte de ese hombre sería una buena manera de vengarse de él.

Corellos dio un bufido.

—¿Qué? ¿Y dejar que sea la policía mexicana quien lo descubra y lo detenga? ¡Por favor! A la hora de resolver crímenes son completamente idiotas, lo único que saben es aceptar sobornos y dormir la siesta. Además, Berengaria también sospecharía. No, si quisiera ver muerto a Narciso, al que habrían encontrado en Amatitán habría sido a él.

—Entonces, ¿quién se ha hecho cargo del negocio de Moreno? ¿A quién le está suministrando droga usted ahora?

Corellos expulsó el humo con los ojos entornados.

—No me interesa meter a nadie en la cárcel —prosiguió Moira—. En realidad, sería inútil, ¿no? Sólo me interesa el ordenador portátil, y hay una pista que tengo que seguir.

Corellos apagó el puro. Hizo una seña y alguien que no era un guardián apareció con una botella de tequila y dos vasos, que colocó en la mesa, entre él y Moira.

—Voy a pedir la comida. ¿Qué quiere?

—Lo que pida usted.

El hombre hizo una seña, habló con el joven, que afirmó con la cabeza y salió sin rechistar. Corellos se inclinó y sirvió tequila. Cuando hubieron vaciado los vasos, dijo:

—Tiene que entender lo profundo de mi odio por Narciso.

Moira se encogió de hombros.

—Soy una gringa, no nos tomamos esas cosas tan en serio. Lo que sí sé es que usted no lo mandó matar.

Él sacudió la mano para desestimar lo que había dicho Moira.

—Eso es lo que quiero decir cuando hablo de *entender*. Matar es demasiado bueno para un pedazo de mierda como él.

Ella empezaba a darse cuenta de hacia dónde conducía la conversación.

—Así que tiene planeada otra cosa.

El hombre rió de nuevo.

—Ya está hecho. El que diga que la venganza es un plato frío, no tiene sangre colombiana en las venas. ¿Por qué esperar cuando la oportunidad se presenta de cara?

El joven volvió con una bandeja cargada con platos de comida, desde arroz con alubias hasta chiles fritos con pescado ahumado. Dejó la bandeja y Corellos le indicó por señas que saliera. El capo cogió de inmediato un plato con gambas en una salsa rojísima y se las comió, con cabeza y todo. Mientras se chupaba los dedos húmedos de salsa, prosiguió:

—¿Sabe cómo se atrapa mejor a un hombre, *señorita*? A través de su mujer.

Moira lo entendió todo.

—Usted sedujo a Berengaria.

—Sí, le puse los cuernos a ese tipo, lo humillé, pero eso no fue todo. Narciso quería huir de su familia desesperadamente, así que me aseguré de que no pudiera hacerlo. —Los ojos de Corellos chispearon—. Nombré a Berengaria Moreno heredera de su hermano.

«Y lo hiciste condenadamente bien», pensó Moira. Essai le había dicho que no había pruebas de la implicación de Berengaria.

—¿Cree que tenía un topo en la organización de su hermano?

—Si Berengaria quería una lista de los clientes de Gustavo, sólo tenía que pedírsela, cosa que no hizo, al menos mientras él vivía.

—Entonces, ¿quién lo hizo?

Corellos la miró con escepticismo.

—Oh, no lo sé, un millar de personas, quizá más. ¿Quiere que le haga un listado?

Moira pasó por alto el sarcasmo.

—¿Y qué me dice de usted?

El capo se echó a reír.

—¿Qué? ¿Bromea? Gustavo Moreno me estaba haciendo ganar una fortuna encargándose del trabajo pesado. ¿Por qué iba a joder el asunto?

¿Sabía Corellos que la lista de clientes de Moreno estaba en el portátil o lo había deducido? Essai no parecía hombre interesado en quedarse con el negocio de un traficante de drogas colombiano; tenía el aspecto de alguien a quien habían robado y quería recuperar lo que era suyo. Se inclinó hacia delante, apoyando los codos en la mesa.

—Escúcheme bien. Alguien escapó con ese portátil. Si no fue Berengaria, tuvo que ser algún otro que quisiera quedarse con el negocio de Gustavo, y sólo es cuestión de tiempo que asome la cabeza.

Corellos cogió un plato de chiles fritos y se los metió uno tras otro en la boca. Sus expresivos labios estaban húmedos de grasa. Y no parecía preocupado por limpiárselos.

—No sé nada de eso —dijo fríamente.

Moira lo creyó. Si hubiera sabido algo, ya habría actuado al respecto. Se levantó.

—Quizá Berengaria sepa algo.

Corellos entornó los ojos.

—Y una mierda. Todo lo que sabe ella, lo sé yo.

—Está muy lejos de Jalisco.

Él se echó a reír sin ganas.

—No me conoce usted bien.

—Quiero el portátil.

—¡Eso es el valor! —De su garganta brotó un sonido ronco, como el de un tigre que ruge—. Se está haciendo tarde. ¿Por qué no se queda a pasar la noche? Le garantizo que este alojamiento es mejor que cualquiera que pueda ofrecerle esta ciudad.

Moira sonrió.

—No, gracias. Y gracias por su hospitalidad... y su sinceridad.

Corellos esbozó una sonrisa irónica.

—Lo que sea por una bella señorita. —Levantó un dedo en señal de advertencia—. Cuidado. No la envidio. Berengaria es una piraña de aquí te espero. Dele la mano y se la comerá entera, con huesos y todo.

Cuando Peter Marks llegó al piso de Noah Perlis, lo encontró lleno de agentes de la CI, a dos de los cuales conocía. A uno, Jesse McDowell, lo conocía muy bien. Habían trabajado juntos en dos misiones, antes de que él ascendiera a un puesto de mando.

Cuando McDowell lo vio, lo reconoció y, llevándolo aparte, le dijo susurrando:

—¿Qué narices haces aquí, Peter?

—Estoy de servicio.

—Bueno, también nosotros, así que será mejor que te vayas antes de que uno de los nuevos fanáticos de Danziger quiera saber quién eres.

—No puedo, Jesse. —Peter estiró el cuello para mirar por encima del hombro de McDowell—. Estoy buscando a Jason Bourne.

—Joder, tío, pues que tengas mucha suerte —dijo McDowell, mirándolo con sorna—. ¿Cuántas rosas quieres que mande a tu entierro?

—Mira, Jesse, acabo de llegar de Washington, estoy cansado, hambriento, con un humor de perros y no tengo ganas de jugar contigo ni con los soldaditos de Danziger. —Dio un paso para rodear a McDowell—. ¿Crees que me da miedo alguno de ésos, o Danziger?

El otro levantó las manos con las palmas hacia fuera.

—Vale, vale, ya lo he entendido, tío —transigió, asiendo a Marks por el codo—. Te informaré de todo, pero no aquí. Al contrario que a ti, Danziger todavía me tiene agarrado por el culo. —Lo condujo al otro lado de la puerta y accedieron al vestíbulo—. Vamos al *pub* a tomar algo. Cuando me haya bebido un par de pintas, seré mucho más valiente.

El Cordero Sacrificado era el típico *pub* londinense sobre el que se viene escribiendo desde hace siglos. Era de techo bajo, oscuro, con olor a cerveza fermentada y a humo de tabaco de hacía mucho tiempo, tanto que parecía flotar en el aire como si fuera vapor de alcohol.

McDowell eligió una mesa contigua a una pared de paneles de madera, pidió para los dos sendas pintas de cerveza a temperatura ambiente y para Marks un plato de salchichas con puré de patatas. Cuando llegó la comida, Marks probó un trozo de salchicha y el estómago se le encogió. Hizo que el camarero se llevara el plato y pidió un bocadillo de queso.

—Esta investigación es parte del expediente incoado por el Departamento de Justicia contra Black River —informó McDowell.

—Creía que el caso se había cerrado ya.

—Eso creía todo el mundo. —Su ex compañero apuró la pinta y pidió otra—. Pero parece ser que alguien de muy arriba quiere la cabeza de Oliver Liss.

—Liss dejó Black River antes de que la mierda llegara al ventilador.

McDowell se apoderó de la nueva jarra en cuanto se la sirvieron.

—Las sospechas van por ese camino. Dicen que, aunque se escapara, es muy probable que fuera uno de los responsables de los trapos sucios de Black River. Nuestro trabajo consiste en confirmar esa suposición con pruebas sólidas, y como Noah Perlis era el perro faldero de Liss, estamos registrando su casa.

—Una aguja en un pajar —advirtió Marks.

—Pues eso —dijo McDowell, tomándose la cerveza de un trago—. Hemos encontrado una foto de ese tío, Diego Herrera. ¿Te has enterado de que lo apuñalaron anoche en un casino pijo del West End que se llama Club Vesper?

—No lo sabía —se sorprendió Marks—. ¿Qué tiene que ver conmigo?

—Pues todo, tío. El hombre al que vieron apuñalar a Diego Herrera iba con Jason Bourne. Se fueron del club juntos después del asesinato.

Soraya se dirigió hacia el sur, como suponía que había hecho Arkadin con el nombre de Frank N. Stein. Era la hora del crepúsculo cuando llegó a Nogales. Aún estaba en Arizona. Al otro lado de la frontera estaba la ciudad hermana del estado mexicano de Sonora, llamada igualmente Nogales.

Aparcó y cruzó la polvorienta plaza central. Encontró una terraza de un restaurante, se sentó y pidió tamales y una cerveza Corona. Su español era bastante mejor que su francés o su alemán, lo que significaba que era muy bueno. Y allí, con su piel oscura, su sangre egipcia y su nariz prominente podía pasar perfectamente por azteca. Se retrepó en la silla y se permitió un momento de respiro mientras observaba el ir y venir de la gente haciendo recados, comprando, paseando cogida de la mano. Había muchos viejos sentados en bancos, jugando a las cartas o charlando. Pasaban vehículos, coches abollados y camionetas polvorientas y oxidadas cargadas de productos. La economía de Nogales se basaba en la agricultura, en los productos que cruzaban continuamente la frontera, a la ciudad hermana, para ser envasados y reenviados a todo Estados Unidos.

Había terminado el último tamal y bebía la segunda Corona cuando vio un viejo Chevy negro, lleno de polvo, cuya matrícula no era la que buscaba. Siguió bebiendo la cerveza. No quiso postre y pidió un café.

Le estaban sirviendo el café cuando, por encima del hombro del camarero, vio otro Chevy negro. Se levantó en el momento en que el camarero se alejó. La matrícula era la del coche que Arkadin había alquilado, pero el conductor era un punk de dieciocho años. Aparcó al lado del restaurante y bajó del coche. Llevaba el pelo en forma de cresta, los brazos cubiertos de tatuajes de serpientes y pájaros con plumas. Soraya reconoció el quetzal, el pájaro sagrado de los aztecas y los mayas. Se tomó el café de un trago, dejó unos billetes en la mesa y se dirigió al punk.

—¿Dónde has conseguido ese coche, *compadre*? —preguntó.

El muchacho la miró de arriba abajo con cierto desdén.

—¿Y a ti qué te importa? —respondió, mirándole los pechos.

—No soy poli, si eso es lo que te preocupa.

—¿Y por qué iba a preocuparme?

—Porque ese Chevy es un coche de alquiler de Tucson, lo sabes tan bien como yo.

El punk siguió con su expresión desdeñosa. Daba la sensación de que la practicaba frente a un espejo todas las mañanas.

—¿Te gustan?

—¿Qué? —replicó el chico con un sobresalto.

—Mis pechos.

El muchacho rió con inquietud y miró a otro lado.

—Escucha —dijo Soraya—. No tengo interés alguno ni en ti ni el coche. Háblame del hombre que lo alquiló.

El muchacho escupió a un lado y no dijo nada.

—No seas tonto —dijo ella—. Ya tienes bastantes problemas. Yo puedo hacer que desaparezcan.

El punk suspiró.

—La verdad es que no sé nada. Encontré el coche en el desierto. Estaba abandonado.

—¿Cómo lo pusiste en marcha? ¿Conectando los cables?

—No, qué va, estaban las llaves puestas.

Vaya, aquello era interesante, pues indicaba que Arkadin no iba a volver a buscarlo, lo que significaba a su vez que ya no estaba en Nogales. Soraya se quedó pensando un momento.

—Si quisiera cruzar la frontera, ¿cómo tendría que hacerlo?

—El puesto fronterizo está a unos tres kilómetros al sur...

—No quiero ir por ahí.

El punk parpadeó y la miró como si la viera por primera vez.

—Tengo hambre —dijo—. ¿Qué tal si me invitas a comer?

—De acuerdo —accedió Soraya—. Pero no esperes nada más.

Cuando se rió, la cáscara quebradiza de su fanfarronería se rompió y su cara se transformó en la de un simple muchacho que miraba el mundo con ojos tristes.

Moira lo acompañó al restaurante y pidió burritos de machaca y un abundante plato de frijoles con chiles pasados. Se llamaba Álvaro Obregón y era de Chihuahua. Su familia había emigrado al norte en busca de trabajo y habían acabado instalándose allí. Gracias a la intervención del hermano de su madre, sus padres trabajaban en una envasadora de frutas y verduras. Según informó, su hermana era una puta y sus hermanos estaban todo el día holgazaneando en lugar de trabajar. Él estaba empleado en un rancho. Había ido a la ciudad a recoger los víveres que el ranchero había pedido por teléfono.

—Al principio estaba emocionado por venir aquí —explicó—. Había leído cosas sobre el Nogales norteamericano y descubierto que mucha gente enrollada había nacido aquí, como Charlie Mingus. Su música me parece una mierda, pero ya sabes, es famoso y todo eso. Y también está Roger Smith. Imagínatelo follándose a Ann-Margret, ¡guau! Pero la más enrollada es Movita Castañeda. Apuesto a que nunca has oído hablar de ella.

Como Soraya respondiera que no, el chico sonrió de oreja a oreja.

—Salía en *Volando a Río de Janeiro* y en *Rebelión a bordo*, pero yo sólo la he visto en *Tower of terror*. —Engulló los últimos frijoles que quedaban—. Bueno, se casó con Marlon Brando. El tío era un buen actor hasta que se infló como un zepelín.

Se limpió la boca con el dorso de la mano y se relamió los labios.

—No tardé mucho en perder la ilusión —prosiguió—. Es decir, mira a tu alrededor. ¡Esto es un puto estercolero!

—Pero parece que tienes un buen trabajo —replicó Soraya.

—Sí ya, pruébalo. Apesta.

—Es un trabajo estable.

—Una rata gana más dinero que yo. —Esbozó una sonrisa torcida—. Aunque eso no significa que me muera de hambre.

—Lo que nos lleva a mi pregunta original. Quiero entrar en México.

—¿Por qué? Es una asquerosa letrina.

Soraya sonrió.

—¿A quién tengo que ver?

Álvaro Obregón hizo como si reflexionara, pero ella sospechaba que ya lo sabía. Miró al otro lado de la calle. Las luces se habían encendido y la gente se dirigía a cenar o a sus casas después de las compras de última hora. El aire olía a frijoles refritos y a otros ingredientes de la cocina norteña.

—Bueno —dijo el muchacho por fin—, hay un par de *polleros* locales al otro lado de la frontera. —Se refería a individuos que, a cambio de una cantidad de dinero, pasaban gente por la frontera de manera clandestina, sin necesidad de molestarse con las aduanas ni con inmigración—. Aunque la verdad es que sólo hay uno disponible, y tienes suerte, esta mañana a primera hora trajo a una familia de México. Ahora está aquí y te lo puedo presentar. Lo llaman Contreras, pero no estoy seguro de que sea su nombre auténtico. He tratado con él en persona.

De eso Soraya no tenía ninguna duda.

—Me gustaría que organizaras tú la reunión con tu *compadre* Contreras.

—Tendrás que pagar. Cien dólares americanos.

—Eso es un robo. Cincuenta.

—Setenta y cinco.

—Sesenta. Es mi última oferta.

Álvaro Obregón puso la mano en la mesa con la palma hacia arriba y Soraya le puso un billete de veinte y otro de diez. Los billetes desaparecieron tan aprisa que dio la impresión de que nunca habían existido.

—El resto cuando cumplas —prometió.

—Espera aquí —dijo él.

—Ahorra tiempo y llámalo, ¿no te parece?

Álvaro negó con la cabeza.

—Nada de contactos telefónicos, nunca. Reglas del juego. —Se levantó y, sin dar muestras de tener prisa, echó a andar con la desgana propia de Nogales.

Durante cerca de una hora Soraya esperó sola, empapándose de luces nocturnas y escuchando las canciones de un grupo local que tocaba música de Sinaloa con muchos metales. Un par de hombres le pidieron que bailara con ellos; declinó la invitación con educación, pero con firmeza.

Al cabo de un rato, en el momento en que el grupo iniciaba la segunda cumbia, vio a Álvaro Obregón aparecer entre las sombras. Iba acompañado de un hombre, seguramente Contreras el *pollero*, al que le echó unos cuarenta y tantos años; tenía el rostro como un mapa que hubiera sido doblado y vuelto a doblar varias veces. Contreras era alto y delgado, con las piernas ligeramente arqueadas, como si toda la vida hubiera sido vaquero. Y al igual que un vaquero, llevaba un sombrero de ala ancha, tejanos de perneras ceñidas y una camisa de cuadros con ribetes y botones de nácar.

El hombre y el muchacho se sentaron sin decir palabra. De cerca, Contreras tenía los ojos de un hombre acostumbrado a los arbustos, el polvo y la sequedad del desierto. Tenía la piel quemada por el sol.

—El chico me ha dicho que quiere ir al sur. —Contreras le habló en inglés.

—Exacto. —Soraya había visto ojos como aquellos en jugadores profesionales. Parecían perforarte el cráneo.

—¿Cuándo?

Un hombre de pocas palabras, eso le gustaba.

—Cuanto antes, mejor.

Contreras levantó la cabeza hacia la luna, como si fuera un coyote a punto de aullar.

—Sólo una cosa —dijo—. Esta noche será mejor que mañana, mañana mejor que pasado mañana. Después... —se encogió de hombros, como si fuera a decir que la puerta se cerraría.

—¿Cuál es su tarifa? —preguntó Soraya.

El hombre la miró de nuevo con indiferencia.

—Conmigo no podrá regatear como con el muchacho.

—Muy bien.

—Mil quinientos, la mitad ahora.

—La cuarta parte, el resto cuando me haya pasado al otro lado sana y salva.

Contreras torció ligeramente el gesto.

—Tenías razón, chico, es un poco zorra.

Soraya no se ofendió; sabía que lo decía como un cumplido. Así era como hablaba aquella gente. Ella no iba a cambiar ninguna costumbre ni pensaba intentarlo.

Contreras se encogió de hombros y se dispuso a levantarse.

—Ya se lo dije.

—Y yo le diré algo ahora —atajó Soraya—. Aceptaré sus condiciones si le echa un vistazo a una fotografía.

Contreras la observó un momento y volvió a sentarse. Alargó la mano, al igual que había hecho Álvaro Obregón antes. El muchacho aprendía volando.

Soraya repasó las fotos de su móvil hasta que encontró la de Arkadin, la procedente de las cámaras de seguridad. Puso el teléfono en la palma de la mano del *pollero*.

—¿Lo ha visto? Puede que lo llevara hacia el sur hace unos nueve o diez días. —Eso es lo que había deducido de la historia del Chevy negro abandonado en el desierto que le había contado Álvaro Obregón: Arkadin había entrado en México soslayando los controles oficiales.

Contreras no bajó la mirada hacia la foto y siguió mirándola a ella con sus ojos incoloros.

—Yo no regateo —repitió—. ¿Me está pidiendo un favor?

Ella vaciló un momento y luego asintió con la cabeza.

—Supongo que sí.

—No hago favores. —Miró la foto—. Mi tarifa ha subido a dos mil dólares.

Soraya se retrepó en la silla y cruzó los brazos sobre el pecho.

—Ahora se está aprovechando de mí.

—Decida —la instó Contreras—. Un minuto más y serán tres mil.

—Vale, vale —accedió ella.

—Veamos la feria.

Se refería a que quería ver el dinero, la cantidad total, para asegurarse de que disponía de líquido para pagarle. Cuando desenrolló los billetes de cien dólares, Contreras asintió satisfecho.

—Crucé la frontera con él hace diez días.

—¿Dijo adónde se dirigía?

—No dijo nada, ni siquiera cuando pagó —repuso el *pollero*—. Para mí, ningún problema.

Soraya jugó su última carta.

—¿Adónde cree usted que se dirigía?

Contreras levantó un momento la cabeza, como si olfateara algo en el viento.

—A un hombre como él, no le interesa el desierto, eso seguro. Me di cuenta de que odiaba el calor. Y tan seguro como que hay infierno que no iba a buscar empleo en una maquiladora de Sonora. Era un jefe, sin amo. Como usted.

—¿Y eso adónde nos lleva?

—A la costa, jefa. Tan seguro como que estamos sentados aquí que fue a la costa.

Bourne estaba durmiendo cuando Chrissie lo llamó. El timbre de su móvil lo despertó al momento y se frotó los párpados al contestar la llamada.

—Adam.

Alertado por la tensión que había en aquella sola palabra, respondió:

—¿Qué ocurre?

—Hay... hay alguien aquí que quiere hablar contigo. ¡Oh, Adam!

—Chrissie, Chrissie...

Una voz masculina que no le resultaba familiar se puso al habla.

—Stone, Bourne, como quiera que te llames, será mejor que vengas aquí. La mujer y su hija están metidas en la mierda hasta el cuello.

Apretó el móvil con fuerza.

—¿Quién eres?

—Me llamo Coven. Tengo que verte en seguida.

—¿Dónde estás?

—Voy a darte la dirección. Escucha con atención porque no voy a repetirla. —Coven recitó una complicada lista de autopistas, carreteras, curvas y kilometraje—. Te espero aquí dentro de noventa minutos.

Bourne miró a Moreno, que le hacía señas.

—No sé si podré llegar en...

—Llegarás —aseguró Coven—. Si no, la niña pagará el pato. Por cada quince minutos que te retrases, el daño será mayor. ¿Me he expresado con claridad?

—Meridiana —dijo Bourne.

—Bien. El tiempo empieza a correr ya.

14

Frederick Willard pasó ocho horas seguidas conectado a Internet, tratando de encontrar sin éxito quién era el dueño del Club Monition, qué hacía la organización, de dónde sacaba el dinero y quiénes eran sus miembros. Durante ese tiempo se tomó tres descansos, dos para ir al lavabo y uno para engullir una comida china malísima que había pedido a través de un servicio *online* y que le habían traído a domicilio. A su alrededor había obreros renovando las oficinas de Treadstone, instalando equipo electrónico y puertas insonorizadas diseñadas especialmente, y pintando paredes que el día anterior habían estado cubiertas de papel decorativo.

Willard tenía la paciencia de una tortuga, pero al final incluso él se rindió. Pasó los cuarenta minutos siguientes en la calle, dando vueltas a la manzana, quitándose de la nariz el olor a pintura y el polvo de yeso, mientras meditaba la situación.

Finalmente volvió a la oficina, imprimió un currículo personal y se fue a casa a ducharse, afeitarse y ponerse traje y corbata. Comprobó si sus zapatos estaban limpios y relucientes. Luego, con el currículo doblado y guardado en el bolsillo superior, fue al Club Monition y dejó el vehículo en un aparcamiento municipal subterráneo cercano.

Subió con gallardía los peldaños de piedra y entró en el imponente vestíbulo. En el alto mostrador del centro estaba la misma mujer de la otra vez y se dirigió a ella para preguntar por el director de recursos humanos.

—No tenemos director de recursos humanos —replicó la mujer con rostro serio—. ¿En qué puedo ayudarlo?

—Querría ver entonces al jefe de personal —solicitó Willard—, al encargado de contratar empleados.

La mujer lo miró con recelo.

—No contratamos a nadie —respondió.

Trató de imprimir dulzura en su voz y sonrió.

—A pesar de todo, apreciaría en gran medida que le dijera a quienquiera que dirija el local que me gustaría verlo... o verla.

—Tendría que traer un currículo.

Willard lo sacó del bolsillo.

La recepcionista le echó un vistazo y sonrió.

—¿Su nombre?

—Frederick Willard.

—Un momento, señor Willard. —Marcó en el teléfono una extensión interna y murmuró en el micrófono de los auriculares. Cuando cortó la comunicación, lo miró y dijo—: Siéntese, por favor, señor Willard. Enseguida vendrán a buscarlo.

Le dio las gracias y volvió al mismo banco en que Peter Marks y él habían estado esperando a Oliver Liss. La recepcionista siguió con lo suyo, respondiendo al teléfono y pasando llamadas. A Willard le pareció un sistema extrañamente anticuado. Era como si el personal que trabajaba en el Club Monition no tuviera líneas directas.

Tomó nota mental del detalle y se puso a observar a la mujer con más atención. Aunque era joven y al primer vistazo parecía la típica recepcionista, le daba la sensación de que era muy diferente. Primero porque parecía ser ella quien tomaba la decisión de dejarlo pasar o no. Y segundo porque era como si investigase cada llamada.

Al cabo de una media hora, apareció un joven delgado por una puerta disimulada entre los paneles de madera. Iba vestido con un traje de corte clásico, de color gris carbón. La corbata tenía bordado en el centro algo que parecía un lingote de oro. Se dirigió en línea recta a recepción y, tras inclinarse ligeramente, habló con la mujer en voz tan baja que ni siquiera en el silencio del vestíbulo pudo Willard oír lo que dijo, ni lo que le respondió la recepcionista.

Luego se volvió y, con una sonrisa cortés, se acercó a él.

—Señor Willard, sígame, por favor.

Sin esperar respuesta, giró sobre sus talones. Willard atravesó el vestíbulo. Al pasar ante el mostrador de recepción, vio que la mujer lo seguía con la mirada.

El joven lo guió a través de la puerta por un corredor recubierto de paneles de madera y débilmente iluminado. El suelo estaba enmoquetado y de las paredes colgaban pinturas de escenas de caza medievales. Vio puertas a ambos lados. Todas estaban cerradas y no oyó nada al otro lado. O bien las oficinas estaban vacías, cosa que dudaba, o las puertas estaban insonorizadas: otra anomalía en un lugar de trabajo, al menos en un lugar de trabajo que no formara parte de los servicios secretos.

El joven se detuvo finalmente delante de una puerta situada a la izquierda. Llamó una vez con los nudillos y abrió.

—El señor Frederick Willard —anunció con una extraña formalidad mientras entraba en el despacho.

Willard lo siguió y se encontró, no en un despacho, sino en una biblioteca sorprendentemente grande. Había estanterías en tres de las cuatro paredes, desde el suelo hasta el techo. La cuarta pared era un inmenso ventanal que daba a un jardín interior, pequeño pero maravillosamente arreglado, con una fuente central de estilo morisco. Parecía salido del siglo XVI.

Frente al ventanal había una larga mesa de gruesas patas, de madera maciza y oscura, pulimentada hasta alcanzar un brillo luminoso. Siete sillas de madera de alto respaldo rodeaban la mesa a intervalos regulares. En una se sentaba un hombre de hombros redondeados, cabello espeso con mechas plateadas peinado hacia atrás y cutis del color de la miel. Delante tenía un grueso volumen que leía con gran concentración. Levantó la vista y Willard se encontró con un par de ojos azules inquisitivos, una gran nariz de halcón y una sonrisa tensa.

—Pase, señor Willard —dijo —. Lo estábamos esperando.

—Tienen barcos de recreo..., yates muy caros —dijo Contreras.

—Para navegar a lo largo de la costa —apostilló Soraya.

—Es la forma más segura de transportar mercancías desde el centro de México, que es adonde las envían los cárteles colombianos.

El cielo del desierto era infinito, tan lleno de estrellas que en algunos lugares la noche se teñía de un tono azulado. La luna, en cuarto creciente, colgaba baja en el cielo, dando una ligera y valiosa luz. Contreras miró su reloj; al parecer se sabía de memoria el horario de las patrullas de la *migra*.

Estaban agachados bajo las densas sombras de las artemisas y de un gigantesco saguaro. Cuando hablaban, lo hacían entre susurros. Soraya imitaba al *pollero* para que, al hablar, su voz no se distinguiera en el viento seco del desierto.

—Su hombre es narcotraficante, no le quepa duda —razonó Contreras—. ¿Por qué, si no, alguien como él iba a entrar a escondidas en México?

Hacía más frío de lo que la mujer esperaba y sintió un escalofrío.

—A menos que alguien se reuniera con él, habría ido directamente a Nogales, donde habría robado un coche para marcharse al oeste por la costa.

Soraya estaba a punto de responder cuando el hombre se llevó el dedo a los labios. Prestó atención y al poco oyó lo que había alertado a Contreras: el suave crujido de unos pasos, unas botas que pisaban la tierra no muy lejos de ellos. Cuando se encendió una linterna, el *pollero* ni siquiera parpadeó, lo que significaba que lo estaba esperando. La luz trazó un arco, no hacia la zona en que estaban escondidos, sino en un área situada por delante de ellos, donde se encontraba la frontera invisible, desolada y azotada por el viento. Oyó un gruñido, la luz se apagó y el rumor de las botas se desvaneció a lo lejos.

Estaba a punto de cambiar de postura cuando Contreras le apretó el brazo y la obligó a estarse quieta. Incluso en la oscuridad estrellada pudo sentir que sus ojos la miraban fijamente. Contuvo el aliento. Poco después volvió a encenderse una luz, un foco cegador que barrió un buen trecho de desierto, delante de ellos. Tres disparos rasgaron la noche, levantando nubecillas de polvo donde las balas se hundieron en tierra.

Soraya oyó un breve gorgoteo que pudo haber sido una risa. La luz se apagó. Todo quedó de nuevo en silencio y el solitario gemido del viento volvió a hacerse dueño del paisaje.

«Ahora vamos nosotros», dijo Contreras sin emitir sonido, moviendo la boca.

Ella asintió. Fue tras él con las piernas agarrotadas, rodeando las artemisas. Avanzaron en semicírculo hacia la derecha y echaron a correr como flechas para cruzar la tierra llana que separaba Estados Unidos de México. No había nada que indicara que hubieran pasado de un país a otro.

Soraya oyó el aullido de un coyote a lo lejos, aunque no sabía de qué lado de la frontera procedía. Un conejo saltó delante de ellos y sufrió un sobresalto. Se dio cuenta de que el corazón le latía a toda velocidad y sentía una extraña música en los oídos, como si su sangre corriera demasiado aprisa por sus venas y arterias.

Contreras la conducía a paso rápido, sin detenerse, sin perder el rumbo. Su seguridad era absoluta. Confiaba en él. Era una sensación extraña y algo inquietante, que le hacía pensar en Amun, en El Cairo, en el tiempo que pasó en el desierto egipcio. ¿Era posible que sólo hubieran transcurrido unas semanas desde entonces? Tenía la impresión de haber vivido una eternidad desde la última vez que lo había visto; los mensajes de texto que habían cruzado se habían vuelto más breves y escasos conforme pasaba el tiempo.

En el cielo ya no se veían estrellas, y estaba tan oscuro como el fondo del océano, como si no fuera a amanecer al cabo de unas horas, ni fuese a levantarse el sol en el lejano horizonte del este. Oyó un trueno repentino, aunque sonó lejano, como si el rayo hubiera caído en otro país.

Anduvieron durante mucho tiempo por un paisaje llano y monótono que apenas parecía vivo. Por fin, Soraya vio brillo de luces y poco después Contreras la introdujo en Nogales, estado de Sonora.

—Hasta aquí llego —avisó el *pollero*. No miraba hacia las luces, sino hacia la negrura del límite oriental de la ciudad.

Soraya le pagó lo convenido y él se guardó el dinero en el bolsillo sin contarlo.

—El hotel Ochoa tiene habitaciones limpias y en la recepción no hacen preguntas —comentó. Con total indiferencia, escupió entre sus polvorientas botas de vaquero—. Espero que encuentre lo que está buscando —añadió.

Soraya asintió con la cabeza y Contreras se fue en dirección este, hacia un destino desconocido. Cuando la noche se lo tragó, ella se volvió y echó a andar hasta que el polvo se convirtió en tierra batida y luego en calles asfaltadas y aceras. Encontró el hotel sin problemas. Se celebraba un festival nocturno y la calle central estaba iluminada; en un extremo había una banda de mariachis que tocaba un ritmo rápido y pachanguero; en el otro habían instalado puestos de tacos y quesadillas. En medio se movía la multitud, bailando, dando traspiés de borrachos, gritando maldiciones amistosas a los músicos o a cualquiera que quisiera escuchar. Aquí y allá estallaba una pelea y se oían insultos. Un caballo relinchó y, dando bufidos, se puso a piafar.

No había nadie en la recepción del Ochoa. El encargado nocturno, un hombrecillo enjuto con cara de conejo, estaba viendo un culebrón mexicano en un pequeño televisor portátil de recepción defectuosa. Estaba embelesado en su cubículo, sin darse cuenta de nada. Apenas miró a Soraya cuando ésta le pagó el importe de una noche, y él le dio la llave, que colgaba encima de su cabeza. No le pidió el pasaporte ni ninguna otra identificación. Le daba igual que aquella mujer fuera una asesina en serie.

La habitación estaba en el primer piso y, como había pedido tranquilidad, en la parte de atrás. No tenía aire acondicionado, así que abrió la ventana de par en par y miró fuera. La habitación daba a un callejón y a una pared de ladrillo, que era la parte posterior de otro edificio, posiblemente un restaurante, a juzgar por la larga fila de cubos de basura que se alineaban a un lado de la puerta, cerrada sólo por un cancel de tela metálica. Una bombilla fluorescente arrojaba una enfermiza luz azul sobre los cubos de basura. Las sombras eran tan moradas como una magulladura. Mientras miraba, un hombre con un delantal lleno de manchas abrió el cancel y se sentó en un cubo de basura. Lió un porro, se lo puso entre los labios y lo encendió. Al tragar el humo cerró los ojos. Soraya oyó un rumor y vio que en un extremo del callejón había una pareja copulando contra la pared. El cocinero, perdido en las ensoñaciones producidas por la marihuana, no les hizo caso. Quizá ni siquiera los oía.

Soraya se apartó de la ventana y echó un vistazo a la habitación. Como le había dicho Contreras, estaba limpia y ordenada, incluso el cuarto de baño, gracias a Dios. Se desnudó y abrió el grifo de la ducha, esperando a que el agua saliera caliente para disfrutar del calor y quitarse la mugre y el sudor del cuerpo. Lentamente, los músculos se le aflojaron y comenzó a relajarse. Se sintió invadida por una repentina oleada de cansancio y entonces se dio cuenta de que estaba agotada. Salió de la ducha y se secó vigorosamente con la toalla. El delgado y áspero tejido le dejó la piel roja bajo el matiz moreno que la caracterizaba.

La ducha había dejado la habitación llena de vapor. Envuelta en la toalla, se acercó a la ventana para ver si podía disfrutar de la brisa nocturna, por leve que fuera. Fue entonces cuando vio a dos hombres apoyados en la pared del restaurante. A la luz de la bombilla vio que uno estaba comprobando algo en una agenda electrónica. Soraya se escondió tras la gastada cortina un segundo antes de que el otro hombre levantara los ojos hacia su ventana. Vio su rostro, oscuro y cerrado como un puño. El tipo dijo algo a su compañero y éste levantó la mirada hacia la ventana.

El hotel ya no era un lugar seguro. Retrocedió, se puso la ropa sucia y fue hacia la puerta. Al abrirla, irrumpieron dos hombres. Uno le sujetó las manos a la espalda y el otro le amordazó la boca y la nariz con un paño. Soraya trató de contener el aliento y de librarse de los brazos de hierro que la inmovilizaban. Fue inútil. Aquella lucha silenciosa duró poco más de un minuto y lo único que ella consiguió fue vaciar los pulmones de oxígeno. Luego, a pesar de su voluntad, el sistema nervioso parasimpático se hizo con el control y tuvo que respirar una vez, luego otra. Un horrible olor se adueñó de su ser y trató de gritar. Los ojos se le llenaron de lágrimas, que le corrieron por las mejillas. Aspiró con fuerza, en busca de aire fresco. Y entonces se sumió en la oscuridad y se desplomó en brazos de sus secuestradores.

Arkadin vio la aleta dorsal hendiendo el agua. A juzgar por el tamaño, el tiburón era de los grandes, de tres o cuatro metros de largo. Se dirigía en línea recta hacia la popa de la lancha motora. No era de extrañar, teniendo en cuenta la cantidad de sangre que había en el agua.

Se había ocupado de Stapan durante tres horas y el hombre era ahora un amasijo de carne ensangrentada, acurrucado en posición fetal, llorando sin poder contenerse y con un millar de cortes del que manaba la sangre, que formaba riachuelos rosados al mezclarse con el agua marina de la cubierta.

Pavel había sido testigo del interrogatorio, de la obscena carnicería y, de vez en cuando, de las protestas de inocencia de Stepan. Luego le tocó el turno a él. Había esperado que Arkadin utilizara también el cuchillo con él, como había hecho con Stepan, pero la parte clave del interrogatorio era la sorpresa, el terror de lo inesperado.

Arkadin había atado los pies de Pavel y con la ayuda del cabrestante lo había colgado boca abajo en la parte de proa. Cada vez que lo sumergía, aumentaba el tiempo que lo tenía bajo el agua, así que hacia la sexta o séptima vez, Pavel estaba convencido de que iba a morir ahogado. Luego Arkadin le había hecho cortes debajo de los ojos. Con la sangre manando de las heridas, lo había vuelto a sumergir en el agua. Había seguido así durante unos cuarenta minutos. Entonces apareció el tiburón. Pavel tuvo que verlo. Cuando Heraldo lo izó, estaba muerto de miedo.

Aprovechando la debilidad de la víctima, Arkadin le asestó tres puñetazos en rápida sucesión, rompiéndole dos o tres costillas. Pavel se puso a jadear; le costaba muchísimo respirar. Respondiendo a una seña de su jefe, Heraldo volvió a sumergir al tipo en el agua. El tiburón se acercó, curioso e interesado.

Pavel empezó a agitarse en el agua, dominado por el pánico. El movimiento sólo consiguió que el interés del tiburón aumentase. Los tiburones no tienen buena vista y se guían por el olor y el movimiento. Aquel olía a sangre fresca y el movimiento lo indujo a pensar que la presa estaba herida. Acelerando la marcha, se dirigió en línea recta hacia la criatura que sangraba.

Arkadin vio la repentina aceleración de la aleta dorsal y levantó el brazo para que Heraldo accionara el cabrestante e izase al hombre. Un momento antes de que su cabeza y sus hombros salieran del agua, Pavel se agitó y se sacudió salvajemente ante la acometida del tiburón. Cuando Heraldo tuvo al hombre colgando en el aire, lanzó un grito ahogado y, empuñando la pistola, se inclinó sobre la popa y vació el cargador, disparando un tiro tras otro sobre la imponente mole del escualo.

Con el agua salvajemente revuelta y ennegreciéndose con la sangre del tiburón, Arkadin se acercó al cabrestante, lo movió y bajó a cubierta a Pavel, que aullaba y gemía. Dejó que Heraldo se divirtiera. Desde que su hermano menor había perdido una pierna entre las fauces de un tiburón, tres años antes, al mexicano se le ponía cara de asesino cada vez que veía una aleta dorsal. Le había revelado aquella parte de su historia familiar una noche que estaba muy borracho y muy triste.

Arkadin volvió a prestar atención a Pavel. Lo que las repetidas inmersiones habían comenzado lo había terminado el tiburón. Su hombre estaba en muy malas condiciones. El escualo le había mordido y le había arrancado parte del hombro y de la mejilla izquierdos. Sangraba profusamente, aunque ése era el menor de sus problemas. Estaba traumatizado por el ataque del tiburón. Tenía los ojos abiertos como platos y miraba de un lado a otro sin fijarse en nada. Los dientes le castañeteaban sin control y todo él hedía a excremento.

Haciendo caso omiso de todo aquello, Arkadin se agachó al lado de su capitán y, poniéndole una mano en la cabeza, dijo:

—Pavel Mijáilovich, mi buen amigo, tenemos un grave problema que resolver. Y tú eres el único que puede solucionarlo. O Stepan o tú habéis estado pasando información a alguien ajeno a nuestra organización. Stepan jura que no ha sido él, lo cual me temo que te señala como parte culpable.

Pavel, gimiendo y gritando de dolor y miedo, no respondió hasta que Arkadin lo arrastró un poco y su cabeza quedó colgando fuera de la borda.

—¡Cálmate, Pavel Mijáilovich! ¡Mírame! Tu vida está en juego. —Cuando la mirada del hombre se detuvo en Arkadin, éste sonrió y le acarició el cabello—. ¡Sé que te duele, amigo mío, y por Dios que estás sangrando como un cerdo! Pero eso pasará pronto. Heraldo te remendará enseguida, créeme, es un maestro.

»Escucha, Pavel Mijáilovich, te propongo un trato. Cuéntame para quién trabajas y de qué le has informado, cuéntamelo todo y te curaremos. Quedarás como nuevo. Es más, haré saber que el topo era Stepan. Tu jefe se relajará, tú seguirás trabajando como antes, pasándole información, pero le pasarás sólo la información que yo te diga. ¿Qué te parece? ¿Aceptas?

Pavel gimió y asintió levemente con la cabeza, sin fuerzas para hablar.

—Bien. —Arkadin miró a Heraldo—. ¿Has terminado de divertirte?

—Ese hijoputa está muerto. —El mexicano escupió en el agua con satisfacción—. Y ahora vienen sus amigos a darse un festín con él.

Arkadin volvió a mirar a Pavel y pensó: «Y con este otro hijoputa».

El hombre de los penetrantes ojos azules hizo un gesto con la mano.

—Por favor, siéntese señor Willard. ¿Le apetece tomar algo?

—Un whisky me vendría bien.

El joven que lo había conducido hasta allí desapareció y volvió al poco rato con una bandeja cargada con un anticuado vaso de whisky, una jarra con agua y otra con cubitos de hielo.

Parecía otra persona la que andaba con las piernas de Willard, se apoderaba de una silla y se sentaba ante la larga mesa de patas macizas. El joven dejó la bandeja delante de él y salió por la puerta, cerrando a sus espaldas.

—No entiendo cómo podía estar esperándome —dijo Willard. Entonces recordó las ocho horas que había pasado navegando por Internet en busca de información sobre el Club Monition—. Mi dirección IP está protegida.

—Nada está protegido. —El hombre cogió el libro y, dándole la vuelta, se lo puso delante—. Dígame qué entiende de esto.

Willard vio una ilustración con una serie de letras y extraños símbolos. Reconoció las letras latinas, pero los otros signos le eran desconocidos. Sintió un escalofrío a lo largo de la columna vertebral. A menos que se equivocara, aquella serie era idéntica a la inscripción que había visto en las fotos que Oliver Liss les había enseñado a Peter Marks y a él.

Miró directamente a los ojos azul eléctrico de su interlocutor y dijo:

—No entiendo nada.

—Dígame, señor Willard, ¿es usted entendido en historia?

—Me gusta creer que sí.

—Entonces habrá oído hablar del rey Salomón.

Se encogió de hombros.

—Más que la mayoría, imagino —respondió.

El hombre que tenía delante se retrepó en la silla y cruzó las manos sobre su liso estómago.

—La vida y la época de Salomón están llenas de mitos y leyendas. Como suele suceder con la Biblia, a veces es difícil, por no decir imposible, discernir la verdad de la ficción. ¿Por qué? Porque sus discípulos tenían un interés especial en oscurecer la verdad. Ha habido multitud de historias, a cual más extravagante, alrededor del oro escondido de Salomón. Se ha hablado de cantidades inmensas que dejan pasmada la imaginación. Los historiadores y arqueólogos de la actualidad no creen en esas historias por estar distorsionadas o porque son patentemente falsas. Por ejemplo, ¿de dónde salió todo aquel oro? ¿De las legendarias minas? Aunque el rey hubiera utilizado diez mil esclavos, no podría haber amasado semejante fortuna en su breve vida. Así que ahora se da por seguro que no existió el cacareado oro del rey Salomón.

Se inclinó hacia delante y pasó el torcido dedo índice por la ilustración del libro.

—Esta serie de letras y símbolos cuenta una historia diferente. Es una pista... bueno, más que una pista, mucho más. Es una clave que explica, a los que quieren escuchar, que el oro del rey Salomón existió realmente, sin ninguna duda.

Willard rió por lo bajo sin poder contenerse.

—¿Hay algo que le parezca gracioso?

—Perdóneme, pero me cuesta tomarme en serio todas esas tonterías melodramáticas.

—Bueno, es usted libre de irse cuando quiera. Ahora mismo, si así lo desea.

Cuando el hombre fue a recoger el libro abierto, Willard alargó la mano y se lo impidió.

—Preferiría no hacerlo —repuso, aclarándose la garganta—. Usted ha hablado de la verdad frente a la ficción. —Se detuvo un momento—. Quizá sería conveniente que me dijera su nombre.

—Benjamin El-Arian. Soy uno de los pocos especialistas residentes que el Club Monition tiene a su servicio para tratar temas de historia antigua y su incidencia en el presente.

—Perdóneme de nuevo, pero en ningún momento he creído que, cuando menos lo esperaba, se me concediera una entrevista con un simple especialista después de navegar en Internet durante ocho horas, tratando de encontrar material sobre el Club Monition. No, señor El-Arian, aunque usted sea un especialista, no creo que ése sea su único trabajo.

El-Arian lo observó durante un rato.

—A mí me parece, señor Willard, que usted es demasiado serio y perspicaz para divertirse con lo que yo pueda decir. —Acercó el libro hacia sí y pasó una página—. Y, por favor, no olvidemos que es usted quien ha venido aquí, en busca de conocimientos, presumo. —Sus ojos se iluminaron en lo que tal vez fuera un instante de júbilo—. ¿O estaba pensando en buscar trabajo para infiltrarse entre nosotros como hizo en la NSA?

—Me sorprende que esté usted al tanto de eso, no es algo que sepa mucha gente.

—Señor Willard —replicó El-Arian—, no hay nada sobre usted que no sepamos. Incluyendo su papel en Treadstone.

«Vaya, por fin hemos llegado al meollo del asunto», pensó Willard. Esperó con expresión totalmente neutra, pero observando a Benjamin El-Arian como si fuera una araña aposentada en el centro de su tela.

—Sé que Treadstone es algo así como un tema crítico para usted —dijo El-Arian—, así que le diré lo que conozco. Por favor, no dude en corregirme si algo es erróneo. Treadstone fue fundado por Alexander Conklin, dentro de la Central de Inteligencia. De esta criatura salieron únicamente dos graduados: Leonid Danilovich Arkadin y Jason Bourne. Ahora han resucitado Treadstone bajo los auspicios de Oliver Liss, pero casi inmediatamente Liss se ha puesto a darle órdenes a usted, más aún de lo que la CI dio a su predecesor. —Se detuvo para dar tiempo a Willard, por si tenía que corregirle o poner alguna objeción. Como permanecía en silencio, prosiguió asintiendo con la cabeza—: Pero todo esto no es más que el prólogo. —Volvió a señalar el libro con el dedo—. Como Liss le ha ordenado que busque el anillo de oro con esta inscripción, puede que le interese saber que Liss no opera como entidad independiente.

Willard se puso tenso.

—Entonces, ¿para quién estoy trabajando realmente?

La sonrisa de El-Arian adoptó un aire sarcástico.

—Bueno, como todo lo referente a este tema, es complicado. El hombre que le ha dado fondos e información es Jalal Essai.

—Nunca he oído hablar de él.

—Ni debería. Jalal Essai no se mueve en sus mismos círculos. La verdad es que uno de los objetivos vitales de Essai, y mío también, es que no lo conozcan personas como usted. Es miembro del Club Monition, bueno, lo era. Verá usted, durante muchos años se creyó que ese anillo se había perdido. Es el único de su especie, por razones que enseguida le quedarán claras.

El-Arian se levantó y, acercándose a una sección de las estanterías, apretó un botón oculto. La sección se abrió hacia fuera, dejando al descubierto un servicio de té, consistente en una tetera de bronce, un plato de pastelillos espolvoreados y seis vasos, estrechos como los de chupito, pero unas tres veces más altos. Los puso sobre una bandeja y los llevó a la mesa.

Con aire ceremonial, sirvió té para los dos y señaló el plato de los pastelillos para que Willard los probara. Volvió a instalarse en la silla y se puso a sorber y saborear la infusión que, según descubrió Willard, era té con hierbabuena, una especialidad marroquí.

—Volvamos al asunto que tenemos entre manos —dijo, cogiendo un pastelillo y llevándoselo a la boca—. Lo que nos viene a decir la inscripción del anillo es lo siguiente: que el oro del rey Salomón no es una ficción. La inscripción contiene símbolos ugaríticos específicos. Salomón tenía a su servicio un batallón de profetas. Estos profetas, o algunos en cualquier caso, estaban versados en alquimia. Habían descubierto que recitando ciertas palabras y expresiones ugaríticas y poniendo en práctica procedimientos científicos que habían desarrollado podían convertir el plomo en oro.

Willard se quedó atónito. No sabía si reír o llorar.

—¿El plomo en oro? —murmuró finalmente—. ¿Tal como suena?

—Tal como suena. —El-Arian se introdujo otro pastelillo en la boca—. Ésta es la respuesta al misterio insoluble que le he planteado antes, es decir, cómo Salomón amasó tal cantidad de oro en su corta vida.

Willard se removió en la silla.

—¿Es eso lo que ustedes hacen aquí? ¿Buscar quimeras?

El-Arian esbozó una de sus enigmáticas sonrisas.

—Como ya le he dicho, es usted libre de irse cuando quiera. Pero no se irá.

Por pura maldad, Willard se puso en pie.

—¿Cómo lo sabe?

—Sencillamente, porque, aunque no estuviera convencido ya, la idea es muy atractiva.

Willard esbozó su propia sonrisa enigmática.

—Aunque sea una quimera.

El-Arian echó la silla atrás y se dirigió a la sección de las estanterías de la que había sacado el té y los pasteles. Rebuscó en el interior, sacó algo, lo llevó a la mesa y lo puso delante de Willard.

Éste le sostuvo la mirada un momento y luego la bajó a la mesa. Cogió una moneda de oro. Parecía antigua. Tenía troquelada una estrella de cinco puntas, junto con la inscripción «GRAM, MA, TUM, TL, TRA» en los ángulos que quedaban entre los vértices. En el centro de la estrella había un símbolo tan borrado que resultaba incomprensible.

—Esa estrella de cinco puntas es el sello del rey Salomón, aunque varias fuentes dicen que el sello era una estrella de seis puntas, una cruz troquelada con letras hebreas e incluso un nudo celta. Pero era la estrella de cinco puntas la que estaba grabada en el anillo que siempre llevaba, el que se decía que tenía propiedades mágicas. Por ejemplo, le permitía atrapar demonios y hablar con animales.

Willard se echó a reír.

—No creerá en esas paparruchas.

—Desde luego que no —replicó El-Arian—. No obstante, esa moneda de oro es, sin ninguna duda, parte del tesoro de Salomón.

—No me explico cómo puede estar tan seguro —adujo Willard—. No existe ningún experto que pueda verificar algo así.

La curiosa sonrisa de El-Arian retornó a su rostro.

—Para empezar, hemos verificado su antigüedad. Pero lo más importante es que hemos descubierto algo más —informó—. Dele la vuelta a la moneda, por favor.

Para sorpresa y desconcierto de Willard, el reverso de la moneda era totalmente diferente.

—Ya lo ve, esta cara no es de oro —expuso El-Arian—. Es de plomo, el metal original antes de que fuera transformada en oro.

15

Moira salió de Guadalajara a primera hora de la mañana y entró en el corazón de la tierra de los agaves azules, el estado mexicano de Jalisco. En el inmenso cielo había alguna pincelada de nubes flotando en el vívido azul. El sol era abrasador y el calor aumentaba conforme avanzaba la mañana. Hacia el mediodía, Moira tuvo que subir las ventanillas y poner el aire acondicionado. Se quedó sin cobertura varias veces y, sin el GPS, le costó algún tiempo encontrar Amatitán.

Aprovechó dicho tiempo para reflexionar con calma sobre su entrevista con Roberto Corellos. ¿Por qué le había dicho que había elegido a Berengaria para que los negocios de su hermano siguieran a flote? ¿Por qué iba a confiar en una mujer para administrar su medio de vida? Moira había conocido a muchos hombres como Corellos y ninguno destacaba por la modernidad de sus ideas en lo referente a las mujeres. Lo más que esperaban de ellas era que copularan, cocinaran y tuviesen hijos.

Meditó sobre estas cuestiones durante horas hasta que por fin divisó Amatitán. Corellos tenía un ardiente deseo de venganza. En un hombre de sangre temperamental como él, la venganza era una cuestión de honor. Ponerle los cuernos a su primo no podía ser suficiente para él. Era más probable que quisiera condenar a Narciso a vivir la clase de vida que su primo había intentado olvidar con tanto empeño. Eso sí sería venganza.

Si Berengaria había heredado realmente el negocio de la droga, tenía que haber un hombre moviendo los hilos entre bastidores. ¿Quién? Corellos no iba a decírselo y ella no tenía nada que ofrecerle a cambio, salvo su cuerpo, que no tenía la menor intención de utilizar. Pero Berengaria era otra historia. Puede que fuera una piraña, pero Moira ya se las había visto antes con pirañas. Lo que más había levantado sus sospechas era que a Corellos no le había preocupado en absoluto que quien había robado el portátil tuviera ahora acceso a la lista de clientes de Gustavo. La única razón que podía explicarlo era que el capo ya estuviera negociando con esa persona.

Los interminables campos de agaves azules la flanqueaban por ambos lados. Había gente trabajando en ellos, sudando y gruñendo a causa del esfuerzo. La hacienda de los Skydel estaba un poco más adelante.

Si, como creía ahora, el portátil de Essai (el ordenador robado a Gustavo Moreno) contenía la lista de clientes del capo de la droga, debía de tener algo más, algo de gran importancia para el jefe de ella, y Moira estaba dispuesta a jurar que no era simplemente su historia familiar, como él aseguraba. Entonces, ¿por qué Essai le había mentido? ¿Qué ocultaba aquel sujeto?

—Oliver Liss le ha estado mintiendo desde el día que lo conoció —aseguró Benjamin El-Arian.

—Ya espero que todo el mundo me mienta —dijo Willard—. Es un mal necesario en la vida que llevo.

Los dos hombres paseaban por el claustro morisco al que daba la biblioteca del Club Monition. Allí estaban al abrigo del viento. El sol, en lo alto del cielo, derramaba su calor sobre sus hombros.

—Así que está usted acostumbrado.

—Claro que no —repuso Willard, respirando profundamente. Había algo sembrado en el claustro, una hierba o una especia, cuyo aroma le resultaba agradable y familiar—. Mi vida es una guerra. Me muevo entre mentiras, así que me he entrenado para ver más allá de ellas. Y procedo en consecuencia.

—Entonces ya sabía que Oliver Liss no tenía intención de permitirle dirigir Treadstone con independencia.

—Claro, pero yo necesitaba a alguien que resucitara Treadstone. Sus objetivos y los míos nunca coincidirían. Pero era Liss o nadie.

—Ahora hay alguien más —anunció El-Arian—. Liss es propiedad de Jalal Essai. Como ya le he dicho, Essai fue miembro del Club Monition. En la actualidad se mueve solo.

—¿Qué lo llevaría a hacer eso? —preguntó Willard.

—Lo mismo que a usted le impidió irse de la biblioteca.

—¿El oro del rey Salomón?

El-Arian asintió con la cabeza.

—Cuando descubrió que el anillo de oro no estaba perdido, decidió que quería el oro para sí.

Willard se detuvo y se volvió hacia El-Arian.

—¿Exactamente de qué cantidad de oro estamos hablando?

—Es difícil saberlo con precisión, pero yo diría que la cantidad está entre cincuenta y cien mil millones de dólares.

Willard dio un largo silbido.

—Es un incentivo suficiente para corromper a un ejército. —Se rascó la cabeza—. Lo que no entiendo es por qué me está contando todo esto.

—Bourne tiene el anillo de Salomón —explicó El-Arian—. Y el otro graduado de Treadstone, Leonid Arkadin, está en posesión de cierto ordenador. Hace unos años, Alex Conklin envió a Bourne a robar el ordenador de Jalal Essai y él lo robó, pero por alguna razón que desconocemos, no llegó a entregárselo a su jefe. Lo hemos buscado durante años en vano. Fue como si se hubiera desvanecido por completo. Entonces uno de nuestros espías nos envió información a través de un agente, Marlon Etana. Dijo que Arkadin estaba en posesión del ordenador robado. ¿Cómo lo había conseguido? Un capo de la droga colombiano llamado Gustavo Moreno resultó muerto en un ataque hace aproximadamente un mes, pero el ordenador que contenía su lista de clientes no se encontró en la finca. Arkadin se las había arreglado para hacerse con él y ahora lo utiliza para entrar por las bravas en el negocio de Moreno.

—¿Y es el mismo ordenador portátil que robaron a Jalal Essai?

—Lo es.

—¿Y cómo narices terminó en manos de Gustavo Moreno?

El-Arian se encogió de hombros.

—Es un misterio que aún tenemos que resolver.

Willard se quedó pensativo.

—En cualquier caso, no es posible que esté interesado en una lista de distribuidores de estupefacientes —conjeturó—. ¿Por qué ese ordenador portátil es tan especial?

—El disco duro contiene un archivo oculto con la clave para localizar el oro del rey Salomón.

Willard se quedó atónito.

—¿Me está diciendo que Arkadin sabe dónde está el oro?

El-Arian negó con la cabeza.

—Dudo que sepa de la existencia del archivo oculto. Como le he dicho, lo robó para conseguir la lista de clientes de Moreno. Pero aunque conociera la existencia del archivo, no podría abrirlo. Está protegido.

—Nada está protegido —repitió Willard—, como usted mismo dijo.

—Salvo ese archivo. No hay programa de desencriptación ni ordenador en la tierra que pueda abrirlo. Sólo hay una forma de leerlo. El ordenador tiene un puerto especial. Hay que insertar el anillo de Salomón en ese puerto, un lector escanea el interior del anillo y el archivo se abre.

—Entonces Essai tenía el portátil —dijo Willard—. ¿Y el anillo?

—Jalal Essai tenía ambos objetos.

—No le veo ningún sentido. ¿Por qué no fue a buscar el oro de Salomón él mismo?

—Porque aunque hubiera abierto el archivo, no habría podido hacer nada con él. —El-Arian, apartándose del sol para buscar la sombra, pareció cambiar de tamaño y de presencia a la vez, como si se tratara de dos hombres que se movieran con una ligera asincronía—. En el archivo falta una sección de instrucciones.

—Y Essai no la tiene.

—No.

—¿Y quién lo tiene? —inquirió Willard.

—Se encuentra en Marruecos, en una habitación especial de una casa de Tineghir, una ciudad de las montañas del Alto Atlas.

Willard cabeceó.

—Sé que es fácil hacer preguntas después de los hechos, pero ¿por qué a Essai se le confió el ordenador y el anillo?

—Su familia es la más antigua y la más estricta en cuanto a religión. La creencia general fue que él era el más adecuado.

Se produjo un silencio mientras ambos hombres posiblemente pensaban que se había producido un error de juicio.

—Lo que sigo sin entender es por qué está ocurriendo todo esto ahora. Hubo un momento en que ustedes tenían el anillo y el ordenador. ¿Por qué no fueron entonces en busca del oro?

—Lo habríamos hecho, por supuesto —admitió El-Arian—, pero no podíamos. Nos faltaba esa parte de las instrucciones que le he dicho. Después de buscar durante decenios, fueron descubiertas por casualidad cuando un terremoto en Irán dejó al descubierto un yacimiento arqueológico con mucha información. Gran parte de esa información había desaparecido misteriosamente de la Gran Biblioteca de Alejandría antes del primer incendio. Un papiro contenía datos sobre la corte del rey Salomón.

—Y todo esto salió a la luz después de la desaparición del anillo y el robo del ordenador.

—Exacto. —El-Arian abrió las manos—. Así que ya ve que sus objetivos y los nuestros coinciden. Usted quiere reunir a Bourne y Arkadin para saber de una vez para siempre cuál es el guerrero vencedor. Nosotros queremos el anillo y el ordenador.

—Discúlpeme, pero no veo la relación entre un hecho y otro.

—Hemos intentado sin éxito quitarle el ordenador a Arkadin. He perdido a todos los hombres que he enviado a matarlo, y estoy cansado de enviar gente a una muerte cierta. También sé que la CI lleva años intentando matar a Bourne sin éxito. No, la única manera de obtener lo que queremos es poner frente a frente a los dos hombres.

—Es probable que Bourne tenga el anillo, pero ¿tendrá Arkadin el ordenador?

—Hace tiempo que no lo pierde de vista.

Reanudaron el paseo, dando vueltas a la fuente central, en la que un petirrojo saciaba su sed sin dejar de observarlos con nerviosismo. Willard comprendió el nerviosismo del pájaro.

—Si no he creído a Oliver Liss —objetó—, ¿por qué iba a creerlo a usted?

—No espero que me crea —respondió El-Arian—. Pero le propongo algo para demostrar mi sinceridad: usted me ayuda a reunir a Bourne y Arkadin, algo que de todas formas quiere hacer, y yo le quitaré a Oliver Liss de la espalda.

—¿Cómo hará eso? Liss es un hombre con mucho poder.

—Créame, señor Willard, Oliver Liss ni siquiera sabe cuál es el significado del poder. —Benjamin El-Arian se volvió. El sol le dio en los ojos, que parecieron chispear como un motor poniéndose en marcha—. Desaparecerá de su vida.

Willard negó con la cabeza.

—Me temo que las promesas no bastan. Quiero la mitad ahora y el resto cuando haya reunido a Bourne y Arkadin.

El-Arian abrió las manos.

—Estamos hablando de un hombre, no de dinero.

—Ése es un problema que tendrá usted que resolver —apuntó Willard—. Echaré a rodar la bola en el momento, y sólo en el momento, en que sus actos corroboren sus palabras.

—Bien, de acuerdo. —El-Arian sonrió—. Sólo tendré que cambiar un poco el plan en lo relativo al señor Liss.

La mansión Skydel se alzaba en el centro de una inmensa hacienda. Estaba construida al estilo colonial español, con paredes enjalbegadas, contraventanas de madera tallada, barandillas de hierro y techumbre de tejas de arcilla. Cuando llamó Moira, le abrió la puerta una mujer con uniforme de doncella. Moira se presentó y la doncella la condujo por un vestíbulo de suelo de terrazo y a través de un salón grande y fresco. Finalmente salieron a un patio de losas de piedra que daba a una cancha de tenis de tierra batida, jardines y una piscina en la que una mujer, presumiblemente Berengaria Moreno, se estaba bañando. Más allá, el paisaje consistía en un interminable campo de omnipresentes agaves azules.

El aroma embriagador de las rosas importadas de Europa envolvió a Moira cuando la condujeron hasta un hombre sentado ante una mesa de cristal y hierro forjado, sobre la que había una serie de platos de cerámica mexicana con comida y jarras de sangría, unas de vino tinto, otras de vino blanco, con rodajas de fruta fresca.

El hombre se levantó al verla, esbozando una amplia sonrisa. Llevaba una camiseta de felpa de manga corta y bañador de surfista que revelaba un cuerpo esbelto y velloso.

—¡Bárbara! —gritó por encima del hombro—. ¡Nuestra invitada ha llegado!

Luego alargó la mano y estrechó la de Moira.

—Buenas tardes, señorita Trevor. Narciso Skydel. Es un placer conocerla.

—El placer es mío —respondió ella.

—Por favor —dijo, haciendo un ademán con la mano—. Siéntase como en su casa.

—Gracias —respondió al tiempo que elegía una silla.

—¿Blanco o tinto?

—Blanco, por favor.

El hombre sirvió dos vasos de sangría blanca, le alargó uno y se sentó.

—Debe de estar hambrienta después de tan largo viaje. —Señaló la comida—. Por favor, sírvase usted misma.

Mientras Moira se llenaba el plato, Berengaria Moreno, conocida allí como Bárbara Skydel, salía de la piscina y, secándose con la toalla, se dirigía al patio por el sendero de piedra. Era una mujer alta y delgada, con el pelo húmedo recogido en una cola de caballo que dejaba despejado su hermoso rostro. Moira se la imaginó con Roberto Corellos, poniéndole los cuernos a su marido. Bárbara llegó al patio y se acercó a ella con los pies descalzos. Su apretón de manos fue frío, firme y formal.

—El publicista de Narciso dijo que estaba escribiendo un reportaje sobre el tequila, ¿es así? —Tenía una voz profunda para salir de la garganta de una mujer, y vibrante, como si la hubieran enseñado a cantar de pequeña.

—Exacto —dijo Moira, tomando un sorbo de sangría.

Inclinándose sobre la jarra, Narciso le informó de que el tequila se obtenía de la *piña* del agave azul, es decir, de su parte central.

Bárbara lo interrumpió.

—¿Qué clase de reportaje está escribiendo? —Se sentó al otro lado de la mesa, enfrente de los dos, detalle que a Moira le pareció una elección reveladora. Lo más natural habría sido sentarse al lado de su marido.

—Es un trabajo sociológico. Los orígenes del tequila, lo que ha supuesto para los mexicanos, todo eso.

—Todo eso —repitió Bárbara—. Bueno, para empezar, el tequila no es una bebida de origen mexicano.

—Pero los mexicanos tenían que conocer el agave azul.

—Por supuesto. —Bárbara Skydel cogió un plato y lo llenó de comida de diferentes bandejas—. Durante siglos se cocinó y vendió la *piña* como un dulce. Luego nos invadieron los españoles. Los franciscanos españoles colonizaron este fértil valle y fundaron la ciudad de Santiago de Tequila, en 1530. Fue a los franciscanos a los que se les ocurrió fermentar los azúcares de la *piña* para conseguir un potente licor.

—Entonces —observó Moira—, el agave azul sería otro aspecto de la cultura mexicana del que se apropiaron y cambiaron los conquistadores.

—Bueno, peor que eso, la verdad sea dicha. —Bárbara se chupó las yemas de los dedos y Moira recordó que Roberto Corellos había hecho algo parecido—. Los conquistadores se limitaron a matar a los mexicanos. Los franciscanos que viajaban con ellos desmantelaron sistemáticamente la forma de vida mexicana y la reemplazaron por la cruel versión española del catolicismo. Hablando en términos étnicos, fue la Iglesia española la que destruyó la cultura mexicana. —Sonrió enseñando todos los dientes—. Los conquistadores eran simples soldados que iban tras el oro mexicano. Los franciscanos eran soldados de Dios, querían el alma mexicana.

Mientras Bárbara se servía un vaso de sangría de tinto, Narciso se aclaró la garganta.

—Como puede ver, mi esposa se ha convertido en una feroz defensora de la forma de vida mexicana.

Parecía incómodo con aquella conversación, como si su mujer tuviera malos modales. Moira se preguntó desde cuándo habrían sido las convicciones de Bárbara un muro de contención entre ellos. ¿No estaba de acuerdo con ella o pensaba que su franqueza a propósito de aquel tema era mala publicidad para su compañía, una compañía, que, al fin y al cabo, dependía totalmente de los consumidores?

—¿Siempre ha pensado usted así, señora Skydel?

—Yo me crié en Colombia y allí sólo me enteraba de la lucha de mi pueblo contra nuestros dictadores militares y los ejércitos fascistas.

Narciso suspiró con aire teatral.

—México la ha cambiado.

A Moira no se le escapó el timbre de resentimiento que vibró en su voz. Observó a Bárbara mientras comía, un acto elemental que a menudo revelaba más cosas sobre la gente de lo que se creía. Y aquella mujer comía con rapidez y agresividad, como si fuera necesario defender su comida, y ello le llevó a preguntarse cómo habría sido su niñez. Por ser la única niña, habría sido la última en comer, junto con su madre. Además, estaba totalmente concentrada en la comida y Moira imaginó que para ella era una experiencia sensual. Le gustó la forma en que comía, le parecía atractiva y recordó de nuevo que Corellos había comentado que era una piraña.

En aquel momento sonó el teléfono de Narciso. Éste lo cogió y se levantó, murmurando una disculpa. Moira notó que Bárbara no le hacía el menor caso mientras se dirigía a la casa.

—Como ha podido ver —prosiguió Bárbara—, hay varias formas de contar esta historia. —Hablaba de forma directa y miraba a su interlocutor a la cara mientras tanto—. Me gustaría influir en la exposición que va a hacer usted.

—Ya lo ha hecho.

Bárbara asintió con la cabeza. Era una de esas mujeres afortunadas que podía alardear de tener una excelente estructura ósea, piel luminosa y un cuerpo prieto y atlético que desafiaba el paso del tiempo. Era imposible imaginar su edad exacta. Basándose en sus modales, Moira dedujo que debía de haber pasado los cuarenta, aunque parecía cinco o seis años más joven.

—¿De dónde es usted?

—Acabo de llegar de Bogotá —respondió Moira. Sabía que estaba corriendo un riesgo, pero no tenía tiempo de sacar el tema y tenía que aprovechar la ausencia de Narciso—. Estuve hablando con Roberto Corellos, el primo de Narciso. —Miró atentamente el rostro de la otra mujer—. Y, casualidad o no, antiguo amigo de usted.

Algo frío y oscuro cruzó el rostro de Berengaria Moreno.

—No sé a qué se refiere. Corellos y yo nunca nos hemos visto cara a cara —dijo fríamente.

—Pero sí en la intimidad.

Durante un largo e incómodo momento, Bárbara guardó silencio. Cuando abrió la boca de nuevo, ya no parecía atractiva, ni siquiera guapa, y Moira supo exactamente a qué se había referido Corellos. «Aquí está la piraña», pensó.

En voz baja y amenazante, Bárbara dijo:

—Puedo hacer que la echen a puntapiés, que la muelan a palos, incluso... —Al llegar a este punto se tragó las palabras.

—¿O qué? —la azuzó Moira—. ¿Hacer que me maten? Bueno, las dos sabemos que su marido no tendría huevos para hacerlo.

Inesperadamente, Bárbara se echó a reír.

—Ay, *Jesús mío*, ¿se lo imagina? —Casi inmediatamente se puso seria—. Roberto no tenía por qué contarle lo que pasó.

—Eso tendrá que discutirlo con él.

Moira advirtió que Bárbara miraba de reojo hacia la casa, mientras Narciso, que todavía estaba hablando por teléfono, iba de un lado a otro tras las puertas de cristales.

Bárbara se puso en pie.

—¿Qué tal si damos un paseo?

Tras vacilar un momento, Moira apuró el vaso de sangría y, levantándose, la siguió más allá de la cancha de tenis, hacia los jardines. Cuando estuvieron lejos de la casa, en una polvorienta arboleda de pinos enanos, Bárbara se volvió hacia ella y le dijo:

—Me interesas. ¿Quién eres? Desde luego, una reportera no.

Moira se preparó mentalmente para lo peor.

—¿Por qué dices eso?

Bárbara se inclinó hacia ella con la actitud amenazadora que habría utilizado un hombre.

—Roberto no le habría hablado de nosotros a un reportero. No te habría dicho ni una puñetera mierda.

—¿Qué quieres que te diga? —Moira se encogió de hombros—. Le caí bien.

Bárbara lanzó un bufido.

—A Roberto no le cae bien nadie, sólo se quiere a sí mismo. —Agachó la cabeza y bruscamente sus modales cambiaron, pasaron de amenazadores a seductores. Hizo retroceder a Moira hasta un árbol, levantó la mano, le cogió un mechón de cabello y se lo enroscó en el dedo—. Así que te lo chingaste, o al menos le hiciste una mamada.

—No me tocó.

Bárbara le acarició con el dorso de la mano la mejilla. ¿Estaba celosa y trataba de seducirla o sólo la estaba pinchando?

—Llegaste hasta él de alguna manera. ¿Cómo lo conseguiste?

Moira sonrió.

—Fui la primera de la clase en la escuela de encanto.

Los largos dedos de Bárbara eran como plumas en su mejilla y su oreja.

—¿Qué vio Roberto en ti? Puede que sea un bruto y un capullo, pero una de sus mayores cualidades es calar a la gente en cuanto la ve. Por eso sigo preguntándome por qué has venido. —Pegó los labios a la mejilla de Moira—. No ha sido para entrevistar a mi marido, creo que eso ha quedado claro.

Moira pensó que tenía que sorprender a Bárbara si quería ganar aquel combate.

—He venido a investigar el asesinato del hombre que apareció en vuestra propiedad hace unas semanas.

La mujer retrocedió.

—¿Eres policía? ¿La policía americana está interesada en ese asesinato?

—No soy de la policía —respondió Moira—. Soy agente del Gobierno.

Bárbara pareció quedarse sin aire.

—¡Cabrona! —exclamó—. Así fue como llegaste hasta Roberto.

—Berengaria, quiero que me lleves al lugar donde encontraron el cadáver —exigió Moira—. Quiero que me lleves ahora mismo.

Bourne conducía el Opel gris de Ottavio Moreno, obedeciendo con exactitud las instrucciones que Coven le había dado. Ottavio estaba sentado junto a él, poniendo a punto las cosas que había comprado Jason. Había silencio entre ellos, sólo se oía el rumor de los neumáticos rodando en la carretera, el silbido del tráfico que repercutía en las ventanillas cerradas.

—Veinte minutos —dijo Bourne finalmente.

—Estaremos listos —respondió Ottavio sin levantar la cabeza de lo que hacía—. No te preocupes.

Bourne no estaba preocupado, no formaba parte de su naturaleza, y si alguna vez lo había estado, el adiestramiento de Treadstone hacía tiempo que había eliminado la posibilidad. Pensaba en Coven, el hombre con aquel apellido que sin duda ocultaba a un agente de la CI. Sabía bien que la CI adiestraba y dirigía un cuadro de agentes operativos especializados en trabajos sucios. Tenía que saber todo lo que pudiera sobre Coven antes de encontrarse con él y sólo había una persona que podía ayudarlo.

Sacó el teléfono móvil y marcó un número que no había utilizado desde hacía tiempo. Cuando respondió la conocida voz, dijo:

—Peter, soy Jason Bourne.

Peter Marks iba a ver al inspector jefe Lloyd-Phillips, que lo estaba esperando en el Club Vesper, cuando recibió la llamada. Casi se echó a temblar cuando oyó la voz de Bourne.

—¿Dónde carajo estás? —Marks, sentado en uno de esos inmensos taxis londinenses, había levantado la voz sin darse cuenta.

—Necesito tu ayuda —solicitó Bourne—. ¿Qué sabes de Coven?

—¿El agente de campo de la CI?

—No has dicho *nuestro* agente de campo. ¿Has dejado la CI, Peter?

—La verdad es que dimití no hace mucho. —Marks se impuso reducir los latidos de su corazón a un nivel aceptable. Tenía que descubrir dónde estaba Bourne y llegar hasta él—. Danziger ha creado un ambiente tóxico que no podía soportar. Poco a poco se está deshaciendo de todos los que eran leales al Viejo. —Tosió al sentir frío de repente y se estremeció durante un segundo—. Ya sabes que despidió a Soraya.

—No, no lo sabía.

—Jason, quiero que sepas... que me alegro mucho de que estés vivo.

—Peter, háblame de Coven.

—Bien, Coven. Es tan peligroso y tan eficaz como se pueda ser. —Marks meditó un momento—: Duro, sin remordimientos, un auténtico cabrón.

—¿Sería capaz de hacerle daño a un niño?

—¿Qué?

—Ya me has oído —recalcó Bourne.

—Joder, no creo. Es un hombre devoto de su familia, en serio. —Marks respiró hondo—. Jason, ¿qué coño está pasando?

—Ahora no tengo tiempo...

—Escucha, me han enviado a Londres para investigar qué pasó en el Club Vesper.

—Peter, el incidente del Club Vesper ocurrió anoche. Si es cierto que estás en Londres...

—Estoy en Londres y camino del Club Vesper ahora mismo.

—Entonces todavía estabas en el avión cuando yo me encontraba en el club, así que corta el rollo, Peter. ¿Para quién trabajas ahora?

—Para Willard.

—Eres de Treadstone.

—Exacto. Estamos trabajando para el mismo...

—Yo no trabajo para Treadstone ni para Willard. En realidad —prosiguió Bourne—, cuando vuelva a ver a Willard le voy a retorcer el pescuezo. Me vendió. ¿Por qué lo hizo, Peter?

—No lo sé.

—Adiós, Peter.

—¡Espera! No cuelgues, tengo que verte.

Hubo una breve pausa. Marks notó que le sudaba la mano, tanto que el teléfono casi se le resbaló.

—Jason, por favor. Es importante —insistió Marks.

—¿No vas a preguntarme por qué estaba con el hombre que apuñaló a Diego Herrera?

—Puedes decírmelo, si quieres. Pero francamente, no me importa. Sé que tendrías una buena razón.

—Buen hombre. Willard te está adiestrando bien.

—Tienes razón, por supuesto. Willard es un auténtico cabrón. Hará cualquier cosa por resucitar Treadstone.

—¿Por qué?

Marks vaciló. Nunca le había hecho gracia ligar su estrella al sueño de Willard, pero en aquel momento no creía tener elección. Y por supuesto, Willard lo había manipulado a la perfección, explotando su deseo de vengarse de Danziger y de su amo, Bud Halliday. Cuando le prometió que encontraría la forma de hundir a Halliday, y a Danziger con él, lo tuvo en el bote. Pero Willard había cometido un error cuando pidió a Marks que traicionara a Bourne. Willard, que sólo era leal a la idea de Treadstone, era incapaz de concebir las lealtades personales y mucho menos imaginar la fuerza que dichas lealtades podían llegar a tener.

Marks respiró hondo.

—Willard quiere reuniros a Arkadin y a ti para saber de una vez por todas qué protocolo de adoctrinamiento de Treadstone es superior. Si Arkadin te mata, volverá al protocolo original, haciendo algún pequeño ajuste, y comenzará a adiestrar reclutas.

—¿Y si mato yo a Arkadin?

—Entonces dice que tendrá que estudiarte para averiguar cómo te ha cambiado la amnesia, para poder alterar en consecuencia el programa de adiestramiento de Treadstone.

—Un mono en una jaula.

—Me temo que sí.

—¿Y se supone que tú eres el encargado de llevarme a Washington?

—No, no es tan sencillo. Pero si nos vemos, te lo explicaré todo.

—Quizá, Peter. Si creo que puedo confiar en ti.

—Jason, puedes fiarte. Claro que puedes. —Marks creía fervientemente en lo que decía, con cada fibra de su ser—. ¿Cuándo podemos...?

—Ahora no. Lo que necesito de ti en estos momentos es que me cuentes todo lo que sepas sobre Coven..., especialmente su forma de actuar, sus tendencias y de qué puede ser capaz, llegado el caso.

Bourne escuchó a Peter Marks, archivando en su cerebro todo lo que decía. Luego le dijo que volverían a hablar y cortó la comunicación. Durante un rato se concentró en el tráfico creciente, dejando que su subconsciente trabajara en el problema que tenía a mano..., es decir, en cómo neutralizar a Coven sin poner en peligro la vida de Chrissie y Scarlett.

Entonces vio el rótulo de George Street y recordó de inmediato la tarde que había pasado en Oxford. Pero sus pensamientos no estaban relacionados con Chrissie y el profesor Giles. Como si hubiera sido la víspera, recordó la visita que había efectuado al Centro de Estudios de Documentos Antiguos de Old Boy's School, en George Street, Oxford. Utilizando el nombre de David Webb, había ido a visitar al profesor de lingüística, pero una vez dentro se había impuesto la identidad de Bourne. Sabía, aunque no se explicaba cómo, que en aquella fecha concreta estaba en posesión del ordenador portátil que le había robado a Jalal Essai. Había aprovechado un momento libre entre sus clases en Oxford para entrar en el Centro de Estudios de Documentos Antiguos. ¿Qué había hecho allí? ¿Qué estaba buscando? No lo recordaba. Pero sabía que lo que había descubierto allí, fuera lo que fuese, lo había inducido a quedarse el ordenador. ¿Qué había hecho con él? Lo tenía en un rincón de la memoria, como el resplandeciente borde del sol en un eclipse. Casi lo tenía, casi.

El cruce que Coven le había descrito apareció de pronto a la derecha y tuvo que alejarse del recuerdo, dejarlo escapar, porque era hora de enfrentarse con el agente de la CI.

16

—Desde aquí tenemos que ir andando. —Bárbara bajó del jeep. A pesar del persistente calor, se había puesto unos tejanos, botas de vaquero y una camisa de cuadros con las mangas subidas hasta los codos.

Moira la siguió. Habían recorrido en coche alrededor de kilómetro y medio, hacia el oeste de la mansión, pero seguían estando dentro de los límites de la inmensa finca. A lo lejos destacaban colinas azules y polvorientas, y el dulce, casi fermentado aroma del agave azul volvía espeso el aire. El sol temblaba mientras se acercaba a la línea del horizonte. La tierra, tras almacenar el calor del día, parecía hervir. Al oeste, el cielo era blanco y deslumbrante.

—Narciso dijo que esto acabaría olvidándose, pero yo sabía que no.

—¿Y eso por qué? —preguntó Moira.

—Así es como siempre ocurren las cosas.

—¿Qué cosas? —presionó Moira.

—Siempre te joden las cosas más pequeñas.

—¿El asesinato es una cosa pequeña?

Bárbara levantó la barbilla con desdén.

—¿Crees que me importaba algo un tipo a quien ni siquiera conocía?

—¿Qué pasó con la investigación policial? —preguntó Moira mientras avanzaban por el árido terreno.

—Lo de costumbre. —Bárbara entornó los ojos para protegerse del sol—. Un inspector de Tequila nos hizo preguntas, pero no identificaron al muerto ni nadie reclamó su cadáver. Pasó varias semanas interrogándonos, a nosotros y al personal de la casa. Se convirtió en un fastidio total. No dejaba de decir que tenía que haber un motivo para que el muerto apareciera en nuestras tierras. Éramos los principales sospechosos, pero él y los de su clase son tan ineptos que finalmente se vio obligado a dejarse de insinuaciones y especulaciones. Después, silencio total. Por lo que sé, el caso se cerró.

—Ésa es la perspectiva mexicana —adujo Moira—. Para nosotros, el asesinato ha adquirido implicaciones mayores.

En la voz de Bárbara vibró la preocupación que Moira había percibido antes.

—¿Cuáles?

—Por ejemplo, sabemos que la víctima trabajaba para tu difunto hermano en su casa de las afueras de Ciudad de México, así que hay una conexión entre la víctima y tú.

—¿Trabajaba para Gustavo? No tenía ni idea. Yo no tenía nada que ver con los negocios de mi hermano.

—¿De veras? Eso es difícil de aceptar, teniendo en cuenta que te has acostado con su proveedor.

—¿Hay más ejemplos?

Moira guardó silencio deliberadamente. Parecía que se estaban acercando a la escena del crimen, o al menos al lugar donde habían dejado el cadáver, porque Bárbara se detuvo y empezó a mirar a su alrededor.

—Ahí fue. —Señaló un punto situado a unos metros delante de ellas—. Ahí fue donde encontraron el cadáver.

En aquel árido clima, aún eran visibles las huellas de hacía unas semanas, aunque se habían superpuesto las de las botas de los policías. Moira rodeó lentamente el lugar, escrutando el terreno.

—La tierra no ha sido excavada, ni siquiera removida. Parece que no hicieron ninguna búsqueda a fondo en la escena del crimen.

—No lo hicieron. Nos echaron de aquí mientras ellos se quedaron —informó Bárbara.

Moira comenzó la investigación con seriedad. Se puso un par de guantes de látex y miró entre la tierra, el polvo y los matorrales. Por algún misterioso medio, Jalal Essai había conseguido las fotos policiales de la víctima, que lo mostraban tendido de costado. Tenía las muñecas atadas a la espalda, las piernas dobladas en ángulo y la cabeza inclinada hacia delante. Por la postura se podía deducir que estaba de rodillas en el momento de su muerte. Essai había tratado de hacerse con el informe de la autopsia, pero o lo había perdido el forense o lo había perdido la policía; las dos partes parecían igual de incompetentes.

—Otro ejemplo —dijo Moira, con ganas de seguir aumentando la tensión de Bárbara—. Sabemos que la víctima salió de la casa menos de treinta minutos antes de sufrir la agresión que acabó con él. —Levantó la cabeza para mirar a la mujer a los ojos—. Lo que significa que estaba sobre aviso.

—¿Por qué me miras a mí? —objetó Bárbara—. Ya te dije que no tenía nada que ver con los negocios de Gustavo.

—¿Vas a seguir diciendo eso hasta que te crea?

Bárbara cruzó los brazos sobre el pecho.

—Púdrete en el infierno. Yo no tuve nada que ver con la muerte de ese hombre.

Moira estaba buscando casquillos perdidos. Lo curioso de las fotos era que revelaban que a la víctima le habían disparado con una pistola de pequeño calibre. Un tiro en la base del cráneo. La ausencia de pólvora o de quemaduras en la piel de la víctima y en sus ropas indicaba que el asesino no había disparado desde muy cerca, cosa deseable cuando se quiere matar a un hombre con un arma de pequeño calibre.

Estuvo no menos de cuarenta minutos cribando el suelo con los dedos, pero Moira seguía sin encontrar nada. Había peinado ya toda la zona que rodeaba la escena del crimen. Claro que siempre era posible que a la víctima la hubieran matado en otro lado y arrojado allí después, pero no lo creía. Si, como sospechaba, las razones del asesino no eran sólo silenciar a la víctima, sino además implicar a los Skydel, querría que el asesinato ocurriera en la propiedad del matrimonio.

Amplió el radio de la investigación hasta abarcar más matojos. Moira, nuevamente de rodillas, comenzó a escarbar en la base de aquellas plantas de color verde grisáceo. El sol seguía descendiendo y a la sazón quedó oculto detrás de una bandada de nubes estriadas. El paisaje se volvió añil a la luz de aquel falso crepúsculo. Se puso en cuclillas, esperando a que hubiera más luz. Cuando el sol reapareció, la escena del crimen se pobló de brillantes fragmentos de color entre rojo y dorado, desperdigados en el terreno en ángulo agudo. Las sombras de las dos mujeres se proyectaban detrás de ellas como gigantes estirados.

Moira percibió un relumbrón con el rabillo del ojo, como el destello de un diamante, que desapareció enseguida. Volvió la cabeza y se dirigió rápidamente al lugar donde había visto el reflejo. No había nada. A pesar de todo, hundió los dedos en la tierra y los movió hacia delante, abriendo surcos y echando a un lado la tierra reseca.

Y allí estaba, de repente, en la palma de su mano, mientras los granos de tierra resbalaban entre sus dedos. Asió con cuidado el objeto con el pulgar y el índice y lo levantó para mirarlo a la luz del sol. Vio de nuevo el destello y leyó las marcas de la cápsula, con el corazón acelerado.

Bárbara se acercó.

—¿Qué has encontrado? —Parecía haberse quedado sin aliento.

Moira se puso en pie.

—¿Se te ha ocurrido pensar que a la víctima la mataron deliberadamente en tu finca?

—¿Qué? ¿Por qué?

—Como ya te he dicho, la víctima trabajaba para tu hermano Gustavo. Sin embargo, estaba al servicio de otra persona. Esta otra persona avisó a la víctima de la agresión y la víctima huyó. ¿Por qué la avisaron si iban a matarla unas horas después?

Bárbara negó con la cabeza, pero no dijo nada.

—Cuando dejó la casa de Gustavo —prosiguió Moira—, se llevó el ordenador de tu hermano, que contenía todos sus contactos relacionados con el narcotráfico.

Bárbara se relamió los labios.

—La persona que pagaba a la víctima la mató.

—Sí.

—La mató de un tiro en mi finca.

—Sí, para implicarte —afirmó Moira—. Te salvó la suerte, que esta vez adoptó la forma de incompetencia policial.

—Pero ¿por qué esa persona quería implicarme en el asesinato?

—Esto no es más que una simple especulación —dijo Moira—, pero yo diría que quería tenerte fuera de juego.

La mujer volvió a cabecear sin decir nada.

—Piénsalo —prosiguió Moira—: la persona que tiene el ordenador de Gustavo se hace cargo de los negocios de tu hermano. Su plan era entrar en ellos por las malas y deshacerse de cualquiera que encontrara en su camino.

Bárbara la miraba con los ojos muy abiertos.

—No te creo.

—Ahí es donde interviene este casquillo. —Moira levantó el objeto en cuestión—. Las fotos de la policía mostraban que a la víctima la mataron de un solo tiro en la base del cráneo. Lo extraño fue que el asesino utilizara una pistola de pequeño calibre, aunque no estuviera muy cerca de la víctima. Supuse que tuvo que haber usado una munición especial y acerté.

Puso el casquillo en la mano de Bárbara, que lo cogió y miró las marcas a la última luz del día.

—No consigo leer lo que hay escrito.

—Porque está en cirílico. El fabricante es Tula. Este casquillo es de un cartucho muy especial, un cartucho de proyectil hueco y lleno de cianuro. Es ilegal, lo que no me sorprende, y sólo se puede conseguir en Rusia. Ni siquiera se vende por Internet.

Bárbara la miró.

—El asesino es ruso.

—El hombre que se introdujo por las malas en los negocios de Gustavo —aclaró, asintiendo con la cabeza—. Exacto. Sé que tú sólo eres la pantalla de los negocios de tu hermano. Sé que Roberto y tú tenéis un nuevo socio.

Aquello fue suficiente. Bárbara se quitó la máscara.

—Maldita sea, le dije a Roberto que Leonid iba a por él, pero se limitó a reírse de mí.

—¿Leonid? —A Moira le dio un vuelco el corazón—. ¿Vuestro socio es Leonid Arkadin?

—Roberto dijo: «Qué sabrás tú; eres una mujer, las mujeres saben lo que se les dice que sepan, nada más».

Moira la asió del brazo para mirarla de frente.

—Bárbara, ¿vuestro socio es Leonid Arkadin?

La mujer apartó la cara. Se mordió el labio.

—¿Es la lealtad o el miedo lo que te cierra la boca? —insistió Moira, que sólo alcanzó a ver la mitad de la débil sonrisa de Bárbara.

—No soy leal a nadie. En este negocio no merece la pena. Ésa es otra cuestión que mi marido no entiende.

—Entonces tienes miedo de Arkadin.

Bárbara volvió la cabeza y Moira vio en sus ojos una expresión violenta.

—El muy cabrón se las arregló para meterse en el negocio. Armó a Roberto hasta los dientes, ¡maldita sea! Dijo que tenía la lista de clientes de Gustavo. Roberto dijo que esa lista le pertenecía. Arkadin respondió que eso se había acabado. Que Gustavo estaba muerto, que él tenía la lista y que los clientes eran suyos. Que la mejor solución era repartir los beneficios a partes iguales, que si Roberto no accedía, él se pondría en contacto con los clientes sin su permiso y sin su ayuda, y que se buscaría otros proveedores.

»Roberto intentó matar a Arkadin tres veces. Todos los intentos fracasaron. Arkadin le dijo entonces: «Te vas a joder porque ahora los clientes de Gustavo son míos, así que ya te puedes buscar otros pichones para alimentar». Creí que a Roberto le daba infarto. Tuve que tranquilizarlo.

—A tu marido le habría gustado eso —dijo Moira secamente.

—Mi marido es un blandengue, como habrás podido ver tú misma —dijo Bárbara—, pero me adora y sirve para lo que hace. —Levantó los brazos para abarcar toda la finca—. Además, todo su trabajo se iría por la taza del inodoro sin mí.

El sol se deslizaba por detrás de las montañas del oeste. Estaba oscureciendo muy rápido, como si hubieran extendido una inmensa manta en el cielo.

—Volvamos al coche —sugirió Moira, cogiendo el casquillo que tenía la otra en la mano.

Camino de la casa, Bárbara observó:

—Colijo que conoces a Arkadin.

Moira sólo sabía lo que Bourne le había contado.

—Lo bastante para saber que su próximo paso será quedarse con todo el negocio de Corellos. Así es como funciona Arkadin. —Así era como se había apropiado de la distribución de armas de Nikolai

Yevsen en Jartum. Encontraría la forma de sobornar a un guardián de La Modelo o a un miembro de las FARC, o quizás a una de las muchas mujeres que veían a Corellos en la cárcel; les pagaría lo suficiente para que vencieran su miedo al capo de la droga. Un día no muy lejano, pensaba Moira, Corellos aparecería muerto en su lujosa celda.

—Arkadin ya está enfadado con Roberto y conmigo —informó Bárbara mientras conducía por el camino de tierra—. El último cargamento se ha retrasado. El barco tuvo que detenerse para reparar el motor, que se había sobrecalentado. Si conoces algo de México, sabrás que esas averías no se arreglan aquí en cuestión de horas, ni de un día para otro. El barco estará listo mañana por la noche, pero sé que eso no le gustará. —Aferraba el volante con tanta fuerza que sus nudillos se habían puesto blancos como los huesos.

—Lo entiendo, Berengaria, de veras que sí.

—¿Por qué me faltas al respeto? Llevo años llamándome Bárbara.

—Respeto tu nombre verdadero. Deberías aceptarlo y no rechazarlo.

Berengaria no respondió y Moira siguió hablando.

—Arkadin tiene sus normas, y son inflexibles. Tanto Roberto como tú perderéis algo por culpa de ese retraso.

La mujer miraba al frente con fijeza.

—Lo sé.

—Y aún te diré más: si ese cargamento no llega a su destino, alguien te hará una visita, alguien mucho menos simpático y comprensivo que yo. Puedes estar segura de que así es como Arkadin lo quiere y así es como será.

Berengaria se quedó pensativa un rato. El sol ya se había puesto tras las montañas moradas. El cielo parecía limpio de nubes. Por el este ya había oscurecido. Daba la sensación de que llevaban conduciendo mucho tiempo, como si la mujer estuviera dando vueltas, reacia a regresar a la casa. Finalmente, pisó el freno y puso el motor en punto muerto. Se volvió hacia Moira.

—¿Y qué pasa —exclamó con vehemencia— si no es así como yo quiero que sea?

Moira sintió un brote de júbilo por el giro que acababan de dar los acontecimientos, porque Berengaria se ponía finalmente a su alcance. Respondió a su vehemencia con una sonrisa.

—En ese caso, creo que puedo ayudarte.

Berengaria la miró con tal intensidad que cualquier otra mujer se habría sentido molesta. Pero Moira entendió qué quería, cuál iba a ser el toma y daca. Admiraba a aquella mujer y al mismo tiempo la compadecía. Ya era bastante difícil ser una mujer fuerte en un mundo de hombres, pero mantener esa fuerza en el mundo latino era una labor digna de una amazona. Y no obstante, por encima y por detrás de sus sentimientos personales, estaba el hecho de que Berengaria era su objetivo. Conseguiría de ella lo que necesitaba. Ahora sabía cómo hacerlo.

Inclinándose lentamente, le cogió la cara entre las manos y la besó en la boca.

La colombiana abrió los ojos como platos durante un breve instante y luego los cerró con fuerza. Sus labios se relajaron, se entreabrieron y por último se entregaron totalmente al beso.

Moira percibió el momento de su capitulación con sentimientos encontrados de triunfo y compasión. Sintió la mano de Berengaria en su nuca, la urgencia de la pasión desatada, y suspiró sin despegarse de la dulce boca de la colombiana.

—Soy Lloyd-Philips, inspector jefe Lloyd-Philips.

Peter Marks se presentó y estrechó la mano del policía, que era pálida y con manchas de nicotina. Lloyd-Philips, que vestía un traje barato y de puños raídos, lucía un bigote rojizo y un cabello raleante que en otro tiempo debió de ser del mismo color, pero que ahora parecía espolvoreado de ceniza.

El inspector jefe intentó sonreír, pero no lo consiguió. Quizá se le habían atrofiado los músculos, pensó Marks con ironía, y le mostró sus credenciales, que aseguraban que trabajaba para una compañía privada bajo los auspicios del Departamento de Defensa y, por lo tanto, con el respaldo del Pentágono.

Se encontraban en el desierto vestíbulo del Club Vesper, que había sido precintado por la policía como escenario de un crimen.

—Uno de los supuestos autores del crimen podría ser de interés para mis superiores —dijo Marks—. Si ése fuera el caso, agradecería que me permitieran ver la grabación de las cámaras de seguridad de anoche.

Lloyd-Philips encogió sus delgados hombros.

—¿Por qué no? Ya estamos imprimiendo papeles volantes con los rostros de los dos implicados, para distribuirlos entre la policía metropolitana y el personal de las estaciones de tren, puertos y aeropuertos.

El inspector jefe lo condujo a través del casino propiamente dicho, hasta un pasillo que conducía a las habitaciones traseras, una de las cuales estaba caliente y olía a aparatos electrónicos. Un técnico estaba sentado frente a un complejo tablero lleno de botones, interruptores y un teclado de ordenador. Encima mismo había dos filas de monitores, cada uno enseñando una parte diferente del casino. Por lo que Marks podía ver, no quedaba ni un rincón sin cubrir, ni siquiera en los lavabos.

Lloyd-Philips se inclinó hacia el técnico, le murmuró algo y el hombre asintió con la cabeza y se puso a pulsar teclas. El inspector jefe recordaba a Marks a un personaje de novela británica de espías. Su expresión vagamente dispéptica de aburrimiento prolongado lo delataba como burócrata de carrera con un ojo cerrado y el otro puesto en la cercana jubilación.

—Ya lo tenemos —dijo el técnico.

Uno de los monitores se puso negro y a continuación apareció una imagen. Marks vio el bar de la sala de los jugadores empedernidos. Bourne y otro hombre en el que reconoció los rasgos del difunto Diego Herrera, entraron en el encuadre y se quedaron allí. Estaban hablando medio de espaldas a la cámara y era imposible saber lo que estaban diciendo.

—Diego Herrera entró en el Club Vesper a eso de las nueve y media de anoche —informó Lloyd-Philips con su voz de profesor aburrido—. Con él iba este hombre. —Señaló a Bourne—. Adam Stone.

La grabación continuaba. Otro hombre, probablemente el homicida, entró en el encuadre. Cuando se acercó a Bourne y a Diego Herrera, las cosas empezaron a ponerse interesantes.

Marks adelantó el busto con los músculos en tensión. Bourne se había puesto delante de Herrera, como para bloquear el avance del asesino. Pero ocurrió algo curioso cuando hablaron entre ellos. La actitud de Bourne cambió. Era como si conociera al asesino, aunque a juzgar por su expresión inicial no podía ser cierto. Pese a todo, Bourne le permitió acercarse a la barra y situarse al lado de Herrera. Y entonces el banquero se desplomó. Bourne asió al asesino por las solapas, como debería haber hecho al principio. Y entonces ocurrió otra cosa extraña: no lo vapuleó. Marks se quedó atónito al ver que entre los dos cargaban contra los tres gorilas que entraron procedentes de la sala principal del casino.

—Y ahí lo tiene —señaló el inspector jefe Lloyd-Philips—. El asesino utilizó algún tipo de arma ultrasónica para dejar a todo el mundo fuera de combate.

—¿Han identificado al homicida? —preguntó Marks.

—Todavía no. No figura en nuestros ficheros electrónicos.

—El local es exclusivamente para miembros del club. El gerente debe de saber quién es.

Lloyd-Philips parecía claramente molesto.

—Según los archivos del club, el sospechoso se llama Vincenzo Mancuso. Actualmente hay en Inglaterra tres sujetos que responden a ese nombre, pero ninguno es el que aparece en la grabación. A pesar de todo, hemos enviado a sendos inspectores a interrogar a los tres Vincenzo Mancuso, sólo uno de los cuales reside en el área de Londres. Todos tienen coartadas verificadas.

—¿Pistas forenses? —preguntó Marks.

El inspector jefe parecía a punto de arrancarle la cabeza de un mordisco.

—No se encontraron huellas dactilares ni tampoco el menor rastro del arma homicida. Cumpliendo mis órdenes, nuestro personal peinó un radio de kilómetro y medio alrededor del club, registrando cubos de basura, mirando en las alcantarillas y todo lo demás. Incluso dragamos el río, aunque nadie tenía esperanzas de encontrar el cuchillo. Toda la búsqueda ha resultado infructuosa hasta el momento.

—¿Y qué pasa con el otro hombre..., Adam Stone?

—Se ha desvanecido de la faz de la tierra.

«Lo que significa que la investigación está en punto muerto», se dijo Marks. «Es una investigación de alto nivel. No es de extrañar que este tipo esté nervioso.»

—Adam Stone es la persona que interesa a mis superiores. —Marks alejó al inspector jefe del técnico—. Ellos, y yo también, consideraríamos un favor personal que suprimiera la foto de Stone de los papeles volantes.

Lloyd-Philips sonrió, un espectáculo no apto para cardíacos. Sus dientes estaban tan manchados de nicotina como sus dedos.

—Uno de los hitos de mi trayectoria profesional ha sido no transigir con los favores personales. Así mantengo la nariz limpia y la pensión intacta.

—A pesar de todo, en este caso mis superiores del Departamento de Defensa estarían muy agradecidos si hiciera una excepción.

—Escuche, joven, lo he traído aquí por cortesía. —Los ojos del inspector jefe eran de repente tan despiadados como su voz—. Me importa un bledo si sus superiores son generales de cinco putas estrellas. Londres está en mis dominios. A mis superiores, es decir, al Gobierno de Su Majestad, no les gusta que vengan aquí en manada y nos presionen como si fuéramos vándalos de las colonias. Y a mí tampoco me gusta, en absoluto. —Levantó un dedo en señal de advertencia—. Y ahora un consejo para su trompa de Eustaquio: váyase de aquí ahora mismo antes de que me enfade de verdad y decida detenerlo como testigo material.

—Gracias por su hospitalidad, inspector jefe —repuso Marks secamente—. Antes de irme, me gustaría tener una copia de las fotos de Stone y del hombre sin identificar.

—Lo que sea con tal de perderlo de vista. —Lloyd-Philips rozó el hombro del técnico, que pidió a Marks su número de móvil y luego pulsó un botón; segundos después, en su teléfono apareció una foto digital en la que se veía a los dos hombres juntos.

—Ya tiene lo que quería, ¿no? —se impacientó el inspector jefe volviéndose hacia él—. No me haga lamentar lo que he hecho. Manténgase lejos de mí y de mi caso y todo irá bien.

Ya en la calle, el sol forcejeaba por hacerse ver entre las masas de nubes. La ciudad rugía alrededor de Marks. Miró la foto en su agenda electrónica. Marcó el número privado de Willard y saltó el buzón de voz. Tenía el móvil apagado, cosa extraña, en opinión de Marks, teniendo en cuenta la hora de Washington. Le envió un detallado mensaje, pidiéndole que comprobara la foto del hombre que había apuñalado a Diego Herrera en las bases de datos de Treadstone, que se habían nutrido de la habitual sopa de letras de la seguridad estadounidense: CI, NSA, FBI, Departamento de Defensa y otras a las que Willard tenía acceso.

Enseñó sus credenciales a un inspector que estaba en la puerta del club y le pidió la dirección particular de Diego Herrera. Cuarenta minutos después llegaba al domicilio, en el mismo instante en que una limusina Bentley de color plateado aparecía por la esquina y se detenía en la puerta de la casa. Un chófer de uniforme bajó del brillante vehículo y lo rodeó para abrir la portezuela de atrás, por la que bajó un hombre alto y distinguido que parecía una versión avejentada de Diego. Con expresión sombría y paso cansino, el hombre subió los peldaños de la casa del banquero e introdujo la llave en la cerradura.

Antes de que desapareciera dentro, Marks se acercó a él.

—Señor Herrera, soy Peter Marks —se anunció. Cuando el anciano se volvió para mirarlo, añadió—: Siento muchísimo lo ocurrido.

El viejo Herrera se detuvo un momento. Era un hombre apuesto, con una blanca melena leonina que le caía hasta cubrirle el cuello de la camisa, aunque junto a su piel bronceada el pelo parecía más ceniciento que blanco.

—¿Conoció a mi hijo, *señor* Marks?

—Me temo que no tuve ese placer, señor.

Herrera asintió con aire ausente.

—Parece que Diego no tenía muchos amigos varones. —Su boca se curvó tratando de sonreír—. Él prefería a las mujeres.

Marks dio un paso adelante y le enseñó sus credenciales.

—Señor, sé que es un momento difícil, y me disculpo de antemano si soy indiscreto, pero necesito hablar con usted.

Herrera lo miraba como si no hubiera oído lo que el norteamericano le había dicho. Luego pareció enfocarlo con las pupilas.

—¿Sabe algo sobre su muerte?

—Ésta no es una conversación que deba mantenerse en la calle, *señor* Herrera.

—No, claro que no. —Volvió la cabeza—. Por favor, disculpe mi falta de educación, *señor* Marks. —Hizo un movimiento con el brazo. Tenía unas manos grandes y cuadradas, manos capaces de un trabajador especializado—. Pase dentro y hablaremos.

Marks subió los peldaños, cruzó el umbral y entró en la casa del difunto Diego Herrera. Oyó que el hombre lo seguía y cerraba la puerta a sus espaldas, y entonces notó la hoja de un cuchillo en el cuello. El padre de Diego Herrera estaba detrás de él, sujetándolo con una fuerza sorprendente.

—Y ahora, hijo de puta —bramó Herrera—, me vas a contar todo lo que sepas sobre el asesinato de mi hijo, o por los clavos de Cristo que te rebano el cuello de oreja a oreja.

17

Bud Halliday estaba sentado en un banco semicircular en el White Knights Lounge, un bar de una zona poco frecuentada de las afueras de Maryland al que iba a menudo a relajarse. Tenía en la mano un *bourbon* con agua mientras trataba de olvidar todas las cosas que le habían sucedido aquel largo día.

Sus padres eran de la buena sociedad de Filadelfia, de familias que se remontaban a Alexander Hamilton y John Adams. Habían estado enamorados durante su niñez y, como todos los de su clase, se habían divorciado al cabo de un tiempo. Su madre, una gran señora, vivía ahora en Newport, Rhode Island. Su padre, aquejado de un enfisema derivado de sus años de fumador empedernido, vagaba por la mansión familiar arrastrando botellas de oxígeno y era atendido por un par de enfermeras haitianas que lo cuidaban las veinticuatro horas del día. Halliday no veía a ninguno de los dos. Dio la espalda al oropel herméticamente cerrado de aquella sociedad a los dieciocho años, cuando, horrorizando y mortificando a sus progenitores, se había alistado alegremente en el ejército. Durante su estancia en el campamento de reclutas se había imaginado a su madre desmayándose al recibir la noticia, algo que le causaba una gran satisfacción. En cuanto a su padre, lo más seguro era que culpara a su mujer de aquella decepción y se fuera al despacho de la compañía de seguros de la que era propietario y que dirigía implacablemente y con gran éxito.

Al ver que había terminado el *bourbon*, Halliday hizo una seña al camarero y le pidió otro.

Las gemelas llegaron al mismo tiempo que su bebida, y les pidió sendos vodkas con crema de cacao. Se sentaron una a cada lado, una vestida de verde y la otra de azul. La de verde era pelirroja y la otra rubia. Al menos aquel día. Así eran ellas, Michelle y Mandy. Les gustaba jugar a que las confundieran con la otra y al mismo tiempo a reivindicar sus diferencias. Eran altas, casi metro ochenta de estatura, y con un físico tan lozano y seductor como sus labios. Habrían podido ser modelos, incluso actrices, dada la pericia con que desempeñaban su papel, pero ni eran vanidosas ni tontas. Michelle era experta en teoría matemática y Mandy microbióloga en el Centro de Control de Enfermedades. Michelle, que podía elegir plaza en cualquiera de las mejores universidades del país, trabajaba para la DARPA, la Agencia de Proyectos de Investigación Avanzada de la Defensa, ideando nuevos algoritmos de encriptación, capaces de burlar al ordenador más rápido, incluso a dos trabajando en red. Su último proyecto utilizaba técnicas heurísticas, lo que significaba que el código en cuestión aprendía de cualquier tentativa de desciframiento, como si fuera una entidad que se educara sola, cambiando sobre la marcha. Se necesitaba una llave física para abrirlo.

Nunca dos mentes tan fértiles habían estado envasadas en recipientes tan adorables y eróticos, pensó Halliday cuando el camarero les sirvió los vodkas con cacao. Levantaron las copas los tres al mismo tiempo, para brindar en silencio por otra noche juntos. Cuando no estaban de servicio, a las chicas les encantaban los juegos sexuales, la crema de cacao y los juegos sexuales, por ese orden. Pero todavía no libraban.

—¿Qué has descubierto acerca del anillo? —preguntó Halliday a Michelle.

—Habría sido muy útil que me hubiera dado usted el anillo auténtico y no una serie de fotos —respondió la interpelada.

—Pero no te lo di. Así pues, ¿qué tienes que decir al respecto?

Michelle tomó un sorbo de su bebida como si necesitara tiempo para poner en orden sus pensamientos y explicarlos a Halliday, un enano mental en comparación con su gemela y ella.

—Me parece muy probable que el anillo sea una llave. De las que se introducen en una cerradura.

Halliday recuperó el interés en el acto. Era todo atención.

—¿Y eso qué significa? —preguntó.

—Lo que he dicho. Puede que sea por el algoritmo en el que estoy trabajando, pero la extraña inscripción del interior del anillo me recuerda las muescas de una llave.

Reaccionando a la cara de desconcierto que puso el hombre, la joven cambió de táctica. Sacó un bolígrafo e hizo un dibujo en la servilleta de Halliday.

—Aquí tenemos una llave normal, de las que abren las cerraduras llamadas de seguridad. En el borde superior de la tija hay una serie de muescas, de acuerdo con un patrón que hace única esta llave. Las cerraduras más comunes tienen doce dientes dentro del tambor giratorio, seis arriba y seis abajo. Cuando insertamos la llave en el tambor, los dientes superiores van encajando en las muescas, permitiendo que el tambor gire y se abra la cerradura.

»Ahora imagine que cada ideograma de la inscripción del anillo es una muesca. Introduce el anillo en la cerradura indicada y ya está. Ábrete, Sésamo.

—¿Es eso posible? —preguntó Halliday.

—Todo es posible, Bud. Ya lo sabe.

El hombre miró el dibujo, súbitamente fascinado. Lo que acababa de sugerir la muchacha exigía un gran esfuerzo para resultar creíble, pero es que la chica era un genio. Halliday no podía permitirse el lujo de desdeñar una teoría que Michelle le planteara, por muy descabellada que pareciera a primera vista.

—¿Qué nos ha reservado para esta noche? —preguntó Mandy, manifiestamente aburrida.

—Tengo hambre. —Michelle se guardó el bolígrafo—. No he comido nada en todo el día, salvo una barrita de chocolate que encontré en el cajón, y estaba tan dura que el chocolate se había vuelto blanco.

—Termina la bebida —dijo Halliday.

Michelle frunció los labios.

—Ya sabe cómo me pongo cuando bebo con el estómago vacío.

Él rió por lo bajo.

—Ya me lo han contado.

—Pues es cierto; eso y más cosas —informó Mandy. Y añadió con un tono de voz más profundo y vibrante, la voz de una cantante—: ¡Esa nena se vuelve raaaara!

—Mira quién fue a hablar —le devolvió Michelle con la misma voz—. ¡Ella sí que es un bicho raro!

Las dos echaron la cabeza atrás y lanzaron una carcajada que duró exactamente los mismos segundos. Halliday sentía palpitaciones en la frente y para ver a las dos movía la cabeza de un lado a otro, como si estuviera presenciando un partido de tenis desde muy cerca.

—¡Hombre! —exclamó Mandy al ver que el cuarteto estaba a punto de completarse.

—Creíamos que no vendría —reprochó Michelle.

Halliday puso la mano abierta encima de la servilleta del dibujo y se la guardó en el bolsillo del pantalón. Las dos chicas se dieron cuenta, pero no dijeron nada. Se limitaron a sonreír al recién llegado.

—No hay poder en la tierra que me hubiera impedido venir —aseguró Jalal Essai, sentándose en el banco y besando a Mandy en la parte del cuello que más le gustaba a ella.

Peter Marks se quedó totalmente inmóvil. Su atacante olía a tabaco y a furia. El cuchillo contra su cuello estaba muy afilado y Marks, que evidentemente sabía lo que era encontrarse en estos lances, no tenía ninguna duda de que Herrera le iba a degollar.

—Señor Herrera, no es necesario tanto melodrama —arguyó—. Estaré encantado de compartir con usted todo lo que sé. Mantengamos la calma y no perdamos la cabeza.

—Estoy muy calmado.

—Muy bien. —Marks tragó saliva. Se le había quedado seca la garganta—. Aunque he de confesar que no es mucho lo que sé.

—Seguro que es más de lo que ese bastardo de Lloyd-Caraculo ha querido contarme. Me dijo que me limitara a hacer los preparativos para volver a España con el cadáver de mi hijo, cosa que según él no sería posible hasta que el patólogo hubiera concluido los análisis.

Marks entendió por qué Herrera estaba tan furioso.

—Estoy de acuerdo con usted. El inspector jefe es un cabrón de tomo y lomo. —Tragó saliva—. Pero eso no tiene importancia ahora. Yo quiero saber por qué asesinaron a Diego tanto como usted. Créame, estoy dispuesto a descubrirlo. —Era verdad lo que decía. Marks no podría encontrar a Bourne si no averiguaba lo que había ocurrido en el Club Vesper y por qué se había ido con el asesino como si fueran amigos. Allí había algo que no encajaba.

Sintió la respiración de Herrera en el cogote. Era profunda y regular, lo cual le atemorizaba aún más, porque significaba que a pesar de su sufrimiento aquel hombre estaba en plena posesión de sus facultades, señal de una personalidad poderosa; sería un suicidio tratar de engañarlo.

—Incluso puedo enseñarle una foto del hombre que mató a su hijo —añadió.

La hoja del cuchillo tembló en la manaza de Herrera, que acabó por retirarla, dejando que Marks se apartara de él. El norteamericano dio media vuelta y miró al otro a la cara.

—Por favor, señor Herrera, comprendo lo profundo de su dolor.

—¿Tiene usted un hijo, *señor* Marks?

—No, señor. No estoy casado.

—Entonces no lo puede saber.

—Perdí una hermana cuando tenía doce años. Ella sólo tenía diez. Me puse tan furioso que quería destruir todo lo que tenía delante.

Herrera lo observó unos momentos.

—Entonces lo sabe —concluyó.

Condujo a Marks al salón. Éste se sentó en un sofá, pero Herrera siguió de pie, mirando las fotos de su hijo y, presumiblemente, de las muchas novias que había tenido su retoño y que podían verse en la repisa de la chimenea. Durante un rato se quedaron así, el viejo en silencio y Marks procurando no turbar su dolor.

Finalmente, Herrera se volvió y, acercándose a él, dijo:

—Quiero ver esa foto ahora.

Marks sacó la agenda electrónica, buscó la carpeta de imágenes y pinchó la foto digital que le había enviado el técnico de Lloyd-Philips.

—Es el de la izquierda —dijo, señalando al hombre sin identificar.

Herrera cogió la agenda y miró la pantalla durante tanto tiempo que Marks creyó que se había convertido en piedra.

—¿Y el que está con él?

El norteamericano se encogió de hombros.

—Un mirón inocente.

—Hábleme de él, me da la sensación de que lo conozco.

—Lloyd-Caraculo me dijo que se llamaba Adam Stone.

—¿En serio? —Algo cruzó por el rostro de Herrera.

Marks volvió a señalar la foto con impaciencia.

—*Señor*, podría ser importante. ¿Conoce al hombre de la izquierda?

Herrera le devolvió la agenda, se acercó al bar y se sirvió un brandy. Se bebió la mitad de golpe y después, haciendo un esfuerzo por recuperar la compostura, bajó lentamente la copa.

—Dios Todopoderoso —murmuró.

Marks se levantó y se acercó a él.

—*Señor*, puedo ayudarlo, si me lo permite.

El viejo levantó la cabeza hacia él.

—¿Cómo? ¿Cómo puede ayudarme?

—Soy bueno buscando gente.

—¿Puede encontrar al asesino de mi hijo?

—Con alguna ayuda sí, creo que puedo.

Herrera se quedó pensativo un tiempo. Luego, como si hubiera tomado una decisión, asintió con la cabeza.

—El hombre de la izquierda es Ottavio Moreno.

—¿Lo conoce?

—Ah, sí, señor, lo conozco muy bien. Desde que era un niño. Solía tenerlo en brazos cuando estuve en Marruecos. —Herrera terminó el brandy de un trago. Sus ojos azules parecían empañados, pero Marks percibió la furiosa tormenta que chisporroteaba en las sombras que había al otro lado de su frente.

—¿Me está diciendo que Ottavio es hermanastro de Gustavo Moreno, el difunto capo colombiano de la droga?

—Le estoy diciendo que es mi ahijado —aclaró Herrera con los dientes apretados. La cólera le hervía por dentro, haciéndole temblar la mano—. Por eso sé que es imposible que haya matado a Diego.

Moira y Berengaria Moreno yacían abrazadas. El lujoso camarote olía a almizcle, grasa marina y mar. El yate se balanceaba suavemente como si quisiera acunarlas para que se durmieran. Las dos sabían, por diferentes razones, que dormir era imposible en aquellos instantes. El yate tenía que zarpar en menos de veinte minutos. Lentamente, se levantaron de la cama, con los músculos adoloridos de tanto amor y con los sentidos embotados, como si hubieran cambiado de tiempo y de lugar. Sin hablar, se vistieron y salieron a cubierta. El cielo aterciopelado se arqueaba sobre ellas como alargándoles sus brazos protectores.

Tras hablar con el capitán, Berengaria hizo una seña a Moira.

—Han terminado todas las pruebas. El motor está en perfectas condiciones. Ya no debería haber más retrasos.

—Esperemos que no.

La luz de las estrellas rielaba en el agua. Berengaria había pilotado el monomotor Lancair IV-P de Narciso hasta el Aeropuerto Internacional Licenciado Gustavo Díaz Ordaz, en la costa del Pacífico. Desde allí había un corto trecho por carretera hasta el paraíso surfista de Sayulita, donde habían subido al yate. En total, el viaje había durado poco más de hora y media.

Moira estaba a su lado. La tripulación, ocupada en los preparativos para zarpar, no les prestaba atención. Sólo faltaba que Berengaria desembarcase.

—¿Has llamado a Arkadin?

La colombianaa asintió con la cabeza.

—Hablé con él mientras te lavabas. Se acercará al yate poco antes de amanecer. Después del retraso, seguro que querrá subir a bordo a comprobar todo el cargamento en persona. Tienes que estar lista para recibirlo.

—No te preocupes. —Moira le acarició el brazo, causando un ligero temblor en la otra mujer—. ¿Quién es el destinatario?

Berengaria le pasó el brazo por la cintura.

—No es necesario que lo sepas.

Moira no dijo nada. Berengaria se apoyó en ella y suspiró hondo.

—¡Dios!, esto es un nido de víboras. Malditos hombres. ¡Deberían desaparecer todos de la faz de la tierra!

La colombiana olía a especias y a espuma salada, aromas que gustaban a Moira. Le resultaba emocionante seducir a otra mujer. No había nada repelente en ello, era parte del trabajo, algo diferente, un desafío para ella en todos los sentidos de la palabra. Moira era una criatura sensual, pero, descontando algún que otro placentero experimento en la universidad, sin mayores consecuencias, siempre había sido heterosexual. Había un punto de peligro en Berengaria que le resultaba atractivo. De hecho, hacer el amor con ella había sido mucho más satisfactorio que con muchos hombres con los que se había acostado. Al contrario que esos hombres, con excepción de Bourne, la colombiana sabía cuándo ser violenta y cuándo tierna, se tomaba el tiempo necesario para buscar sus puntos secretos de placer, concentrándose en ellos hasta que Moira se convulsionaba una y otra vez.

No era de extrañar que no coincidiera con la desdeñosa descripción de Corellos cuando había dicho que era una piraña. Era a un tiempo brusca y sensible, con una complejidad que a un hombre como el capo habría resultado incomprensible. Berengaria se había abierto camino en un mundo de hombres, dirigiendo y ampliando el negocio de su marido, aunque había estado tan aterrorizada por su hermano como ahora lo estaba por Corellos y Leonid Arkadin. Moira se dio cuenta de que Berengaria no se hacía ilusiones. Su poder no era nada comparado con el de ellos. Ellos inspiraban a sus tropas un respeto que ella nunca tendría por mucho que lo intentara.

Una vez más, Moira era presa de emociones encontradas, pues sentía admiración y lástima por ella, esta vez porque en el momento en que ella se hiciera a la mar para ir al encuentro de Arkadin, Berengaria estaría a merced de un hado desconocido. Atrapada entre el poder corrosivo de Corellos y la despreciable debilidad de Narciso, su futuro no era muy halagüeño.

Por eso la besó en los labios y la abrazó con fuerza, porque iba a ser la última vez, y Berengaria se merecía al menos esa pequeña dosis de consuelo, por fugaz que fuese.

Le acarició con la lengua la oreja.

—¿Quién es el cliente?

Berengaria tiritó y la abrazó con más fuerza. Por fin se echó atrás lo suficiente para mirar a Moira a los ojos.

—El cliente es uno de los más antiguos y mejores de Gustavo, por eso el retraso le ha causado tantos problemas.

Le brillaban lágrimas en los ojos y Moira supo que se había dado cuenta de que aquella noche había sido el principio y el final para ellas. Aquella curiosa mujer no tenía ilusiones, no. Y por un instante, sintió el dolor de la pérdida que se siente cuando un océano o un continente separa a dos personas que han estado unidas.

A modo de concesión final, Berengaria agachó la cabeza.

—Se llama Fernando Herrera.

Soraya despertó con el sabor del desierto de Sonora en la boca. Acribillada por dolores musculares y contusiones, se tendió de espaldas y gimió. Miró a los cuatro hombres que la rodeaban, dos a cada lado. Tenían la piel morena, como ella, y al igual que ella eran de sangre mestiza. Conocido uno, conocidos todos, pensó medio aturdida. Aquellos hombres eran en parte árabes. Se parecían tanto que podrían haber pasado por hermanos.

—¿Dónde está? —preguntó uno.

—¿Dónde está quién? —replicó Soraya, tratando de identificar aquel acento.

Otro hombre, acuclillado cómodamente junto a ella al estilo de los árabes del desierto, con las muñecas apoyadas en las rodillas, dijo:

—Señora Moore, Soraya, si me permite llamarla así, usted y yo buscamos a la misma persona. —Su voz era tranquila y segura, y tan despreocupada como si fueran dos amigos que tratan de encontrar una solución a un problema reciente—. A Leonid Danilovich Arkadin.

—¿Quién es usted? —inquirió ella.

—Nosotros hacemos las preguntas —repuso el hombre que había hablado en primer lugar—. Y usted nos da las respuestas.

Soraya intentó levantarse, pero descubrió que la habían inmovilizado: le habían atado las muñecas y los tobillos con cuerdas sujetas a unas estacas de tienda de campaña clavadas en el suelo.

Cuando la primera luz del amanecer se deslizó por el cielo, filamentos de color rosado se arrastraron hacia ella como una araña.

—Mi nombre no es importante —repuso el tipo acuclillado a su lado. Tenía un ojo pardo y el otro de un azul acuoso, casi lechoso, parecido a un ópalo, como si hubiera sufrido una herida o una enfermedad—. Sólo importa lo que yo quiero.

Aquellas dos frases parecían tan absurdas que sintió ganas de reír. La gente es conocida por su nombre. Sin nombre, no hay historia personal, ni perfil posible, sólo una pizarra en blanco, que al parecer era lo que él quería. Se preguntó cómo cambiar aquello.

—Si no quiere hablar voluntariamente —añadió el hombre—, tendremos que probar otros métodos.

Chascó los dedos y un compañero le entregó una pequeña jaula de bambú. Anónimo la cogió cautelosamente por el asa y, balanceándola sobre el rostro de Soraya, la depositó entre sus pechos. Dentro había un escorpión de tamaño considerable.

—Aunque me picase —arguyó ella—, no me mataría.

—Oh, no quiero que la mate. —Anónimo abrió la diminuta puerta y con un bolígrafo se puso a empujar al escorpión para que saliese—. Pero si no nos dice dónde se esconde Arkadin, empezará a sufrir ataques, el ritmo de su corazón y su presión arterial aumentarán, su visión se nublará, ¿hace falta que continúe?

El escorpión era duro y de un negro brillante, y tenía la cola levantada y arqueada muy por encima del caparazón. Cuando lo alcanzó el sol, pareció brillar como si tuviera un poder interior. Soraya se esforzó por no mirarlo, intentó contener el miedo que crecía dentro de ella. Pero había una respuesta instintiva que era difícil de controlar. Oyó los latidos de su corazón. Conforme aumentaba su miedo, aumentaba el dolor que sentía debajo del esternón. Se mordió el labio.

—Y si recibe varias picaduras sin tratamiento médico, bueno, ¿quién sabe lo que puede llegar a sufrir?

Con la delicadeza de una bailarina, la criatura se aventuró a avanzar moviendo sus ocho patas hasta que recaló en el valle que formaban los pechos de Soraya. La mujer contuvo el deseo de gritar.

Oliver Liss estaba sentado en un estrecho banco en la sala de pesas de su gimnasio. Tenía el pecho y los brazos brillantes de sudor y llevaba una toalla enrollada en el cuello. Iba por la tercera tanda de quince flexiones de brazos cuando entró la pelirroja. Era alta, de hombros cuadrados, porte erguido y paso épico. La había visto por allí varias veces. Cien dólares de propina al encargado y ya sabía que se llamaba Abby Sumner, tenía treinta y cuatro años, estaba divorciada y sin hijos. Pertenecía a la interminable flota de abogados que trabajaban en el Departmento de Justicia. Liss suponía que su largo turno de trabajo había sido la causa de su divorcio, pero era aquel horario de trabajo tan largo lo que lo atraía. Así tendría menos tiempo para entrometerse en sus asuntos cuando empezaran su romance. Porque no tenía la menor duda de que habría romance, ninguna en absoluto. Sólo era cuestión de cuándo daría comienzo.

Liss terminó los ejercicios, dejó las pesas en su sitio y se secó mientras calculaba sus progresos. Abby había ido directamente al banco y, tras seleccionar las pesas, se había tendido bajo la barra. Fue como la señal que esperaba Liss. Se levantó y, acercándose al aparato de las pesas, la miró con una amplísima sonrisa de actor y dijo:

—¿Necesita ayuda?

Abby Sumner lo miró con sus grandes ojos azules y le devolvió la sonrisa.

—Gracias. No me vendría mal.

—No es habitual ver a una mujer en este aparato, a menos que esté entrenando.

Abby Sumner siguió sonriendo.

—Levanto muchas cosas pesadas en el trabajo.

Él rió con suavidad. La mujer levantó la barra de las pesas y comenzó a subirla y a bajarla mientras Liss mantenía las manos cerca de la barra por si se le escapaba.

—Parece que no necesita a nadie.

—No —respondió Abby Sumner—. No lo necesito.

Por lo visto, no tenía ningún problema para aumentar el peso de la barra. Quien tenía problemas era Liss, que no podía apartar los ojos de sus pechos.

—No arquee la espalda —aconsejó.

La mujer recostó la columna en el banco.

—Siempre lo hago cuando añado más pesas. Gracias.

Terminó la primera tanda de ocho levantamientos y Liss la ayudó a dejar la barra en los soportes. Mientras la mujer se tomaba un breve descanso, él se presentó:

—Me llamo Oliver y me encantaría invitarla a cenar algún día.

—Eso sería interesante. —Abby levantó la vista hacia él—. Por desgracia, no mezclo el trabajo con el placer.

Como para responder a la intrigada expresión del hombre, salió de debajo de la barra y se puso en pie. Realmente era una mujer impresionante, pensó Liss. Abby miró hacia el mostrador de los zumos, donde un hombre de aspecto muy pulcro bebía zumo de hierbas en un vaso de color verde fosforescente. El tipo vació el vaso, lo dejó y se acercó donde estaban ellos.

Abby cogió la bolsa de deportes, la puso encima del banco, rebuscó en el interior y sacó unas hojas dobladas, que entregó a Liss.

—Señor Oliver Liss, me llamo Abigail Sumner. Esta orden del fiscal general de Estados Unidos nos autoriza a mí y a Jeffrey Klein —señaló al bebedor de zumo de hierba, que se encontraba ya a su lado— a detenerlo mientras dure la investigación de la causa incoada contra usted por la comisión de actos criminales mientras fue presidente de Black River.

Liss la miró boquiabierto.

—Esto no tiene sentido. Ya me investigaron y me absolvieron.

—Ha habido más acusaciones.

—¿Qué acusaciones?

Sumner señaló los papeles que le había dado.

—Encontrará la lista en la orden del fiscal general.

Liss desplegó la orden, pero no pareció entender lo que ponía allí. Agitó los papeles hacia ella.

—Debe de ser un error. No pienso ir a ninguna parte con ustedes.

Jeffrey Klein sacó unas esposas.

—Por favor, señor Liss —dijo Abby—, no complique más las cosas.

Liss miró a un lado y a otro, como si pensara en escapar o en un indulto de última hora emitido por Jonathan, su ángel de la guarda. ¿Dónde estaba? ¿Por qué no lo había avisado de aquella nueva investigación?

El coronel Boris Karpov regresó a Moscú con el corazón transformado en dura roca. Su visita a Leonid Arkadin había sido aleccionadora en muchos aspectos y el menor no era el terrible aprieto en que estaba metido. Maslov había sobornado a una serie de funcionarios del FSB-2, entre ellos a Melor Bukin, el inmediato superior de Karpov. Como toda la información que le había proporcionado Arkadin, la prueba era sólida e irrefutable.

Karpov, sentado en la parte posterior del Zil negro del FSB-2, miraba por la ventanilla sin ver nada mientras el conductor salía del aeropuerto Sheremetyevo y se dirigía a la ciudad.

Arkadin había sugerido que se presentase al presidente Imov con las pruebas que ahora tenía en su poder. El solo hecho de que se lo sugiriera levantaba las sospechas de Karpov, pero aunque Arkadin tuviera sus propios motivos para querer que acudiera a Imov, no tendría más remedio que hacerlo. La apuesta no podía ser más alta, tanto para su carrera como para su persona.

Tenía dos opciones: podía llevarle las pruebas contra Bukin a Viktor Cherkesov, el jefe del FSB-2. El problema era que el primero era criatura del segundo. Si las pruebas contra Bukin se hacían públicas, Cherkesov quedaría bajo sospecha por la proximidad que había entre los dos hombres. Tanto si conocía la perfidia de Bukin como si no, estaría acabado y se vería obligado a dimitir. Y antes de permitir que eso ocurriera, no le costaba imaginarlo eliminando las pruebas contra su amigo..., lo cual incluía al propio Karpov.

Tuvo que admitir que Arkadin estaba en lo cierto. Llevar las pruebas al presidente Imov era la opción más segura, porque éste estaría encantado de acabar con Cherkesov. De hecho, puede que se sintiera tan agradecido que designara nuevo jefe del FSB-2 a alguien en quien pudiera confiar, por ejemplo a Karpov.

Cuanto más lo pensaba, más sensato le parecía. Pero aun así, en lo más profundo de su cerebro había una vocecilla diciéndole que si ocurría todo de aquel modo, contraería una deuda muy elevada con Arkadin. Y eso, como sabía por instinto, era situarse en una posición desventajosa. Claro que eso sería si Arkadin seguía vivo.

Rió por lo bajo y le dijo al conductor que se desviara hacia el Kremlin. Se retrepó en el asiento y marcó el número del despacho del presidente.

Treinta minutos más tarde entraba en la residencia del mandatario ruso, donde un par de soldados del Ejército Rojo lo acompañaron a una de las numerosas y frías antesalas de techos altos que había en el complejo de edificios. Sobre su cabeza, semejante a la tela congelada de una araña gigante, colgaba una lámpara de cristal con adornos de similor que reflejaba cuadrículas de luz que se derramaban por el no menos adornado mobiliario italiano, tapizado en seda y brocado.

Se sentó mientras los guardias, apostados en extremos opuestos de la sala, lo miraban atentamente. Un reloj que había sobre una repisa de mármol y que emitía un triste tictac dio la media hora, luego la hora. Karpov entró en una especie de trance meditabundo al que recurría para pasar el tiempo durante las muchas vigilias solitarias que había tenido que soportar todos aquellos años en más países extranjeros de los que podía contar. Noventa minutos después de su llegada, apareció para acompañarlo un joven funcionario con pistola al cinto, y salió del trance inmediatamente. Además, se sentía descansado. El funcionario sonrió y él lo siguió por tantos pasillos y cruces que le resultó difícil orientarse en aquella inmensa residencia.

El presidente Imov estaba sentado tras un escritorio Luis XIV en un estudio confortablemente amueblado. Un alegre fuego ardía en la chimenea. A su espalda se veían las magníficas cúpulas de la Plaza Roja que se elevaban como extraños misiles hacia el moteado cielo ruso.

Imov estaba escribiendo en un libro de contabilidad con una anticuada pluma estilográfica. El funcionario se retiró sin decir palabra, cerrando las puertas en silencio al salir. El presidente levantó la vista al cabo de un momento, se quitó las gafas de montura metálica y le indicó por señas que se sentara en el sillón que había al otro lado del escritorio. Karpov cruzó la alfombra y se sentó sin decir nada, esperando pacientemente a que comenzara la entrevista.

Durante un rato, Imov lo miró con sus ojos gris pizarra, que eran estrechos y ligeramente alargados. Quizá tuviera ascendencia mongola. En cualquier caso, era un guerrero que había luchado para llegar a la presidencia y luego había seguido luchando, con más fuerza, para permanecer en ella frente a varios feroces oponentes.

No era un hombre corpulento, pero eso no le impedía ser impresionante. Su personalidad podía llenar una sala de baile cuando le convenía. Por lo demás, se contentaba con dejar que la estatura de su cargo cumpliera esa función.

—Coronel Karpov, me sorprende mucho que haya venido a verme. —Imov sujetaba la pluma como si fuera una daga—. Usted pertenece a Viktor Cherkesov, un *silovik* que ha desafiado abiertamente a Nikolai Patrushev, su rival en el FSB, y por lo tanto a mí. —Giró la pluma hábilmente—. Cuénteme, ¿hay alguna razón por la que deba escuchar lo que tenga que decirme, si tenemos en cuenta que lo ha enviado su jefe para no venir él en persona?

—No he venido por orden de Viktor Cherkesov. En realidad, ni siquiera sabe que estoy aquí, y preferiría que siguiera siendo así. —Karpov puso sobre el escritorio el teléfono móvil que contenía las pruebas que incriminaban a Bukin y retiró la mano—. Y yo no pertenezco a ningún hombre, ni siquiera a Cherkesov.

Imov no apartó la mirada del rostro del coronel.

—Desde luego. Dado que Cherkesov lo captó a usted cuando trabajaba para Nikolai, he de decir que son buenas noticias. —Golpeó el escritorio con la punta de la pluma—. Pero es inevitable que me tome esa afirmación con cierta cautela.

Karpov asintió con la cabeza.

—Es comprensible.

Cuando miró el teléfono móvil, Imov lo miró también.

—¿Y qué tenemos aquí, Boris Illyich?

—Parte del FSB-2 está corrupta —anunció Karpov lenta y claramente—. La organización ha de limpiarse, cuanto antes mejor.

Imov no hizo nada por el momento; luego dejó a un lado la pluma, cogió el teléfono móvil y lo encendió. Durante un rato no se oyó el menor ruido en el estudio, ni siquiera, según advirtió Karpov, los pasos amortiguados del personal de administración y apoyo que debía de infestar el lugar. Lo más probable era que el estudio estuviese insonorizado, y que fuese a prueba de micrófonos electrónicos.

Cuando el presidente terminó, cogió el móvil con fuerza, como había hecho con la pluma estilográfica, como si fuera un arma.

—¿Y quién, Boris Illyich, imagina usted que podría purgar el FSB-2 de toda esta corrupción?

—Quien usted designe.

Ante esta respuesta, el mandatario echó la cabeza atrás y lanzó una carcajada. Luego, enjugándose los ojos, miró en un cajón, abrió un humidificador de plata y sacó dos puros habanos. Le dio uno a Karpov y mordió la punta del otro, que encendió con un mechero de oro que le había regalado el presidente de Irán. Como viera que el coronel sacaba una caja de cerillas, Imov volvió a reír y empujó el mechero de oro hacia él, por la superficie del escritorio.

El mechero le pareció extraordinariamente pesado al coronel Boris Karpov. Lo encendió y aspiró con voluptuosidad el humo del puro.

—Deberíamos empezar, señor presidente.

Imov lo miró a través de una nube de humo.

—No hay momento como el presente, Boris Illyich. —Giró el sillón y contempló las cúpulas de la Plaza Roja—. Limpie ese maldito lugar... de una vez para siempre.

Cuando pensabas en ello, no dejaba de ser irónico, se dijo Soraya. A pesar de tener múltiples ojos —no recordaba cuántos, ni por todo el oro del mundo—, los escorpiones no ven bien y dependen de unos diminutos cilios que tienen en las patas para percibir movimiento y vibración. En aquel momento eso significaba el ritmo ascendente y descendente de su pecho.

Anónimo observaba el escorpión con una mezcla de impaciencia y desdén mientras permanecía allí, sentado e inmóvil. Estaba claro que el arácnido no sabía dónde estaba ni qué quería hacer. El hombre levantó entonces el bolígrafo y empezó a darle al escorpión en la cabeza. El repentino ataque sorprendió al animal y lo puso furioso. Agitó la cola y atacó. Soraya lanzó una exclamación. Anónimo utilizó el bolígrafo para empujar a la criatura hacia su jaula. Cerró la puertecita y echó el cerrojo.

—Bien —dijo Anónimo—, o esperamos a que el veneno haga efecto o nos cuentas dónde está Arkadin.

—Aunque lo supiera —respondió ella—, no te lo diría.

El hombre arrugó la frente.

—¿No vas a cambiar de idea?

—Vete a la mierda.

Anónimo asintió con la cabeza, como si hubiera previsto la tozudez de Soraya.

—Será instructivo ver cuánto tiempo duras cuando el escorpión te haya picado ocho o nueve veces.

Con un lánguido movimiento de la mano, hizo una seña al de la jaula, que descorrió el pestillo. Estaba a punto de abrir la pequeña puerta cuando se oyó una detonación ensordecedora y el hombre saltó hacia atrás, convertido en un amasijo de sangre y huesos. Soraya volvió la cabeza y lo vio caído en el suelo; la parte superior de la cabeza le había desaparecido. Sonaron más disparos y vio que los demás hombres habían caído también. Anónimo se aferraba el hombro derecho, que tenía destrozado, y se mordía los labios de dolor. Un par de piernas calzadas con botas polvorientas aparecieron en su campo visual.

—¿Quién...? —Soraya miró hacia arriba, pero entre los primeros síntomas del veneno del escorpión y el sol que le daba en los ojos, no alcanzó a ver nada. El corazón parecía a punto de salírsele del pecho y toda ella tiritaba como si tuviera una fiebre muy alta—. ¿Quién...?

La figura masculina se agachó. Con el dorso de una mano tostada por el sol apartó la jaula del pecho de la mujer. Un momento después, Soraya sintió que se aflojaban las cuerdas que la ataban y sacudió las manos para soltarse del todo. Al mirar arriba con ojos entornados, le pusieron un sombrero vaquero en la cabeza y sus anchas alas la protegieron de la brillante luz del sol.

—Contreras —murmuró la mujer al ver el rostro curtido del *pollero*.

—Me llamo Antonio. —Le pasó un brazo por debajo de los hombros y la ayudó a sentarse—. Llámeme Antonio.

Soraya se echó a llorar.

Antonio le ofreció su pistola, una interesante herramienta de encargo; era una Taurus Tracker calibre 44 mágnum, una pistola de cazador, con culata de fusil adosada al mecanismo. Empuñó la Taurus y el hombre la ayudó a ponerse en pie. Estaba mirando a Anónimo, que le devolvía la mirada, enseñando los dientes. Se sentía inestable y trémula, con el cerebro ardiendo. Miró al hombre herido que la miraba. Curvó el dedo alrededor del gatillo. Apuntó con la Tracker y apretó el disparador. Como sacudido por cuerdas invisibles, Anónimo se arqueó una vez y se quedó inmóvil, con el sol naciente reflejado en sus ojos ciegos.

Soraya dejó de llorar.

18

Coven prosiguió lo empezado con una calma aterradora. Después de atar a Chrissie y a Scarlett, había pasado las horas familiarizándose con la casa. Al padre de la joven lo había atado y amordazado, y lo había metido en un armario. Dejó solas a sus víctimas durante cuarenta minutos, para acercarse a una ferretería, donde compró el generador portátil más grande que podía cargar. Volvió a la casa y comprobó el estado de los cautivos. Chrissie y su hija seguían fuertemente atadas a las camas gemelas de la planta de arriba. El padre estaba dormido o inconsciente, a Coven no le importaba. Luego llevó el generador al sótano y lo conectó sin problemas a la red eléctrica, como máquina de apoyo en caso de que cortaran la luz. Hizo una prueba. Funcionaba como el reloj de péndulo de un geriátrico. Era de un tamaño muy pequeño para la función que cumplía. Incluso cortando los circuitos que había conectado, llegó a la conclusión de que dispondría de un máximo de diez minutos de electricidad antes de que el generador se escacharrara. Bueno, tendría que servir.

Volvió a subir a la planta de arriba y observó a Chrissie y Scarlett mientras se fumaba un cigarrillo. La hija, aunque no había llegado a la adolescencia, era más guapa que su madre. Si hubiera sido otra clase de persona se habría aprovechado de aquel cuerpo joven y tierno, pero Coven despreciaba ese rasgo degenerado en los hombres. Era una persona quisquillosa, un hombre con principios morales. Pertrechado de este modo, afrontaba su trabajo y se las arreglaba para mantenerse cuerdo en un mundo de locos. Su vida personal era pura vainilla, tan sosa como la gris existencia de un conductor de autobús. Tenía una esposa de la que se había enamorado en el instituto, dos hijos y un perro llamado *Ralph*. Tenía una hipoteca que amortizar, una madre chiflada a la que mantener y cada quince días visitaba a su hermano en el manicomio, aunque ahora ya no lo llamaban así. Cuando llegaba a casa después de una larga, dura y a menudo sangrienta misión, besaba a su mujer en los labios con intensidad, luego se acercaba a sus hijos y, ya estuvieran jugando, viendo la televisión o dormidos en la cama, se inclinaba sobre ellos para inhalar su aroma dulce y lechoso. Luego comía algo que le había preparado su mujer, la llevaba escaleras arriba y se la follaba bien follada.

Encendió otro cigarrillo con la colilla del anterior y miró a madre e hija, tendidas en las camas gemelas con las piernas y los brazos estirados. La chica era una criatura sin mancillar. La idea de hacerle daño le resultaba profundamente repulsiva. En cuanto a la madre, no le parecía atractiva, demasiado flaca y pálida. Se la dejaría a algún otro. A menos que Bourne lo obligara a matarla.

Volvió a la planta baja y miró en la despensa. Abrió una lata de alubias guisadas Heinz y se comió el frío contenido con los dedos. Mientras tanto no dejaba de prestar atención a los débiles sonidos que lo rodeaban ni de aspirar los aromas de cada habitación para catalogarlos mentalmente. En resumen, recorrió la casa hasta que se familiarizó con todas sus características, con cada rincón y cada recoveco. Ahora era su territorio, su acrópolis, el lugar de su victoria final.

Regresó al salón y encendió todas las luces. Entonces oyó el disparo. Se irguió, sacó la Glock de la pistolera de cuero y, apartando las cortinas, miró por la ventana delantera. Se puso tenso al ver a Jason Bourne corriendo en zigzag a toda velocidad, hacia la puerta de la casa. Con un chirrido de neumáticos y salpicando grava, un Opel gris giró bruscamente delante del edificio. Se abrió la portezuela del conductor y el hombre que iba al volante disparó a Bourne. No le dio. Éste ya había llegado a los peldaños delanteros y Coven se acercó a la puerta con la Glock preparada. Oyó otros dos disparos, se agachó y abrió la puerta. Bourne estaba tendido boca abajo sobre los peldaños, con una mancha de sangre extendiéndose en su chaqueta.

Coven se agachó al oír otro disparo. Se echó a un lado y disparó varias veces. El pistolero también se agachó en el Opel. Él asió la chaqueta de Bourne con la mano libre y lo arrastró al interior de la casa. Disparó otra vez, oyó que el pistolero aceleraba el Opel y se alejaba. Asestó una patada a la puerta y la cerró a sus espaldas.

Comprobó el pulso de Bourne y se acercó a la ventana. Apartando las cortinas, miró hacia el sendero de entrada, pero no vio ni rastro del pistolero ni del Opel.

Volvió al salón y se inclinó sobre el caído Bourne, apretando el cañón de la Glock contra su cabeza. Le estaba dando la vuelta cuando las luces parpadearon, se apagaron y volvieron a encenderse. Oyó el generador de seguridad del sótano que emitía el típico tictac de un reloj de péndulo. Apenas tuvo tiempo de suponer que habían cortado la corriente de la casa; en aquel instante, Bourne le quitó la Glock de un golpe y le propinó un fuerte puñetazo en el esternón.

—El hombre que está buscando se encuentra en Puerto Peñasco, no hay duda. —Antonio devolvió el móvil a Soraya—. Mi *compadre*, el jefe del puerto deportivo, conoce al gringo. Se aloja en el viejo convento de Santa Teresa, que lleva años abandonado. Tiene una lancha motora con la que sale a navegar todas las tardes, poco después de la puesta de sol.

Estaban sentados en una soleada cantina de la calle Ana Gabriela Guevara, en Nogales. Antonio había pasado un tiempo ayudando a Soraya a limpiarse, llevándole hielo para las compresas que la mujer se ponía entre los pechos, en el punto donde el escorpión la había picado. La zona enrojecida no se hinchó y los síntomas que había tenido en el desierto habían desaparecido casi por completo. Antonio también le había comprado media docena de botellas de agua, que empezó a beber inmediatamente para impedir la deshidratación y eliminar más rápidamente el veneno.

Al cabo de una hora se sintió mejor. Compró ropa nueva en una tienda de la plaza Kennedy y fueron a buscar algo para comer.

—La llevaré a Puerto Peñasco —ofreció Antonio.

Soraya se llevó a la boca el último bocado de chilaquiles.

—Creo que tendrá mejores cosas que hacer. Conmigo ya no está ganando dinero.

Antonio hizo una mueca. Cuando volvían a Nogales en el coche, le había contado que su verdadero nombre era Antonio Jardines y que había adoptado Contreras como nombre comercial.

—Me ofende usted, señora. ¿Así es como trata al hombre que le acaba de salvar la vida?

—Tengo una deuda de gratitud con usted. —Soraya se retrepó en el asiento y se quedó mirando al hombre—. No entiendo por qué se ha tomado un interés tan personal por mí.

—¿Cómo explicarlo? —Antonio dio un sorbo al café de olla—. Mi vida discurre entre Nogales, estado de Arizona, y Nogales, estado de Sonora. Una puta franja de desierto que resulta aburrida a más no poder y que empuja a la bebida a los hombres como yo. Mi única preocupación son los cabrones de la *migra* y, créame, eso no es mucho. —Abrió las manos—. Y también hay algo más. Hay mucha abulia en la vida que se lleva aquí. En realidad, podría decirse que la vida aquí está definida por la abulia, esa abulia que pudre el alma y que infesta toda Latinoamérica. A nadie le importa nada ni nadie; sólo el dinero. —Terminó de tomarse el café—. Y entonces apareció usted.

Soraya meditó lo que había dicho el hombre. Se tomó su tiempo porque no quería cometer un error, aunque no podía estar segura de nada en aquel lugar.

—No quiero llegar a Puerto Peñasco por carretera —dijo al fin. Lo había estado pensando durante toda la comida. Antonio acabó de decidirla cuando le contó que Arkadin tenía una lancha motora.— Quiero llegar por mar.

A Antonio le brillaron los ojos. Señaló a la mujer con el dedo índice.

—De eso es de lo que estaba hablando. Usted no piensa como una mujer, piensa como un hombre. Eso es lo que yo haría.

—¿Podría arreglarlo su compadre del puerto deportivo?

Él rió por lo bajo.

—Ya ve que necesita mi ayuda.

Bourne asestó otro puñetazo a su contrincante. Ottavio Moreno le había disparado con balas de fogueo. La sangre era de cerdo y estaba en una bolsa de plástico que había pinchado en el momento de sonar los tiros. Coven, que parecía inmune a los puñetazos, trató de golpearlo en la cabeza con la culata de la Glock. Él le cogió la muñeca y se la retorció con fuerza. Luego aferró un dedo de Coven y se lo rompió. La Glock salió volando por el salón y fue parar al lado de la apagada chimenea.

Bourne apartó al agente de la CI de un empujón y se levantó apoyándose en una rodilla, pero Coven le asestó un puntapié en la pierna desde el suelo y le hizo caer hacia atrás. Luego se abalanzó sobre él inmediatamente, propinándole en la cara un puñetazo tras otro. Bourne se quedó inmóvil. Coven se levantó y se preparó para darle una patada en las costillas. Sin el menor movimiento aparente, Bourne le sujetó el pie antes de que descargara el golpe y se lo torció con fuerza a la izquierda.

Coven gruñó cuando le crujieron los huesos del tobillo. Se desplomó de golpe, giró inmediatamente en el suelo y se arrastró con codos y rodillas hacia la chimenea, donde estaba la Glock. Bourne se apoderó de una escultura de bronce que había en una mesita auxiliar y se la arrojó. La escultura alcanzó la cabeza de Coven, que cayó de bruces contra el suelo. Las mandíbulas del agente se cerraron con violencia y manó sangre de su nariz. Pero aquello no lo detuvo. Se apoderó de la Glock y, con un ágil movimiento, la volvió y apretó el gatillo. El proyectil dio en la mesita, al lado de la cabeza de Bourne, volcándole encima la lámpara que había en el mueble.

Trató de disparar de nuevo, pero Bourne saltó sobre él, derribándolo de espaldas. Coven empuñó un atizador y golpeó con fuerza. Bourne lo esquivó y el atizador dio contra el suelo. El agente siguió lanzándole estocadas, le enganchó la chaqueta, se la desgarró y al tirar de ella lo arrastró por el suelo. Clavó el extremo del atizador en la madera y trató de aplastar a Bourne con él. Acto seguido cogió el badil y apoyó el largo mango metálico de través en su cuello; apretó hacia abajo, descargando todo su peso.

Había doscientos kilómetros desde Nogales hasta Las Conchas, puerto al que un socio del compadre de Antonio había llevado el barco que los recogería. Soraya había pedido una embarcación grande, ostentosa, algo que llamara la atención de Arkadin y la retuviese hasta que la viera a ella. En el centro comercial de Nogales, antes de partir, había comprado el bikini más provocativo que había visto. Cuando se lo probó delante de Antonio, a éste casi se le salieron los ojos de las órbitas.

—*¡Madre de Dios, qué linda muchacha!* —había exclamado.

Para proteger la inflamación de la picadura del escorpión, compró un chal transparente, y además unas toallas playeras, unas grandes gafas de sol de Dior, una visera de moda y un puñado de protectores solares, que no perdió tiempo en ponerse.

El amigo de Antonio se llamaba Ramos y había llegado con la clase de barco que le habían solicitado: grande y ostentoso. Sus motores ronroneaban y regurgitaban cuando Antonio y ella subieron a bordo y Ramos les enseñó la embarcación. Era un hombre bajo, moreno y voluminoso, con el pelo negro rizado, tatuajes en sus gordos brazos y una sonrisa perenne.

—Tengo armas, pistolas y fusiles, por si las necesitan —informó con actitud solícita—. Sin recargo, exceptuando la munición que gasten.

Soraya le dio las gracias, pero dijo que no habría ninguna necesidad de armas.

Poco después de volver a cubierta, se pusieron en marcha. Puerto Peñasco estaba a unos ocho kilómetros al norte.

Por encima del rugido de los motores, dijo Ramos:

—Quedan un par de horas hasta la puesta de sol, que es cuando Arkadin saca la lancha motora. Tengo aparejos de pesca. Los llevaré al arrecife, donde hay muchos meros y guachinangos. ¿Qué les parece?

Soraya y Antonio pescaron en el arrecife durante cerca de hora y media; luego lo recogieron todo y se dirigieron al puerto deportivo. Ramos señaló la lancha de Arkadin en el momento en que rodeaban la punta de tierra y se dirigían hacia los embarcaderos. No había el menor rastro de Arkadin, pero Soraya vio a un viejo mexicano preparando la lancha del ruso. El mexicano era de piel oscura y tenía el rostro cuarteado por el trabajo duro, el viento salado y el sol abrasador.

—Están de suerte —anunció Ramos—. Ahí llega.

Soraya miró en la dirección que indicaba Ramos y vio a un hombre de aspecto potente que avanzaba por el muelle a zancadas. Llevaba una gorra de béisbol, bañador negro y verde de surfista, una camiseta raída con el logotipo de Dos Equis y unas sandalias de goma. Ella se quitó el chal. Su piel oscura y aceitada relució al sol.

El muelle era largo y se internaba en el puerto deportivo, así que Soraya tuvo tiempo de ver bien al hombre. Tenía el pelo oscuro muy corto, un rostro de facciones duras que no expresaba ninguna emoción, hombros cuadrados, como un nadador, aunque sus brazos y piernas eran largos y musculosos, más bien como los de un luchador de lucha libre. Parecía tener muchas razones para estar seguro de sí mismo; andaba invirtiendo el mínimo esfuerzo, casi deslizándose, como si llevara ruedas en los pies. Parecía envuelto en una aureola de energía, en una especie de corona de fuego. Soraya no supo por qué, pero el aspecto de aquel hombre la hacía sentirse inquieta. Pensó que había en él algo que le resultaba familiar, algo que hacía que aquella inquietud resultara dolorosa. Y entonces, con una sacudida eléctrica que la asustó hasta lo más profundo, supo lo que era: se movía exactamente igual que Jason.

—Vamos allá. —Ramos puso rumbo a la lancha motora, pero dejando el motor en punto muerto, para que el movimiento del agua la arrastrase hacia el atracadero.

Arkadin estaba diciendo algo al mexicano y reía cuando la embarcación de Ramos entró en su campo visual. Levantó la cabeza, entornando los ojos para protegerse del sol, que le daba en oblicuo, y vio a Soraya de inmediato. Las aletas de la nariz se le dilataron cuando su mirada se posó en aquel rostro exótico y agresivo, en aquel cuerpo que parecía desnudo con el diminuto bikini..., más que desnudo, en opinión de Soraya, porque invitaba a la imaginación a trabajar por su cuenta. Ella levantó la mano como si quisiese ajustarse la visera, aunque la finalidad del gesto fue acentuar sus curvas.

Arkadin se volvió en aquel punto y dijo algo al mexicano; éste rió por lo bajo. Soraya se sintió decepcionada. Asió la barandilla con tanta fuerza que dio la impresión de que quería arrancarla.

—Ese gringo es un *pinche maricón*, eso es lo que es —apuntó Antonio.

Soraya se echó a reír.

—No seas idiota —respondió, aunque el comentario la ayudó a superar la pasajera sensación de fracaso—. No lo he provocado abiertamente. —Entonces se le ocurrió una idea y, volviéndose a Antonio, le puso las manos sobre los hombros. Mirándolo a los ojos, ordenó—: Bésame. Bésame y tómate tu tiempo.

A Antonio le gustó la indicación. La cogió por la cintura y le pegó los labios a la boca. Su lengua pareció escaldarla cuando se le coló entre los dientes y le llegó al fondo de la boca. Soraya arqueó la espalda para estrechar el abrazo.

Ramos movió el timón y se acercó demasiado a la proa de la motora. Heraldo y Arkadin se volvieron. Mientras el mexicano corría hacia proa gesticulando y maldiciéndolo, el gringo se quedó mirando a Soraya y Antonio, que seguían pegados como lapas. Ahora parecía interesado.

Gritando una disculpa, Ramos dio marcha atrás y dirigió la embarcación a su atracadero. Un trabajador del puerto deportivo se acercó para recoger las amarras de proa y popa mientras Ramos paraba el motor; a continuación le arrojó los cabos y desembarcó para ir a la oficina del capitán de puerto. Arkadin, que seguía mirando a Soraya y a Antonio Jardines, no se había movido ni un milímetro.

—Suficiente —dijo ella con la boca todavía pegada a la de Antonio—. *¡Basta, hombre, basta!*

Él no tenía ganas de soltarla y la mujer lo empujó, primero con una mano y luego con las dos. Cuando por fin consiguió liberarse, Arkadin estaba en el muelle, avanzando hacia ellos.

—Mano, eres como un puto pulpo —se quejó Soraya en voz alta, para que la oyera el ruso, aunque no sólo con esa intención.

Antonio, que había disfrutado representando el papel, le sonrió y se limpió los labios con el dorso de la mano. Arkadin ya había subido a bordo y estaba entre ellos.

—Maricón, ¿qué estás haciendo aquí? —lo insultó Antonio—. Apártate de mi vista.

Arkadin le dio un empujón y lo tiró al agua por la borda. El mexicano de la lancha motora reía a mandíbula batiente.

—No ha sido una buena idea —intervino Soraya con frialdad.

—Le estaba haciendo daño —dijo Arkadin como quien expone un hecho irrefutable.

—Usted no tiene ni idea de lo que me estaba haciendo. —Soraya seguía manteniendo su actitud fría.

—Es un hombre y usted una mujer —argumentó él—. Sé exactamente lo que estaba haciendo.

—Quizás a mí me gustaba.

Arkadin se rió.

—Quizá. ¿Ayudo al hijoputa a subir a bordo?

Soraya miró a Antonio, que estaba echando agua por la nariz.

—Eso podría haberlo hecho yo —replicó, y volvió a mirar a Arkadin—. Deje al hijoputa donde está.

Él rió otra vez y le ofreció el brazo.

—Quizá necesite cambiar de paisaje.

—Quizá. Pero no será con usted.

Soraya lo apartó para pasar, bajó del barco y se alejó lenta y provocativamente por el muelle.

Bourne sentía los pulmones en llamas. Veía puntos negros delante de sí. El mango del badil que le apretaba el cuello no tardaría en romperle el hueso hioides y eso sería el final de su vida. Alargó la mano para asir el tobillo fracturado de Coven y lo apretó con todas sus fuerzas. El agente de la CI gritó de dolor y sorpresa y retrocedió, aflojando la presión que ejercía sobre el cuello de Bourne; éste levantó el mango metálico y rodó por el suelo, alejándose de él.

Coven, con una expresión asesina en los ojos, encontró la Glock y le apuntó con ella. En aquel momento cesó el tictac del generador y toda la casa quedó a oscuras. Coven disparó una vez, fallando por unos milímetros, y Bourne rodó nuevamente por el suelo para esconderse en las sombras. Se quedó inmóvil lo que tardó en respirar hondo diez veces y volvió a rodar. Coven disparó otro tiro, pero en esta ocasión falló por un amplio margen. Estaba claro que no sabía dónde estaba Bourne.

Bourne lo oía moverse. Ahora que las luces estaban apagadas, el agente había perdido la ventaja de encontrarse en su territorio. Tendría que pensar otra manera de restablecer su posición dominante.

Si Bourne estuviera en su lugar, trataría de llegar donde estaban Chrissie y Scarlett con objeto de utilizarlas para adquirir ventaja. Se quedó muy quieto, escuchando atentamente con el oído orientado en la dirección en que se movía Coven. Iba de izquierda a derecha. Estaba pasando por delante de la chimenea. ¿Adónde se dirigía? ¿Dónde tenía a sus cautivas?

Se representó el interior de la casa tal como la había visto cuando Coven lo había introducido a rastras. Podía adivinar la chimenea, los dos sillones tapizados, la mesa auxiliar con la lámpara, el sofá y las escaleras que llevaban al piso de arriba.

Un crujido traicionó al agente y, sin pensárselo dos veces, Bourne saltó de su escondite, cogió la lámpara, arrancó el cordón del enchufe y la arrojó con fuerza hacia la pared de su izquierda mientras saltaba sobre el asiento del sillón. Coven disparó dos veces hacia el punto donde se había producido el estrépito y Bourne aprovechó el desconcierto del otro para saltar sobre la barandilla de la escalera.

Cayó sobre Coven, lanzándolo contra la pared antes de aterrizar encima de él. El agente de la CI, a pesar de la sorpresa, disparó dos veces más. Volvió a fallar, pero los fogonazos quemaron la mejilla de Bourne. Coven embistió a su rival, tratando de golpearlo con el cañón de la Glock. Bourne desencajó con el pie uno de los balaustres de la barandilla. Lo arrancó del todo y le golpeó con él el rostro. Coven gruñó cuando su sangre salpicó la pared y se apartó para esquivar otro golpe. Luego estiró la pierna y alcanzó al otro en la cara con la bota. Bourne trastabilló hacia atrás y perdió el equilibrio mientras, apoyándose en la pared, Coven disparaba otras dos veces hacia el reducido espacio de la escalera.

Cualquiera de los dos tiros habría acertado a Bourne si no hubiera saltado por encima de la barandilla. Se quedó en la oscuridad. Cuando oyó a Coven subir los peldaños, flexionó los brazos y, poniéndose en pie, volvió a saltar por encima de la barandilla. Subiendo los peldaños de tres en tres, llegó rápidamente al primer piso. Ahora sabía dos cosas: Coven iba en busca de sus rehenes y la Glock se había quedado sin munición. El agente necesitaba recargarla y estaba en el momento más vulnerable.

Pero cuando Bourne llegó al descansillo de la planta superior no percibió ningún movimiento. Se agachó y esperó, escuchando atentamente. Más ventanas significaban más luz, pero ésta era débil e inconstante debido a las ramas del árbol que crecía fuera de la casa. Alcanzó a ver cuatro puertas: cuatro habitaciones, dos a cada lado. Abrió la puerta de la primera habitación de la izquierda, que estaba vacía, y pegó la oreja a la pared que daba a la habitación contigua. No oyó nada. Volvió a la puerta. Coven le disparó cuando cruzaba el pasillo y entraba en la primera habitación de la derecha. Bourne le había dado tiempo para cargar el arma.

De inmediato se acercó a la ventana, quitó el pestillo y la abrió, para saltar por ella. Se vio en la espesura de las ramas del roble y subió por ellas. Trepando por el árbol, se abrió paso hasta la ventana de la segunda habitación de la derecha. Una sombra se movió dentro y se quedó muy quieto. A la tenue luz dominante, acabó por distinguir dos camas gemelas. Le pareció ver dos figuras en ellas: ¿Chrissie y Scarlett?

Alcanzó la rama que se extendía más o menos horizontalmente por encima de su cabeza, se columpió hasta conseguir el impulso necesario y se lanzó con los pies por delante a través de la ventana. Los viejos cristales saltaron en mil pedazos, obligando a Coven a protegerse instintivamente la cara con el antebrazo.

Bourne aterrizó y cruzó la habitación a toda prisa, no sin golpear antes a Coven con el hombro. Los dos hombres se estrellaron contra la pared y cayeron al suelo formando un ovillo. Bourne le asestó tres puñetazos y trató de quitarle la Glock. Pero Coven estaba preparado y, cuando el otro bajó la defensa, le descargó un puñetazo en la mejilla chamuscada y sangrante. Bourne cayó al suelo y el agente de la CI levantó la pistola, no hacia él, sino hacia Scarlett, que estaba atada y con los brazos y piernas estirados en la cama más cercana. Su ángulo de tiro le impedía disparar a Chrissie, que estaba en la cama más cercana a la ventana.

Coven respiraba con dificultad pero consiguió balbucir:

—Está bien. Levántate. Tienes cinco segundos para poner las manos detrás de la cabeza. Si no, dispararé a la chica.

—Por favor, Jason, por favor. Haz lo que dice. —La voz de

Chrissie era aguda y estaba preñada de un terror mortal que rozaba la histeria—. No permitas que haga daño a Scarlett.

Bourne la miró y entonces hizo un movimiento de tijera con las piernas, enganchando el brazo armado de Coven y apartándolo de Scarlett.

El agente maldijo entre dientes mientras forcejeaba por recuperar el control de la Glock. Ése fue su error. Afianzando la tijera con que tenía atrapado su brazo, Bourne se dobló y asestó a Coven un cabezazo que lo alcanzó en la nariz ya rota y ensangrentada. El hombre aulló de dolor, pero no dejó de forcejear para soltarse el brazo. Bourne estrelló la suela de su zapato contra su rodilla y le rompió la rótula. Coven se desplomó y Bourne le pisó la rodilla. Los ojos del agente de la CI se llenaron de lágrimas; la mandíbula le temblaba tanto que todo él tiritaba.

Bourne le arrebató la Glock y apretó la punta del cañón contra su ojo derecho.

Cuando Coven trató de contraatacar, Bourne le advirtió:

—Si haces eso, no volverás a salir de esta habitación. ¿Y quién se ocupará entonces de tu mujer y de tus hijos?

Con el ojo visible inyectado en sangre y mirándolo fijamente, Coven se rindió. Pero en cuanto le apartó el cañón, se levantó bruscamente, apoyándose en el hombro y la cadera. Bourne encajó el ataque sin inmutarse, dejó que le hiciera retroceder, que agotara toda la reserva de energía que le quedaba y entonces le asestó en la cabeza un fuerte culatazo con la Glock y le fracturó el hueso orbital. Coven quiso gritar, pero de su boca no brotó ningún sonido. Los ojos se le pusieron en blanco cuando cayó a los pies de Bourne.

19

Boris Karpov cruzaba la Plaza Roja, azotada a la sazón por el viento. Respiraba profundamente mientras pensaba en cómo actuar contra Bukin y contra el peligroso Cherkesov. El presidente Imov le había dado todo lo que había pedido, incluso le había garantizado el secreto absoluto hasta que pusiera entre rejas a todos los topos del FSB-2. El punto de inicio era Bukin. Sabía que podía derrotarlo. Y cuando lo hubiera vencido, los demás topos quedarían expuestos sin dificultad.

Caía una suave nevada cuyos copos, pequeños y secos, se agitaban al viento. Las luces iluminaban las bulbosas cúpulas doradas y de franjas y los turistas hacían fotos de aquella arquitectura ornamentada. Esperó un momento para saborear la pacífica escena, extraña en el Moscú de aquellos días.

Volvió sobre sus pasos, hacia la limusina. El conductor, al ver su regreso, puso el motor en marcha. Bajó del coche y lo rodeó para abrir la portezuela trasera a su jefe. Pasó una rubia alta con un abrigo de zorro y botas hasta las rodillas. El chófer se quedó mirándola mientras el coronel Karpov se agachaba para entrar. Luego cerró la portezuela tras él.

—Al cuartel general —ordenó cuando el conductor se sentó al volante. El hombre asintió con la cabeza en silencio, arrancó y se alejaron del Kremlin.

Se tardaban once minutos en llegar a la sede del FSB-2, sita en Ulitsa* Znamenka, aunque todo dependía del tráfico, que a aquella hora no era tan denso como en otros momentos del día. Karpov estaba perdido en sus pensamientos. Trataba de idear la manera de reunirse a solas con Bukin, de aislarlo de sus contactos. Decidió invitarlo

* *Ulitsa:* «calle» en ruso. *(N. del T.).*

a cenar. Por el camino indicaría al chófer que se desviara hacia las vastas construcciones de Ulitsa Varvarka, una zona sin cobertura telefónica, para que Bukin y él pudieran «hablar» de su traición sin que los molestaran.

El conductor se detuvo ante un semáforo en rojo, pero cuando se puso verde no arrancó. A través de su ventanilla ahumada, Karpov vio que una limusina Mercedes se había situado a su lado. Mientras miraba, se abrió la portezuela trasera y descendió una figura. Estaba demasiado oscuro para ver quién era, pero entonces alguien abrió de golpe la portezuela de su coche, un hecho anómalo, ya que el conductor siempre cerraba automáticamente todas las puertas, y la figura, agachando la cabeza, se sentó a su lado.

—Boris Illyich, siempre es un placer verte —dijo Viktor Cherkesov.

Sonreía como una hiena y olía igual.

Cherkesov, cuyos ojos amarillos le hacían parecer hambriento, incluso sediento de sangre, se inclinó ligeramente para hablar con el conductor.

—A Ulitsa Varvarka, al solar en construcción —indicó, retrepándose a continuación, con la repelente sonrisa brillando en la semioscuridad del interior de la limusina—. No queremos que nos molesten, ¿verdad, Boris Illyich?

No era una pregunta.

Mandy y Michelle estaban dormidas y abrazadas, que era como dormían siempre después de un largo ejercicio erótico. En cambio, Bud Halliday y Jalal Essai se habían retirado al salón del apartamento que los dos habían adquirido con un nombre falso tan bien pensado que nunca podrían llegar hasta ellos.

Por cortesía, más que por voluntad propia, Halliday bebía un vaso de té con hierbabuena, sentado frente a Essai.

—Estaba buscando el momento oportuno para contártelo —informó el marroquí con su voz más indiferente—. Oliver Liss ha sido detenido por el FBI.

El marroquí se quedó de una pieza.

—¿Qué? ¿Por qué no me lo dijiste enseguida?

El secretario de Defensa señaló la habitación donde dormían profundamente las gemelas.

—Pero... ¿qué ha pasado? Parecía que estaba a salvo.

—Estos días nadie está seguro. —Halliday buscó la caja de puros—. Sin previo aviso, el Departamento de Justicia ha abierto una nueva investigación sobre sus contactos de cuando dirigía Black River. —Levantó la cabeza de repente, atravesando al marroquí con la mirada—. ¿Te puede salpicar la investigación?

—Estoy totalmente protegido —respondió Jalal Essai—. Me aseguré de eso desde el primer momento.

—Bueno, vale. Que se joda Liss. Nosotros seguimos adelante.

Jalal Essai parecía perplejo.

—¿No te sorprende?

—Creo que Oliver Liss llevaba tiempo patinando sobre una delgada capa de hielo.

—Lo necesito —dijo Jalal Essai.

—Corrección: lo necesitabas. Cuando he dicho que seguimos adelante, lo he dicho totalmente en serio.

Halliday encontró la caja de puros y sacó un cigarro. Se lo ofreció a Essai, que declinó el ofrecimiento. Mordisqueó un extremo, se lo introdujo en la boca y lo encendió, dándole vueltas sobre la llama mientras aspiraba el humo.

—Supongo que Liss ha dejado de ser útil.

—Eso parece. —Halliday se sentía más tranquilo ahora que tenía el humo dentro del cuerpo. Las relaciones sexuales con Michelle siempre le dejaban el corazón acelerado hasta casi sentir dolor. Aquella mujer era una auténtica gimnasta.

Essai se sirvió más té.

—Con Liss me limitaba a cumplir órdenes de una organización de la que no quiero acordarme.

—Ahora estamos los dos en el negocio —observó Halliday.

—Un negocio de cien mil millones en oro —confirmó Essai, asintiendo con la cabeza.

El secretario de Defensa frunció el entrecejo mientras miraba la punta incandescente del puro.

—¿No tienes remordimientos por haber traicionado a Severus Domna? Después de todo, son de tu misma calaña.

Essai no hizo caso del comentario racista. Se había acostumbrado del mismo modo que uno se acostumbra al dolor de un quiste.

—Los de mi misma calaña no son diferentes de los de la tuya, puesto que los hay buenos, los hay malos y los hay feos.

Halliday se rió con tantas ganas que casi se atragantó con el humo. Se dobló por la cintura, riendo y tosiendo. Los ojos le lagrimearon.

—He de decir, Essai, que para ser árabe eres un tío cojonudo.

—Soy bereber... *amadsig*. —Essai lo dijo como quien expone un dato, sin asomo de rencor.

Halliday lo miró a través del humo.

—Tú hablas árabe, ¿no?

—Entre otros idiomas, incluido el bereber.

El secretario de Defensa abrió las manos, como si la respuesta del otro demostrara lo que estaba diciendo. Jallal Essai y él se habían conocido en la universidad, donde el bereber pasó dos años como estudiante de un programa de intercambio cultural. En realidad, fue su presencia que instigó a Halliday a interesarse por lo que según él era la creciente amenaza árabe para el mundo occidental. Essai era musulmán, aunque, hablando en puridad, sólo era un marginado en el fraccionadísimo mundo árabe, tan empapado de religión. Gracias a la concepción de la vida y de la historia que tenía Essai, el político estadounidense se dio cuenta de que antes o después las batallas sectarias del mundo árabe desbordarían sus fronteras y acabarían convirtiéndose en guerras. Por esa misma razón cultivaba a Essai como amigo y consejero, aunque comprendió mucho más tarde, cuando el bereber empezaba a desvincularse de los objetivos de Severus Domna, que había sido enviado a Estados Unidos, y concretamente a aquella universidad, para cultivarlo a él como amigo y aliado.

Cuando la avaricia exprimió lo mejor de Essai, cuando confesó cuál había sido su motivación original, todos los peores prejuicios de Halliday contra los árabes se confirmaron. Entonces odió a aquel hombre. Incluso planeó matarlo. Pero había acabado por abandonar sus fantasías de venganza, seducido, al igual que Essai, por el oro del rey Salomón.

¿Quién podía resistirse a semejante trofeo? Ambos, como Halliday llegó a comprender en un repelente momento de entendimiento, tenían más en común de lo que parecía posible, dada la disparidad de sus contextos. Además, los dos eran soldados de la noche, habitaban en ese mundo de las sombras que existía en los límites de la sociedad civilizada, protegiéndola de los elementos dañinos tanto del exterior como del interior.

—Severus Domna no es diferente de cualquier tirano..., sea fascista, comunista o socialista —dijo Jalal Essai—. Vive para acumular poder, para permitir a sus miembros influir en los sucesos del mundo con el único objeto de amasar más poder. Ante un poder así, los simples políticos humanos se vuelven irrelevantes, igual que la religión.

Se retrepó en el sillón, apoyando una pierna en la otra.

—Al principio, Severus Domna estaba motivado por el deseo de cambio, una confluencia de intelectos de Oriente y Occidente, del islamismo, el cristianismo y el judaísmo. Una meta noble, lo admito, y durante un tiempo se consiguió algo, aunque las victorias fueran pequeñas. Pero entonces, como todas las empresas altruistas, ésta entró en conflicto con la naturaleza humana.

De súbito se adelantó, sentándose en el borde del sofá.

—Y te digo una cosa, no hay motivación más fuerte en el ser humano que la avaricia, incluso más que el miedo. La avaricia, como la sexualidad, hace a los hombres estúpidos, ciegos al miedo, o a la necesidad de algo más. La avaricia distorsionó los objetivos de Severus Domna hasta tal punto que se convirtieron en algo prácticamente irrelevante. Los miembros siguieron estando al servicio de la misión original sólo de boquilla, pero por entonces Severus Domna estaba podrido hasta la médula.

—¿Y eso en qué nos afecta? —preguntó Halliday sin dejar de fumar—. Somos tan avariciosos como los de Severus Domna, quizá más.

—Pero nosotros somos conscientes de ello —repuso Jalal Essai con ojos chispeantes—. Ambos lo vemos claro y lo tenemos claro.

Scarlett se quedó mirando a Bourne mientras la desataba. Tenía las mejillas arrasadas de lágrimas secas. En aquel momento no lloraba, pero temblaba sin control y le castañeteaban los dientes.

—¿Está bien mamá?

—Sí, está bien.

—¿Quién eres? —Las lágrimas volvieron a asomar, esta vez de manera racheada—. ¿Quién era ese hombre?

—Yo soy Adam, soy amigo de tu mamá —respondió Bourne—. Le pedí ayuda y me llevó a Oxford a ver al profesor Giles. ¿Lo conoces?

Scarlett asintió con la cabeza, sorbiéndose los mocos.

—Me gusta el profesor Giles.

—A él también le gustas mucho —aseguró él con dulzura. La niña pareció calmarse.

—Entraste volando en la habitación, como Batman.

—No soy Batman.

—Ya lo sé —se quejó la niña con tono ligeramente ofendido—, pero estás cubierto de sangre y no estás herido.

Bourne se tiró de la camisa.

—No es sangre de verdad. Tenía que engañar al hombre que os secuestró a tu madre y a ti.

La niña lo miró con admiración.

—¿Eres un agente secreto como la tía Tracy?

Él se echó a reír.

—La tía Tracy no era agente secreto.

—Sí, lo era.

El timbre ofendido de su voz le advirtió que no debía tratarla como a una niña.

—¿Qué te hace creer eso?

Scarlett se encogió de hombros.

—No se podía hablar con ella sin que escondiera algo. Creo que sólo tenía secretos. Y siempre estaba triste.

—¿Son tristes los agentes secretos?

Ella asintió.

—Por eso se hacen agentes secretos.

Había algo puro y profundo en aquella afirmación, pero prefirió no hacer caso por el momento.

—El profesor Giles y tu madre me ayudaron a resolver un problema. Por desgracia, ese hombre quería algo que tengo yo.

—Lo debía de querer con muchas ganas.

—Sí, desde luego. —Bourne sonrió—. Siento mucho haberos puesto en peligro a tu madre y a ti, Scarlett.

—Quiero verla.

Bourne la cogió en brazos. Estaba fría como el hielo. La llevó a la cama que había junto a la ventana. Chrissie yacía cubierta de cristales rotos. Estaba inconsciente.

—¡Mami! —Scarlett saltó de los brazos de Bourne—. ¡Mami, despierta!

Él, advirtiendo el miedo que vibraba en la voz de la niña, se inclinó sobre Chrissie. Su pulso era normal y su respiración regular.

—Está bien, Scarlett. —Pellizcó las mejillas de la mujer y vio que le temblaban los párpados, que se abrieron a los pocos segundos. Chrissie lo miró a la cara.

—Scarlett.

—Está aquí mismo.

—¿Coven?

—Adam entró volando por la ventana como Batman —informó Scarlett, orgullosa de su nuevo amigo.

Chrissie frunció la frente al ver la camisa de Bourne.

—Cuánta sangre.

La niña apretó con fuerza la mano de su madre.

—Es falsa, mamá.

—Todo está arreglado —dijo Bourne—. No, no te muevas aún. —Retiró los cristales lo mejor que pudo—. Muy bien, desabróchate la blusa. —Pero las manos de la mujer temblaban demasiado para asir bien los botones.

—Los brazos me están matando —dijo suavemente. Volvió la cabeza y sonrió a su hija—. Gracias a Dios que estás a salvo, bomboncito.

Scarlett rompió a llorar. Chrissie miró a Bourne mientras éste le desabrochaba los botones y le quitaba la blusa para que los últimos cristales cayeran a ambos lados sin causar daños.

Luego la cogió en brazos, la apartó de la cama y la dejó en el suelo. Cuando pasaron por encima del exánime cuerpo de Coven, la mujer sintió un escalofrío. Se detuvieron en la habitación que había utilizado Chrissie y cogieron un jersey para ella y otro para Scarlett. Ésta, como reaccionando a destiempo, no dejaba de llorar mientras su madre se arrodillaba para ponerle el jersey, que era amarillo con un estampado de conejos de color rosa comiendo helado. A mitad de la escalera se puso a gimotear.

Chrissie la rodeó con el brazo.

—No pasa nada, bomboncito. Todo está bien, mamá está contigo —le susurraba una y otra vez.

Cuando llegaron abajo, dijo a Bourne:

—Coven también ató a mi padre. Debe de estar en algún sitio.

Lo encontró atado y amordazado en uno de los armarios de la cocina. Estaba inconsciente, o por el golpe que había recibido en la frente o por falta de oxígeno. Bourne lo depositó en el suelo de la cocina y lo desató. Estaba oscuro porque la luz seguía cortada.

—Dios mío, ¿está muerto? —preguntó Chrissie, que entró corriendo con Scarlett.

—No. Su pulso es fuerte. —Bourne apartó el dedo de la carótida y comenzó a soltarle las ligaduras.

Chrissie, con el valor a punto de esfumarse al ver a su padre tan indefenso, se puso a llorar en silencio, pero al advertir que Scarlett sollozaba al verla, se mordió el labio y contuvo las lágrimas. Abrió el grifo del agua fría en el fregadero, empapó un paño y llenó un vaso. Agachándose al lado de su hija, puso el paño doblado en la mejilla de Bourne, que había empezado a hincharse y a perder color.

Su padre era delgado, a la manera de muchos ancianos. Su rostro estaba curtido por el tiempo y era ligeramente asimétrico, por lo que Bourne supuso que había sufrido una apoplejía no hacía mucho. Lo movió suavemente. El anciano abrió los ojos y se pasó la lengua por los resecos labios.

—¿Puedes sentarlo? —preguntó Chrissie—. Le daré agua.

Sujetando la espalda del hombre, Bourne lo sentó lenta y cuidadosamente.

—Papá, ¿papá?

—¿Dónde está el tipo que me golpeó?

—Muerto —anunció Bourne.

—Vamos, papá, bebe un poco de agua. —Chrissie miraba atentamente a su padre, temerosa de que volviera a desmayarse—. Te sentirás mejor.

El hombre no le hizo caso. No dejaba de mirar intensamente a Bourne. Se relamió los labios y aceptó el vaso que su hija le daba. Su abultada nuez de Adán subió y bajó mientras bebía. En cierto momento se atragantó.

—Despacio, papá, despacio.

Levantó las manos temblorosas y apartó el vaso de su boca. Luego señaló a Bourne con el dedo índice.

—Yo le conozco. —Su voz era como lija sobre metal.

—No lo creo.

Sí, claro que sí. Usted vino al centro cuando yo lo dirigía. Fue hace muchos años, cuando el centro se encontraba en la Old Boys' School, en George Street. Pero no lo he olvidado, porque tuve que llamar a un antiguo colega, Basil Bayswater, un auténtico idiota. Se forró especulando en bolsa y se retiró a Whitney. Pasa todo su tiempo jugando a una antigua forma de ajedrez o algo así. Una desgraciada pérdida de tiempo. Pero usted... —tocó el pecho de Bourne con el dedo—. Nunca olvido una cara. Que me ahorquen si lo hago. Usted es el profesor Webb. ¡Eso es! ¡David Webb!

20

Peter Marks recibió la llamada de Bourne, breve y concisa, y con sentimientos encontrados accedió a acudir a la dirección que le dio. En cierto modo, le sorprendió que le hubiera telefoneado. Por otra parte, no parecía ser él, lo que le hizo preguntarse en qué clase de situación estaría metido. Su relación con Bourne tenía un único enlace: Soraya. Sabía algo de su historia con ella y siempre se había preguntado si ese factor habría hecho que sus sentimientos personales influyeran en la opinión que tenía de él.

La versión oficial de la CI era, y lo había sido durante un tiempo, que la amnesia de Bourne lo había vuelto imprevisible y por lo tanto peligroso. Era un agente rebelde, no era leal a nadie ni a nada, y mucho menos a la CI. Aunque ésta se había visto obligada a utilizarlo en el pasado, siempre fue mediante coacción o engaños, porque no parecía existir otra forma de controlarlo. Ni siquiera estos métodos habían resultado seguros. A pesar de que Marks era consciente de que el último trabajo de Bourne había sido acabar con Black River y detener una incipiente guerra con Irán, apenas sabía nada más de él. Era un completo enigma. Era inútil tratar de prever sus reacciones en una situación dada. Y luego estaba el hecho de que mucha gente que había intentado acercársele, había sufrido una muerte repentina y violenta. Por suerte, Soraya no era de estas personas, aunque le preocupaba la posibilidad de que acabara siéndolo antes o después.

—¿Malas noticias? —preguntó don Fernando Herrera.

—Lo de siempre —respondió Marks—. Tengo que asistir a una reunión.

Estaban sentados en el salón de Diego Herrera, rodeados de fotos suyas. Marks se preguntó si estar allí era doloroso o reconfortante para su padre.

—Señor Herrera, antes de irme, ¿hay algo más que pueda contarme sobre su ahijado? ¿Sabe por qué estaba en el Club Vesper la otra noche o por qué apuñaló a Diego? ¿Qué clase de relación tenían?

—Ninguna, por responder primero a su última pregunta.

Herrera cogió un cigarrillo y lo encendió, aunque no parecía apetecerle fumar. Sus ojos recorrieron la habitación, como temeroso de pegar fuego a alguna cosa. Marks sospechaba que eran nervios. ¿Por qué?

Herrera lo miró unos momentos. La ceniza de su cigarrillo cayó silenciosamente a la alfombra, quedándose entre sus pies.

—Diego no conocía la existencia de Ottavio, al menos no sabía la relación que tenía conmigo.

—Entonces, ¿por qué Ottavio mató a su hijo?

—No tenía motivo alguno para matarlo y por lo tanto me niego a creer que lo hiciera.

Herrera indicó a su chófer que llevara a Marks a la compañía de alquiler de coches más cercana. Insistió en intercambiar los números de teléfono. Sus palabras de incredulidad resonaban en la cabeza de Marks mientras marcaba en el GPS de su agenda electrónica la dirección que Bourne le había dado.

—Quiero estar al tanto de su investigación —dijo Herrera—. Me prometió que encontraría al asesino de mi hijo. Debe saber que me tomo muy en serio las promesas que me hacen.

Marks no vio razón alguna para dudarlo.

Quince minutos después de salir de la compañía de alquiler de coches, su teléfono zumbó y recibió un mensaje de texto de Soraya. A los pocos minutos lo llamó Willard.

—Progresos.

—He contactado con él —informó Marks, refiriéndose a Bourne.

—¿Sabes dónde está? —La voz de Willard se aceleró ligeramente.

—Todavía no —mintió Marks—. Pero pronto lo sabré.

—Bien, estoy a tiempo.

—¿A tiempo de qué?

—La misión ha cambiado un poco. Necesito que organices un encuentro entre Bourne y Arkadin.

Marks buscó un significado oculto en la voz de Willard. Algo había cambiado. Detestaba estar fuera de onda y sentirse en desventaja.

—¿Y qué pasa con el anillo?

—¿Me estás escuchando? —preguntó Willard—. Limítate a cumplir órdenes.

Marks estaba ya seguro de que se le estaba denegando el acceso al plan completo. Sintió que la antigua rabia contra las maquinaciones de sus superiores le subía por la garganta como si fuera bilis.

—¿Se ha puesto Soraya Moore en contacto contigo? —prosiguió Willard.

—Sí. Acabo de recibir un mensaje de texto suyo.

—Llámala. Coordinad los esfuerzos. Tienes que reunir a los dos hombres en este lugar. —Le dio una dirección—. Cómo lo hagáis es cosa vuestra, pero tengo una información que a Arkadin podría resultarle interesante. —Expuso a Marks lo que El-Arian le había contado sobre la información perdida, sin la cual el archivo del disco duro del ordenador portátil era inútil—. Tienes setenta y dos horas.

—¿Setenta y dos...? —Pero estaba hablándole al vacío. La conversación había terminado.

Al llegar al siguiente cruce, Marks miró el plano del GPS para asegurarse de que no había equivocado el camino mientras hablaba con Willard. La mañana había sido soleada, pero luego llegaron las nubes tiñéndolo todo de gris. En aquel momento, una suave llovizna borraba los bordes incluso de los ángulos más agudos de los edificios y las señales de tráfico.

El semáforo se puso en verde y, mientras dejaba atrás el cruce, advirtió que un Ford blanco pasaba a su carril y se situaba detrás de él. Sabía reconocer cuándo lo seguían. Había visto el Ford blanco antes, varios vehículos por detrás de él, aunque lo había perdido de vista varias veces porque se ocultaba tras un camión voluminoso. El Ford iba ocupado sólo por el conductor, que llevaba gafas de sol. Marks pisó el acelerador y salió disparado mientras cambiaba de primera a segunda y luego a tercera más aprisa de lo que la transmisión podía soportar. Durante dos o tres segundos el coche vaciló y temió haber ahogado el motor. Entonces, el vehículo saltó hacia delante con tanta furia que casi se estrelló contra un camión. Pasó al carril de la derecha y siguió acelerando mientras el Ford blanco trataba de seguirlo.

Estaba en una zona de Londres con mucho tráfico, tiendas especializadas y grandes almacenes. Un rótulo que indicaba la proximidad de un aparcamiento subterráneo apareció tan de repente que tuvo que introducirse en él en el último momento. El guardabarros izquierdo raspó contra la pared de hormigón, enderezó la dirección y bajó por la rampa hacia la caverna de hormigón iluminada por tubos fluorescentes.

Aparcó en una plaza tan estrecha que tuvo que bajar la ventanilla para salir. En aquel momento oyó un chirrido de neumáticos y supuso que el Ford blanco aún lo seguía de cerca. Vio la escalera abierta al lado del ascensor y cruzó la puerta agachado en el momento en que pasaba el coche blanco como una centella. La escalera olía a grasa y orina. Mientras subía los peldaños de tres en tres, oyó cerrarse de golpe la puerta de un vehículo y pasos que corrían sobre el hormigón. A los pocos segundos, alguien subía corriendo, detrás de él.

Cuando estaba a punto de doblar un recodo de la escalera, tropezó con un indigente, tan borracho que se había desmayado. Marks se inclinó y contuvo la respiración mientras arrastraba al borracho hacia arriba, dejándolo atravesado en un peldaño, nada más doblar el recodo. Escondiéndose entre las sombras de más arriba, esperó, respirando profunda y lentamente.

Los pasos se acercaron y se medio agachó. Su perseguidor dobló el recodo a toda velocidad y, como Marks había previsto, no vio al borracho hasta que fue demasiado tarde. Mientras se tambaleaba dando traspiés hacia delante, él saltó hacia abajo y le propinó un rodillazo en la frente. El perseguidor reculó, tropezó otra vez con el borracho y cayó de espaldas.

Marks vio que sacaba de debajo de la chaqueta una Browning M1900. Le propinó un puntapié al arma en el momento en que disparaba. El ruido resonó de un modo tan ensordecedor en aquel reducido espacio que el borracho abrió los ojos y se incorporó de golpe. El hombre de la pistola cogió al borracho por el cuello de la chaqueta y le puso el cañón de la pistola en la frente.

—O vienes conmigo inmediatamente —dijo con un acento muy marcado, quizá de Oriente Próximo—. O le vuelo los sesos. —Sacudió al borracho con tanta violencia que el hombre empezó a babear.

—¡Eh, tío! —gritó el indigente totalmente confuso—. ¡Vete a la mierda!

El pistolero, tan indiferente como furioso, golpeó la cabeza del borracho con el cañón de la Browning. Marks se abalanzó sobre él. El pulpejo de su mano se estrelló contra la barbilla del hombre, lanzándola hacia arriba y dejando su cuello al descubierto. Mientras detenía la mano que sujetaba la pistola, lanzó el puño contra el cuello del matón. El cartílago cedió y el pistolero se vino abajo, jadeando por la falta de oxígeno en su sistema respiratorio. Tenía los ojos abiertos y en blanco. De su garganta sólo brotaban sonidos animales, pero pronto dejaron de oírse.

El borracho se revolvió con sorprendente agilidad contra el matón y le propinó una patada en la entrepierna.

—¡Toma, para que te enteres, so gilipollas! —Luego, murmurando para sí, bajó dando tumbos por la escalera, sin volver la vista atrás.

Marks registró rápidamente los bolsillos del pistolero, pero lo único que encontró fue las llaves del Ford blanco y un fajo de billetes. Ni pasaporte ni ninguna otra clase de identificación. Tenía la piel oscura, el cabello negro y rizado, y barba.

«Una cosa es segura —pensó Marks—, no es de la CI. Entonces, ¿para quién trabajaba y por qué coño me estaba siguiendo?» Se preguntó quién podía saber que él estaba allí, aparte de Willard y Oliver Liss.

Entonces oyó el silbato de la policía de a pie y supo que tenía que salir de allí. Observó una vez más al muerto, deseando que llevara encima alguna identificación, un tatuaje o...

Entonces vio el anillo de oro que brillaba en el dedo corazón de su mano derecha y se lo quitó. Esperaba encontrar en su interior una inscripción conmemorativa o de recuerdo.

No lo había. Había algo mucho más interesante.

Soraya volvió a ver a Arkadin en el restaurante del puerto deportivo. Aunque lo más probable era que él la hubiera estado buscando, porque, concentrada en el arroz con camarones, ni siquiera lo vio entrar. El camarero le sirvió un cóctel (un *tequini*, lo llamó él) de parte del hombre de la barra. Soraya levantó la vista y, por supuesto, era el ruso. Lo miró directamente a los ojos al coger la copa del tequila con martini. Sonrió. Era todo lo que él necesitaba.

—Es usted muy insistente, se lo concedo —dijo Soraya cuando se acercó Arkadin.

—Si yo fuera su amante, no permitiría que comiera sola.

—¿Lo dice por mi ex limpiapiscinas? Lo he enviado a hacer las maletas.

Arkadin rió y señaló el reservado en el que estaba sentada.

—¿Puedo?

—Preferiría que no.

Él se sentó a pesar de todo y dejó su bebida sobre la mesa, como si delimitara su territorio.

—Si me permite pedir, le pagaré la cena.

—No necesito que me pague la cena —subrayó Soraya.

—La necesidad no tiene nada que ver. —Arkadin levantó la mano y el camarero apareció junto a él—. Tomaré un filete, casi crudo, y tomatitos. —El hombre asintió con la cabeza y se fue.

Arkadin sonrió. A Soraya le sorprendió lo simpático que parecía. Tenía un encanto profundo que la asustaba.

—Me llamo Leonardo —se presentó.

Soraya dio un bufido.

—No sea ridículo. En Puerto Peñasco nadie se llama Leonardo.

Arkadin pareció avergonzarse, como un niño pillado con la mano en el bote de los caramelos, y ella empezó a entender su forma de abordar a las mujeres. Se daba cuenta de lo magnético que era, de su atractivo y de la impresión que causaba aparentando la seguridad de un hombre poderoso con un fondo más dulce y vulnerable. ¿Qué mujer podría resistirse a una cosa así? Rió en silencio para sí y se sintió mejor, como si por fin pisara suelo firme, un terreno seguro en el que podía seguir adelante con su misión.

—Tiene toda la razón —admitió Arkadin—. En realidad, es Leonard, Leonard a secas.

—Penny. —Soraya le alargó una mano y él se la estrechó brevemente—. ¿Qué está haciendo en Puerto Peñasco, Leonard?

—Pesca, regatas.

—En su lancha motora.

—Sí.

Soraya terminó el arroz con camarones en el momento en que llegó el filete con los tomates. La carne, medio cruda, tal como la había pedido, iba acompañada de chiles. Arkadin empezó a comer. «Debe de tener un estómago de hierro», pensó ella.

—¿Y usted? —preguntó Arkadin mientras masticaba.

—He venido por el clima —dijo, apartando el *tequini.*

—¿No le gusta?

—No bebo alcohol.

—¿Es alcohólica?

Soraya se echó a reír.

—Musulmana. Soy egipcia.

—Le pido disculpas por haberle encargado algo inapropiado.

—No hace falta —respondió ella, quitando importancia al asunto con la mano—. No podía saberlo. —Sonrió—. Pero es usted un encanto.

—¡Ja! Eso es lo que no soy.

—¿No? —Soraya ladeó la cabeza—. Entonces, ¿qué es?

Arkadin se limpió la sangre de los labios y se retrepó un momento en la silla.

—Bueno, a decir verdad soy bastante exigente. Eso pensaban mis socios, sobre todo cuando les compré su parte. También lo creía mi mujer, para el caso.

—¿Ella también forma parte del pasado?

Él asintió con la cabeza y siguió comiendo.

—Desde hace casi un año.

—¿Hijos?

—¿Está de broma?

Desde luego Arkadin tenía un don para inventar historias, pensó ella con admiración.

—Tampoco a mí me hacen mucha gracia los niños —confesó Soraya, lo que en cierto modo era verdad—. Me dedico totalmente a mi trabajo.

Arkadin, sin apartar los ojos del filete, le preguntó qué clase de trabajo hacía.

—Importación y exportación —respondió la mujer—. En el norte de África.

Él levantó la cabeza lenta, pero muy deliberadamente. Soraya sintió los latidos del corazón en las costillas. Pensó que era como convencer a un tiburón para que mordiera el anzuelo. No quería cometer ni el más pequeño error y sintió un escalofrío. Estaba muy cerca del abismo, del momento en que su personalidad ficticia se fusionaría con la auténtica. Ese momento era el que la había impulsado a ser lo que era. Por eso no había dejado plantado a Peter cuando éste la había reclutado para aquella misión, por eso no había hecho ascos al aspecto degradante de lo que se esperaba que hiciera. Nada de aquello importaba. Lo que importaba era estar a un paso del abismo. Aquel momento exacto era para lo que vivía, *y Peter lo había sabido mucho antes que ella.*

Arkadin volvió a limpiarse los labios.

—El norte de África. Interesante. Mis antiguos socios trabajaron mucho en el norte de África. A mí no me gustaban sus métodos o, para ser sinceros, la gente con la que trataban. Ésa fue una de las razones por las que decidí comprarles su parte.

Era rápido inventando, pensó Soraya, improvisaba a toda prisa. A ella le gustaba cada vez más la conversación.

—¿En qué sector trabaja usted?

—Ordenadores, periféricos, servicios informáticos, todo eso.

Bien, pensó la mujer con diversión. Adoptó una expresión pensativa.

—Bueno, yo podría ponerlo en contacto con personas de confianza, si quiere.

—Quizá podríamos trabajar juntos.

«¡Ha picado! —pensó Soraya con cierto júbilo—. Es el momento de tirar del sedal, pero muy lenta y cuidadosamente.»

—Mmm..., eso ya no lo sé. Estoy casi a tope.

—Entonces necesita una ampliación.

—Claro. ¿Con qué capital?

—Yo tengo capital.

Soraya lo miró con cautela.

—Me parece que no. Apenas nos conocemos.

Arkadin dejó el cuchillo y el tenedor y sonrió.

—Entonces será mejor que nos conozcamos antes de elaborar el primer orden del día. —Levantó un dedo—. De hecho, tengo algo que enseñarle que tal vez la anime a hacer negocios conmigo.

—Vaya, ¿qué es?

—Ah, ah, ah, es una sorpresa.

Volvió a llamar al camarero y pidió dos cafés sin preguntarle a ella si le apetecía. Resultó que sí le apetecía. Quería tener los sentidos alerta, porque no le cabía ninguna duda de que en algún momento de la noche tendría que rechazar sus avances amorosos, pero de tal modo que él siguiera enganchado y no diese la relación por concluida.

Charlaron amistosamente mientras se tomaban el café, sintiéndose cómodos el uno con el otro. Soraya, al ver lo relajado que estaba, se permitió relajarse también, por lo menos hasta cierto punto. Por dentro, sin embargo, sentía una fuerte tensión, como si unos cables de acero la hiciesen vibrar de arriba abajo. Aquel hombre tenía un gran encanto, además de carisma. Entendía por qué tantas mujeres se sentían magnéticamente atraídas a su órbita. Pero al mismo tiempo, la parte de ella que retrocedía para observar desde una distancia objetiva se daba cuenta de que el hombre estaba representando un papel, de que no veía al auténtico Arkadin. Al cabo de un rato se preguntó si lo habría visto alguien. El hombre se había aislado tan eficazmente de otros seres humanos que sospechaba que ya no era accesible ni siquiera para sí mismo. Y en aquel momento, a ella le parecía un niño perdido, exiliado hacía tiempo, incapaz de encontrar el camino de regreso.

—Bueno —dijo Arkadin dejando la taza vacía—, ¿nos vamos? —Dejó unos billetes sobre la mesa y, sin esperar respuesta, se levantó, le tendió la mano y, tras un momento de duda, Soraya le permitió que la ayudara a levantarse.

La noche era calurosa, sin una triste brisa, pesada como unas cortinas de terciopelo. No había luna, pero las estrellas resplandecían en la oscuridad. Pasearon alejándose de la orilla y luego doblaron hacia el norte, en sentido paralelo a la playa. A su derecha, el iluminado Puerto Peñasco parecía parte de un cuadro, un mundo aparte.

Las farolas de la calle dejaron paso a la oscuridad tachonada de estrellas y luego, bruscamente, a las luces de una maciza estructura de piedra que parecía de carácter religioso. Soraya vio la cruz enclavada en la piedra, encima de la puerta de hierro y madera.

—Antes era un convento. —Arkadin abrió la puerta y se hizo a un lado para que pasase Soraya—. Mi hogar lejos de mi hogar.

El interior casi no tenía muebles, pero olía a incienso y velas de cera. Ella vio un escritorio, varios sillones de brazos, una mesa larga con ocho sillas, un sofá que parecía un banco de iglesia, con cojines de colores abigarrados. Todo era de madera oscura y maciza. Ningún mueble parecía cómodo.

Mientras cruzaban el salón, Arkadin encendió varios velones de color crema, insertos en candelabros de hierro de diferentes alturas. El efecto en el inmenso interior de piedra era cada vez más medieval, y la mujer sonrió para sí, sospechando que el ruso estaba preparando el escenario de un romance o, en este caso, de una seducción.

Arkadin abrió una botella de vino tinto, lo sirvió en una copa mexicana grande y luego llenó otra con zumo de guaraná. Le tendió el zumo y dijo:

—Venga. Por aquí.

La condujo hacia la oscuridad, deteniéndose a encender velas durante el camino. La pared del fondo estaba casi totalmente ocupada por una chimenea de ladrillo, tan grande como la de cualquier mansión señorial inglesa. Soraya percibió olor a cenizas antiguas y a la creosota que impregnaba los ladrillos después de décadas de utilización y, a juzgar por lo que veía, después de años de abandono.

Arkadin encendió una vela especialmente grande y, levantándola como si fuera una antorcha, se dirigió a las sombras de la chimenea. La impenetrable oscuridad dejó paso a la oscilante iluminación de la llama.

Cuando las sombras se retiraron, un bulto adquirió forma en la chimenea, una silla. Y en la silla había una figura sentada. La figura estaba atada a la silla por los tobillos. Los brazos, seguramente atados por las muñecas, estaban doblados hacia atrás.

Cuando Arkadin se acercó un poco más con la vela, la luz de la llama ascendió desde las piernas y el busto hasta revelar finalmente el rostro, ensangrentado y tan hinchado que se le había cerrado un ojo.

—¿Le gusta la sorpresa? —preguntó Arkadin.

La copa de zumo se la cayó a Soraya de las manos y se estrelló en el suelo, haciéndose añicos.

El hombre atado a la silla era Antonio.

Era como una partida de ajedrez. Bourne miraba al anciano tratando de situarlo como director del Centro de Estudios de Documentos Antiguos en la época en que «David Webb» había trabajado en Oxford y el viejo le devolvía la mirada, cada vez más convencido de la identidad del norteamericano.

Chrissie los miraba a los dos, como si tratara de averiguar quién iba a dar jaque mate.

—Adam, ¿tiene razón mi padre? ¿Tu auténtico nombre es David Webb?

Bourne vio la manera de librarse, la única, aunque no le gustara.

—Sí —respondió— y no.

—En todo caso, tu nombre no es Adam Stone. —La voz de Chrissie había adoptado un timbre metálico—. Eso significa que mentiste a Trace. Ella te conocía por Adam Stone, y así es como te conozco yo.

Bourne se volvió a mirarla.

—Adam Stone es tan nombre mío como lo era David Webb. He tenido diferentes nombres en diferentes épocas. Pero sólo son nombres.

—¡Maldito seas! —Chrissie se levantó, dio media vuelta y se dirigió a la cocina.

—Está muy enfadada —dijo Scarlett, mirándolo con su rostro de once años, hermoso aunque todavía no definido del todo.

—¿Tú estás enfadada? —preguntó él.

—¿No eres profesor?

—La verdad es que sí. Profesor de lingüística.

—Pues eso mola un montón. ¿Tienes muchas identidades secretas?

Bourne se echó a reír. Le gustaba aquella niña.

—Cuando hace falta.

—¡La batiseñal! —Scarlett acercó la cabeza y, con la franqueza de los niños, preguntó—: ¿Por qué mentiste a tía Tracy y a mamá?

Bourne estaba a punto de decir algo sobre Tracy, pero recordó a tiempo que, por lo que Scarlett sabía, su tía seguía viva.

—Utilizaba una de mis identidades secretas cuando conocí a tu tía. Luego Tracy le habló a tu madre de mí. No se me ocurrió una forma mejor de que me escuchara enseguida.

—Si no es usted el profesor David Webb, ¿quién diantres es? —dijo el padre de Chrissie, que se recuperaba a ojos vistas.

—Cuando lo conocí yo era Webb —repuso Bourne—. No fui a Oxford ni me presenté ante usted de manera fraudulenta.

—¿Qué está haciendo aquí con mi hija y mi nieta?

—Es una larga historia —dijo.

Una chispa de astucia apareció en el rostro del anciano.

—Apuesto que tiene algo que ver con mi hija mayor.

—En cierto modo.

El anciano apretó el puño.

—Esa maldita inscripción.

Un escalofrío recorrió la columna vertebral de Bourne.

—¿Qué inscripción?

El hombre lo miró con curiosidad.

—¿No lo recuerda? Soy el doctor Bishop Atherton. Me trajo usted una frase escrita que dijo que era una inscripción.

En aquel momento, Bourne recordó. Lo recordó todo.

LIBRO TERCERO

21

Antonio yacía desmoronado en medio de la oscuridad de la chimenea del convento, una oscuridad tan espesa y negra que parecía acabar no sólo con la luz, sino también con la vida.

Soraya dio unos pasos hacia él, tratando de ver en la oscuridad.

—No es tu limpiapiscinas —adujo Arkadin—. Eso está clarísimo.

La mujer no dijo nada. Se daba cuenta de que había comenzado el acoso para conseguir información. En sí era un signo esperanzador, pues indicaba que Antonio no había hablado, a pesar de la paliza recibida.

Tras llegar a la conclusión de que sentirse ofendida era el mejor camino, se volvió hacia Arkadin.

—¿Qué demonios crees que estás haciendo?

Cuando el ruso sonreía, era como un lobo asomando tras los pinos.

—Me gusta saber quiénes son mis posibles socios. —Su sonrisa se estiró como un cuchillo desenvainado—. Sobre todo, los que me caen del cielo tan oportunamente.

—¿Socios? —Soraya rió con aspereza—. Debes de estar soñando, amigo ruso. Yo no sería socia tuya ni...

Arkadin la asió por la cintura y apretó sus labios contra los de ella, pero la mujer estaba preparada. Se dobló hacia él y le clavó la rodilla en la ingle. Las manos que la rodeaban temblaron un momento, pero no la soltaron. La sonrisa lobuna del hombre no desapareció, aunque había lágrimas brillándole en los ojos.

—No me tendrás —murmuró Soraya, con suavidad pero fríamente—, de ninguna manera.

—Sí, serás mía —replicó Arkadin con la misma frialdad—, porque has venido a buscarme.

Ella no supo qué responder, aunque esperaba haber abierto una grieta en la oscuridad, porque de lo contrario estaba completamente perdida.

—Deja en libertad a Antonio.

—Dame una razón.

—Hablaremos.

Arkadin se masajeó la entrepierna.

—Ya hemos hablado.

Soraya sonrió enseñando los dientes.

—Intentaremos otra forma de comunicación.

Él le puso una mano en el pecho.

—¿Como ésta?

—Desátalo —exigió Soraya, tratando de que no le chirriaran los dientes—. Déjalo marchar.

Arkadin pareció meditar la propuesta.

—Creo que no —respondió tras unos momentos de tenso silencio—. Este tipo significa algo para ti, lo que lo hace muy valioso como elemento de presión. —Introdujo la mano en el bolsillo y sacó una navaja automática. La abrió y, apartando a Soraya, se acercó a Antonio—. ¿Qué quieres que le corte primero? ¿La oreja? ¿Un dedo? ¿O algo que esté más abajo?

—Si le cortas algo...

Arkadin se volvió hacia ella.

—¿Sí?

—Si le cortas algo, no podrás dormir mientras yo esté a tu lado.

Arkadin la miró con aire lascivo.

—Yo no duermo.

Había empezado a perder las esperanzas de que Antonio saliera con vida de aquella situación cuando sonó el teléfono. Sin esperar a que Arkadin le diera permiso, respondió.

—Soraya. —Era Peter Marks.

—Sí.

—¿Qué ocurre? —Intuitivo como era, había percibido la tensión de su voz.

Ella miró a los ojos de Arkadin.

—Todo va sobre ruedas.

—¿Arkadin?

—Puedes apostar a que sí.

—Excelente, lo has encontrado.

—Más que eso.

—Hay un problema, lo he captado. Bien, tendrás que encontrar la manera de solucionarlo, y rápido porque nuestra misión se ha vuelto urgente.

—¿Qué pasa?

—Tienes que llevar a Arkadin a la siguiente dirección en el plazo de setenta y dos horas. —Le repitió la dirección que Willard le había dado.

—Es una orden imposible de cumplir.

—Obviamente, pero hay que cumplirla. Bourne y él tienen que reunirse, y allí es donde estará Bourne.

Un punto de luz apareció en la oscuridad. «Sí —pensó Soraya—, podría resultar.»

—De acuerdo —respondió—. Me daré prisa.

—Y asegúrate de que lleve el ordenador portátil.

Soraya ahogó una exclamación.

—¿Y cómo propones que haga eso?

—Oye, para eso ganas tanta pasta.

Marks cortó la comunicación antes de que Soraya lo mandase a la mierda. Con un gruñido de asco, se guardó el móvil.

—¿Problemas laborales? —preguntó Arkadin con voz burlona.

—Nada que no tenga solución.

—Me gusta tu actitud positiva. —Todavía burlándose de ella, le enseñó la navaja—. ¿Vas a resolver este otro problema?

Soraya adoptó una expresión pensativa.

—Posiblemente —respondió, pasando por su lado en dirección a la chimenea, donde Antonio la miraba con el único ojo que tenía abierto. Le sorprendió ver que el hombre le sonreía.

—No te preocupes por mí —dijo con voz ronca—. Me estoy divirtiendo.

Sin que Arkadin pudiera verla, se llevó un dedo a los labios y luego lo puso sobre los de él. Lo retiró manchado de sangre. Se volvió hacia el ruso.

—Todo depende de ti.

—No lo creo. La pelota está en tu campo.

—Haremos una cosa —propuso, saliendo a la zona iluminada por la vela—. Tú dejas que se vaya Antonio y yo te diré cómo encontrar a Jason Bourne.

Arkadin se echó a reír con ganas.

—Es un farol.

—Cuando está en juego una vida —replicó Soraya—, no echo faroles nunca.

—Aun así, ¿qué sabrá de Jason Bourne una que se dedica a la importación/exportación?

—Es muy sencillo. —Soraya ya había preparado la respuesta—. A veces utiliza mi compañía como cobertura. —Era un argumento suficientemente plausible para que Arkadin pensara que podía creerla.

—¿Y por qué alguien como tú cree que me importa dónde esté Jason Bourne?

Soraya ladeó la cabeza.

—¿Te importa? —No era el momento de retroceder ni de mostrar debilidad.

—¿Y si no eres quien dices ser?

—¿Y si tú no eres quien dices ser?

Arkadin agitó un dedo delante de ella.

—No, no creo que seas quien dices ser.

—Tanto más intrigante entonces.

Él asintió con la cabeza.

—Confieso que me gustan los misterios, sobre todo cuando me acercan a Bourne.

—¿Por qué lo odias tanto?

—Es responsable de la muerte de alguien a quien amaba.

—Oh, vamos —exclamó Soraya—. Tú nunca has amado a nadie.

Arkadin dio un paso hacia ella, aunque Soraya le costó entender si fue un acto de amenaza o si se limitó a acercarse.

—Utilizas a las personas —prosiguió la mujer—, y cuando has terminado, las estrujas como un pañuelo usado y las tiras a la basura.

—¿Y Bourne qué? Es exactamente igual que yo.

—No —replicó—, no se te parece en nada.

La sonrisa de Arkadin se ensanchó, y por primera vez habló sin timbre de amenaza ni de ironía.

—Vaya, por fin sé algo útil de ti.

Soraya estuvo a punto de escupirle en la cara, pero se dio cuenta de que aquello lo pondría contento, porque indicaría que había puesto el dedo muy cerca de una llaga.

De repente, algo pareció cambiar en él. Alargó la mano y le acarició la barbilla. Luego, señalando a Antonio con la punta de la navaja, dijo:

—Ve a desatar a ese cabrón cabezota.

Cuando Soraya entró en la chimenea y se arrodilló para soltar a Antonio, Arkadin añadió:

—Ya no le necesito. Ahora te tengo a ti.

—Así es como ocurrió. —Chrissie estaba en la cocina, delante de la ventana que quedaba encima del fregadero. No se veía nada, salvo el gris del amanecer que se filtraba entre las copas de los árboles como una gasa. No había dicho nada cuando Bourne entró en la habitación, aunque se sobresaltó cuando notó que lo tenía detrás.

—¿Como ocurrió qué? —preguntó él.

—Cómo acabé por mentirte. —Chrissie abrió el grifo de agua caliente, y poniendo las manos debajo del chorro, comenzó a lavárselas como si fuera Lady Macbeth—. Un día —dijo—, poco más de un año después del nacimiento de Scarlett, me miré al espejo y me dije: «Has descuidado tu cuerpo». Puede que un hombre no lo entienda. Había sacrificado mi cuerpo a la maternidad, lo que significa que me había descuidado.

Seguía frotándose las manos bajo el agua, lavándoselas sin parar.

—Desde aquel momento —añadió—, empecé a odiarme a mí misma, y luego, por derivación, odié mi vida y eso incluía a Scarlett. Estaba claro que no podía tolerar una cosa así. Luché contra ese sentimiento e inmediatamente caí en una horrible depresión. Mi trabajo empezó a resentirse de manera tan evidente que el jefe de departamento sugirió, y luego insistió, amable pero firmemente, que me tomara unas vacaciones. Finalmente accedí. Es decir, no me quedaba otro remedio, ¿verdad? Pero cuando cerré con llave la puerta de mi despacho, cuando salí de Oxford, dormitando como Avalon en la niebla, supe que tenía que hacer algo radical. Sabía que no era casualidad que me hubiera encerrado en un lugar que nunca cambiaba. Como mi padre, estaba segura en Oxford, donde todo está planeado de antemano, incluso predestinado; donde no hay posibilidad de la más ligera desviación. Por eso, al conocer el estilo de vida de Trace, reaccionó como reaccionó. Su forma de vivir lo aterrorizaba, así que se desahogó con ella. Hasta aquel día en que me fui de Oxford no entendí esa dinámica familiar ni hasta qué punto me había afectado. Se me ocurrió que posiblemente había elegido aquella vida tan segura por él, no por mí.

Cerró el grifo y se secó las manos con un paño de cocina. Tenía los dorsos enrojecidos.

—Tengo que sacar a mi familia de aquí.

—En cuanto aparezca un amigo mío, nos iremos —prometió Bourne.

—Scarlett.

—Está con tu padre.

Chrissie se volvió para mirar por la puerta que daba al salón, casi con nostalgia.

—Al menos ella sí quiere a mis padres. —Suspiró—. Salgamos. Me cuesta respirar aquí.

Salieron a la húmeda mañana por la puerta de la cocina. Hacía frío y, cuando hablaban, les salían nubes de vaho por la boca. Las bases de los árboles estaban todavía sumidas en la oscuridad, como si las raíces conservaran la negrura de la noche. Chrissie se estremeció y encogió los brazos en el pecho.

—¿Qué ocurrió? —preguntó Bourne.

—Nada que tuviera sentido, fue una casualidad pura y simple que encontrara a Holly.

Él se quedó boquiabierto.

—¿Holly Marie Moreau?

La muchacha asintió con la cabeza.

—Estaba buscando a Trace y me encontró a mí.

«Todas las piezas de este rompecabezas parecen volver a Holly», pensó Bourne.

—¿Y os hicisteis amigas?

—Más que amigas y también menos —respondió Chrissie—. Sé que decir esto no tiene mucho sentido. —Se encogió de hombros—. Empecé a trabajar para ella.

Bourne frunció el ceño. Se sentía como un minero que avanzara por un túnel sin luces, aunque sabiendo por instinto hacia qué lado girar.

—¿A qué se dedicaba Holly?

Chrissie rió con actitud ligeramente avergonzada.

—Estaba con lo que ella, eufemísticamente, llamaba un proveedor. De vez en cuando hacía viajes a México, viajes que duraban dos o tres semanas. A petición de un cliente, abastecía a un narcorrancho. Los narcorranchos son ranchos fantasma que pertenecen a los capos mexicanos de la droga y que están en algún lugar del desierto, normalmente al norte, en Sonora, pero a veces en estados más meridionales, como Sinaloa. Aparte de un cuidador y un par de guardianes, nadie vive allí todo el tiempo.

»En cualquier caso, me llevó a Ciudad de México, a los bares que abren de madrugada, los burdeles, donde elegía el personal femenino de una lista que actualizaba semanalmente, como si fuera una agenda. Llevábamos a las chicas al narcorrancho del cliente. Sólo había un puñado de mexicanos cuando llegábamos, algunos peones y soldados armados hasta los dientes que nos miraban con desprecio, aunque se morían de ganas por acostarse con las chicas. Mi trabajo consistía en arreglar el interior y alojar a las chicas en los dormitorios. Los peones hacían el trabajo pesado.

»Poco a poco llegaban los coches, Lincolns Town, Chevys Suburban, Mercedes, todos con los cristales oscuros y tan blindados que llegaban bamboleándose a causa del peso. Las fuerzas de seguridad rodeaban la zona como si estuviéramos en un campamento militar en plena guerra. Luego llegaban los repartidores con carne, fruta, cajas de cerveza, botellas de tequila y, por supuesto, montañas de cocaína. Y se ponían a freír carne en parrillas al aire libre y a asar cerdos y corderos enteros, clavados en espetones. La música de salsa y disco retumbaba a volumen creciente. Los encargados de preparar la comida apestaban a sudor y a cerveza, así que no podías dejar que se acercaran. Entonces llegaban los capos con sus guardaespaldas y era como la celebración del día de los difuntos, una fiesta que sobrepasa a todas las fiestas.

La mente de Bourne corría tan desbocada que se sentía mareado.

—Uno de los clientes de Holly era Gustavo Moreno, ¿verdad?

—Gustavo Moreno era su mejor cliente —informó Chrissie.

«Sí —se dijo Bourne—, tenía que serlo. Otra pieza que faltaba en el rompecabezas.»

—Gastaba más que ninguno. Le gustaba divertirse toda la noche. Cuanto más tarde se hacía, más salvaje y ruidosa se volvía la fiesta.

—Fuiste muy lejos cuando saliste de Oxford, profesora.

Chrissie asintió con la cabeza.

—Y cuando salí también de la civilización. Pero así era Holly. Llevaba una doble vida. Decía que tenía mucha práctica por haberse criado en Marruecos, porque su familia era muy estricta, muy religiosa, devota incluso. Una mujer tenía pocos derechos, una muchacha aún menos. Al parecer, su padre rompió con el resto de la familia, que estaba dirigida por su hermano, el tío de Holly. Según ella, tuvieron una pelea espantosa. Él se las llevó a su madre y a ella a Bali, un lugar que era todo lo contrario de aquel pueblo del Alto Atlas. No contó a nadie más lo de su vida secreta en México.

«Inexacto —pensó Bourne—. A mí me lo contó, o lo descubrí yo de alguna manera. Por eso el ordenador acabó en manos de Gustavo Moreno. Se lo debí de dar yo. Pero ¿por qué? En este rompecabezas siempre hay espacios vacíos que llenar, siempre preguntas que responder.»

Chrissie se volvió hacia él.

—Tengo entendido que conocías a Holly. —Bourne no respondió y la muchacha añadió—: Te habrás quedado de piedra con lo que te he contado.

—Lamento que me mintieras.

—Ambos nos mentimos. —Chrissie no pudo evitar un timbre de reproche en la voz.

—Tengo demasiada experiencia en mentir. —Bourne tenía la vaga sensación de haber pedido a Holly que lo llevara a México en uno de sus viajes. ¿O la había obligado a hacerlo?

—¿Por qué lo dejaste? —preguntó a Chrissie.

—Podría decirse que tuve una revelación en el desierto de Sonora. No es sorprendente que nos engancháramos. Tanto ella como yo estábamos huyendo de nuestra antigua vida, de quienes éramos. Mejor dicho, nos habíamos perdido y ya no sabíamos quiénes éramos ni qué queríamos ser. Nuestro mayor empeño era rechazar lo que *se esperaba* que fuéramos. —Se miró las manos enrojecidas como si no las reconociera—. Llegué a creer que la vida que había llevado en el santuario enclaustrado de Oxford no era real. Pero al cabo de un tiempo me di cuenta de que era la vida de Holly la que no era real.

El cielo se había ido aclarando. Los pájaros cantaban en las copas de los árboles y una ligera brisa arrastró hacia ellos el olor a tierra húmeda, a seres vivos.

—Una noche, ya tarde, entré en una habitación vacía, o eso creí. Y allí estaba Holly encima de Gustavo, dale que te pego. Los observé un momento como si fueran dos extraños actuando en un espectáculo porno. Luego pensé: «Joder, es Holly». Puede decirse que desperté. —Sacudió la cabeza—. Aunque no creo que ella despertara nunca.

Bourne tampoco lo creía. Triste pero cierto. Holly había sido muchas cosas para mucha gente, ninguna de ellas la misma. Aquellas identidades múltiples le habían permitido meterse en el fondo de sí misma, esconderse de todos, cuando era a su tío al que sin duda temía más.

En aquel momento Scarlett asomó la cabeza y anunció:

—Eh, vosotros dos, tenemos visita.

Ottavio Moreno y Peter Marks esperaban en el salón, mirándose con recelo.

—¿Qué está pasando aquí? —preguntó Bourne.

—Éste es Ottavio Moreno, el hombre que apuñaló a Diego Herrera —dijo Marks a Bourne—. ¿Y tú lo proteges?

—Es una larga historia, Peter —respondió Bourne—. Te la explicaré en el coche, camino de...

Marks se volvió hacia Moreno.

—Tú eres el hermano de Gustavo Moreno, el capo colombiano de la droga.

—Lo soy —admitió Ottavio Moreno.

—Y ahijado de Fernando Herrera, el padre del hombre que mataste de una puñalada. —Como Moreno no dijera nada, Marks prosiguió—: Acabo de estar con don Fernando. Está destrozado, como puedes imaginar. O quizá no puedas. En cualquier caso, no cree que mataras a su hijo. Pero la policía está segura de que lo hiciste. —Sin esperar respuesta, se volvió hacia Bourne—. ¿Cómo has podido permitir que esto ocurra?

Ottavio Moreno cometió entonces un error de táctica.

—Creo que será mejor que te tranquilices —dijo. Debería haber cerrado la boca, pero era muy probable que las palabras de Marks le hubieran sentado mal, al igual que su tono.

—No me digas lo que tengo que hacer —replicó Marks con acaloramiento.

Bourne tenía la vaga intención de dejar que los dos hombres se liaran a puñetazos, aunque sólo fuera para aliviar la creciente tensión del último par de horas, pero había que pensar en Chrissie y en su familia, así que se interpuso entre los dos. Cogiendo a Marks por el codo, lo arrastró hasta la puerta principal, para hablar sin ser oídos. Pero antes de que pudiera decir una palabra, apareció Moreno.

Se dirigió directamente a Marks. Antes de llegar a él, lo detuvo en seco un disparo que salió de entre los árboles. Mientras reculaba, incluso mientras el segundo disparo se llevaba parte de su cráneo, Bourne corría ya hacia el Opel de Moreno. Marks lo seguía y otro disparo rasgó la quietud de la mañana.

Marks se tambaleó y cayó al suelo.

Boris Karpov acompañó a Viktor Cherkesov al solar de Ulitsa Varvarka. Pasaron por un agujero de la valla de tela metálica y descendieron por una rampa a la zona de obras. Cherkesov siguió andando hasta que estuvieron en lo más profundo del laberinto de vigas oxidadas y bloques de hormigón rotos; las malas hierbas crecían por todas partes como mechones de pelo en la espalda de un gigante.

Cherkesov se detuvo cuando llegaron al lado de un camión abandonado al que habían despojado de las ruedas, de los componentes electrónicos y del motor. Estaba inclinado hacia un lado como un barco a punto de hundirse. El camión era verde, pero alguien había pintado artísticamente unos grafitos obscenos con pintura plateada.

La boca de Cherkesov trató de esbozar una sonrisa al dejar de contemplar el grafito y volverse.

—Bien, Boris Illyich, por favor, sé tan amable de contarme lo esencial de tu improvisada reunión con el presidente Imov.

Karpov, comprendiendo que no le quedaba más remedio, obedeció. Cherkesov no lo interrumpió ni una sola vez, sino que escuchó atentamente mientras resumía lo que había sabido sobre Bukin y los demás topos que tenía bajo su mando. Cuando terminó, Cherkesov asintió con la cabeza. Sacó una pistola Tokarev TT, pero no apuntó a Karpov, al menos no directamente.

—Bien, Boris Illyich, ahora la cuestión es qué voy a hacer a continuación. En primer lugar, ¿qué hago contigo? ¿Dispararte y dejar que te pudras aquí? —Pareció dedicar un tiempo a meditar esta posibilidad—. Bueno, para ser sinceros, eso no me serviría de nada. Al haber acudido directamente a Imov te has convertido en invulnerable. Si te mataran o desaparecieras, el presidente iniciaría una investigación a gran escala que tarde o temprano terminaría en la puerta de mi casa. Como puedes imaginar, eso resultaría muy inconveniente.

—Creo que sería algo más que inconveniente para ti, Viktor Delyagovich —replicó Karpov con voz neutra—. Sería el principio de tu fin y el triunfo de Nikolai Patrushev, tu enemigo más encarnizado.

—Actualmente debo preocuparme por elementos más peligrosos que Nikolai Patrushev. —Cherkesov lo dijo con suavidad, meditabundo, como si hubiera olvidado que Karpov estaba allí. De repente pareció volver a la vida y miró directamente al coronel—. Así que matarte queda descartado, lo que es una suerte, Boris Illyich, porque me caes bien. Más aún, admiro tu tenacidad tanto como tu inteligencia. Por eso ni siquiera voy a molestarme en sobornarte. —Gruñó; fue una especie de risa que le salió mal—. Debes de ser el último hombre honrado de los servicios de información rusos. —Agitó la Tokarev—. ¿Dónde nos deja eso?

—En tablas —ofreció Karpov.

—No, no, no. Las tablas no son buenas para nadie, no para nosotros dos, no en este momento y lugar. Tú has dado a Imov pruebas contra Bukin, Imov te ha dado una misión. No tenemos otra opción que llevarla adelante.

—Eso sería un suicidio para ti —recordó Karpov.

—Sólo si sigo siendo el jefe del FSB-2.

El coronel negó con la cabeza.

—No lo entiendo.

Cherkesov tenía un radiotransmisor miniaturizado en la oreja.

—Puedes venir —ordenó a la persona con quien estuviera comunicándose.

En su rostro apareció una mueca que Karpov nunca había visto. Dio un paso hacia el coronel y señaló a su espalda.

—Mira quién viene, Boris Illyich.

Éste dio media vuelta y vio a Melor Bukin abriéndose paso entre los escombros.

—Ahora —propuso Cherkesov, poniendo la Tokarev en la mano de Karpov— cumple con tu deber.

El coronel escondió la Tokarev en la espalda mientras Melor Bukin se acercaba a ellos. Le extrañaba lo que Cherkesov le había dicho, porque Bukin estaba totalmente relajado y sin recelar nada. Abrió los ojos de par en par cuando Karpov sacó la Tokarev y le apuntó con ella.

—Viktor Delyagovich, ¿de qué va esto? —preguntó.

El coronel le disparó en la rodilla derecha y cayó al suelo como una chimenea que se derrumba.

—¿Qué has hecho? —gritó, agarrándose la rodilla herida—. ¿Estás loco?

Karpov se acercó a él.

—Conozco tu traición y el presidente Imov también. ¿Quiénes son los demás topos del FSB-2?

Bukin levantó la cabeza hacia él con los ojos muy abiertos.

—¿Qué? ¿Qué? ¿Topos? No sé de qué me estás hablando.

Karpov, con calma y deliberación, le reventó la rodilla izquierda. Bukin gritó y se arrastró por el suelo como un gusano.

—¡Responde! —ordenó Karpov.

Bukin tenía los ojos enrojecidos. Estaba pálido y temblaba de miedo y dolor.

—Boris Illyich, ¿es que nuestra historia no significa nada? Soy tu mentor, gracias a mí estás en el FSB-2.

Karpov se inclinó sobre él.

—Una razón más para que sea yo el que haga limpieza en tu cloaca.

—Pero, pero, pero... —tartamudeó Bukin— yo sólo cumplía órdenes. —Señaló a Cherkesov—. *Sus* órdenes.

—Con qué facilidad miente —apostilló Cherkesov.

—No, Boris Illyich, es la verdad, lo juro.

Karpov se puso en cuclillas al lado de Bukin.

—Sé cómo podemos resolver este problema.

—Necesito ir a un hospital, joder —gimió Bukin—. Voy a morir desangrado.

—Dime los nombres de los topos —exigió Karpov—. Y luego me ocuparé de ti.

Los ojos enrojecidos de Bukin miraban a uno y a otro.

—Olvídate de él —aconsejó Karpov—. Que te desangres o no en este estercolero depende sólo de mí.

Bukin tragó saliva y luego dio el nombre de tres hombres del FSB-2.

—Gracias —dijo el coronel. Se puso en pie y disparó a Bukin entre los ojos.

Luego se volvió a Cherkesov y le preguntó:

—¿Qué me impide ahora dispararte a ti también o meterte entre rejas?

—Puede que seas incorruptible, Boris Illyich, pero sabes qué lado de la tostada lleva mantequilla, o la llevará. —Cherkesov sacó un cigarrillo y lo encendió. No miró ni una sola vez a su lugarteniente caído—. Puedo allanarte el camino a la jefatura del FSB-2.

—El presidente Imov también.

—Cierto —Cherkesov asintió con la cabeza—. Pero él no puede garantizar que éste o aquel jefe de negociado no te echará polonio en el té o no te hundirá un estilete entre las costillas una noche.

Karpov sabía muy bien que Cherkesov tenía poder para identificar y apartar de su camino a cualquier enemigo en potencia que tuviera en el FSB-2. Era el único que podía despejar su camino.

—Aclarémoslo —dijo—. ¿Me estás proponiendo que ocupe tu puesto?

—Sí.

—¿Y tú qué? Imov querrá tu cabeza.

—Por supuesto que sí, pero antes tendrá que encontrarme.

—¿Vas a esconderte, a convertirte en un fugitivo? —Karpov negó con la cabeza—. No imagino ese futuro para ti.

—Ni yo tampoco, Boris Illyich. Voy a entrar en una organización con mucho más poder.

—¿Más que el FSB?

—Más que el Kremlin.

Karpov frunció el entrecejo.

—¿Y cuál es?

A Cherkesov le brillaron los ojos.

—Dime, Boris Illyich, ¿has oído hablar alguna vez de Severus Domna?

22

Marks se apretó el muslo izquierdo con una mueca de dolor. El francotirador seguía acribillando la zona. Bourne dio media vuelta, lo asió y lo arrastró a un lugar seguro.

—Ten la cabeza agachada, Peter.

—Díselo a tu amigo Moreno —replicó—. Yo tengo la cabeza a buen recaudo.

—Y gracias. —Bourne examinó la herida y vio que la bala no había alcanzado ninguna arteria. Luego le rasgó una manga de la camisa y le hizo un torniquete por encima de la herida.

—No lo olvidaré.

—No, aquí soy yo el único que olvida —comentó Bourne con un timbre tan irónico que Marks tuvo que echarse a reír, aunque secamente.

Bourne rodeó el Opel y se asomó. Respiraba pausadamente mientras escrutaba la densa línea de árboles. Se había subido a uno no hacía mucho tiempo y utilizó la memoria eidética, perfeccionada por el adiestramiento en Treadstone, para imaginar los lugares idóneos en que podía esconderse un francotirador. Por la forma en que habían caído Ottavio Moreno y Marks, tenía una idea bastante clara de dónde se encontraba. Se puso en el lugar del francotirador. ¿Dónde colocarse para tener una vista despejada de la puerta principal, además de estar bien escondido?

Oyó que Chrissie lo llamaba y por el nivel de ansiedad de su voz se dio cuenta de que debía de llevar gritando un rato. Arrastrándose hasta el otro extremo del Opel, respondió en voz alta:

—Estoy bien. Quedaos dentro hasta que os lo diga.

Tras regresar a la parte posterior del vehículo, salió corriendo y se metió entre los árboles. Una ráfaga de balas se estrelló en la parte delantera del coche. Contó los disparos que había oído desde el principio del ataque. Después de la última ráfaga, calculó que el francotirador necesitaba unos momentos para recargar el arma. Un par de segundos fue todo lo que necesitó para llegar a la protección de los árboles. Ahora el cazador era él.

La fronda de los pinos y los robles aseguraba una sombra perpetua. Aquí y allá se filtraba la luz formando diminutos diamantes, que parpadeaban y brillaban según el viento agitase las ramas. Bourne, medio agachado, se abrió paso entre los arbustos, procurando no pisar ni piñas ni hojarasca. No hacía el menor ruido. Cada cinco o seis pasos se detenía a observar y escuchar, como haría un zorro o un armiño, atento a las presas y a los enemigos.

Vio un ligero destello negro y marrón, algo borroso, que desapareció casi antes de que tuviera la posibilidad de identificarlo. Se dirigió hacia allí. Pensó brevemente la posibilidad de subirse a los árboles, pero le preocupaba que alguna rama suelta descubriera su posición. En un punto dado, cambió de dirección, dando un rodeo para llegar al francotirador por un lateral. Mientras andaba, no dejaba de mirar arriba y detrás por si veía algún rastro de él.

Un brillo metálico que entrevió arriba y delante lo indujo a acelerar el paso. Entonces distinguió al hombre que disparaba apostado detrás de un roble, asomando el hombro derecho y la cadera. Se arrodilló detrás de unos arbustos y observó los alrededores. Un pequeño hueco entre dos pinos le permitía vigilar la puerta principal y el sendero del garaje. Vio a Ottavio Moreno en el suelo, en medio de un charco de sangre. Marks estaba escondido detrás del flanco del Opel de Moreno. Bourne supuso que el francotirador estaría esperando a que alguien se moviera. Parecía empeñado en matar de un disparo a todo aquel que se aventurase fuera de la casa. ¿Sería de la NSA, de la CI o un soldado de Severus Domna? Sólo había una forma de saberlo.

Se acercó lenta y cautelosamente, pero en el último momento el francotirador debió de advertir su presencia, porque sin girarse golpeó a Bourne en el pecho con la culata del Dragunov SVD. Luego se volvió para asestarle un culatazo en el hombro. Era un hombre flaco y de rostro enjuto, con ojillos negros y nariz hundida.

Después le propinó otro golpe en la espalda. Acto seguido apretó la boca del cañón contra el corazón de Bourne.

—No te muevas ni digas nada —avisó—. Dame el anillo.

—¿Qué anillo?

El francotirador le golpeó la barbilla con el cañón del Dragunov, causándole un corte que empezó a sangrar. Pero entonces Bourne le asestó una potente patada en una rodilla. La pierna del hombre se dobló hacia atrás y se oyó un crujido de huesos. El individuo ahogó una exclamación. Bourne saltó hacia atrás cuando el francotirador consiguió disparar. La bala se estrelló en el lugar donde había estado Bourne, destrozando una tabla vieja y podrida, llena de clavos largos.

Apoyado en una rodilla, el hombre blandió el Dragunov como un bate, golpeando a un lado y otro para mantener a su atacante alejado mientras recuperaba el aliento. Finalmente, con un gran esfuerzo, se puso en pie tambaleándose. Entonces fue cuando Bourne arremetió contra él. Cayeron los dos al suelo. El francotirador intentó colocarlo sobre los clavos que sobresalían malignamente del tablón, pero el norteamericano se soltó y ambos hombres forcejearon para apoderarse del fusil. Hasta que Bourne levantó un codo y le asestó un golpe tan fuerte en la nuez de Adán que el tipo quedó conmocionado y él aprovechó para propinarle un puñetazo en la sien. El cuerpo del francotirador se desplomó.

Jason le miró las manos, pero no vio ningún anillo. Luego registró sus bolsillos. Se llamaba Farid Lever, según su pasaporte francés, pero el nombre no le dijo nada. El pasaporte podía ser real o una falsificación, ahora no tenía tiempo de examinarlo. Lever, o quien diantres fuera, llevaba cinco billetes de mil libras encima, dos mil euros y un juego de llaves de coche.

Bourne vació el cargador del Dragunov y tiró el fusil entre los árboles. Luego sacudió al francotirador para que recuperara el conocimiento.

—¿Quién eres? —preguntó—. ¿Para quién trabajas?

El hombre lo miró con sus ojos negros y expresión impasible. Jason se inclinó y le apretó la maltrecha rodilla. El sicario abrió los ojos como platos y gimió, pero de su boca no salió ningún otro sonido. No tardaría en cantar, se juró Bourne. Aquel hombre había disparado a dos personas y matado a una. Abrió la boca del francotirador y le introdujo un dedo. El sujeto dio una arcada y el movimiento del estómago lo dobló hacia arriba. Trató de soltarse, de mover la cabeza a un lado y a otro, pero Bourne lo tenía firmemente clavado al suelo. Cuando el individuo levantó las manos, se las bajó y apretó con más fuerza, introduciéndole aún más el dedo.

Al hombre se le humedecieron los ojos, tosió y dio otra arcada. Su garganta subía y bajaba de manera incontrolable, quiso vomitar, pero el vómito no podía salir. Empezó a asfixiarse. El terror se apoderó de su rostro y movió la cabeza afirmativamente con toda la fuerza que pudo.

En cuanto Bourne le sacó el dedo de la boca, el francotirador rodó hasta ponerse boca abajo y vomitó, con los ojos húmedos y moqueando por la nariz. Su cuerpo se agitaba con grandes espasmos. Jason lo cogió por los hombros y volvió a ponerlo boca arriba. Su rostro estaba hecho una lástima; parecía un adolescente que se hubiera llevado la peor parte en una pelea callejera.

—Bien —dijo Bourne—. ¿Quién eres y para quién trabajas?

—Fa... Fa... Farid Lever. —Le costaba hablar, cosa comprensible.

Jason blandió el pasaporte francés.

—Otra mentira y te meto esto hasta la tráquea, y te prometo que no te lo sacaré.

El francotirador tragó saliva e hizo una mueca al sentir la acidez de los jugos que tenía en la boca.

—Farid Kazmi. Pertenezco a Jalal Essai.

Bourne disparó una frase a ciegas.

—¿Severus Domna?

—Lo fue. —Kamiz tuvo que detenerse para recuperar el aliento o para que la boca se le humedeciera un poco—. Necesito agua. ¿Tienes agua?

—Los dos hombres a los que disparaste también necesitaban agua. Uno está muerto. El otro no, pero tampoco tiene agua —amenazó Bourne—. Continúa. Jalal Essai...

—Jalal era miembro de Severus Domna. Pero ha roto con ellos.

—Es una medida muy peligrosa. Debía de tener una buena razón.

—El anillo.

—¿Por qué?

Kazmin sacó la lengua y trató de humedecerse los labios resecos.

—Le pertenece. Durante años lo creyó perdido, pero ahora sabe que se lo robó su hermano hace tiempo. Lo tienes tú.

«Así que Jalal Essai es el temible tío de Holly», se dijo Bourne. Por fin empezaba a tomar forma el rompecabezas. Por un lado, Holly la hedonista y, por el otro, su tío Jalal, el extremista religioso. ¿Y si el padre de Holly había huido de Marruecos para protegerla de su hermano, que con toda seguridad habría tomado medidas drásticas para frenar las tendencias naturales de Holly, para cerrarle la boca, para matarla, por decirlo de algún modo? En cualquier caso, ¿quién, después de la muerte del padre, se había interpuesto entre Holly y su tío? En su memoria se produjo un cegador destello y entonces lo recordó: había sido él. Holly lo había reclutado para que la protegiera de Jalal Essai. Bourne lo había hecho, pero la curiosa relación que había entre Holly, Tracy, Perlis y Diego Herrera, una relación que la muchacha no le había contado, había acabado con ella. Holly había hablado del anillo con Perlis y éste la había matado para quitárselo.

—Tenía que hacerme con el anillo a cualquier precio —informó Kazmi, devolviendo a Bourne al momento presente.

—Sin que importara cuántas vidas te llevabas por delante.

El hombre asintió con la cabeza, haciendo una mueca de dolor.

—Sin que importara cuántas. —Algo acechaba en sus ojos negros—. Jalal Essai acabará por tenerlo.

—¿Por qué crees eso?

El rostro de Kazmi adoptó un aire de serenidad y Bourne quiso abrirle la boca. Era demasiado tarde. Entre las muelas tenía una perforada artificialmente y el cianuro escondido dentro ya estaba acabando con él.

Bourne se puso en cuclillas. Cuando Kazmi exhaló su último suspiro, se levantó y se dirigió hacia la casa.

Peter Marks estaba tendido en el suelo, todo lo inmóvil que podía. Moverse equivalía a aumentar la hemorragia. Aunque bien entrenado, nunca lo habían herido en plena acción, ni en el desarrollo de ninguna otra actividad; tampoco había sufrido nunca el menor accidente, ni siquiera caerse de una escalera de mano o pisar un peldaño en falso al subir o bajar de una casa. Estaba inmóvil como un muerto, oyendo el rumor del aire que le entraba y salía por la boca, sintiendo las pulsaciones de la pierna como si tuviera allí otro corazón, aunque fuera malévolo, negro como la noche, un corazón que estaba a punto de pararse o en cuyas cavidades se hubiera colado la muerte como un ladrón.

Marks sentía que estaban a punto de arrebatarle la vida prematuramente, como le había ocurrido a su hermana. En aquel momento se sentía muy cercano a ella, como si en el último instante la hubiera rescatado del avión sentenciado para estrecharla con fuerza mientras los dos remontaban el vuelo entre las nubes. Esta brusca conciencia de la fragilidad de la propia vida, más que asustarlo, le cambió la perspectiva. Yacía indefenso y desangrándose, observando los esfuerzos que hacía una hormiga para arrastrar una hoja recién caída, una hoja fresca, de un verde luminoso que hasta poco antes estaba llena de vida. La hoja era demasiado grande para la hormiga, pero el insecto no se rendía y halaba y tiraba, arrastrando la hoja entre piedrecillas y raíces, los grandes obstáculos de su mundo. Marks amaba aquella hormiga. Se negaba a rendirse por muy difícil que se hubiera vuelto su vida. Perseveraba, aguantaba. Decidió hacer lo mismo. Tomó entonces la decisión de cuidar de sí mismo y de la gente que le importaba, de Soraya por ejemplo, de una manera que nunca habría imaginado, y mucho menos previsto, antes de recibir el disparo.

Y así estuvo durante algún tiempo, oyendo sólo el ocasional gemido del viento entre los árboles. Por eso, cuando oyó las llamadas de Chrissie, replicó:

—Soy Peter Marks. Me han herido en la pierna. Moreno está muerto y Adam ha ido tras el francotirador.

—Salgo a ayudarlo.

—Quédese donde está —le dijo en voz alta. Arrastrándose, se esforzó por ponerse sentado apoyando la espalda en el Opel—. La zona no es segura.

Pero un momento después, Chrissie apareció a su lado, agachándose para aprovechar la seguridad que les brindaba el flanco del coche.

—Un movimiento estúpido —dijo Marks.

—Y gracias.

Era la segunda vez que oía aquella expresión aquel día y no le gustó. En realidad, había pocas cosas en su vida que le gustaran últimamente, y de súbito se sintió desorientado, preguntándose cómo se había permitido caer en aquel estado tan lamentable. No quería a nadie ni nadie lo quería a él, al menos no en aquellos momentos. Supuso que sus padres lo habían querido a su brusca y absorbente manera, y seguro que su hermana también. ¿Y quién más? La última novia le había durado seis meses, la media habitual, hasta que se había hartado de pasar tantas horas sola y había tomado las de Villadiego. ¿Amigos? Unos pocos. Pero al igual que Soraya, los utilizaba o ellos lo utilizaban a él. De repente se le revolvió el estómago y sintió un escalofrío.

—Está usted a punto de desmayarse —comentó Chrissie, comprendiéndolo mejor de lo que él podía imaginar—. Entremos en la casa.

Gracias a la muchacha pudo incorporarse, apoyándose en la pierna ilesa. Marks la rodeó con el brazo y Chrissie lo ayudó a andar hasta la vivienda. Avanzaba tiritando y cada vez que tropezaba con una piedra o una raíz, se tambaleaba y amenazaba con arrastrarla a ella en la caída.

«Por los clavos de Cristo —pensó—, hoy no hago más que compadecerme de mí mismo», y se asqueó aún más de lo que se había asqueado poco antes.

El padre de Chrissie, que había salido de la casa, se puso al otro lado de Marks y ayudó a su hija con la carga. Cuando estuvieron dentro, el anciano cerró la puerta con el pie.

Bourne tropezó con la mujer casi de improviso. Estaba medio enterrada entre hojas secas y crujientes. Tenía el rostro vuelto y los ojos cerrados. Su largo cabello estaba manchado de sangre, pero por la forma en que yacía, era imposible saber si estaba viva o muerta. Tal vez una vecina que paseaba y había tenido la mala suerte de cruzarse con Kazmi. Bajo las hojas caídas pudo distinguir retazos de su camisa de franela de cuadros rojos y negros, vaqueros y botas de alpinista. Parecía que la habían cubierto de hojas con mucha prisa.

Tenía que volver con Peter Marks y con la gente de la casa, pero no podía dejar a la mujer allí sin saber si estaba viva y, si lo estaba, hasta qué punto eran graves sus heridas. Arrastrándose a su lado, alargó una mano para comprobar el pulso de su arteria carótida.

La mujer abrió los ojos y levantó una mano en la que empuñaba un cuchillo de caza. Dirigió la punta contra el pecho de Bourne y, al moverse éste, le rasgó la camisa y la piel del esternón. La agresora se incorporó. Las hojas cayeron a su alrededor como tierra reciente de un cadáver repentinamente animado. Él le aferró la muñeca para apartar el cuchillo, pero la mujer tenía otro en la mano izquierda. Lo vio demasiado tarde, ocupado en el forcejeo, y recibió la puñalada en el hombro.

Estaba bien entrenada y era sorprendentemente fuerte. Le hizo una tijera con las piernas y Bourne perdió el equilibrio. Cayó de espaldas y la agresora se le echó encima. Él seguía aferrándole una mano, pero el cuchillo que empuñaba con la otra segaba el aire con intención de cortarle el cuello. Sirviéndose del clavo que guardaba, golpeó con la mano el cuello de la mujer y le perforó la arteria carótida.

De la herida brotó un chorro de sangre que describió un arco intermitente, ampliándose y reduciéndose conforme se debilitaban los latidos de su corazón. La mujer cayó sobre las hojas que la habían cubierto. Lo miró con la enigmática sonrisa de Kazmi, aquella sonrisa que lo había inducido a pensar que Jalal Essai no había dicho aún su última palabra, que lo había puesto alerta, por lo que había ocultado el clavo en la mano izquierda. ¿Trabajaban juntos Kazmi y aquella mujer? ¿Era ella su agente de apoyo? Eso le pareció, un plan diabólico que convertía a Jalal Essai en un formidable enemigo con el que compartía un problemático y oscuro pasado, un hombre que sin duda le guardaba un profundo rencor.

Mientras Chrissie y su padre sentaban a Marks en un sillón, oyeron disparos de fusil. La mujer ahogó una exclamación, corrió a la puerta y la abrió pese a los gritos de su padre que le aconsejaban lo contrario. Inmóvil en las sombras de la entrada, miró más allá del sendero del garaje y del Opel, hacia los árboles, pero no pudo ver nada, aunque se esforzó al máximo para escrutar el follaje y descubrir alguna señal de que Bourne seguía vivo. ¿Y si estaba vivo y necesitaba ayuda?

Había resuelto ya salir a buscarlo, como imaginaba que habría hecho Tracy en las mismas circunstancias, cuando lo vio aparecer entre las ramas. Antes de poder dar un paso, alguien pasó a toda prisa por su lado y bajó los peldaños de la puerta.

—¡Scarlett!

La pequeña corrió por el sendero, esquivó al hombre muerto, rodeó el coche y se arrojó a los brazos de Bourne.

—Es sangre de verdad, tu sangre —murmuró la niña casi sin aliento—, pero yo puedo ayudarte.

Bourne estaba a punto de soltarla suavemente, pero su evidente preocupación le hizo cambiar de idea. La niña quería ayudarlo sinceramente, y eso era algo que él no podía impedir. Se arrodilló a su lado para que pudiera examinar las magulladuras y los cortes.

—Voy a buscar vendas en el botiquín del abuelo. —Pero no se movió de su lado, hundiendo los dedos en la tierra como hacen los niños cuando sienten vergüenza o no saben qué decir. Levantó el rostro hacia él—. ¿Te encuentras bien?

Bourne sonrió.

—Imagina que he tropezado con una piedra.

—¿Son sólo arañazos y magulladuras?

—Nada más.

—Entonces está bien. Yo... —levantó un objeto para que él lo viera—. Acabo de encontrar esto. ¿Es del señor Marks? Estaba donde lo vi tendido.

Bourne lo cogió y le quitó la tierra que lo cubría. Era un anillo de Severus Domna. ¿De dónde había salido?

—Le preguntaré al señor Marks cuando entremos —repuso, guardándose el anillo en el bolsillo.

En aquel momento apareció Chrissie sin aliento, jadeando no sólo porque había corrido, sino sobre todo por el terror de que su hija estuviera expuesta a más peligros.

—Scarlett —dijo.

Bourne vio que se disponía a reñir a la pequeña, hasta que se dio cuenta de que estaba inspeccionando sus heridas superficiales con absoluta concentración, y, al igual que él segundos antes, calló para permitir que siguiera.

—Si dejas que te vende las heridas —aseguró Scarlett—, te pondrás bien.

—Entonces vamos dentro, doctora Lincoln.

Scarlett rió con entusiasmo. Bourne se puso en pie y los tres entraron en silencio en la casa. Él se dirigió directamente adonde estaba Marks. El padre de Chrissie lo estaba curando con materiales de un botiquín sorprendentemente bien equipado. Marks tenía los ojos cerrados y la cabeza echada hacia atrás. Bourne supuso que el profesor le habría administrado un sedante.

—El botiquín estaba en el maletero de papá —comentó Chrissie mientras Scarlett buscaba vendas y yodo—. Ha sido cazador toda su vida.

Bourne se sentó en la alfombra, con las piernas cruzadas, mientras Scarlett lo curaba.

—Es una herida limpia —anunció el profesor Atherton, refiriéndose a su paciente—. La herida tiene un orificio de salida, así que hay poco riesgo de infección, sobre todo ahora que la hemos lavado. —Le cogió el yodo a Scarlett, humedeció con él dos gasas estériles, las colocó sobre la entrada y la salida de la bala y luego cubrió expertamente las dos heridas con esparadrapo—. He visto cosas mucho peores en mi tiempo —añadió—. De lo único que tiene que preocuparse ahora es de descansar y de ingerir líquidos lo antes posible. Ha perdido mucha sangre, aunque habría perdido mucha más si no hubiera sido por el torniquete.

Cuando terminó, levantó la vista de su paciente y miró a Bourne.

—Tiene usted un aspecto lamentable, se llame como se llame.

—Profesor, he de hacerle una pregunta.

El anciano dio un bufido.

—¿Eso es todo lo que hace, hijo, formular preguntas? —Puso una mano en el sillón de Marks y se apoyó en él para incorporarse—. Bien, puede preguntarme lo que quiera, eso no significa que le responda.

Bourne también se puso en pie.

—¿Tenía Tracy un hermano?

—¿Qué?

Chrissie frunció el entrecejo.

—Adam, ya te dije que Tracy era mi única...

Él levantó la mano.

—No le estoy preguntando a tu padre si tu hermana y tú teníais un hermano. Le pregunto si Tracy tenía un hermano.

Una malévola expresión se aposentó en el rostro del profesor Atherton.

—Rayos y truenos, en otra época le habría arrancado las orejas por decir algo tan retorcido, joven.

—No ha respondido a mi pregunta. ¿Tenía Tracy un hermano?

La expresión del profesor se ensombreció aún más.

—Querrá decir un hermanastro.

Chrissie dio un paso hacia los dos hombres, que se miraban como golfos de la calle a punto de liarse a puñetazos.

—Adam, ¿por qué...?

—No te calientes los cascos cuando no hay motivo. —El padre silenció las protestas de la hija con un gesto de la mano y se volvió a encararse con Bourne—: ¿Me está preguntando si tuve relaciones sexuales con otra mujer y si tuvieron consecuencias?

—Exacto.

—Nunca —respondió con firmeza el profesor Atherton—. Amaba a la madre de las chicas y le he sido fiel durante más tiempo del que puedo recordar. —Sacudió la cabeza—. Me parece que está usted muy mal informado.

Bourne no se inmutó.

—Tracy trabajaba para un hombre peligroso. Tuve que preguntarme por sus motivos, ya que no acababa de creer que trabajara para él voluntariamente. Chrissie me dio una respuesta parcial. Tracy le había dicho al hombre en cuestión que tenía un hermano con problemas.

La actitud del profesor Atherton cambió bruscamente. El color le desapareció del rostro y se habría desplomado si no lo hubiera sujetado Chrissie. Con alguna dificultad, lo ayudó a sentarse en el sillón, enfrente de Marks.

—¿Papá? —La joven se arrodilló a su lado, cogiéndole la sudorosa mano entre las suyas—. ¿Qué ocurre? ¿Hay un hermano del que no sé nada?

El anciano no dejaba de negar con la cabeza.

—No tenía ni idea de que ella lo supiera —murmuró para sí—. ¿Cómo diantres pudo descubrirlo?

—Entonces es cierto. —Chrissie lanzó una mirada a Bourne y luego volvió a concentrar la atención en su padre—. ¿Por qué no nos dijisteis nada mamá y tú?

El profesor Atherton dio un largo suspiro y se pasó una mano por la frente perlada de sudor. Miró a su hija sin expresión, como si no la reconociera o como si esperase ver a otra persona.

—No quiero hablar de eso.

—Pues deberías. —Chrissie se incorporó y enderezó la columna, luego se inclinó hacia su padre como si quisiera dar más peso a sus palabras—. No tienes elección, papá. Tienes que hablarme de él.

Su padre siguió en silencio, impasible, como si se hubiera liberado de una fiebre que lo consumía.

—¿Cómo se llama? —rogó la muchacha—. Eso al menos me lo podrás decir.

Su padre no la miraba a la cara.

—No tuvo nombre.

Chrissie retrocedió como si le hubieran propinado una bofetada.

—No te entiendo.

—Ni falta que hace —replicó el profesor Atherton—. Tu hermano nació muerto.

23

Jalal Essai era un hombre marcado y lo sabía. Al sentarse en una silla plegable que tenía en el dormitorio en sombras, consideró estos factores: romper con Severus Domna no había sido una decisión fácil, bueno, mejor dicho, la decisión había sido fácil, lo difícil había sido llevarla a cabo. Claro que siempre surgían dificultades, pensó, cuando uno emprendía deliberadamente un camino peligroso. No había roto con Severus Domna hasta que tuvo preparado el medio para hacerlo, tras elaborar mentalmente una lista de todos los posibles caminos que podía tomar. Luego fue descartando uno tras otro hasta llegar al menos malo de todos, el del nivel de riesgo más bajo y con más posibilidades de éxito. Con este método era como tomaba todas las decisiones. El proceso era el más lógico. También tenía el beneficio añadido de calmarle la mente, no como cuando rezaba a Alá o meditaba sobre una paradoja zen. La mente vacía se llena con posibilidades inalcanzables para los demás.

Así que permanecía sentado, totalmente inmóvil, en la oscuridad de su apartamento, en las tinieblas de su dormitorio, en el que todas las cortinas estaban corridas para impedir la entrada del resplandor de las farolas callejeras, de los faros de algún coche o camión que pasara. La noche y la amenaza de la noche. La noche era para él lo que una taza de café para los demás, un tranquilo y satisfactorio estado de reflexión. Podía desplazarse en la oscuridad, incluso entre pesadillas, porque Alá lo había bendecido con la luz del auténtico creyente.

Eran las tres de la madrugada. Sabía lo que se avecinaba, por eso había decidido no correr. Un corredor es un objetivo excelente cuando sale de su territorio. Da un traspié... y muere. Essai no tenía intención de dar traspiés. Por el contrario, había preparado su dormitorio para lo inevitable y estaba deseoso, incluso contento, de quedarse allí hasta que el enemigo asomara la faz.

Primero oyó un ruido. Una leve rascadura, como de un ratón, en la sala de estar, hacia la puerta de la casa. El sonido cesó rápidamente, pero supo que el enemigo había forzado la cerradura, porque alguien estaba dentro del apartamento. Pese a todo, no se movió. No había razones para moverse. Desvió los ojos hacia la cama, donde un bulto bajo la colcha indicaría a su enemigo que había alguien durmiendo.

La oscuridad cambió de matiz, se intensificó, se volvió más espesa y densa a causa del latido de otro ser humano. Essai aguzó la vista. El enemigo, ahora en la zona mortal, se inclinó sobre la cama.

Essai sintió el movimiento como una agitación del aire cuando el intruso sacó una daga y la clavó en la figura dormida en el lecho. En el momento en que perforó la piel de plástico, brotó un chorro del ácido con el que Essai había llenado la muñeca hinchable.

El sujeto reaccionó como el bereber esperaba y cayó hacia atrás agitando los brazos. En el suelo trató en vano de limpiarse el ácido de la cara, del cuello y el pecho. Esta acción sólo sirvió para extender la sustancia por esas partes del cuerpo. El individuo ahogó una exclamación, pero como el ácido le estaba corroyendo los labios y la lengua, no pudo articular palabra, ni siquiera gritar. Una pesadilla para él, pensó Essai, levantándose por fin de la silla.

Se arrodilló al lado del enemigo, el hombre que Severus Domna había enviado para matarlo por su deslealtad. Esbozó la sonrisa de los justos, de los que obraban rectamente a los misericordiosos ojos de Alá. Llevándose un dedo a los labios, susurró: «chisss», tan bajo que sólo él y aquel sujeto pudieron oírlo.

Luego cogió la daga del asesino y salió al pasillo. Esperó pegado a la pared, vaciando la mente de expectativas. En este vacío divino se perfiló la ruta más probable que tomaría el segundo hombre. Sabía que había otro hombre, igual que sabía que su asesino no usaría una pistola para matarlo, porque aquéllos eran los principales métodos operativos que empleaba Severus Domna: el sigilo y el respaldo. Métodos que él mismo había utilizado al perseguir a Jason Bourne y buscar el anillo.

Una sombra proyectada en sentido diagonal en medio del pasillo confirmó su tesis. Ahora sabía dónde estaba el otro sicario, o dónde había estado, porque seguía moviéndose. Su compañero había tenido tiempo suficiente para concluir el golpe y ahora estaba acortando la distancia entre ellos para averiguar si algo había ido mal.

Desde luego que algo había ido mal, un hecho que se confirmó cuando la daga, lanzada con excelente puntería por Essai, penetró en el pecho del sicario, entre dos costillas, y le atravesó el corazón. El individuo cayó pesadamente, como un ñu atacado por un león. Essai se acercó a él y se arrodilló para comprobar que no tenía pulso ni le quedaba el menor soplo de vida. Luego volvió a su dormitorio, donde el primer sicario se retorcía en el suelo con movimientos crecientemente descoordinados.

Encendió una lámpara y observó su rostro. No lo reconoció, aunque tampoco lo esperaba. Severus Domna no habría enviado a alguien a quien pudiera reconocer. Agachándose sobre el hombre, dijo:

—Amigo mío, te compadezco. Te compadezco porque he decidido no acabar con tu vida y en consecuencia tampoco con tu sufrimiento. Lejos de ello, te voy a dejar como estás.

Cogió un teléfono móvil y marcó un número local.

—¿Sí? —respondió Benjamin El-Arian.

—Una entrega para que pase usted a recogerla —anunció Essai.

—Debe de ser una equivocación. No he pedido nada.

El bereber acercó el móvil a la boca del sicario, que mugió como una vaca nerviosa.

—¿Qué es eso?

Algo había cambiado en la voz de El-Arian, un timbre febril que Essai, de nuevo con el teléfono pegado a la oreja, fue capaz de percibir.

—Calculo que a tu sicario le faltan treinta minutos para morirse. Su vida está en tus manos.

Cortó la comunicación y, poniéndose en pie, destrozó el móvil con el tacón.

Luego se dirigió por última vez al sicario.

—Le contarás a Benjamin El-Arian lo que ha sucedido aquí, y luego él se ocupará de ti como le parezca oportuno. Cuéntale que correrán la misma suerte todos los que envíe a buscarme. Es lo único que tienes que hacer ya. Su tiempo y el tuyo han terminado.

Moira, apostada en la borda de estribor, observaba el intercambio de señales infrarrojas a través de las gafas de visión nocturna que el capitán le había dado poco antes. Veía la lancha motora meciéndose mientras el yate se acercaba a ella. Desplazando ligeramente el campo visual, localizó dos figuras en la motora, al lado del que hacía las señales. Un hombre y una mujer. El hombre era casi con toda seguridad Arkadin, pero ¿quién era la mujer y por qué el ruso llevaba a alguien más a bordo? Berengaria le había contado que el ruso saldría al encuentro del yate con un colega, un viejo mexicano llamado Heraldo.

El capitán siguió manteniendo en punto muerto los motores mientras el yate se deslizaba solo entre las negras olas. Moira pudo distinguir entonces el rostro de Arkadin y vio que a su lado estaba... ¡Soraya Moore!

Casi se le cayeron las gafas por la borda. «¿Qué demonios?», exclamó para sí. Para cada plan había una herramienta que podía estropearlo todo. Allí estaba la suya.

El tranquilo oleaje del agua era lo único que se oía mientras la motora se ponía a la altura del yate. Un miembro de la tripulación echó una escala de cuerda y otro manejó el cabrestante. Mientras, otros dos tripulantes se encargaban de izar la mercancía de la bodega. Berengaria le había explicado el procedimiento habitual con todo detalle. Se ponía un cajón en la red y se arriaba hasta la lancha motora para que Arkadin inspeccionara el contenido.

Mientras se producían estos movimientos, Moira se inclinó por la borda para observar a los tripulantes de la motora. Soraya la vio y en su boca formó una silenciosa expresión de sorpresa.

—¿Qué hace ella aquí? —murmuró sin voz. Moira tuvo que reírse. Las dos habían tenido la misma reacción al verse.

Entonces la vio Arkadin. Frunciendo el entrecejo, subió por la escala y, nada más pisar la cubierta, sacó una Glock de 9 milímetros y la apuntó al estómago.

—¿Quién es usted? —preguntó—. ¿Y qué está haciendo a bordo de mi yate?

—No es su yate, es de Berengaria —replicó Moira en español.

Arkadin la miró con los ojos entornados.

—¿Y usted también es de Berengaria?

—Yo no soy de nadie —aclaró ella—, pero cuido de los intereses de Berengaria. —Había pensado las posibles respuestas a aquellas preguntas durante todo el viaje por la costa de México. La conclusión que sacó al final fue la siguiente: Arkadin era en primer lugar un hombre y en segundo lugar un homicida.

—Muy propio de una mujer enviar a otra —comentó el ruso, tan desdeñoso como Roberto Corellos.

—Berengaria está convencida de que ya no confía usted en ella.

—Eso es cierto.

—Puede que tampoco ella confíe ya en usted.

Arkadin le dirigió una mirada de pocos amigos, pero no dijo nada.

—Es una mala situación —reconoció Moira—. Y no es forma de trabajar.

—¿Y cómo sugiere que procedamos la mujer que no es su ama?

—Para empezar, debería bajar la Glock —aconsejó Moira.

Soraya había subido ya por la escala de cuerda y pasó las piernas por encima de la borda metálica del yate. Pareció hacerse cargo de la situación inmediatamente, mirando a Moira, luego a Arkadin y viceversa.

—Que te den —exclamó el ruso—. Y que le den también a Berengaria por enviarte.

—Si hubiera enviado a un hombre, habría habido muchas posibilidades de que os hubierais matado entre vosotros.

—Yo lo habría matado a él, desde luego —se jactó Arkadin.

—Entonces enviar un hombre no habría sido prudente.

Él dio un bufido.

—Joder, no estamos en la cocina. —Cabeceó con incredulidad—. Ni siquiera vas armada.

—Por lo tanto, no me dispararás —argumentó Moira—. Por lo tanto, estarás deseando escuchar cuando hable, cuando negocie, cuando sugiera una forma de seguir adelante sin sospechas por ninguna de las dos partes.

Arkadin la miró como un halcón observa a un gorrión. Puede que ya no la considerase una amenaza o puede que le hubiera gustado lo que había oído. En cualquier caso, bajó la Glock y se la introdujo entre el cinturón y la espalda.

Moira miró fijamente a Soraya.

—Pero no pienso hablar ni negociar ni proponer nada con testigos desconocidos. Berengaria me habló de ti y de Heraldo, pero ahora veo que hay una mujer. No me gustan las sorpresas.

—Ya somos dos. —Arkadin movió la cabeza hacia Soraya—. Es una nueva socia que está a prueba. Si no sale bien, le haré un agujero en la nuca.

—Así de fácil.

Arkadin se acercó a Soraya y, abriendo el pulgar y el índice como si fueran una pistola, apretó el dedo contra la base de su cráneo.

—¡Pum! —exclamó. Luego se volvió y, sonriendo de una manera encantadora, prosiguió—: Dime cuál es tu idea.

—Hay demasiados socios —se quejó Moira bruscamente.

Él guardó silencio durante un rato.

—En lo que a mí se refiere —dijo al fin—, no me preocupan en absoluto los socios. —Se encogió de hombros—. Por desgracia, forman parte de los negocios. Pero si Berengaria quiere dejarlo...

—Estábamos pensando más bien en Corellos.

—Ella es su amante.

—Y esto es trabajo —señaló Moira—. Lo que ella hacía con Corellos era mantener la paz entre ambos. —Se encogió de hombros—. ¿Qué mejor arma puede tener?

Arkadin pareció verla bajo otra luz.

—Corellos es muy poderoso.

—Corellos está en la cárcel.

—Dudo que sea por mucho tiempo.

—Motivo por el cual —razonó Moira— queremos deshacernos de él.

—¿Deshaceros de él?

—Matarlo, liquidarlo, exterminarlo, llámalo como quieras.

Arkadin calló un momento y luego se echó a reír con ganas.

—¿Dónde te ha encontrado Berengaria?

Moira, mirando a Soraya, pensó: «Más o menos donde tú encontraste a tu nueva socia».

—¿Por qué haría una cosa así? —El profesor Atherton tenía la cabeza entre las manos—. ¿Por qué diría Tracy que tenía un hermano?

—Sobre todo si eso la ponía en manos de Arkadin —añadió Chrissie.

—Hizo algo más que mencionar a su hermano —informó Bourne—. Concibió una elaborada mentira sobre que él estaba vivo y con deudas que no podía pagar. Como si quisiera que Arkadin supiese algo con que tenerla sujeta.

Chrissie negó con la cabeza.

—Pero eso no tiene sentido.

Lo tenía, pensó Bourne, si la habían enviado a vigilar de cerca a Arkadin. Para informar sobre sus actividades y su paradero, por ejemplo. Pero no podía ponerse a especular con su familia.

—Esa cuestión puede esperar —afirmó—. Después de los disparos de ahí fuera, tenemos que salir de aquí. —Se volvió al profesor Atherton—. Yo puedo llevar a Marks, ¿se puede arreglar usted solo?

El anciano asintió secamente.

Chrissie levantó la mano.

—Yo te ayudaré, papá.

—Tú cuida de tu hija —gruñó el profesor—. Yo sé cuidarme solo.

La joven guardó el contenido del botiquín y salió cargada por la puerta de la casa, llevando a Scarlett con la otra mano. Bourne levantó a Marks y se lo puso sobre los hombros.

—Vamos —ordenó, echando a andar delante del profesor.

Chrissie lo acompañó a su coche, que estaba aparcado en la parte trasera. Bourne introdujo a Marks en el vehículo de alquiler, que milagrosamente estaba intacto. Ella apareció con el coche de su padre y Scarlett subió en él.

Bourne se acercó a la joven.

—¿Y ahora qué pasará? —preguntó Chrissie.

—Tú volverás a tu vida.

—Mi vida. —Su risa fue forzada—. Mi vida y la vida de mi familia ya nunca serán como antes.

—Quizás eso sea algo bueno.

Ella asintió con la cabeza.

—En cualquier caso, lo siento.

—No lo sientas. —La muchacha sonrió débilmente—. Durante un momento fui Tracy, y ahora sé que nunca quise ser como ella, que sólo creía que quería ser como ella. —Le puso una mano en el brazo, brevemente—. Me alegro de que te conociera. La hiciste feliz.

—Durante un par de noches.

—Más de lo que muchos consiguen en toda una vida. —Apartó la mano—. Trace eligió su vida, no su vida a ella.

Bourne asintió con la cabeza. Al volverse, miró dentro del coche de Chrissie. Golpeó la ventanilla y Scarlett bajó el cristal. Le puso algo en la mano y le cerró los dedos alrededor del objeto.

—Será un secreto entre nosotros —le confió Bourne—. No lo mires hasta que estés en tu casa y sola.

La niña afirmó solemnemente con la cabeza.

—Vámonos —dijo Chrissie sin volver a mirar a Bourne.

Scarlett subió la ventanilla. Dijo algo que él no pudo oír. Bourne apoyó la mano abierta en el cristal. Al otro lado, la niña apretó su mano contra la suya.

Marks había dejado puestas las llaves del coche y Bourne encendió el motor.

La combinación de rugido y vibración cuando dejó el sendero para salir a la carretera despertó a Marks de su estupor.

—¿Dónde estoy? —murmuró con voz espesa.

—Camino de Londres.

Asintió con la cabeza como si fuera un borracho que tratara de recordar cómo funcionaba el mundo.

—Joder, me duele la pierna.

—Te han disparado y perdiste algo de sangre, pero te pondrás bien.

—Bueno —dijo, y en su rostro cambió algo y se estremeció como si el recuerdo de los últimos acontecimientos hubiera salido a flote. Se volvió hacia Bourne—: Escucha, lo siento. Me he portado como un gilipollas.

Él no respondió y siguió conduciendo.

—Me enviaron a buscarte.

—Ya lo imaginé.

Marks se frotó los ojos con los nudillos para eliminar las telarañas de la mente.

—Ahora trabajo para Treadstone.

Bourne aparcó a un lado de la carretera.

—¿Desde cuándo han resucitado Treadstone?

—Desde que Willard encontró apoyo.

—¿Y de quién hablamos?

—De Oliver Liss.

No pudo evitar reírse.

—Pobre Willard. Se ha quedado fuera de la sartén.

—Exacto, así es —repuso Marks con tono lúgubre—. Todo este asunto apesta.

—Y tú formas parte de este asunto.

Marks suspiró.

—En realidad, espero formar parte de la solución.

—¿De veras? ¿Y cómo piensas hacerlo?

—Liss quiere algo que tienes tú: un anillo.

«Todo el mundo quiere el anillo de Dominion», pensó Bourne, pero sin decir nada.

—Se supone que yo tenía que quitártelo.

—Siento curiosidad por saber cómo ibas a hacerlo.

—Para ser sinceros, no tengo la menor idea —confesó Marks—, y ya no estoy interesado en el asunto.

Bourne guardó silencio.

Marks asintió con la cabeza.

—Tienes derecho a ser escéptico —añadió—. Pero te estoy diciendo la verdad. Willard me llamó poco antes de que llegara a la casa. Me dijo que la misión había cambiado, que ahora tenía que llevarte a Tineghir.

—Al sudeste de Marruecos.

—A Uarzazate, para ser precisos. Parece que a Arkadin también lo van a llevar allí.

Bourne guardó silencio tanto rato que Marks se sintió impulsado a decir:

—¿En qué estás pensando?

—En que Oliver Liss ya no es el que corta el bacalao en Treadstone.

—¿Qué te hace decir eso?

—Liss tiene tantas posibilidades de ordenarte que vayas a Uarzazate como de abrirse las venas. —Miró a Marks—. No, Peter, algo ha cambiado radicalmente.

—Ya me he dado cuenta, pero ¿qué es? —Sacó la agenda electrónica y consultó una serie de páginas web del Gobierno, todas de creación reciente—. ¡Dios mío! —dijo al fin—. Liss ha sido detenido por el Departamento de Justicia. Parece que se está investigando su papel en los asuntos ilegales de Black River. —Levantó la vista—. Pero si hace semanas que lo absolvieron de esos cargos...

—Te dije que algo había cambiado radicalmente —le recordó Bourne—. Willard está recibiendo órdenes de otro lado.

—Pues tiene que estar muy alto en la pirámide de mando para haber conseguido reactivar la investigación.

Bourne asintió con la cabeza.

—Y ahora tú estás tan a oscuras como yo. Es como si tu jefe te hubiera traicionado sin pensárselo dos veces.

—Francamente, no es ninguna sorpresa. —Marks se frotó la pierna. Su gemido de dolor fue un silbido de protesta.

—Hay un médico en Londres que será discreto, aunque vea una herida de bala. —Bourne volvió a encender el motor y, tras comprobar el tráfico, se metió en la carretera—. Como sabes, Diego me preparó una trampa. Había enemigos esperándome en el club.

—¿Tenía que matarlo Moreno?

—Ahora ya nunca lo sabremos —respondió Bourne—. Pero Ottavio me salvó la vida allí. No merecía morir de un disparo como un perro.

—Lo que me lleva a preguntar quién nos estaba disparando.

Bourne le habló de Severus Domna y de Jalal Essai sin entrar en detalles sobre Holly.

—Me atacaron en Londres —contó Marks—. Le quité un extraño anillo de oro al tipo que me agredió. Lo llevaba en la mano derecha. —Se introdujo la mano en el bolsillo—. Mierda, me parece que lo he perdido.

—Lo encontró Scarlett. Se lo regalé de recuerdo —dijo Bourne—. Todos los miembros de Severus Domna lo llevan.

—Así que todo esto tiene que ver con una vieja misión de Treadstone. —Marks se quedó un momento pensando en las implicaciones—. ¿Sabes por qué Alex Conklin quería el ordenador portátil?

—Ni idea —respondió Bourne, aunque creía saberlo ya. ¿Podía confiar en alguien, aparte de Soraya y Moira? Aunque sabía que Peter y Soraya eran buenos amigos, aún no estaba convencido de poder confiar en él.

Marks se removió incómodo.

—Hay algo que debes saber. Me temo que lié a Soraya para que se uniera a Treadstone.

Bourne sabía que Typhon no podía funcionar bien sin ella, así que supuso que Danziger estaba desmontando sistemáticamente la vieja CI para reformarla a imagen y semejanza de la querida NSA de Bud Halliday. No era asunto suyo. Detestaba a todas las agencias de espionaje y desconfiaba de ellas. Pero conocía el buen trabajo que Typhon había cumplido con su director original, y después con Soraya—. ¿Qué misión le ha encargado Willard?

—No te va a gustar.

—No permitas que eso te detenga.

—Su misión es acercarse a Leonid Arkadin y apoderarse del ordenador portártil.

—¿El mismo portátil que Conklin me encargó robar a Jalal Essai?

—Exacto.

Quiso reírse, pero entonces Marks le haría preguntas que no estaba preparado para responder. Así que dijo:

—¿Fue idea tuya que Soraya se acercara a Arkadin?

—No, fue de Willard.

—¿Tardó mucho tiempo en darle la orden?

—Me lo contó un día después de que yo la reclutara.

—Así que es muy posible que ya lo tuviera pensado cuando te indicó que la reclutaras.

Marks se encogió de hombros, como si no entendiera qué importancia podía tener aquello.

Pero tenía mucha importancia para Bourne, que veía una pauta en el pensamiento de Willard. De súbito se quedó sin aliento. ¿Y si Soraya no era la primera mujer que Treadstone había reclutado para vigilar a su primer graduado? ¿Y si Tracy había estado trabajando para Treadstone? Todo encajaba. La única razón para que Tracy mintiera y se pusiera en las manos de Arkadin era que él la contratara y la mantuviera a su lado, lo que le permitiría informar tanto sobre su paradero como sobre sus negocios. Un plan brillante que había funcionado hasta que Tracy había sido asesinada en Jartum. Luego el ruso había vuelto a desvanecerse. Willard necesitaba recuperar el contacto, así que había recurrido a una táctica infalible de Treadstone. Arkadin trataba a las mujeres como si fueran trapos. Serían las últimas personas de las que sospecharía que lo estaban vigilando.

—Soraya lo encontró, supongo.

—Está con él en Sonora y sabe qué tiene que hacer —informó Marks—. ¿Crees que podrá llevarlo a Tineghir?

—No —repuso Bourne—. Pero yo sí puedo.

—¿Cómo?

Sonrió, recordando la anotación que había visto en el cuaderno de notas de Noah Perlis.

—Tengo que enviarle un mensaje de texto con la información. Ella sabrá aprovecharla.

Habían llegado a las afueras de Londres. Bourne salió de la autopista y aparcó en una travesía. Marks le pasó su agenda electrónica y le recitó el número de Soraya. Él lo marcó, pulsó el botón de mensajes, escribió el texto y lo envió.

Devolvió la agenda a Marks y siguió conduciendo.

—No sé cómo habrá sucedido —confesó—, pero Severus Domna está dirigiendo a Willard y a Treadstone.

—¿Qué te hace decir eso?

—Jalal Essai es *amadsig*. Nació en las montañas del Alto Atlas.

—En Uarzazate.

—Entonces, ¿de quién recibe órdenes Willard? ¿De Essai o de Severus Domna?

—De momento no importa —dijo Bourne—, pero yo apuesto

por Severus Domna. Dudo que Essai tenga poder para conseguir que Justicia detenga a Liss.

—Porque Essai ha roto con Severus Domna, ¿correcto?

Bourne asintió con la cabeza.

—Lo que hace la situación mucho más interesante. —Dobló a la izquierda y luego a la derecha. Estaban en una calle de casas georgianas. Un terrier que olisqueaba aplicadamente cada breve trecho, guiaba a su amo por la acera. El médico vivía tres casas más allá—. No es habitual que mis enemigos estén enfrentados.

—Entiendo que vas a ir a Tineghir a pesar del peligro. Supongo que no es una decisión fácil.

—Tú también tienes que tomar una decisión difícil —apuntó Bourne—. Si quieres seguir en este trabajo, Peter, tendrás que volver a Washington para encargarte de Willard. Si no, de una manera u otra, acabará por destruiros, a Soraya y a ti.

24

Frederick Willard conocía el White Knights Lounge. Lo conocía desde hacía algún tiempo, desde que había empezado a compilar su propio informe privado sobre el secretario de Defensa Halliday. Bud Halliday estaba poseído por la clase de arrogancia que demasiado a menudo arroja al polvo a los hombres de elevada posición con el resto de los peones que trabajan denodadamente para seguir con vida. Los hombres como él se habitúan de tal forma a su poder que se creen por encima de la ley.

Willard había sido testigo de las reuniones de Bud Halliday con el caballero de Oriente Próximo al que había identificado como Jalal Essai. Esta información la tenía ya cuando se reunió con Benjamin El-Arian. No sabía si éste conocía esa relación, pero en cualquier caso, tampoco se lo iba a contar. Hay informaciones que sólo pueden compartirse con la persona adecuada.

Y esa persona apareció en aquel momento, justo a tiempo, rodeado de guardaespaldas como un emperador romano.

M. Errol Danziger se acercó adonde estaba Willard sentado y se acomodó en el viejo banco. Las manchas y desgarrones del cuero sintético que lo tapizaba hablaban de las juergas que se habían corrido allí durante décadas.

—Esto es una auténtica letrina —dijo Danziger con cara de querer enfundarse en un condón de cuerpo entero—. Has venido a menos desde que nos dejaste.

Estaban en un bar sin nombre situado cerca de una de las autopistas que unían Washington con Virginia. Sólo los clientes habituales de cierta edad y los alcohólicos lo encontraban acogedor; el resto del mundo lo despreciaba porque era un cuchitril. El local apestaba a cerveza agria y a aceite refrito. Era imposible discernir el color de las paredes. En una vieja máquina de discos se oía una pieza de Willie

Nelson y John Mellencamp, pero nadie bailaba ni, por la cara que ponía la gente, la escuchaba. Alguien gruñó en un extremo de la barra.

Willard se frotó las manos.

—¿Qué puedo hacer por ti?

—Aquí no —repuso Danziger, tratando de no respirar muy profundamente—. Cuanto antes salgamos, mejor.

—Nadie que conozcamos o que nos conozca se acercará a kilómetros de este pozo ciego —aseguró Willard—. ¿Se te ocurre un lugar mejor para reunirnos?

Danziger hizo una mueca de desagrado.

—Ve al grano.

—Tienes un problema —señaló Willard sin más preámbulos.

—Tengo muchos problemas, pero no son asunto tuyo.

—No tengas tanta prisa.

—Escucha, estás fuera de la Agencia, lo que significa que no eres nadie. He accedido a esta reunión porque... no sé por qué. Reconocimiento de tus servicios. Pero ahora veo que ha sido una pérdida de tiempo.

Sin inmutarse, Willard siguió con su tema.

—Este problema concreto afecta a tu jefe.

Danziger se retrepó como si tratara de alejarse de él todo lo que el banco podía permitirle.

Willard abrió las manos.

—¿Te importaría escucharme? Si no, eres libre de irte.

—Adelante.

—Bud Halliday tiene lo que podríamos llamar una relación extraoficial con un hombre llamado Jalal Essai.

Danziger se puso tenso.

—¿Estás tratando de chantajear a...?

—Relájate. Su relación es estrictamente profesional.

—¿Y qué tiene que ver conmigo?

—Todo —afirmó Willard—. Essai es veneno para él, y para ti. Es miembro de un grupo llamado Severus Domna.

—Nunca lo había oído nombrar.

—Poca gente lo conoce. Pero fue un miembro de Severus Domna quien consiguió que Justicia le echara otro vistazo a Oliver Liss y lo encarcelara mientras se investiga.

Un borracho empezó a gemir, tratando de hacer un dúo con Connie Francis. Uno de los gorilas de Danziger se acercó a él y lo hizo callar.

El director de la CI frunció el entrecejo.

—¿Estás diciendo que el Gobierno de Estados Unidos recibe órdenes de...? ¿He de suponer por el nombre de ese tipo que Severus Domna es una organización musulmana?

—Severus Domna tiene miembros en prácticamente todos los países del globo.

—¿Cristianos *y* musulmanes?

—Y posiblemente también judíos, hindúes, jainitas, budistas y de cualquier otra religión que se te ocurra.

Danziger dio un bufido.

—¡Qué ridiculez! Es absurdo pensar que hombres de diferentes religiones acuerden reunirse un día de la semana, por no hablar de trabajar juntos en una organización mundial. ¿Y para qué?

—Lo único que sé es que sus objetivos no son los nuestros.

Danziger reaccionó como si Willard lo hubiera ofendido.

—¿*Nuestros* objetivos? Tú ahora eres un civil —manifestó, pronunciando la última palabra como si su sonido fuera desagradable y degradante.

—Al jefe de Treadstone no se le puede considerar un civil —dijo Willard.

—Treadstone, ¿eh? Mejor sería llamarlo Trastorno. —Lanzó una sonora carcajada—. Trastorno y tú no significáis nada para mí. Esta reunión ha terminado.

Cuando iba a levantarse del banco, Willard sacó el as que llevaba en la manga.

—Trabajar con un grupo extranjero es traición y puede ser castigado con la pena de muerte. Imagina la ignominia que sería, si es que vives para verlo.

—¿Qué quieres decir con eso?

—Imagínate en un mundo sin Bud Halliday.

Danziger se quedó momentáneamente sin habla. Por primera vez desde que había llegado, parecía inseguro.

—Dime una cosa —prosiguió Willard—. ¿Por qué iba a perder mi tiempo con tonterías, señor director? ¿Qué iba a ganar con ello?

Danziger volvió a sentarse en el banco.

—¿Y qué vas a ganar contándome este cuento de hadas?

—Si creyeras que es un cuento, estaría hablando solo.

—Francamente, no sé qué pensar —adujo el director de la Agencia—. Pero por el momento, estoy dispuesto a escuchar.

—Es lo único que pido —razonó Willard. Pero, por supuesto, no era lo único. Quería mucho más de Danziger y ahora sabía que lo iba a conseguir.

Mientras volvía al despacho, Karpov le dijo a su chófer que parase. Sin que nadie lo viera, vomitó entre unos arbustos. No es que no hubiera matado nunca a nadie. Por el contrario, había eliminado a muchos bellacos. Lo que le había revuelto el estómago era la situación en la que se encontraba, que era como el vientre de un pescado podrido o el fondo de una cloaca. Tenía que haber alguna salida del ataúd en el que se había metido. Por desgracia, estaba atrapado entre el presidente Imov y Viktor Cherkesov. Imov era un problema con el que tenían que lidiar todos los *siloviki* que ascendían, pero es que ahora estaba además en deuda con el segundo y estaba seguro de que antes o después le pediría a cambio un favor que lo pondría en un serio apuro. Si miraba al futuro, veía ya esos favores multiplicándose, acumulando consecuencias que acabarían por destrozarlo por completo. ¡Qué inteligente era Cherkesov! Al darle lo que quería, había encontrado la única puerta para entrar en su incorruptibilidad. Lo único que había que hacer era lo que los buenos soldados rusos habían hecho durante siglos: avanzar paso a paso hacia el creciente estercolero.

Se dijo que todo era por una buena causa. Deshacerse de Maslov y de la Kazanskaya bien valía algunas molestias. Pero eso era como decir «Yo sólo cumplía órdenes», y aún le deprimía más.

Volvió al coche, meditabundo y con un humor de perros. Cinco minutos después el chófer equivocó la dirección que debían seguir.

—Detén el coche —ordenó Karpov.

—¿Aquí?

—Aquí mismo.

El chófer lo miró por el espejo retrovisor.

—Pero el tráfico...

—¡Haz lo que se te dice!

El conductor detuvo el coche. Karpov bajó, abrió la portezuela del hombre, estiró el brazo y lo sacó del vehículo. Sin hacer caso de los cláxones y frenazos de los autos obligados a rodearlos, estrelló la cabeza del tipo contra el lateral del coche. El hombre se doblegó y Karpov le propinó un rodillazo en el mentón. De la boca del chófer salieron volando unos cuantos dientes. El coronel siguió dándole puntapiés mientras el otro yacía en el suelo, luego se sentó al volante, cerró la portezuela y se marchó.

«Yo debería haber sido norteamericano», pensó mientras se limpiaba los labios una y otra vez con el dorso de la mano. Pero era un patriota, amaba a Rusia. Era una pena que Rusia no le correspondiera. Rusia era una amante sin compasión, sin corazón, cruel. «Debería haber sido norteamericano.» Improvisando una melodía, canturreó la frase para sí como si fuera una nana, y la verdad es que hizo que se sintiera mejor. Se concentró en la forma de acabar con Maslov y en cómo organizaría el FSB-2 cuando Imov lo nombrara director.

Pero su primer cometido era vérselas con los tres topos infiltrados en el FSB-2. Pertrechado con los nombres que había desembuchado Bukin, aparcó el coche frente al edificio del siglo XIX donde estaba la sede del FSB-2 y subió los peldaños al trote. Sabía en qué dependencias trabajaban los individuos. Mientras subía en el ascensor sacó la pistola.

Ordenó salir del despacho al primer topo. El topo se negó y Karpov le puso la pistola en la cara. Los *siloviki* de toda la planta salieron de sus cubiles, sus secretarias y ayudantes levantaron la vista de sus papeles para seguir el desarrollo del drama. Se congregó una muchedumbre, lo que al coronel le venía muy bien. Tirando del primer topo, entró en el despacho del segundo, que estaba al teléfono, de espaldas a la puerta. Cuando se estaba dando la vuelta, Karpov le disparó en la cabeza. El primer topo se encogió cuando la víctima cayó hacia atrás, con los brazos abiertos; el teléfono saltó por los aires y se estrelló contra el cristal de la ventana. La víctima se derrumbó en el suelo, dejando en el cristal un bonito dibujo abstracto hecho con sangre, sesos y huesos. Mientras los atónitos *siloviki* se apelotonaban en la puerta, Karpov hizo fotos con el móvil.

Abriéndose paso entre los aturdidos empleados, arrastró al trémulo topo hasta la siguiente parada, un piso más arriba. Cuando llegaron, ya había corrido la noticia y una multitud de *siloviki* los recibió en boquiabierto silencio.

Mientras Karpov tiraba de su carga hacia el despacho del tercer topo, el coronel Lemtov se abrió paso hasta la primera línea del grupo.

—Coronel Karpov —exclamó—, ¿qué significa este atropello?

—Apártese de mi camino, coronel. No se lo diré dos veces.

—¿Quién es usted para...?

—Represento al presidente Imov —anunció Karpov—. Llame a su despacho, si quiere. Mejor aún, llame a Cherkesov.

Utilizó al topo para apartar al coronel Lemtov. Dakaev, el tercer topo, no estaba en su despacho. Karpov estaba a punto de llamar a seguridad cuando una secretaria aterrorizada le informó de que su jefe estaba en una reunión. Señaló la sala de conferencias y el coronel llevó allí a su prisionero.

Doce hombres estaban sentados alrededor de una mesa rectangular. Dakaev presidía la reunión. Como miembro de la junta de jefes, era más valioso vivo que muerto. Karpov empujó al primer topo contra la mesa. Todos los asistentes, salvo Dakaev, echaron las sillas atrás tan lejos como pudieron. Él, en cambio, se quedó como había estado al irrumpir Karpov, con las manos cruzadas y apoyadas en la mesa. A diferencia del coronel Lemtov, no se mostró indignado ni parecía confuso. En realidad, según advirtió Karpov, sabía muy bien lo que estaba ocurriendo.

Aquello tenía que cambiar. El coronel arrastró al primer topo por encima de la mesa, tirando papeles, bolígrafos y vasos de agua, hasta que el hombre estuvo delante de Dakaev. Luego, mirando fijamente a los ojos de éste, pegó el cañón de la pistola a la cabeza del primer topo.

—Por favor —murmuró el prisionero, orinándose encima.

Karpov apretó el gatillo. La cabeza del primer topo se estrelló contra la mesa, rebotó y quedó inmóvil sobre un charco de su propia sangre. El traje, la camisa y el rostro recién afeitado de Dakaev se llenaron de salpicaduras que parecían salidas del pincel de Pollock.

Karpov hizo un ademán con la pistola.

—Levántate.

Dakaev se puso en pie.

—¿Va a dispararme a mí también?

—Quizás al final. —Lo cogió por la corbata—. Dependerá totalmente de ti.

—Entiendo. Quiero inmunidad.

—¿Inmunidad? Yo te daré inmunidad. —Le golpeó la sien con el cañón de la pistola.

Dakaev cayó de costado y rebotó en un aterrorizado *silovik* que seguía paralizado en su silla. Karpov se inclinó sobre el tercer topo, que había quedado medio encogido contra la pared.

—Me dirás todo lo que sabes sobre tus operaciones y tus contactos: nombres, lugares, fechas, todos y cada uno de los detalles, por pequeños que parezcan, y luego decidiré qué hacer contigo. —Tiró de Dakaev para levantarlo—. Y los demás, volved a lo que estuvierais haciendo.

Al salir de la sala, todo fue silencio a su alrededor. Todos parecían soldaditos de madera, inmóviles, temerosos incluso de respirar. El coronel Lemtov ni siquiera lo miró a los ojos mientras arrastraba al sangrante Dakaev hacia los ascensores.

Descendieron más abajo del sótano, hasta las entrañas del edificio, en las que habían excavado celdas en la piedra de los cimientos. El lugar era frío y húmedo. Los guardias llevaban abrigos largos y gorras de piel con orejeras, como si estuvieran en lo más crudo del invierno. Cuando alguien hablaba, el aliento formaba vaho delante de su rostro.

Karpov llevó a Dakaev a la última celda de la izquierda. El mobiliario consistía en una silla de metal atornillada al suelo de hormigón, una pila de acero inoxidable de tamaño industrial, un inodoro del mismo material y un tablón que sobresalía de una pared y sobre el que había un delgado colchón. Debajo de la silla había un ancho sumidero.

—Herramientas del oficio —comentó Karpov mientras empujaba a Dakaev contra la silla—. Confieso que estoy un poco oxidado, pero estoy seguro de que no supondrá ninguna diferencia para ti.

—Todo este melodrama es innecesario —avisó Dakaev—. No tengo causa que defender, de modo que le contaré todo lo que quiera.

—De eso no me cabe ninguna duda. —Karpov abrió el grifo del lavabo—. Pero es difícil creer que un hombre que confiesa no defender ninguna causa vaya a decir la verdad voluntariamente.

—Pero yo...

Karpov le introdujo el cañón de la pistola en la boca.

—Escúchame, mi agnóstico amigo. Un hombre sin causa no merece tener un corazón latiéndole en el pecho. Antes de oír tu confesión tendré que enseñarte lo que vale ser leal a una causa. Cuando salgas de aquí, a menos que lo hagas con los pies por delante, serás leal al FSB-2. Nunca más podrán tentarte individuos como Dimitri Maslov. Serás incorruptible.

Karpov propinó un puntapié al prisionero, que cayó de la silla aterrizando sobre manos y rodillas. Asiéndolo por el cuello de la ropa, lo dobló sobre la pila, que ya estaba llena de agua helada.

—Empezamos ya —anunció, sumergiendo en el agua la cabeza de Dakaev.

Soraya miraba a Arkadin mientras éste bailaba con Moira, supuestamente para ponerla celosa. Estaban en una de las cantinas de Puerto Peñasco que permanecían abiertas toda la noche, llena de obreros que iban y venían de las cercanas maquiladoras. En la máquina de discos, la *jukebox*, un aparato con luces chabacanas que parecía una mala imitación de la nave extraterrestre de *Encuentros en la tercera fase*, sonaba una ranchera triste.

Con un café solo en la mano, miraba las caderas de Arkadin, que se movían como si estuvieran llenas de mercurio. ¡Aquel hombre sabía bailar! Sacó la agenda electrónica y miró los mensajes de texto de Peter Marks. El último contenía instrucciones sobre cómo llevar a Arkadin hasta Tineghir. ¿De dónde habría sacado Marks aquella información?

Había reprimido la sorpresa al ver a Moira camuflada tras una fachada profesional. En el momento de subir a bordo del yate había creído que el suelo se hundía bajo sus pies. El juego había cambiado tan radicalmente que tenía que igualar a la otra parte, y rápido. Por eso se había fijado en cada palabra que cruzaban Moira y Arkadin, no sólo en su significado, sino también en la entonación con que se pronunciaban, en busca de alguna pista que le dijera qué hacía Moira allí realmente. ¿Qué quería del ruso? Seguro que el trato que intentaba hacer con él era tan falso como el suyo.

La noche era muy oscura en el exterior. No se veía la luna. Como estaba medio nublado, sólo se percibía un débil resplandor de estrellas en la parte central del cielo. La cantina olía a cerveza y sudor corporal. El salón chirriaba con un frenesí teñido de impotencia y desesperanza. Se sentía rodeada de personas para las que no existía el mañana.

Deseaba hablar con Moira en privado, aunque sólo fuera un breve momento, pero eso era imposible con Arkadin delante. Incluso ir al lavabo de señoras al mismo tiempo podía despertar sus sospechas. No conocía el número de móvil de Moira, así que enviarle un mensaje estaba descartado. Sólo quedaba la posibilidad de sostener una conversación cara a cara, con mensajes cifrados. Si seguían caminos paralelos, aunque por casualidad se tratara del mismo camino, era esencial que no se obstaculizaran entre sí.

Ambos goteaban sudor cuando volvieron a la mesa. Arkadin pidió cerveza para ellos dos y otro café para Soraya. Pasara lo que pasase al día siguiente, saltaba a la vista que estaba disfrutando de la compañía de las dos mujeres.

—Moira —dijo Soraya—. ¿Sabes algo de Oriente Próximo o tu experiencia se reduce estrictamente al continente americano?

—México, Colombia, Bolivia y parte de Brasil son mis territorios.

—¿Y trabajas sola?

—Tengo una empresa, pero ahora mismo estoy haciendo un encargo especial para Berengaria Moreno. —Señaló a su interlocutora con la barbilla—. ¿Y tú?

—Tengo mi propia compañía, aunque hay un grupo empresarial que trata de hacerme una opa hostil.

—¿Multinacional?

—Estrictamente estadounidense.

Moira asintió con la cabeza.

—Dijiste importación y exportación, ¿no?

Soraya echó azúcar en el café.

—Exacto.

—Tal vez mi... experiencia pudiera serte útil para frenar a los postores hostiles.

—Gracias, pero no. —Soraya tomó un sorbo de café y dejó la taza en el platillo—. Tengo mis propios... recursos.

—¿Cómo se llama un pensamiento en la cabeza de una mujer? —preguntó Arkadin, mirando a una y a otra—. ¡Un turista! —Rió con tantas ganas que casi se atragantó con la cerveza. Luego, al ver la cara seria de sus compañeras, añadió—: Oh, vamos, señoras, relájense, estamos aquí para pasarlo bien, no para hablar de negocios.

Moira se lo quedó mirando.

—¿Qué se consigue al cruzar un ruso con un vietnamita? Un ladrón de coches que no sabe conducir.

Soraya se echó a reír.

—Ahora sí lo estamos pasando bien.

Arkadin sonrió.

—¿Sabes más?

—Veamos. —Moira tamborileó con los dedos en la mesa—. A ver qué os parece. Dos rusos y un mexicano van en un coche. ¿Quién conduce? La policía.

Arkadin rió y agitó el dedo hacia Moira.

—¿De dónde sacas esos chistes?

—De la cárcel —respondió ella—. A Roberto Corellos le encanta contar chistes de rusos.

—Es el momento de pasar al tequila —propuso Arkadin, haciendo una seña al camarero—. Trae una botella —encargó al joven que se acercó—. Algo de calidad. *Reposado* o *añejo*.

En la máquina de discos, en lugar de otra ranchera, sonó «Twenty-four hours from Tulsa». El timbre agudo de Gene Pitney se elevó sobre las risas y gritos de los clientes borrachos. Pero la mañana se acercaba y con ella un cambio en la clientela. Mientras los trasnochadores salían dando tumbos, empezó a llegar el turno de noche de la maquiladora, con dolor de cabeza y arrastrando los pies. No había muchos hombres, ya que casi todos se iban a casa, a meterse en la cama sin ni siquiera quitarse la ropa.

Antes de que el tequila llegara a la mesa, Arkadin había cogido la mano de Moira y la animaba a salir a la pista de baile, que por primera vez en toda la noche era más grande que un sello de correos. Él la estrechó con fuerza mientras se contoneaban al ritmo de la melodía de Burt Bacharach.

—Eres muy lista —dijo, sonriendo como un tiburón.

—No ha sido fácil —respondió Moira.

El hombre se echó a reír.

—Ya me lo figuro.

—No te molestes.

Arkadin la hizo girar sobre sus talones.

—Estás perdiendo el tiempo en Sudamérica. Deberías trabajar para mí.

—¿Antes de que prepare el asesinato de Corellos?

—Que ésa sea tu última misión. —Hundió la nariz en el cuello de la mujer y aspiró profundamente—. ¿Cómo vas a hacerlo?

—Creía que habías dicho que no se hablaba de negocios.

—Contéstame sólo a lo que te acabo de preguntar, luego sólo diversión. Te lo juro.

—Corellos es adicto a las mujeres y tengo un contacto con el que se las proporciona. El momento más vulnerable de un hombre es después del sexo. Encontraré a alguna que sea experta con el cuchillo.

Arkadin atrajo hacia sí las caderas de Moira.

—Me gusta. Prepáralo pronto.

—Quiero una bonificación.

El hombre le frotó el cuello con la cara y le lamió el sudor.

—Te daré todo lo que quieras.

—Entonces soy tuya.

El teléfono de Karpov sonó mientras reprogramaba al topo de Dimitri Maslov. Dakaev se estaba ahogando, o más exactamente, creía que se estaba ahogando, lo cual, a fin de cuentas, era lo que buscaba su torturador. Pero diez minutos después, cuando Dakaev volvió a estar sentado en la silla metálica y Karpov vertía té en un vaso, el teléfono sonó de nuevo. Esta vez respondió. Oyó una voz familiar en el otro extremo.

—¡Jason! —exclamó Karpov—. Qué alegría oírte.

—¿Estás ocupado?

El coronel miró a Dakaev, desplomado en la silla, con la barbilla en el pecho. Apenas parecía humano, lo cual era también su objetivo. No se puede construir algo nuevo sin destrozar lo que había antes.

—¿Ocupado? Sí, pero para ti nunca. ¿Qué puedo hacer por ti?

—Supongo que conoces al lugarteniente de Dimitri Maslov, Vylacheslav Oserov.

—Supones bien.

—¿Crees que podrías encontrar la forma de enviarlo a algún sitio?

—Si con algún sitio te refieres al infierno, sí, puedo.

Bourne se echó a reír.

—Estaba pensando en algo menos definitivo. Un lugar, digamos, de Marruecos.

Karpov tomó un sorbo de aquel té que necesitaba azúcar con urgencia.

—¿Puedo preguntarte para qué necesitas a Oserov en Marruecos?

—Es un cebo, Boris. Trato de atrapar a Arkadin.

Karpov pensó en su viaje a Sonora, en su trato con Arkadin, y lo añadió a la lista del presidente Imov y Viktor Cherkesov. Había prometido a Arkadin su oportunidad con Oserov, pero a la mierda. «Soy demasiado viejo y demasiado cabrón para deber tanto a gente tan peligrosa —pensó—. Uno menos es un paso hacia ninguno.»

Miró a Dakaev, el conducto por el que podía llegar a Dimitri Maslov y, por lo tanto, a Vylacheslav Oserov. Después de lo que acababa de soportar, no le cabía duda de que el prisionero saltaría ante la oportunidad de hacer lo que él le pidiera.

—Cuéntame con detalle lo que necesitas que haga. —Karpov escuchó, sonriendo de alegría. Cuando Bourne terminó, rió por lo bajo—. ¡Jason, amigo mío, lo que daría por ser tú!

Poco después del amanecer estaban todos lo bastante sudorosos para querer meterse en el agua. En el convento, Arkadin dio a Moira y Soraya camisetas de tamaño extragrande. Él llevaba un bañador de surfista que le llegaba hasta las rodillas. Su torso era un museo de tatuajes que, interpretados correctamente, describían su trayectoria en la *grupperovka*.

Los tres se metieron en el mar, empujados y arrastrados por las olas que morían en las doradas arenas. El cielo aún era de color rosa, pero se deslizaba ya hacia el de la mantequilla. Las gaviotas volaban sobre sus cabezas y unos peces diminutos les rozaban los pies y los tobillos. El agua crecía y los golpeaba en la cara, haciéndolos reír como niños. La alegría pura de sentirse libres en el océano.

Cuando rebasaron la línea en que rompían las olas, a Moira le extrañó que Arkadin buceara en busca de conchas en lugar de mirarle los pechos que se transparentaban bajo la camiseta mojada, sobre todo después de la forma en que había bailado con ella en la cantina. Apenas había averiguado nada sobre la misión de la otra mujer durante la charla encubierta que había iniciado Soraya y que Arkadin había interrumpido con su chiste misógino.

Mientras el ruso seguía buscando conchas, Moira se dirigió hacia Soraya para comprobar si podían hablar esta vez, aunque fuera brevemente. Lanzándose contra una ola que rompía, se puso a nadar hacia donde se encontraba, pero algo se enganchó en su tobillo izquierdo, obligándola a retroceder.

Se dobló y miró tras ella. Era Arkadin quien la sujetaba. Lo empujó, poniéndole las manos en el pecho, pero sólo consiguió acercarse más a él. La mujer se puso derecha y se encontró cara a cara con el hombre.

—¿Qué haces? —preguntó Moira, quitándose el agua de la cara con la mano—. No puedo sostenerme.

Arkadin la soltó de inmediato.

—Yo ya he tenido bastante. Tengo hambre.

Moira se volvió y llamó a Soraya, que dejó de flotar y acudió nadando.

—Vamos a desayunar —dijo Moira.

Las dos mujeres salieron del agua, con Arkadin pisándoles los talones. Habían llegado a la línea de la marea alta, con pequeñas lomas de arena seca delante, cuando él se inclinó. Con el afilado borde de una concha le cortó a Moira los tendones de la corva izquierda.

25

El pueblo de Whitney, Oxfordshire, se encuentra a 17 kilómetros al oeste de Oxford, a orillas del río Windrush. Sólo le faltaban *hobbits* y *orcos*. Bourne había llegado de Londres en un coche de alquiler. La tarde era fresca y seca, con ocasionales cascadas de sol que se colaban entre las nubes. No había mentido a Peter Marks; tenía intención de ir a Tineghir. Pero antes tenía que hacer una cosa.

Basil Bayswater vivía en una cabaña con techumbre a dos aguas que parecía salida de una novela de Tolkien. Tenía unas extravagantes ventanas redondas y capullos que crecían en limpios arriates que flanqueaban un sendero de grava blanca que conducía hasta la puerta principal. La puerta era de madera maciza, con una aldaba con forma de cabeza de león rugiente. Bourne llamó con ella.

Momentos después abría la puerta un hombre mucho más joven de lo que esperaba.

—¿Sí? ¿Deseaba algo? —Tenía el largo cabello peinado hacia atrás, dejando al descubierto la frente, unos ojos oscuros y vigilantes, y un poderoso mentón.

—Busco a Basil Bayswater —informó Bourne.

—Lo tiene delante.

—No me lo creo —repuso.

—Ah, entonces debe de referirse al profesor Basil Bayswater. Me temo que mi padre murió hace tres años.

Moira se puso a gritar cuando la sangre se extendió por el agua como una extraña medusa. Arkadin la sujetó cuando iba a desplomarse.

—Dios mío —exclamó Soraya—, ¿qué has hecho?

Moira seguía gritando, doblada por la cintura, aferrándose la pierna izquierda.

Arkadin, sin hacer caso de Soraya, enseñó los dientes a Moira.

—¿Creías que no te había reconocido?

Algo helado petrificó el estómago de la mujer.

—¿Qué quieres decir?

—Te vi en Bali. Estabas con Bourne.

Moira recordó la huida a través del pueblo de Tenganan, y luego a Bourne recibiendo un balazo de un francotirador escondido en el bosque.

Abrió unos ojos como platos.

—Sí, aquél era yo. —Arkadin echó a reír, lanzando la concha ensangrentada al cielo y recogiéndola cuando caía, como si fuera una pelota—. Tú estabas con Bourne. Eras su amante. Y ahora el destino te ha traído hasta mí.

Soraya estaba indignada y aterrorizada al mismo tiempo.

—¿Qué está pasando aquí?

—Estamos a punto de descubrirlo. —Arkadin se volvió hacia ella—. Esta mujer es la amante de Jason Bourne, aunque quizá vosotras dos ya os conozcáis.

Empleando a fondo su fuerza de voluntad, Soraya reprimió el pánico.

—No sé de qué hablas.

—Muy bien. Te lo explicaré. En ningún momento me he creído tu historia, pero pensaba retenerte hasta descubrir lo que realmente querías. Sospecho que te ha enviado Willard. Ya intentó ese truco conmigo en una ocasión, con una mujer llamada Tracy Atherton. La envió para que no me perdiera de vista y le informara de todas mis operaciones. Y funcionó. Ya estaba muerta cuando lo adiviné. Pero en tu caso lo presentí desde el principio, porque Willard es un hombre de costumbres, sobre todo si le han funcionado.

—Deja que se marche —propuso Soraya, más nerviosa cada momento que pasaba.

—Puede que lo haga —admitió Arkadin—. Puede que la deje vivir. Pero eso dependerá totalmente de ti.

Soraya se acercó y apartó a Moira del ruso. Suave y lentamente, la tendió en el suelo. Se quitó la camiseta mojada por la cabeza, la puso alrededor del muslo de Moira, estiró los extremos con todas sus fuerzas e hizo un nudo. Cuando terminó, la joven se había desmayado, por la herida, por el dolor o por ambas cosas.

—Eres tú a quien quiero —prosiguió Arkadin—. Tú eres la que ha hablado de Jartum, la que quiere que vaya allí. Me dirás quién eres y lo que sabes, y a cambio sopesaré la posibilidad de aligerar el sufrimiento de Moira.

—Tenemos que llevarla al hospital más cercano —urgió Soraya—. Hay que limpiar la herida y desinfectarla lo antes posible.

—Repito —arguyó Arkadin, abriendo los brazos— que eso depende de ti.

Soraya miró la corva de Moira. «Santo Dios, ¿volverá a andar normalmente?», se preguntó. Sabía que cuanto más tardaran en ponerla en manos de un médico competente, peor le iría. Había visto tendones cortados así. No eran fáciles de curar, y a saber si los nervios estarían también afectados.

Dejó escapar un largo suspiro.

—¿Qué quieres saber?

—Para empezar, ¿quién eres?

—Soraya Moore.

—¿Soraya Moore, la directora de Typhon?

—Ya no —aclaró la mujer, acariciando el pelo mojado de Moira—. Willard ha resucitado Treadstone.

—No me extraña que no quiera perderme de vista. ¿Qué más?

—Muchas cosas —prosiguió Soraya—. Te lo contaré camino del hospital.

Arkadin se inclinó sobre ella.

—Me lo contarás ahora.

—Nos matarías a las dos aquí y en este momento.

Arkadin la insultó, pero al final accedió a su petición. Levantó a Moira en brazos y la llevó al convento. Mientras la colocaba en el asiento posterior del coche, Soraya fue a buscar una camiseta. Estaba registrando el escritorio de Arkadin cuando éste la descubrió.

—Joder, no —exclamó, asiéndola por la muñeca y arrastrándola al exterior.

Medio empujándola al asiento del copiloto, añadió:

—Te mataré en cuanto terminemos. —Dio la vuelta al coche, se sentó al volante y encendió el motor.

—Tienes razón. —Soraya tenía la pierna de Moira levantada mientras aceleraban por las afueras de Puerto Peñasco—. Willard me quería a tu lado para que lo informara de tu paradero y de tus operaciones.

—¿Y? Tengo la sensación de que hay algo más.

—Lo hay —respondió Soraya. Sabía que tenía que representar su papel a la perfección. Ya no creía en su habilidad para engañarlo por completo, pero necesitaba hacerlo—. Willard está interesado en un hombre que estoy segura de que conoces, porque trabaja para Maslov: Vylacheslav Oserov.

Los nudillos de Arkadin se pusieron blancos en el volante, pero su voz no le traiciono.

—¿Y por qué Willard está interesado en Oserov?

—No tengo la menor idea —repuso Soraya. Al menos aquello era verdad—. Lo que sí sé es que ayer mismo un agente de Treadstone identificó a Oserov en Marraquech. Luego lo siguió hasta las montañas del Alto Atlas, hasta un pueblo llamado Tineghir.

Llegaron al hospital general de Santa Fe, en la avenida Morúa, pero Arkadin no hizo el menor movimiento para bajar del coche.

—¿Qué hacía Oserov en Tineghir?

—Buscar un anillo.

Arkadin cabeceó.

—Dime las cosas claramente.

—Ese anillo en particular desbloquea de alguna manera un archivo oculto en el disco duro de un ordenador portátil. —Miró al hombre—. Lo sé, yo tampoco lo entiendo. —Toda aquella información estaba en el último mensaje de texto que había recibido de Peter. Abrió la portezuela trasera—. ¿Podemos llevar a Moira a urgencias, por favor?

Arkadin bajó del coche y cerró la portezuela que acababa de abrir Soraya.

—Quiero más.

—Te he contado todo lo que sé.

Él la miró a la cara con fijeza.

—Ya has visto lo que le pasa a la gente que me engaña.

—Yo no te estoy engañando —protestó Soraya—. He traicionado la confianza que depositaron en mí, ¿qué más quieres que haga?

—Todo —exigió el hombre—. Lo quiero todo.

Condujeron a Moira a urgencias. Mientras el personal de servicio se arremolinaba a su alrededor y comprobaba sus constantes vitales, Soraya pidió el nombre del mejor neurocirujano de Sonora. Hablaba el español a la perfección. Es más, parecía latina. Estos atributos le abrieron las puertas. Cuando consiguió el número privado del cirujano, lo llamó en persona. Su secretaria dijo que no podía ponerse; hasta que Soraya amenazó con buscarla y retorcerle el pescuezo. El cirujano se puso al teléfono poco después. Ella le describió la herida de Moira y le explicó dónde estaban. El médico dijo que si le daban una bonificación de dos mil dólares norteamericanos estaría allí inmediatamente.

—Vámonos —dijo Arkadin en cuanto Soraya cortó la comunicación.

—No pienso abandonar a Moira.

—Tenemos más asuntos que discutir.

—Pues podemos discutirlos aquí.

—En el convento.

—No voy a follar contigo —replicó Soraya.

—Gracias a Dios, porque follar contigo debe de ser como follar con un escorpión.

La ironía del comentario la hizo reír, a pesar de su preocupación y su desesperación. Fue a buscar café y Arkadin la siguió.

Bourne llegó a Oxford con toda la rapidez que pudo permitirse sin atraer la atención de la policía. La ciudad no había cambiado desde la última vez que había estado allí. Las calles tranquilas, las tiendas extrañas, los residentes perpetuos yendo a sus obligaciones, los salones de té, las librerías, todo como una miniatura creada por un obsesivo académico del siglo XVIII. Conducir por sus calles era como visitar el interior de una de esas bolas de cristal que simulan un paisaje nevado.

Jason aparcó cerca de donde Chrissie había dejado el Range Rover cuando habían ido juntos, y subió las escaleras del Centro de Estudios de Documentos Antiguos. El profesor Liam Giles también se encontraba exactamente donde lo había dejado cuando había estado allí, inclinado sobre el escritorio de su inmenso despacho. Levantó la vista al entrar Bourne, parpadeando como un búho, como si no lo reconociera. Jason advirtió que no era Giles, sino otro hombre de aproximadamente la misma edad y complexión.

—¿Dónde está el profesor Giles?

—No está —respondió el otro.

—Lo estoy buscando.

—Eso he deducido. ¿Puedo preguntarle por qué?

—¿Dónde está?

El hombre parpadeó con sus ojos de estrigiforme.

—Ausente.

Mientras se dirigía hacia allí, Bourne había leído la biografía oficial de Giles, que estaba disponible en la página web de la Universidad de Oxford.

—Es por su hija.

El hombre que había tras el escritorio de Giles parpadeó.

—¿Está enferma?

—No tengo libertad para decirlo. ¿Dónde puedo encontrar al profesor Giles?

—No creo...

—Es urgente —rogó Bourne—. Es un asunto de vida o muerte.

—Se comporta usted de un modo melodramático, señor, ¿lo hace adrede?

Bourne enseñó al hombre la credencial que había robado del vehículo de emergencias poco después del accidente que había presenciado con Chrissie.

—Hablo totalmente en serio.

—Vaya por Dios. —El hombre levantó el brazo, como para señalar algo—. Está en el retrete, por ahora. Forcejeando con el pastel de anguilas que ingirió anoche. No me extraña.

El neurocirujano era joven, moreno como un indio, con los dedos largos y elegantes de un pianista de música clásico. Tenía rasgos muy delicados, de modo que, en puridad, no podía considerarse indio. Pero era un duro negociante que no empezó a trabajar hasta que Soraya le puso un fajo de billetes en la mano. Luego se alejó a toda prisa, consultando con los médicos de urgencias que habían atendido a Moira, mientras se dirigía a zancadas al quirófano.

Soraya se tomó el asqueroso café sin saborearlo, pero a los diez minutos, mientras paseaba por el corredor, empezó a sentir un agujero en el estómago, así que cuando Arkadin sugirió que fueran a comer algo, accedió. Encontraron un restaurante no muy lejos del hospital. Comprobó, antes de sentarse, que no estuviera colonizado por insectos. Pidieron la comida y esperaron, sentados uno frente a otro, pero mirando hacia otro lado, o al menos eso hacía Soraya.

—Te he visto sin camiseta —señaló Arkadin— y me gustó lo que vi.

Soraya lo miró.

—Vete a la mierda.

—Era un enemigo —dijo, refiriéndose a Moira—. ¿Por qué ley está protegida?

Ella miraba por la ventana y veía una calle tan desconocida para ella como el lado oscuro de la luna.

Llegó la comida y Arkadin empezó a comer. Soraya observó a dos muchachas con demasiado maquillaje y poca ropa que iban camino del trabajo. Que las latinas enseñaran el cuerpo con tanta indiferencia era algo que la seguía sorprendiendo. Sus culturas eran muy diferentes. Y pese a todo se sentía en armonía con el aura de dolor que dominaba allí. Entendía bien la falta de esperanzas. Había sido la herencia cultural de su sexo desde tiempos inmemoriales y era la principal razón de que ella hubiera querido trabajar en el servicio secreto, donde a pesar de la habitual tendencia machista, podía hacerse valer de una forma que la hacía sentirse bien consigo misma. Ahora, por primera vez, veía a aquellas muchachas de camiseta ceñida bajo otra luz. Aquella ropa era una manera, quizá la única, de hacerse valer en una cultura que continuamente las despreciaba y devaluaba.

—Si Moira muere o si se queda inválida...

—Ahórrame las amenazas sin sentido —replicó él, rebañando el plato de *huevos rancheros*.

Aquello era típico de Arkadin, se dijo Soraya. Pensara lo que pensase del contrario, era propio de él despreciar y devaluar a las mujeres. Era el mensaje subyacente de todo lo que decía y hacía. No tenía corazón, ni remordimientos, ni sentimientos de culpa, ni alma... nada, en resumen, de lo que define y distingue a un ser humano. «Y si no es un ser humano —pensó con terror irracional—, ¿qué es?»

El lavabo de caballeros estaba cinco puertas más allá del despacho del profesor Giles. Lo oyó vomitar tras la puerta cerrada de un escusado. Un olor agrio había invadido la habitación y Bourne se acercó a la ventana para abrirla sin pérdida de tiempo. Una brisa pegajosa removió lentamente el hedor como una bruja el caldo de su olla burbujeante.

Esperó a que acabaran los ruidos.

—Profesor Giles.

Durante un rato no hubo respuesta. Luego se abrió la puerta y el hombre, con el rostro más blanco que el papel, pasó tambaleándose junto a él, se inclinó ante la pila, abrió el grifo de agua fría y metió la cabeza bajo el chorro.

Bourne estaba apoyado en la pared, con los brazos cruzados. Cuando Giles levantó la cabeza, le alargó un puñado de toallas de papel. El profesor las cogió sin comentarios y se secó la cara y el cabello. No lo reconoció hasta que tiró las toallas en la papelera.

Se enderezó de repente y se puso derecho.

—Ah, el hijo pródigo ha vuelto —murmuró con su voz más profesional.

—¿Me esperaba?

—La verdad es que no. En cambio, no me sorprende verlo aquí. —Dirigió una débil sonrisa a Bourne—. Por mucho que uno corra, siempre vuelve al punto de partida.

—Profesor, me gustaría que se pusiera en contacto otra vez con el colega con quien juega al ajedrez.

Giles frunció el entrecejo.

—Eso no es tan fácil. Es muy reservado y no le gusta responder preguntas.

«Me lo figuro», pensó Bourne.

—A pesar de todo, me gustaría que lo intentara.

—Muy bien —repuso.

—Y ya que estamos, ¿cómo se llama?

El hombre vaciló.

—James.

—¿James qué?

Otra vacilación.

—Weatherley.

—¿No era Basil Bayswater?

El profesor se volvió hacia la puerta.

—¿Qué pregunta quiere hacerle?

—Me gustaría que me describiera el más allá.

Giles, que ya iba camino de la salida, se detuvo y se volvió lentamente hacia Bourne.

—¿Perdón?

—Ya que el hijo de Basil Bayswater enterró a su padre hace tres años —aclaró Bourne—, yo diría que está en la situación ideal para contar qué se siente estando muerto.

—Ya le he dicho —insistió Giles, algo picado— que se llama James Weatherley.

Bourne lo cogió por un codo.

—Profesor, nadie se cree eso, ni siquiera usted. —Lo apartó de la puerta y lo llevó al fondo de los lavabos—. Ahora me va a contar por qué me mintió. —El hombre se quedó callado y Bourne prosiguió—: No necesitó llamar a Basil Bayswater para traducir la inscripción del anillo, porque usted ya estaba en el secreto. ¿No es así, querido amigo?

—Sí, supongo que sí. Ninguno de nosotros fue sincero con el otro. —Se encogió de hombros—. Bien, ¿qué se puede esperar de la vida? Nada es lo que parece.

—Es usted miembro de Severus Domna.

La sonrisa de Giles había adquirido cierta solidez.

—No tiene sentido negarlo, ahora que está a punto de entregar el anillo.

En aquel momento, como si hubiera estado escuchando detrás de la puerta, entró el hombre que había visto sentado a la mesa del profesor. Con la Sig Sauer en la mano, ya no tenía tanto aspecto de búho. Inmediatamente después, entraron dos hombres, más corpulentos y musculosos, empuñando sendas pistolas con silenciador. Se apostaron en los exremos, apuntando con sus armas a Bourne.

—Como puede ver —explicó el profesor Giles—, no le dejo otra salida.

26

Vylacheslav Oserov daba tanta prioridad a las heridas que tenía en la cara como al odio de tamaño planetario que sentía por Arkadin, el hombre que lo había atormentado durante años y que había sido la causa de la horrible desfiguración que había sufrido en Bangalore. El fuego químico le había devorado las capas de la piel y alguna porción de la carne, lo que hacía difícil la recuperación e imposible la vuelta a la normalidad.

Durante varios días, después de regresar a Moscú, había estado envuelto en espesas vendas que rezumaban no sólo sangre sino también un espeso fluido amarillo cuyo olor le daba ganas de vomitar. Se había negado a tomar tranquilizantes, y cuando el médico, a las órdenes de Maslov, trató de inyectarle un sedante, le rompió el brazo y a punto estuvo de romperle el cuello.

Todos los días podían oírse los gritos de Oserov en todos los despachos, incluso en los lavabos, donde los otros hombres se reunían para descansar un poco. Sus gritos de dolor eran tan terroríficos como los de un animal desmembrado; asustaban y desmoralizaban incluso a los endurecidos criminales de Maslov. El mismo Maslov se vio obligado a atarlo a una columna, como a Ulises al mástil al pasar ante la costa de las sirenas, y a taparle la boca con esparadrapo para que no molestara, ni a sus hombres ni a él. Por aquellas fechas Oserov tenía ya surcos profundos en las sienes, ensangrentadas como cicatrices tribales, donde presa del sufrimiento se había clavado las uñas, atravesando la piel que no se había quemado.

En cierto modo, se había convertido en un niño. Maslov no podía enviarlo a un hospital ni a una clínica sin que le hicieran preguntas incómodas y el FSB-2 iniciara una investigación. Así que había intentado tenerlo en su propio apartamento, que estaba en unas condiciones penosas y que, como un templo abandonado en una selva, había pasado a ser sede de insectos y roedores al mismo tiempo. No podía obligar a nadie a quedarse allí con Oserov, y era imposible que éste sobreviviera solo. Las oficinas eran la única opción que quedaba.

Oserov ya no soportaba su propio reflejo. Ningún vampiro evita los espejos como los evitaba él. Además, detestaba ser visto a la luz del sol, o con cualquier luz potente, conducta que motivó que en la Kazanskaya le pusieran otro apodo, *Die Vampyr*.

En aquel momento se encontraba reconcomiéndose en las oficinas de Maslov, que por necesidad cambiaban de ubicación todas las semanas. En aquella habitación, que el jefe de la mafia moscovita le había designado, las luces estaban apagadas y las persianas echadas, para amortiguar la luz del día. Una lámpara situada al otro lado del cuarto arrojaba un pequeño círculo de luz sobre las desgastadas baldosas del suelo.

El fracaso sufrido en Bangalore, no haber conseguido matar a Arkadin o, al menos, hacerse con el ordenador portátil para Maslov, le había dejado huellas profundas en el alma. Su aspecto físico había salido malparado. Y lo peor de todo: había perdido la confianza de su jefe. Sin la Kazanskaya, Oserov no era nada. Sin la confianza de Maslov, no era nada dentro de la Kazanskaya. Durante días se había estado devanando los sesos, buscando la manera de volver a caer en gracia a Maslov, de recuperar la grandeza de su cargo de comandante de campo. Pero no se le ocurría ningún plan. Para él no significaba nada que su mente, destrozada por el dolor de las heridas, apenas fuera capaz de reunir dos pensamientos coherentes. Su único pensamiento era vengarse de Arkadin y conseguirle a Maslov lo que más deseaba: el maldito ordenador portátil. Oserov no sabía para qué lo quería su jefe, ni le importaba. Su obligación era conseguirlo o morir en el empeño; así había sido desde que había entrado en las filas de la Kazanskaya, y así sería siempre.

Pero la vida daba vueltas extrañas. Para Oserov, la salvación llegó por el conducto menos esperado. Una llamada. Tan hundido en negros pensamientos estaba que al principio no quiso contestar. Luego su ayudante le dijo que había llegado por una línea codificada y que sabía quién debía de ser. Pese a todo, se resistió, pensando que de momento no tenía ni el interés ni la paciencia suficientes para nada que le pudiera contar Yasha Dakaev.

El ayudante de Oserov asomó la cabeza por la puerta, aunque tenía órdenes estrictas de no hacerlo.

—¡Qué! —rugió.

—Dice que es urgente —insistió su ayudante, retirándose de inmediato.

—Maldita sea —murmuró Oserov, cogiendo el teléfono—. Yasha, joder, ya puede ser algo bueno.

—Lo es. —La voz de Dakaev sonaba apagada y lejana, pero era porque para hacer sus llamadas siempre tenía que buscar rincones y escondites en la sede del FSB-2—. Tengo una pista sobre los movimientos de Arkadin.

—¡Por fin! —Oserov se incorporó. Su corazón empezó a latir de nuevo a toda velocidad.

—Según el informe que acabo de ver en mi despacho, va camino de Marruecos —informó Dakaev—. Hacia Uarzazate, concretamente a un pueblo de las montañas del Alto Atlas llamado Tineghir.

—¿Y qué va a hacer en Marruecos?

—Eso no lo sé —repuso Dakaev—. Pero el servicio secreto dice que va hacia allí.

«Es mi oportunidad —pensó Oserov, levantándose de un salto—. Si no la aprovecho, ya puedo comerme la Tokarev.» Por primera vez desde la última noche que había pasado en Bangalore, sintió la emoción del momento. Su fracaso lo había paralizado, había estado torturándose sin parar. La vergüenza y la rabia le habían hecho perder el norte.

Llamó a su ayudante para darle instrucciones.

—Sácame de aquí echando hostias —ordenó—. Resérvame un pasaje en el primer vuelo que salga de Moscú en la dirección apropiada.

—¿Sabe Maslov que te vas?

—¿Sabe tu mujer que tu amante se llama Ivana Istvanskaya?

Su ayudante salió como alma que llevara el diablo.

Oserov comenzó a idear un plan. Ahora que tenía una segunda oportunidad, juró que no la dejaría escapar.

Bourne levantó las manos. Y mientras lo hacía, estampó el pie en los riñones del profesor Giles. Cuando éste, agitando los brazos, cayó sobre los tres pistoleros, el norteamericano giró en redondo, dio una zancada hacia la ventana abierta y saltó por ella.

Tras aterrizar corrió a toda velocidad, pero al ver el edificio universitario contiguo se vio obligado a reducir la marcha para no llamar la atención de los transeúntes oxonienses. Se quitó el abrigo negro y lo tiró a un cubo de basura. Miró a su alrededor y vio un grupo de adultos, probablemente profesores, que pasaban de un edificio al siguiente y se coló entre ellos.

Al poco vio a los dos pistoleros de Severus Domna que llegaban corriendo del Centro de Estudios. Inmediatamente se separaron al estilo de las formaciones militares.

Uno avanzó hacia él, pero no lo vio, dado que Bourne se había situado en el otro lado del grupo. Los profesores debatían los méritos de los filósofos alemanes de derechas e, inevitablemente, la influencia que Nietzsche ejerció sobre los nazis, en especial sobre Hitler.

A menos que tuviera ocasión de quedarse a solas con el profesor Giles, cosa de cuya posibilidad dudaba, Bourne pensaba evitar todo encontronazo físico con Severus Domna. La organización era como la hidra de las cien cabezas: le arrancabas una y le crecían dos.

El pistolero, que había escondido el arma debajo del abrigo, se aproximó al grupo de profesores, que no sabían lo que sucedía, como si estuvieran en su filosófica torre de marfil. Bourne dio la espalda al sicario, que seguramente buscaba un hombre con un abrigo negro. Se alegraba cuando podía evitar los conflictos.

El grupo de profesores subió las escaleras y, con toda elegancia, entró en el edificio universitario. Bourne, que se había puesto a comentar los aspectos más difíciles del alemán antiguo con un profesor de pelo canoso, cruzó el umbral.

El pistolero se puso en movimiento al ver el reflejo del norteamericano en el cristal de la puerta abierta. Subiendo los peldaños de dos en dos, intentó abrirse paso a empellones en el grupo de hombres, que, aunque viejos, no eran en absoluto pasivos, sobre todo en lo que respectaba al decoro y el protocolo. Todos a una formaron una pared viva y lo rechazaron al estilo de las falanges de soldados romanos cuando avanzaban contra el enemigo bárbaro. El pistolero, que no se lo esperaba, retrocedió.

La pausa dio a Bourne el tiempo que necesitaba para alejarse de los profesores por un corredor, en el que oyó rumores de pies elegantemente calzados y conversaciones en voz baja que resonaban en el pulido suelo de mármol. En la parte superior había una fila de ventanas cuadradas desde las que la luz del sol caía como una bendición sobre la coronilla de los estudiantes. Las puertas de madera se volvieron borrosas cuando corrió en busca de la parte trasera del centro. Sonó el timbre que señalaba el comienzo de las clases de las cuatro.

Dobló una esquina corriendo y enfiló un pequeño corredor que desembocaba en la puerta de atrás. Pero en aquel momento apareció por ella uno de los pistoleros de Severus Domna. Estaban solos en aquel pasillo. El pistolero llevaba el abrigo doblado sobre el antebrazo derecho y la mano correspondiente, que empuñaba la pistola con el silenciador. Apuntó a Bourne, que seguía corriendo.

De repente se dejó caer y se deslizó de espaldas por el suelo de mármol mientras un proyectil le pasaba silbando por encima de la cabeza. Bourne cargó contra el sicario con los pies por delante y lo derribó. La pistola saltó de su mano. De inmediato, el norteamericano rodó por el suelo y propinó un rodillazo al otro en plena barbilla. El tipo cayó redondo.

Se oyeron voces en el pasillo. Bourne se puso en pie, recogió la pistola y sacó al pistolero a rastras por la puerta posterior, bajó los peldaños y lo dejó detrás de un espeso seto de boj. Se guardó la pistola en el bolsillo y siguió caminando a paso normal. Se cruzó con estudiantes de rostros juveniles que reían y charlaban, con un adusto profesor que resoplaba porque llegaba tarde a su siguiente clase; y salió a Saint Giles Street. Como solía suceder en Inglaterra, la tarde se había nublado. Un viento frío soplaba por las aceras y las fachadas. Todo el mundo andaba encorvado, con los hombros encogidos, acelerando el paso, como embarcaciones que huyen de la inminente tormenta. Bourne, confundiéndose con el paisaje, como siempre, corrió hacia su coche.

—Vete —dijo Moira cuando recuperó el conocimiento.

Soraya negó con la cabeza.

—No voy a abandonarte.

—Lo peor ya ha pasado —repuso Moira, no sin razón—. Ya no te queda nada que hacer aquí.

—No deberías quedarte sola.

—Ni tú tampoco. Todavía sigues con Arkadin.

Soraya sonrió tristemente, porque todo lo que Moira decía era verdad.

—Con todo y con eso...

—Con todo y con eso —completó Moira— alguien vendrá a cuidarme, alguien que me quiere.

Soraya se quedó un poco desconcertada.

—¿Te refieres a Jason? ¿Jason va a venir a buscarte?

Moira sonrió. Y se quedó dormida.

Soraya encontró a Arkadin esperándola. Pero antes tenía que hablar con el joven neurocirujano, cuyo diagnóstico fue optimista a su manera.

—Lo principal en casos como éste en que están afectados nervios y tendones es lo que tarda el paciente en recibir atención médica. En este sentido, su amiga ha tenido muchísima suerte. —Giró la mano para que la palma mirase al suelo—. Sin embargo, la herida tenía los labios desgarrados, no fue un corte liso. En consecuencia, la intervención ha tardado más tiempo y ha sido más difícil y complicada de lo que habría sido con una herida más limpia. Fue una gran suerte que me llamara. No digo esto por echarme flores. En realidad, es un caso de libro. Pero ningún otro habría podido realizar la operación sin hacer una chapuza u olvidarse de algo.

Soraya respiró de alivio.

—Entonces se pondrá bien.

—Naturalmente que se pondrá bien —repuso el neurocirujano—. Con una rehabilitación apropiada y con terapia física.

Algo imposible de definir atenazaba el corazón de Soraya.

—Volverá a andar con normalidad, ¿no es cierto? Sin cojear.

El neurocirujano negó con la cabeza.

—En un niño, los tendones son lo bastante elásticos para que eso sea posible. Pero en un adulto, esa elasticidad, en su mayor parte, ha desaparecido. No, no, cojeará. Que la cojera sea más o menos pronunciada dependerá totalmente del resultado de la rehabilitación. Y por supuesto, de su voluntad de adaptarse.

Soraya meditó un momento.

—¿Ella lo sabe?

—Me preguntó y se lo dije. Es mejor así, créame. La mente necesita más tiempo que el cuerpo para adaptarse.

—¿Podemos irnos ya? —preguntó Arkadin cuando el neurocirujano desapareció por el pasillo.

Fulminándolo con una mirada asesina, Soraya anduvo tras él a zancadas hasta el animado vestíbulo y la calle. Puerto Peñasco parecía tan extraño como un sueño, tan ajeno como si estuviera en un valle de Bután. Miró a la gente que pasaba con lentitud, como si fuera sonámbula. Se fijó en sus rasgos aztecas, o mixtecas, u olmecas y pensó en sacrificios humanos en que se arrancaban corazones todavía palpitantes del pecho de personas vivas. Se sintió como si estuviera cubierta de sangre congelada. Quería correr, pero estaba paralizada, clavada al suelo, como si la retuviesen las manos de todos los muertos sacrificados y sepultados bajo tierra.

Entonces advirtió que Arkadin estaba a su lado y se estremeció, como si despertara de una pesadilla para caer en otra. Se preguntó cómo soportaba estar cerca de él, hablar con él, después de lo que le había hecho a Moira. Si al menos hubiera dado muestras de sentir algún remordimiento, quizás ella se hubiera sentido de otra manera. Pero se había limitado a decir «Era un enemigo». Lo que significaba, por supuesto, que ella también era una enemiga y que podía ocurrirle lo mismo o algo peor.

Sin decir palabra ninguno de los dos, volvieron al coche y no tardaron en llegar al convento.

—¿Qué quieres de mí ahora? —preguntó Soraya con sequedad.

—Lo mismo que tú de mí —respondió Arkadin—. Destrucción.

Arkadin se puso a hacer el equipaje nada más entrar en el convento.

—Mientras te lavabas las manos, reservé billetes para los dos.

—¿Para los dos?

—Sí —respondió el hombre sin perder el ritmo de lo que hacía—. Nos vamos a Tineghir.

—Si voy a algún sitio contigo, se me revolverá el estómago.

Él se detuvo y se volvió hacia ella.

—Creo que me vas a resultar útil cuando llegue a Marruecos, así que no quiero matarte. Pero lo haré si no me dejas otra salida. —Siguió preparando el equipaje metódicamente—. A diferencia de ti, sé cuándo hay que cortar por lo sano.

En aquel momento vio el ordenador portátil, el aparato que para ella había adquirido un significado mítico. A su manera, Arkadin tenía razón, se dijo. Igual que la tenía Moira. El momento aconsejaba olvidar el odio personal que sentía por los actos de aquel hombre. Era hora de volver a actuar como una profesional. Hora de cortar por lo sano.

—Siempre quise ver el Alto Atlas —comentó.

—¿Te das cuenta? —repuso Arkadin, guardando el ordenador—. No era tan difícil ¿verdad?

Jalal Essai, instalado en un coche vulgar y corriente que había robado por la mañana temprano, observaba a Willard en el momento en que éste salía del Club Monition. Advirtió que no se movía como si la recepcionista lo hubiera tratado mal ni como si hubiera esperado inútilmente para ver a un miembro del club. Por el contrario, bajó las escaleras como lo habría hecho Fred Astaire, con ligereza y garbo, como si escuchara una canción en su cabeza. Aquella actitud desenvuelta inquietó a Essai. Además, le puso de punta los pelos de la nuca, lo cual era mucho peor.

Essai, cuya vida estaba en constante peligro desde que su casa había sido invadida por miembros de Severus Domna, sabía, por haber estado en el otro bando, que una respuesta pasiva, como la huida, sólo podía tener como consecuencia final su muerte. La organización lo perseguiría sin descanso, hasta que en algún lugar, en algún momento, de alguna manera, consiguiera terminar con su vida. En circunstancias tan extremas sólo había una forma de seguir vivo.

Willard dobló una esquina y se detuvo para llamar un taxi. Essai se acercó a la acera y bajó la ventanilla del copiloto.

—¿Necesita que lo lleven? —ofreció.

Willard, sobresaltado, retrocedió como si lo hubieran ofendido.

—No, gracias —respondió, volviendo a fijarse en el tráfico en busca de un taxi libre.

—Señor Willard, por favor, suba al coche.

Willard volvió a mirar y advirtió que el hombre empuñaba una pistola EAA Hunter Witness de 10 milímetros, un arma de feo aspecto que le apuntaba a la cara.

—Vamos, vamos —añadió Essai—, no haga una escena.

Abrió la portezuela y se sentó en el asiento del copiloto sin pronunciar palabra.

—¿Puedo preguntar cómo piensa conducir y vigilarme al mismo tiempo?

Por toda respuesta, Essai le golpeó con el cañon de la Hunter Witness, exactamente por encima de la oreja izquierda. Willard lanzó un gemido y los ojos se le pusieron en blanco. El bereber apoyó al inconsciente pasajero en la ventanilla y guardó la pistola en la funda de la axila. Luego puso el coche en marcha, esperó a que se abriera un hueco y se introdujo en el tráfico.

Se dirigió al sur, cruzando todo el distrito de Columbia. Al cruzar una invisible línea de demarcación, los macizos edificios gubernamentales desaparecieron y fueron sustituidos por comercios locales, minoristas baratos, establecimientos de comida rápida, albergues para indigentes y bares. Fuera de los bares holgazaneaban jóvenes con capucha que intercambiaban pequeños paquetes de droga por fajos de billetes. Había ancianos sentados en escalinatas, con la cabeza en las manos o apoyados en los peldaños de piedra gris, con los ojos medio cerrados y moviendo la cabeza. Los ciudadanos blancos empezaron a escasear hasta que desaparecieron por completo. Era un Washington diferente que los turistas nunca veían. Ni los parlamentarios tampoco. Había pocos coches patrulla y pasaban muy de tarde en tarde. Cuando aparecía alguno, aceleraba, como si sus ocupantes tuviesen prisa por estar en otra parte, en cualquier otra parte menos allí.

Essai aparcó delante de algo que pasaba por ser un hotel. Alquilaba habitaciones por horas, y cuando entró arrastrando a Willard, las putas supusieron que era un borracho, incapaz de tenerse en pie. Le enseñaron su rancia mercancía, pero el bereber no les hizo caso.

Puso un maletín negro de médico encima del agrietado mostrador del apestoso cubículo del recepcionista y le entregó un billete de veinte dólares. El hombre tenía un cutis pálido y era flaco como una astilla, ni viejo ni joven. Estaba viendo una película porno en un televisor portátil.

—¿Qué pasa? —dijo Essai—. ¿No hay conserje?

El recepcionista rió, pero no apartó sus vidriosos ojos de la pantalla. Cogió a tientas una llave de un casillero y la dejó sobre el mostrador.

—No quiero que me molesten —avisó el bereber.

—Todo el mundo quiere lo mismo.

Essai le dio otro billete de veinte. El recepcionista lo cogió, seleccionó otra llave e informó:

—Segundo piso al fondo. Podría morirse allí y nadie se enteraría.

El bereber recogió la llave y el maletín negro.

No había ascensor. Llevar a Willard al piso de arriba fue una faena, pero al final lo consiguió. Por la ventana llena de mugre que había en un extremo del estrecho pasillo entraba una luz que parecía a la vez plomiza y moribunda. Una bombilla sin pantalla iluminaba la constelación de dibujos obscenos que decoraba las paredes.

La habitación parecía la celda de una cárcel. El escueto mobiliario consistía en una cama, una cómoda a la que le faltaba un cajón y una mecedora: todo era gris o tal vez descolorido. La ventana daba a un pequeño patio de ventilación, por lo que siempre era de noche. La habitación olía a ácido fénico y a lejía. Essai no quiso pensar en lo que habría ocurrido allí en el pasado.

Dejó caer a Willard encima de la cama, puso al lado el maletín de médico, lo abrió y sacó una serie de artículos que fue ordenando sobre la colcha llena de manchas. Aquel maletín y su contenido siempre iban con él, una costumbre que había adquirido desde muy temprana edad, cuando lo habían adiestrado para viajar a Estados Unidos e introducirse en la vida de personas elegidas por Severus Domna. No tenía ni idea de por qué el grupo había presentado el nombre de Bud Halliday ni de por qué se había sospechado que el tipo iba a ascender tan aprisa en el firmamento político norteamericano, pero estaba acostumbrado a la asombrosa clarividencia de Severus Domna.

Cortó con una cuchilla las ropas de Willard, se las quitó, deslió un pañal y se lo puso alrededor de los riñones. Le golpeó ligeramente las mejillas para despertarlo. Antes de que despertara del todo, le levantó la cabeza y los hombros y le hizo tragar el contenido de un frasco de aceite de ricino. El hombre tosió al principio y se atragantó. Essai se detuvo y vertió el viscoso líquido más despacio. Willard se lo bebió todo.

Dejó a un lado la botella y lo abofeteó con fuerza, primero en una mejilla, luego en la otra, para estimularle el riego sanguíneo en la cabeza. Willard despertó con un sobresalto. Parpadeó y miró a su alrededor.

—¿Dónde estoy? —preguntó con lengua espesa y voz pastosa.

Se humedeció los labios con la lengua y en ese momento Essai buscó el rollo de cinta adhesiva.

—¿Qué es este sabor?

Cuando Willard se puso a dar arcadas, el bereber le selló la boca con la cinta.

—Si vomita, se ahogará. Le aconsejo que reprima las ganas de vomitar.

Essai se sentó en la silla, meciéndose lentamente mientras Willard se esforzaba por recuperar la calma. Cuando vio que el prisionero ganaba la batalla, se presentó:

—Me llamo Jalal Essai. —Willard dilató los ojos al reconocer el nombre—. Vaya, veo que ha oído hablar de mí. Bien. Eso facilitará mi trabajo. Acaba de salir de una reunión con Benjamin El-Arian. Apuesto a que fue él quien le habló de mí. Me describió como el malo de la historia, no hay duda. Pero eso de los buenos y los malos depende del punto de vista que se adopte. El-Arian lo negaría, pero ya ha demostrado que es un indeciso, como un junco que se inclina hacia aquí, luego hacia allá, según sople el viento.

Se levantó, se acercó a la cama y arrancó la cinta de la boca de Willard.

—Sé que se estará preguntando por el sabor que tiene en la boca. —sonrió—. Se ha bebido usted una botella de aceite de ricino. —Lo señaló con el dedo—. Por eso le he puesto un pañal. Dentro de poco, su cuerpo expulsará algo muy asqueroso. El pañal ayudará a contenerlo, al menos una parte. Me temo que no podrá absorberlo todo, y entonces... —Se encogió de hombros.

—No sé qué quiere de mí, pero no lo conseguirá.

—¡Bravo! ¡Eso es tener valor! Pero por desgracia para usted, ya he conseguido lo que quería. Como otros con los que El-Arian ha tratado o ha enviado detrás de mí, acabará usted tirado en su puerta. Este proceso continuará hasta que deje de importunarme y se olvide de mí.

—No lo hará.

—Entonces a él y a mí nos queda mucho camino por recorrer. —Essai hizo una bola con la cinta y la tiró a un lado. Guardó el rollo en el maletín—. En cambio, su camino es significativamente más corto.

—No me encuentro bien —gimió Willard con voz curiosa, como si fuera un niño quejica que hablara consigo mismo.

—No —dijo Essai, apartándose de la cama—. Supongo que no.

27

La noche aún seguía pegada a las calzadas de macadán y a las aceras de hormigón a la mañana siguiente, cuando Bourne llegó al aeropuerto de Heathrow. Era una mañana fría y húmeda y estaba contento por irse de Londres. Su avión salía a las siete y veinticinco y llegaba a Marraquech a la una y cuarto, tras una breve escala en Madrid. No había vuelos comerciales directos.

Se encontraba sentado en la única cafetería abierta a aquella hora. Las mesas y sillas de plástico languidecían bajo las luces fluorescentes. Se estaba tomando un café recalentado que sabía a ceniza cuando apareció Fernando Herrera. Se acercó a su mesa y se sentó sin invitación ni saludo de ninguna clase.

—Lo acompaño en el sentimiento —dijo Bourne.

Don Fernando no respondió. Perdido dentro de su bonito traje, parecía haber envejecido desde la última vez que lo había visto, aunque sólo había transcurrido poco más de una semana. El hombre miraba con aire ausente las maletas del escaparate de una tienda que había al otro lado de la terminal.

—¿Cómo me ha encontrado? —preguntó Jason Bourne.

—Sospechaba que irías a Marraquech. —Bruscamente, se volvió hacia él y dijo—: ¿Por qué mataste a mi hijo? Sólo trataba de ayudarte, como yo le pedí.

—Yo no lo maté, don Fernando. —Entonces sintió la punta del cuchillo en el muslo—. ¿Cree que eso es inteligente?

—Estoy más allá de la inteligencia, muchacho. —Tenía los ojos claros, transparentes, llenos de angustia—. Ahora soy un padre que llora a su hijo muerto. Eso es lo único que soy, la única vida que este viejo es capaz de sentir.

—Yo nunca le habría hecho daño a Diego —repuso Bourne—. Creo que lo sabe.

—No puede ser otro, sólo tú. —La voz de don Fernando, aunque suave, era como un grito lleno de dolor y sufrimiento—. ¡Traición! ¡Traición! —Sacudió la cabeza—. La única posibilidad aparte de ti es Ottavio Moreno. Es mi ahijado. Nunca le pondría la mano encima a Diego.

Bourne se quedó muy quieto, sintiendo la sangre que le corría por la pierna. Podía terminar con aquello en cualquier momento, pero prefirió dejar que la situación se desarrollara en calma, ya que un final violento no le beneficiaría en nada. Apreciaba profundamente a Herrera; no podría mover un dedo contra él.

—A pesar de todo, fue Ottavio quien apuñaló a Diego —informó Bourne.

—¡Mentira! —El hombre temblaba—. ¿Qué motivo podía tener...?

—Severus Domna.

Herrera parpadeó nada más oír aquello. Un tic sacudió su mejilla derecha.

—¿Qué has dicho?

—Supongo que ha oído hablar de Severus Domna.

Don Fernando asintió con la cabeza.

—Con el paso de los años he cruzado el acero con alguno de sus miembros.

Este comentario despertó el interés de Bourne. Ahora se alegraba de haber mantenido la calma.

—Tengo algo que Severus Domna desea —explicó—. Sus emisarios me han seguido por Londres, por Oxford..., por todas partes. Uno de ellos, de alguna manera, contactó con Diego. Su misión era llevarme al Club Vesper, donde me estaban esperando. Ottavio lo descubrió. Puede que obrara con demasiada precipitación, pero me estaba protegiendo, se lo aseguro.

—¿Vosotros dos os conocíais?

—Sí —repuso Bourne—. Ottavio murió ayer.

Don Fernando adoptó una expresión dura.

—¿Cómo?

—Le disparó un hombre de Jalal Essai.

Herrera cabeceó. La vida empezó a florecer en sus mejillas.

—¿Essai?

—Quiere lo mismo que Severus Domna.

—¿Ya no está con el grupo?

—No. —Bourne se dio cuenta de que la punta del cuchillo se retiraba lentamente de su muslo.

—Mis más sinceras disculpas —dijo Herrera.

—Sé que ha debido de estar orgulloso de Diego.

El hombre no dijo nada durante un rato. Bourne hizo una seña a un camarero y pidió dos cafés. Cuando tazas y platos estuvieron sobre la mesa, el viejo echó azúcar en el suyo y tomó un sorbo, haciendo una mueca al comprobar su sabor.

—Ardo en deseos de volver a Sevilla. —Miró a Jason a los ojos—. Antes de que te vayas, he de contarte algo. Yo solía coger en brazos a Ottavio cuando iba a visitar a su madre. Se llama Tanirt y vive en Tineghir. —Se detuvo. Tenía ahora una expresión perspicaz; volvía a ser el viejo astuto de siempre—. Ahí es adonde te diriges, ¿no?

Bourne asintió con la cabeza.

—Ten mucho cuidado, hijo. Tineghir es el nido de Severus Domna. Es donde la organización se fundó y floreció, debido en gran parte a la familia de Jalal Essai. Pero los Essai se dividieron cuando el hermano de Jalal volvió la espalda a Severus Domna, cogió a su familia y se fue a vivir a Bali.

«Seguro que ése era el padre de Holly», pensó Bourne.

—Benjamin El-Arian, cuya familia ambicionaba el poder de Essai, utilizó la escisión para ganar influencia. Por lo que sé, es el jefe de Severus Domna desde hace varios años.

—O sea que es una guerra entre Essai y El-Arian.

Don Fernando asintió con la cabeza.

—Por lo que he ido sabiendo, a Severus Domna no le sienta muy bien que sus miembros abandonen el redil. Matar o morir. —Terminó de tomarse el café—. Pero volvamos a Tanirt. La conozco desde hace mucho tiempo. Ella es, en muchos aspectos, la mujer de la que he estado más cerca durante la mayor parte de mi vida adulta, y eso incluye a mi difunta esposa.

—¿Por qué no me dice que es su amante?

El viejo sonrió.

—Tanirt es una persona especial, algo que descubrirás tú mismo cuando hables con ella. —Se inclinó hacia delante—. Escúchame, ella es la primera persona que debes visitar cuando llegues a Marruecos. —Escribió unos números en un papel—. Llámala a este número cuando llegues. Ella te estará esperando. Su consejo te vendrá bien, no te quepa duda. Ella ve todos los aspectos de cualquier situación.

—¿He de creer que era la amante de Gustavo Moreno y ahora es la suya?

—Cuando la conozcas lo entenderás —repuso don Fernando—. Y ya no diré más. Tanirt no es la amante de nadie. Es quien es. Ningún hombre podría tenerla de ese modo. Es... —miró a otro lado durante un momento— una mujer salvaje.

Dimitri Maslov recibió con cauto optimismo la noticia de que el coronel Boris Karpov se estaba cortando el pelo y afeitándose en la barbería Metropole. Karpov, que también era hombre cauto, nunca se cortaba el pelo dos veces en el mismo sitio.

El jefe de la mafia moscovita mandó llamar a Oserov, pero le dijeron que había desaparecido, que se había ido de Moscú el día anterior. Enfureció, ya estaba harto de Oserov. De hecho, lo había tenido a su lado tanto tiempo sólo para que cabreara a Arkadin, por quien abrigaba tanto el amor de un padre como el resentimiento de una familia desdeñada. Pero el fracaso humillante de Oserov en Bangalore lo había hundido fatalmente. Se había vuelto inútil para Maslov, al haber adquirido el hedor de la derrota.

—¿Adónde ha ido? —preguntó al ayudante de Oserov. Se encontraban en las oficinas, rodeados por el personal de Maslov.

—A Tineghir. —El ayudante tosió y se humedeció los labios resecos—. Marruecos.

—¿Por qué ha ido a Marruecos?

—No... no me lo dijo.

—¿Trataste de averiguarlo?

—¿Cómo iba a hacerlo?

Maslov sacó la Makarov de encargo y le descerrajó un tiro entre los ojos. Luego miró con cara asesina a cada uno de sus hombres, lentamente. Los que estaban más cerca de él retrocedieron un paso, como golpeados por un puño invisible.

—Quien crea que puede irse a mear sin mi permiso que dé un paso al frente.

Nadie se movió.

—Todo el que crea que puede desobedecer una orden que dé un paso al frente.

Nadie respiró.

—Yevgeny. —Se volvió hacia un hombre robusto que tenía una cicatriz debajo de un ojo—. Coge tus armas y a tus dos mejores hombres. Vienes conmigo.

Entró en su despacho, fue al armario que tenía tras el escritorio y comenzó a elegir las armas. Si el desastre de Bangalore le había enseñado algo, era que cuando había que hacer alguna cosa difícil, tenía que hacerlo uno mismo. Los tiempos habían cambiado. Él lo sabía, aunque no lo había querido reconocer. Todo era más difícil ahora. El Gobierno se había vuelto agresivo y hostil, los *siloviki* se habían librado de los oligarcas más contemporizadores y cada vez era más difícil encontrar buena gente. La época del dinero fácil había pasado. Ahora tenía que sudar tinta para arañar cada dólar. Trabajaba el doble de horas para conseguir el mismo beneficio que diez años antes. Aquello bastaba para echarse a llorar por la juventud perdida. «La verdad es —pensó mientras encajaba un silenciador en el cañón de la Makarov— que ya no es divertido ser delincuente. Ahora es trabajo, pura y simplemente trabajo.» Se había visto reducido al nivel de un *apparatchik* y lo detestaba. Esta nueva realidad resultaba una píldora amarga de tragar. Estaba agotado de tanto esfuerzo por mantener la cabeza fuera del agua. Y encima, para colmo, Boris Karpov se había convertido en su bestia negra personal.

Una vez bien armado, cerró las puertas del armario. Empuñando la Makarov, descubrió en su interior un vigor renovado. Después de tantos años tras un escritorio, sentaba bien salir a la calle, llevar la ley en sus propias manos, darle un buen meneo hasta lisiarla y rendirla. Se sentía preparado para arrancarle la cabeza de un mordisco.

La barbería Metropole estaba situada en el vasto vestíbulo de mármol del hotel Federatsiya Moskva, un viejo y venerable establecimiento localizado entre el teatro Bolshoi y la Plaza Roja. El edificio tenía tantos adornos que parecía a punto de implosionar a causa de todo el material adosado: cornisas, balaustradas, relieves de piedra, dinteles macizos y pretiles que sobresalían.

El salón Metropole tenía tres sillones de barbero pasados de moda, detrás de los cuales había una pared de espejos y los armarios que contenían los instrumentos del oficio: tijeras, navajas de afeitar, maquinillas, grandes frascos de cristal con un desinfectante líquido de color azul, toallas limpiamente dobladas, peines, cepillos, horquillas, botes de polvos de talco y frascos de loción para después del afeitado.

En aquel momento, los tres sillones estaban ocupados por clientes que llevaban atado al cuello un largo peinador de nailon negro. A los dos hombres sentados en los sillones de los extremos les estaban cortando el pelo unos barberos ataviados con el tradicional uniforme blanco del Metropole. El hombre del centro, retrepado en el asiento y con una toalla caliente envolviéndole el rostro, era Boris Karpov. Mientras el barbero afilaba la navaja, el coronel silbaba una melodía rusa que recordaba de su niñez. De fondo, una radio antediluviana daba un informativo insulso, anunciando la última iniciativa del Gobierno para combatir el paro creciente. Dos hombres, uno joven y otro maduro, estaban sentados en sillas de madera al otro extremo del establecimiento, leyendo *Pravda* mientras esperaban su turno.

Los hombres de Yevgeny habían inspeccionado el vestíbulo del hotel durante diez minutos, buscando agentes del FSB-2. Como no encontraran ninguno, hicieron una seña a su jefe. Yevgeny, con un largo abrigo parecido a los que llevaban sus hombres, entró en el Federatsiya Moksva con una familia conducida por un guía turístico que tenía cara de pocos amigos. Mientras el guía guiaba a la familia a recepción, él se dirigió directamente al Metropole, para asegurarse de que Boris Karpov era, sin duda, el hombre al que afeitaban sentado en el sillón central. En cuanto el barbero levantó la toalla de su rostro, Yevgeny dio media vuelta y le hizo una seña a su hombre, que estaba al lado de la puerta giratoria. El hombre, en respuesta, hizo una seña a Maslov, que salió del BMW negro aparcado frente al hotel, cruzó la acera y subió los escalones.

Nada más aparecer por la puerta giratoria, Yevgeny y sus hombres entraron en acción, tal y como habían planeado. Los dos sujetos se apostaron a ambos lados de la puerta de la barbería. No había otra salida.

Yevgeny entró en el establecimiento y, empuñando la Makarov, movió el cañón para indicar a los dos hombres que esperaban que se fueran. Luego apuntó a los barberos y a los otros dos clientes para que se quedaran quietos. Asintió con la cabeza y entonces entró el jefe de la mafia moscovita.

—Karpov, Boris Karpov. —Maslov llevaba la Makarov preparada—. Tengo entendido que me estás buscando.

El coronel abrió los ojos y se lo quedó mirando.

—Mierda, esto es muy embarazoso.

Maslov sonrió como un lobo.

—Sólo para ti.

Karpov sacó una mano de debajo del peinador negro. El barbero apartó la navaja de su mejilla y dio un paso atrás. El coronel miró primero a Maslov, luego a Yevgeny y a continuación a los dos hombres armados que en aquel momento aparecieron en la puerta.

—Esto no tiene buena pinta para mí, pero si me escuchas, creo que podríamos llegar a un acuerdo.

Maslov se echó a reír.

—Escuchad esto, el incorruptible coronel Karpov suplica por su vida.

—Sólo procuro ser pragmático —adujo—. Pronto me nombrarán jefe del FSB-2, así que ¿para qué matarme? Sería un excelente amigo, ¿no te parece?

—El único amigo bueno —sentenció Maslov— es el amigo muerto.

Apuntó a Karpov, pero antes de llegar a apretar el gatillo, una explosión lo levantó del suelo y lo empujó de espaldas. En el largo peinador negro que cubría al coronel había aparecido un agujero, abierto por la bala que acababa de disparar. Se deshizo del peinador mientras los otros dos clientes, ambos agentes secretos del FSB-2, disparaban a través de los suyos. Los dos hombres de Yevgeny cayeron abatidos. Yevgeny mató a uno de los hombres del coronel antes de que éste le metiera tres mensajes de plomo en el pecho.

Karpov, con la cara cubierta de espuma de afeitar, se acercó a Maslov, que yacía en el suelo de baldosas blancas y negras.

—¿Qué tal te sientes? —Apuntó a su rostro con la pistola—. ¿Al final de una época?

Sin esperar respuesta, apretó el gatillo.

Moira abrió los ojos después de dormir un tiempo imposible de dilucidar —días, tal vez semanas— y vio el rostro de Berengaria Moreno.

La colombiana sonrió, pero era una sonrisa llena de preocupación.

—¿Cómo te encuentras?

—Como si me hubiera atropellado un tren. —Tenía la pierna izquierda escayolada hasta el final del muslo y apoyada en un cabestrillo que un juego de poleas alzaba por encima del nivel de su cabeza.

—Estás preciosa, cariño. —La voz de Berengaria era suave. Le dio un ligero beso en la boca—. Tengo una ambulancia privada esperando abajo para llevarte a la hacienda. Ya he instalado en las habitaciones de invitados a una enfermera y una fisioterapeuta que estarán contigo las veinticuatro horas.

—No tenías por qué hacerlo. —Era un comentario estúpido. Por suerte, Berengaria tuvo el buen tino de pasarlo por alto.

—Tendrás que acostumbrarte a llamarme Bárbara.

—Lo sé.

Su tono cambió entonces, su voz se suavizó y se inclinó sobre Moira.

—Estaba convencida de que no volvería a verte.

—Lo que demuestra que en esta vida no hay nada seguro.

Berengaria se echó a reír.

—Sólo Dios lo sabe.

—Bárbara...

—Cariño, por favor, me sentaría muy mal que creyeras que espero algo. Haría cualquier cosa por ti, incluso dejarte sola si eso es lo que quieres.

Moira le acarició la mejilla.

—Ahora mismo lo único que quiero es recuperarme. —Suspiró profundamente—. Bárbara, quiero poder correr otra vez.

La colombiana puso la mano sobre la de Moira.

—Entonces lo harás. Y yo te ayudaré, si lo deseas. Si no... —se encogió de hombros.

—Gracias.

—Ponte buena, querida. Así es como me darás las gracias.

El rostro de Moira se ensombreció.

—¿Sabes?, no le estaba mintiendo a Arkadin. Hay que ocuparse de Corellos, cuanto antes mejor.

—Lo sé. —Bárbara dijo las palabras en voz tan baja que no parecía haberlas pronunciado siquiera.

—Habrá que pensarlo bien, pero el problema me dará algo en lo que concentrarme, aparte de la pierna.

—Estoy tentada de decir que te concentres en ponerte bien, pero sé que te reirías en mi cara.

El rostro de Moira se ensombreció aún más.

—Estás en el negocio equivocado, lo sabes, ¿no?

—Era la vida de mi hermano.

—Estoy tentada de decir que no tiene por qué ser la tuya, pero sé que te reirías en mi cara.

Bárbara sonrió a pesar suyo.

—Dios sabe que no se puede huir de la familia. —Acarició la escayola de Moira con aire ausente—. Mi hermano era bueno conmigo, me protegía, me defendía cuando otros trataban de aprovecharse de mí. —Miró a Moira a los ojos—. Me enseñó a ser dura. Me enseñó a levantar la cabeza en un mundo de hombres. Sin él, no sé dónde estaría.

Moira se quedó un rato pensativa. Una razón de peso para estar con Bárbara era tratar de convencerla de que abandonara el mundo de su hermano, aunque se creyera en deuda con él. Ella no veía a su familia desde hacía años, ni siquiera sabía si sus padres seguían vivos. Se preguntó si le importaba. Su hermano era una historia completamente diferente. Sabía dónde se encontraba, qué hacía y con quién se asociaba. Estaba segura de que él no sabía nada de ella.

Habían roto los lazos poco después de cumplir los veinte años. A diferencia de la relación que tenía con sus padres, sentía algo por él, pero no era bueno.

Respiró hondo y expulsó el aire estancado de su pasado.

—Me estoy curando más aprisa de lo que esperaba el cirujano, y nadie está tan pagado de su trabajo como él.

Bárbara le guiñó el ojo.

—Bueno, ya ves, nada es como esperamos.

Esta vez, las dos mujeres rieron al mismo tiempo.

Benjamin El-Arian estaba sentado en su estudio, tras el escritorio. Hablaba por teléfono con Idir Syphax, miembro del más alto nivel de Severus Domna en Tineghir. Syphax había confirmado que tanto Arkadin como Bourne iban camino de Marruecos. El-Arian quería asegurarse de que todos los detalles estratégicos que había ideado se entendieran bien y estuviesen a punto. No era momento para sorpresas; no se hacía ilusiones en cuanto al carácter de los dos hombres.

—¿Está todo preparado en la casa?

—Sí —repuso Idir—. El sistema ha sido comprobado y vuelto a comprobar. La última vez por mí, como indicaste. Una vez que estén dentro, ya no podrán salir.

—Hemos construido la mejor trampa para ratones.

Una risa ahogada.

—De eso se trata.

El-Arian le hizo al fin la pregunta más difícil.

—¿Y la mujer? —No se atrevía a pronunciar el nombre de Tanirt.

—No podemos tocarla, eso por descontado. A los hombres les da pánico.

«Y con razón», pensó El-Arian.

—Pues entonces, dejadla en paz —manifestó en voz alta.

—Rezaré a Alá —dijo Idir.

El-Arian estaba complacido. Complacido también de que Willard hubiera cumplido su parte del trato. Estaba a punto de añadir un comentario cuando oyó el chirrido de un frenazo en la puerta de su casa de Georgetown. Como hablaba por un teléfono inalámbrico, pudo ponerse en pie, cruzar la alfombra y asomarse entre los listones de las contraventanas de madera sin cortar la comunicación.

Vio un bulto caído de cualquier manera en los peldaños delanteros, como si lo hubieran arrojado allí. La forma cilíndrica estaba envuelta en una vieja alfombra. Calculó la longitud entre un metro ochenta y dos metros.

Sin dejar el teléfono, bajó al vestíbulo, abrió la puerta y arrastró la alfombra hacia el interior. Dio un gruñido: era muy pesada. Estaba atada por tres sitios con cuerda normal y corriente. Volvió a su escritorio, sacó una navaja de un cajón y regresó al vestíbulo. Se agachó y cortó las tres cuerdas para desenrollar la alfombra. Al hacerlo, brotó un hedor insoportable que le hizo dar un salto hacia atrás.

Cuando vio el cuerpo y lo reconoció, cuando se dio cuenta de que todavía estaba vivo, cortó la comunicación sin dar explicaciones. Se quedó mirando a Frederick Willard, pensando: «Que Alá me proteja, Jalal Essai me ha declarado la guerra». A diferencia de la suerte que habían corrido los hombres que había enviado a matar a Essai, aquello era una declaración personal.

Tratando de contener las náuseas, se inclinó sobre Willard. No podía abrir un ojo y el otro estaba tan inflamado que no se veía el blanco.

—Rezaré por ti, amigo mío —murmuró El-Arian.

—No me interesan ni Alá ni Dios. —Los labios resecos y cuarteados de Willard apenas se movieron, y debían de haberle hecho algo terrible en la garganta o en las cuerdas vocales, porque su voz apenas era reconocible. Sonaba como una navaja de afeitar que cortara carne—. El resto es oscuridad. Ya no hay nadie en quien confiar.

El-Arian le hizo una pregunta, pero no recibió respuesta. Inclinándose, palpó el cuello de Willard. No sintió ningún latido. Recitó una breve oración, ya que no por el infiel, al menos por sí mismo.

LIBRO CUARTO

28

—Pareces sorprendido —dijo Tanirt.

Bourne estaba sorprendido. Esperaba ver una mujer de la edad de don Fernando, a lo sumo con diez años menos. Era difícil decirlo con precisión, pero Tanirt no parecía haber cumplido los cuarenta años. Claro que debía de ser una ilusión. Si Ottavio era su hijo, tenía que tener al menos cincuenta.

—He venido a Marruecos sin expectativas —confesó el hombre.

—Embustero. —Tanirt tenía la piel morena y el pelo también, además de una figura voluptuosa que no había perdido su lozana madurez. Se movía como si fuera una princesa o una reina, y sus grandes y transparentes ojos parecían captarlo todo a la primera.

Le observó unos momentos.

—Te veo. Tu nombre no es Adam Stone —afirmó con absoluto convencimiento.

—¿Eso importa?

—La verdad es lo único que importa.

—Me llamo Bourne.

—No el nombre con el que naciste, sino el que utilizas ahora. —Asintió con la cabeza, como satisfecha—. Por favor, dame la mano, Bourne.

La había llamado nada más aterrizar en Marraquech. Como don Fernando había prometido, la mujer lo estaba esperando. Le había dado la dirección donde podía encontrarla: una tienda de caramelos situada en el centro de un mercado, al sur de la ciudad. Bourne encontró el mercado sin problemas, aparcó y siguió a pie por el laberinto de callejones flanqueados por puestos y tiendas que vendían de todo, desde objetos de cuero repujado hasta comida para camellos. La tienda de caramelos era propiedad de un marchito bereber que pareció reconocer a Bourne al verlo. Sonriendo, le indicó por señas que entrara en el establecimiento, que olía a caramelo y a semillas de sésamo tostadas. La tienda era oscura y estaba llena de sombras. A pesar de todo, Tanirt estaba iluminada, como si tuviera luz en su interior.

Bourne le alargó la mano, con la palma hacia arriba. La mujer la cogió y levantó los ojos para mirarlo. Llevaba ropas sencillas, ceñidas con un cinturón. No se le veía el menor atisbo de carne y sin embargo parecía proyectar con fuerza absoluta su sensualidad latente.

Le sujetaba la mano con ternura, recorriendo con el índice las líneas de su palma y sus dedos.

—Eres capricornio, nacido el último día del año.

—Sí. —Era imposible que la mujer pudiera conocer ese dato, pero lo sabía. Bourne notó un cosquilleo en los pies, que fue filtrándose por todo su cuerpo, calentándolo, arrastrándolo hacia ella como si se hubiera establecido un nexo de energía entre ellos. Ligeramente turbado, pensó en salir de la tienda, pero no lo hizo.

—Has... —La mujer calló bruscamente y puso la mano sobre la de él, como si tratara de bloquear lo que acababa de ver.

—¿Qué sucede? —preguntó Bourne.

Ella levantó la cabeza y, en aquel preciso momento, él pensó que podía ahogarse en aquellos ojos. No le había soltado la mano. Antes bien, la apretaba con fuerza entre las suyas. Tanirt poseía un magnetismo que era a un tiempo excitante y muy inquietante. Bourne sintió dentro de sí fuerzas que tiraban hacia un lado y hacia otro, en feroz oposición.

—¿De veras quieres que te lo diga? —Tenía voz de contralto con experiencia, profunda, rica y sonora. Incluso hablando muy bajo parecía penetrar en todos los rincones de la tienda de caramelos.

—Usted empezó esto —le recordó Bourne.

La mujer sonrió, pero no había alegría en la sonrisa.

—Ven conmigo.

La siguió a la parte posterior de la tienda y cruzaron una puerta estrecha. De nuevo en el corazón del laberíntico mercado, se quedó mirando el asombroso despliegue de objetos y servicios: gallinas vivas y murciélagos de alas aterciopeladas en jaulas, cacatúas en diminutos columpios de bambú, grandes peces en recipientes de agua salada, un cordero muerto, todo piel y sangre, colgado de un gancho. Una gallina marrón pasó contoneándose, cacareando como si la estuvieran estrangulando.

—Aquí verás muchas cosas, muchas criaturas, pero en lo que se refiere a gente, sólo verás *imadsiguén*, sólo bereberes. —Tanirt señaló hacia el sur, hacia el Alto Atlas—. Tineghir está en medio de un oasis de treinta kilómetros, a una altitud de mil quinientos metros, y es una vaguada en forma de cuña relativamente estrecha que discurre entre el Alto Atlas, al norte, y el Anti-Atlas, al sur.

»Es una tierra homogénea. Al igual que la zona que lo rodea, la ciudad está habitada por *imadsiguén*. Los romanos nos llamaban mazices, los griegos, libios. Nos llamen como nos llamen, somos bereberes, naturales de muchas partes del norte de África y del valle del Nilo. Apuleyo, el antiguo autor romano, era bereber, igual que Agustín de Hipona. Y también lo era, por supuesto, Septimio Severo, emperador de Roma. Y también fue bereber Abderramán I, que conquistó el sur de España y fundó el Califato Omeya de Córdoba, en el corazón de lo que él llamaba al-Ándalus, la moderna Andalucía.

Se volvió hacia Bourne.

—Te explico todo esto —prosiguió— para que entiendas mejor lo que está por suceder. Éste es un lugar con historia, conquistas, grandes hazañas y grandes hombres. También es un lugar con grandes energías, un punto energético, si quieres. Es un foco.

Tanirt le cogió la mano de nuevo.

—Bourne, eres un enigma —dijo con suavidad—. Tu línea de la vida es muy larga..., inusualmente larga. Y sin embargo...

—¿Qué?

—Y sin embargo vas a morir aquí hoy, o quizá mañana, pero sin la menor duda esta misma semana.

Todo Marraquech parecía un zoco y todos los marroquíes vendedores de una cosa u otra. Todo parecía comprarse y venderse en los puestos y mercados que flanqueaban las bulliciosas calles y bulevares.

Arkadin y Soraya eran objeto de observación desde su llegada, cosa que el hombre esperaba ya, pero nadie se acercó a ellos ni fueron seguidos cuando se trasladaron del aeropuerto a la ciudad. Lo cual no le hizo sentirse seguro. Más bien al contrario, lo ponía nervioso. Si los agentes de Severus Domna del aeropuerto no los habían seguido, era porque no lo necesitaban. Así llegó a la conclusión de que la ciudad, probablemente toda la región de Uarzazate, estaba llena de agentes.

Soraya confirmó esta opinión cuando Arkadin se la expuso.

—No tiene sentido que estés aquí —le dijo en el taxi, que olía a lentejas estofadas, cebolla frita e incienso—. Es una trampa y se nota, ¿por qué quieres meterte en la boca del lobo?

—Porque puedo. —Iba sentado con el maletín en las rodillas. Dentro llevaba el ordenador portátil.

—No te creo.

—Me importa una mierda lo que tú creas.

—Otra mentira, porque si no te importara, yo no estaría aquí contigo.

Arkadin la miró cabeceando.

—En diez minutos podría hacerte gritar, podría hacer que olvidaras a todos tus amantes anteriores.

—No sabes la ilusión que me hace.

—Eres la Madre Teresa, no Mata Hari —dijo Arkadin con una buena dosis de asco, como si la castidad de Soraya le hubiera hecho perder el respeto por ella, o al menos le hubiera restado valor.

—Crees que me importa lo que un despreciable asesino como tú piense de mí.

No fue una pregunta.

Siguieron dando botes en el asiento trasero durante un tiempo. Luego, continuando la conversación anterior, Arkadin le aclaró:

—Estás aquí como póliza de seguros. Bourne y tú tenéis una conexión. Cuando llegue el momento, pienso aprovecharme de eso todo lo que pueda.

Soraya, furiosa, guardó silencio durante el resto del trayecto.

Ya en Marraquech, Arkadin la condujo por una maraña de calles tortuosas donde los marroquíes la miraban relamiéndose los labios, como si trataran de calcular la ternura de su carne. Los desquiciados alaridos de la selva los rodeaban por los cuatro costados. Al final, entraron en una tienda abarrotada que olía a aceite de motor. Un hombre bajo, calvo y con cara de topo saludó a Arkadin con los serviles modales de un empresario de pompas fúnebres, frotándose las manos y haciendo continuas reverencias. Al fondo de la tienda había una pequeña alfombra persa. El hombre la levantó y tiró de una gruesa argolla de metal, abriendo una trampilla. Encendió una pequeña linterna eléctrica y el hombre topo bajó por una escalera metálica de caracol. Una vez abajo, pulsó un interruptor y se encendieron varios tubos fluorescentes en un techo tan bajo que se vieron obligados a encorvarse para caminar como los cangrejos por el pulimentado suelo de madera. A diferencia de la tienda, que estaba llena de polvo y de cajas de cartón, barriles y cajones de madera amontonados de cualquier modo, el sótano estaba inmaculado. A lo largo de las paredes, unos deshumidificadores portátiles zumbaban quedamente junto a una fila de purificadores de aire. Estaba dividido en zonas separadas por cómodas que llegaban a la cintura, cada una con tres cajones, que contenían todas las armas conocidas por el hombre moderno. Todas estaban numeradas y etiquetadas con minuciosidad.

—Bien, como ya conoce mi mercancía —arguyó el hombre topo—, lo dejaré elegir. Lleve arriba lo que quiera comprar y le daré la munición que requiera, y luego haremos cuentas.

Arkadin asintió con la cabeza. Parecía abstraído. Estaba concentrado en los cajones del arsenal, calculando la potencia de tiro de las armas, la facilidad de uso, la rapidez de disparo, la manejabilidad del peso y tamaño de cada una.

Cuando se quedaron solos, sacó de un cajón algo que a Soraya le pareció una linterna con un depósito de pilas en la parte inferior. Arkadin se volvió hacia ella y sacudió la linterna. El depósito de pilas se abrió y se colocó en su sitio. El objeto era un subfusil plegable.

—Nunca había visto nada parecido —comentó Soraya, fascinada a pesar de sí misma.

—Es un prototipo que todavía no está en el mercado. Es un subfusil Magpul. Funciona con los mismos cartuchos de nueve milímetros de la Glock, pero escupe plomo mucho más rápido que una pistola. —Acarició el pequeño y grueso cañón—. Bonito, ¿verdad?

Soraya pensó que sí. Le habría gustado tener uno para ella.

Arkadin debió de adivinar la avidez en su expresión.

—Toma.

Ella lo empuñó y lo examinó con ojo experto, lo desmontó y volvió a montarlo.

—Es de un ingenio que da asco. —Arkadin no parecía tener prisa por recuperar el subfusil plegable. Aunque parecía mirarlo, en realidad veía otra cosa, una escena muy lejana.

En San Petersburgo había acompañado a Tracy a su habitación del hotel. Ella no le había pedido que subiera, pero tampoco protestó cuando él lo hizo. Una vez dentro, ella dejó el bolso y la llave encima de una mesa, cruzó la habitación y entró en el cuarto de baño. Cerró la puerta, pero Arkadin no oyó el clic de ningún pestillo.

El río brillaba a la luz de la luna, negro, espeso y lleno de secretos, como una vieja serpiente, siempre medio dormido. Hacía calor en la habitación, así que se dirigió a la ventana y la abrió. Una ráfaga de viento, espesa como el río y con el mismo olor, penetró en la habitación. Se volvió, miró la cama e imaginó a Tracy allí, con la luna iluminando su desnudez.

Un leve sonido, como un suspiro o un carraspeo, lo obligó a volverse. La puerta del cuarto de baño, sin pestillo que la retuviera, se había entreabierto y otra ráfaga había ampliado la ranura, dejando pasar una delgada franja de luz que se proyectaba en la alfombra. Arkadin se dirigió a la puerta y miró dentro. Vio la espalda de Tracy, o más bien una pequeña parte, pálida y perfecta. Más abajo percibió la curva de sus nalgas y la profunda depresión entre ambas. El latido de placer que sintió en la entrepierna fue tan fuerte que bordeó el dolor. Aquello que sentía por Tracy, aquella mezcla de odio y dependencia, lo debilitaba. Aunque con profundo desprecio de sí mismo, no pudo menos de asir la puerta y tirar de ella.

La puerta, vieja y descascarillada, emitió un crujido y Tracy lo miró por encima del hombro. Su cuerpo apareció ante él en todo su esplendor. Ella lo miró con tal piedad y aborrecimiento que le arrancó de la garganta un gemido animal. Cerró la puerta inmediatamente.

Cuando Tracy salió, fue incapaz de mirarla. La oyó cruzar la habitación y cerrar la ventana.

—¿Dónde te educaron? —preguntó.

No fue una pregunta, sino un bofetón en la cara. Arkadin no pudo responder y por eso, y por muchas cosas más, ardía en deseos de matarla, de sentir los cartílagos de su cuello quebrarse bajo la presión de sus dedos, de sentir su sangre caliente en las manos. Y sin embargo estaba atado a ella como ella lo estaba a él. Estaban atrapados en una órbita de odio, sin posibilidad de escapar.

«Pero Tracy escapó —pensaba ahora—, hacia la muerte.» La echaba de menos y se odiaba por ello. Era la única mujer que lo había rechazado. Es decir, hasta el momento presente. Cuando volvió a fijarse en Soraya, que estaba plegando el subfusil, sintió un escalofrío premonitorio. Durante un momento imaginó su calavera: Soraya parecía la muerte. Luego todo volvió a la normalidad y pudo respirar de nuevo.

A diferencia de Tracy, la piel de Soraya era de un color dorado. A semejanza de Tracy, se había aparecido ante él cuando se quitó la camiseta que le había prestado para utilizarla como torniquete en el muslo de Moira. Tenía los pechos grandes y los pezones oscuros y erectos. Podía verlos en aquel instante, bajo la camiseta, con tanta claridad como si estuviera medio desnuda.

—Es porque no puedes tenerme —adujo Soraya como si le leyera el pensamiento.

—Al contrario, podría poseerte ahora mismo.

—Violarme, querrás decir.

—Sí.

—Si quisieras hacerlo —replicó la mujer, dándole la espalda—, ya lo habrías hecho.

Arkadin se puso tras ella y amenazó:

—No me tientes.

Soraya giró en redondo.

—Tu ira es contra los hombres, no contra las mujeres. —Arkadin la miró sin conmoverse—. Te dedicas a matar hombres y a seducir mujeres —añadió ella—. Pero ¿violarlas? Piensas en violar a una mujer tanto como yo.

La memoria de Arkadin voló a su pueblo natal, Nizhny Tagil, donde durante un tiempo había sido miembro de la banda de Stas Kuzin y se dedicaba a secuestrar chicas en las calles para abastecer el salvaje burdel de Kuzin. Noche tras noche oía los gritos y sollozos de las chicas cuando eran violadas y apaleadas. Al final había matado a Kuzin y a la mitad de su banda.

—La violación es para los animales —repuso con voz pastosa—. Yo no soy un animal.

—Ésa es tu vida: la lucha por ser un hombre y no un animal.

Arkadin desvió la mirada.

—¿Fue Treadstone la que te hizo así?

Él rió brevemente.

—Treadstone fue lo que menos influyó —respondió—. Fue todo lo que ocurrió antes, todo lo que intento olvidar.

—Resulta curioso. Para Bourne es todo lo contrario. Él se esfuerza por recordar.

—Entonces es afortunado —gruñó.

—Es una lástima que seáis enemigos.

—Dios nos hizo enemigos. —Arkadin le quitó el arma—. Un dios llamado Alexander Conklin.

—¿Sabes morir, Bourne? —susurró Tanirt.

«Naciste el día de Siva, el último día del mes, que es tanto el final como el principio. ¿Lo entiendes? Estás destinado a morir y a renacer.» Esto le había dicho Suparwita hacía apenas unos días, en Bali.

—Ya morí una vez —repuso— y volví a nacer.

—Carne, carne, sólo carne —murmuró ella—. Esto es diferente.

Tanirt lo dijo con fuerza, una fuerza que Bourne sintió en cada fibra de su ser. Se inclinó hacia ella. La promesa de sus muslos y sus pechos lo atraía a su órbita.

—No lo entiendo —repuso, sacudiendo la cabeza.

La mujer lo cogió por los brazos, acercándolo a ella.

—Sólo hay una forma de explicarlo. —Se dio la vuelta y lo condujo de nuevo a la tienda de caramelos. Apartó unos bultos aromáticos que había al fondo del establecimiento y dejó al descubierto una escalera de madera con los peldaños cubiertos de polvo y cristales de azúcar de palma. Subieron a la planta superior, que era o había sido hasta hacía poco la vivienda de alguien. La hija de la propietaria, a juzgar por los carteles de películas y estrellas de rock que llenaban las paredes. Había más claridad allí, dado que las ventanas dejaban pasar una luz cegadora. Pero también hacía mucho más calor, como una fiebre. A Tanirt no pareció afectarle.

Se volvió hacia él desde el centro de la estancia.

—Dime, Bourne, ¿en qué crees?

Él no respondió.

—¿En la mano de Dios, la providencia, el destino? ¿En alguna de esas cosas?

—Creo en el libre albedrío —respondió al fin—, en la capacidad de tomar las propias decisiones sin interferencias, ni de organizaciones ni del destino, como quieras llamarlo.

—En otras palabras, crees en el caos, porque el hombre no controla nada en este universo.

—Eso significaría que estoy indefenso. Y no lo estoy.

—Así que ni ley ni caos. —La mujer sonrió—. Tu camino es muy especial, el camino intermedio, que nadie ha recorrido antes.

—Yo no estoy seguro de expresarlo de ese modo.

—Claro que no. No eres filósofo. ¿Cómo lo explicarías tú?

—¿Adónde nos lleva esto? —preguntó Bourne.

—Siempre el soldado, el soldado impaciente —replicó Tanirt—. A la muerte. Nos lleva a la naturaleza de tu muerte.

—La muerte es el final de la vida —razonó Bourne—. ¿Qué más hay que saber sobre su naturaleza?

Tanirt se acercó a una ventana y la abrió.

—Dime, por favor, ¿cuántos enemigos ves?

Bourne se puso a su lado, sintiendo su intenso calor, como si fuera un motor que hubiera estado funcionando a toda potencia durante mucho tiempo. Desde aquel elevado punto de observación alcanzó a ver muchas calles y a muchos viandantes.

—Entre tres y nueve. Es difícil precisarlo —respondió al cabo de unos minutos—. ¿Cuál me matará?

—Ninguno de ellos.

—Entonces será Arkadin.

Tanirt ladeó la cabeza.

—Ese tal Arkadin será el heraldo, pero no será el que te mate.

Él se volvió hacia ella.

—Entonces, ¿quién?

—Bourne, ¿tú sabes quién eres? —Llevaba con ella el tiempo suficiente para saber que no esperaba una respuesta—. Algo te ocurrió —prosiguió Tanirt—. Eras una persona y ahora eres dos.

Le puso la mano sobre el pecho y el corazón del hombre pareció dar un salto o, más exactamente, acelerarse. Ahogó una exclamación.

—Esas dos personas son incompatibles —añadió—, incompatibles en todos los aspectos. Dentro de ti hay una guerra, una guerra que te llevará a la muerte.

—Tanirt...

La mujer apartó la mano de su pecho y Bourne se sintió como si se hubiera hundido en una ciénaga.

—El heraldo, ese tal Arkadin, llegará a Tineghir con la persona que te matará. Es alguien que conoces, quizá muy bien. Es una mujer.

—¿Moira? ¿Se llama Moira?

Tanirt negó con la cabeza.

—Es egipcia.

¡Soraya!

—Eso... eso no es posible.

Ella esbozó su enigmática sonrisa.

—Ésa es la incógnita, Bourne. Una de tus personalidades no puede creerlo. Pero la otra sabe que es posible.

Por primera vez en la vida que recordaba, se sintió indefenso.

—¿Qué puedo hacer?

Tanirt le cogió la mano.

—Lo que hagas a partir de ahora determinará si vives o mueres.

29

—Feliz cumpleaños —exclamó M. Errol Danziger cuando localizó a Bud Halliday por teléfono.

—Mi cumpleaños fue hace meses —replicó el secretario de Defensa—. ¿Qué quiere?

—Lo estoy esperando abajo, en mi coche.

—Estoy ocupado.

—No para esto.

Había algo en la voz de Danziger que impidió a Halliday mandarlo a hacer puñetas. Llamó a su ayudante y le dijo que cancelara sus actividades de la hora siguiente. Luego cogió su abrigo y bajó las escaleras. Mientras atravesaba los terrenos de la Casa Blanca, los guardias y agentes del Servicio Secreto lo saludaron deferentemente con un movimiento de la cabeza. Sonrió a los que conocía por el nombre.

—Más le vale que sea algo bueno —dijo al subir al coche de Danziger.

—Confíe en mí —repuso el director de la Agencia—. Es mejor que bueno.

Veinte minutos después, detuvo el coche en el 1.910 de Massachussets Avenue, SE. Danziger, sentado más cerca de la acera, bajó el primero y abrió la portezuela para que se apeara su jefe.

—¿Edificio Veintisiete? —preguntó Halliday mientras Danziger y él subían las escaleras de uno de los edificios modernos del complejo del General Health Campus—. ¿Quién ha muerto? —El Edificio Veintisiete alojaba la oficina del forense jefe del distrito.

Danziger se echó a reír.

—Un amigo suyo.

Cruzaron dos controles de seguridad y entraron en el inmenso ascensor de acero inoxidable para bajar al sótano. Estaba impregnado de un olor dulzón a lejía que Halliday se resistió a identificar.

Los esperaban. Un ayudante del forense, un hombre pequeño y con gafas, de nariz picuda y porte adusto, los saludó y los condujo por la fría sala. Se detuvo ante una pared con multitud de puertas de acero inoxidable, abrió una y sacó una camilla con un cadáver cubierto por una sábana. A una seña de Danziger, el ayudante del forense apartó la sábana.

—¡Por la Virgen! —exclamó Halliday—, ¿es Frederick Willard?

—Ni más ni menos. —El director de la Agencia parecía a punto de dar saltos de alegría.

Halliday se acercó un paso. Sacó un pequeño espejo y lo puso bajo la nariz de Willard.

—No respira. —Se volvió hacia el ayudante del forense—. ¿Qué le sucedió?

—Es difícil saberlo todavía —respondió el hombre—. Demasiadas cosas en muy poco tiempo...

—En resumen —exigió Halliday con voz cortante.

—Tortura.

El político tuvo que reírse. Miró a Danziger.

—Irónico, ¿no cree?

—Eso me pareció a mí.

En aquel momento zumbó el teléfono del secretario. Lo sacó y miró la pequeña pantalla. Lo necesitaban en la Casa Blanca.

En lugar de estar en la Sala Oval, el presidente se encontraba en la Sala de Guerra, en la tercera planta subterránea del Ala Oeste. Había grandes pantallas de ordenador alineadas en las paredes de la habitación, en el centro de la cual destacaba una mesa oval equipada con todos los pertrechos de doce oficinas virtuales.

Cuando llegó Bud Halliday, el presidente estaba reunido con Hendricks, consejero de Seguridad Nacional, con Brey, director del FBI, y con Findlay, responsable de Seguridad Nacional. Por sus expresiones sombrías, estaba claro que había una emergencia de algún tipo.

—Me alegro de que haya podido venir, Bud —dijo el presidente, señalándole una silla al otro lado de la mesa.

—¿Qué ha pasado? —preguntó Halliday.

—Ha surgido algo —respondió Findlay—. Y valoraríamos su consejo sobre cómo proceder.

—¿Un ataque terrorista en una de nuestras bases de ultramar?

—Más cerca de casa. —Hendricks parecía preocupado. Dio la vuelta a una carpeta que tenía ante sí, se la entregó al secretario de Defensa por encima de la mesa y abrió las manos—. Por favor.

Halliday abrió la carpeta y se encontró con una foto de Jalal Essai. Procuró mantener la calma y se congratuló al ver que su mano no temblaba mientras pasaba las páginas del informe.

Cuando estuvo seguro de que no iba a perder los nervios, levantó la cabeza.

—¿Por qué estamos mirando a este hombre?

—Tenemos información que lo relaciona con la tortura y muerte de Frederick Willard.

—¿Pruebas?

—Todavía nada —repuso Findlay.

—Pero hay indicios de que aparecerán próximamente —aseguró Hendricks.

—¿Y quieren que yo también juegue a la lotería? —protestó Halliday con mordacidad.

—Lo preocupante, señor secretario, es que ese hombre, Essai, ha sabido eludir nuestros medidas de vigilancia, aunque representa una clara amenaza para la seguridad nacional. —intervino otra vez Findlay.

Halliday cerró la carpeta.

—Aquí hay informes sobre Essai que tienen años de antigüedad. ¿Cómo es que no...?

—Ésa es la pregunta que necesitamos responder, Bud —dijo el presidente.

Halliday ladeó la cabeza.

—Bueno, lo que quería decir es de dónde procede este informe.

—Está claro que de su departamento no —apuntó Brey.

—Ni del suyo —replicó Halliday. Los miró uno tras otro—. No estarán pensando en cargar este descuido a mi gente.

—No ha sido un descuido —aclaró Findlay—. Al menos no por *nuestra* parte.

Se hizo en la habitación un silencio tenso que fue roto finalmente por el presidente.

—Bud, creíamos que estaría usted más comunicativo.

—Yo no desde luego —apostilló Brey.

—Cuando viera las pruebas —añadió Hendricks.

—¿Pruebas de qué? —se quejó Halliday—. No hay nada que tenga que explicar ni por lo que tenga que disculparme.

—Cada uno me debe cien dólares —anunció Brey con una mueca.

El secretario de Defensa lo fulminó con la mirada.

Hendricks empuñó el teléfono, murmuró unas palabras y volvió a colgar.

—Por el amor de Dios, Bud —protestó el presidente—, lo está poniendo muy difícil.

—¿Qué es esto? —se defendió Halliday poniéndose en pie—. ¿Un interrogatorio?

—Bueno, no hace nada por mejorar su situación. —En la voz del presidente se notaba una profunda tristeza—. Última oportunidad.

Halliday, tan rígido como la estatua de un veterano de guerra, apretó los dientes con furia.

Entonces se abrió la puerta de la Sala de Guerra y entraron las gemelas Michelle y Mandy. Sus ojos reían. Se reían de él.

«Dios —pensó—. Por Dios.»

—Siéntese, señor secretario.

La voz del presidente había adquirido tal tono de cólera reprimida y de confianza traicionada que Halliday sintió un escalofrío. Con el corazón en los talones, hizo lo que se le ordenaba.

Delante de él se dibujaba un camino largo y humillante hacia la caída en desgracia y la ruina. Mientras oía las conversaciones que las gemelas habían grabado en el apartamento secreto la noche que habían estado los tres con Jalal Essai, se preguntó si tendría valor para retirarse a un lugar tranquilo y privado y volarse la tapa de los sesos.

Oserov llegó a Marruecos con el rostro envuelto en vendas. En Marraquech encontró una tienda donde le hicieron un molde de cera y, con la plantilla, una careta de látex, blanca como la luz de las estrellas, que encajaba en su destrozado rostro. Su terrible y frío estoicismo no dejaba traslucir la colérica tortura interior, pero se sentía agradecido por el anonimato que le proporcionaba. Compró una chilaba de rayas negras y pardas, para ocultar la cabeza y la parte superior del rostro con la capucha. Con ella puesta, tenía el resto de la cara en sombras.

Tras un breve refrigerio, que engulló sin apenas saborear, no perdió tiempo en alquilar un coche y planear la ruta. Luego se puso en marcha hacia Tineghir.

Idir Syphax recorrió lenta y metódicamente la casa del centro de Tineghir. Se movía de sombra en sombra como un fantasma o un sueño, sin ruido, ligero como el aire. Idir había nacido y crecido en el Alto Atlas, en la región de Uarzazate. Estaba acostumbrado al frío y a la nieve del invierno. Era conocido como el hombre que llevaba hielo al desierto, lo que significaba que era especial. Al igual que a Tanirt, los bereberes locales lo temían.

Idir era delgado y musculoso, de boca ancha, grandes dientes blancos y una nariz como la proa de un barco. Llevaba la cabeza y el cuello envueltos en el tradicional pañuelo azul de los bereberes. Su manto era de cuadros azules y blancos.

La casa por fuera era idéntica a las casas vecinas. Por dentro, sin embargo, estaba construida como una fortaleza; las habitaciones eran como ponederos que protegían la torre que se alzaba en el centro. Las paredes eran de hormigón armado; las puertas de madera tenían en su interior planchas de metal de cinco centímetros de grosor, lo que las volvía impenetrables incluso para el fuego de las semiautomáticas. Había que atravesar dos sistemas electrónicos de seguridad: detectores de movimiento en las habitaciones que daban al exterior y detectores infrarrojos en las interiores.

La familia de Idir tenía estrechos lazos de amistad con los Etana desde hacía siglos. Los Etana habían fundado el Club Monition para que Severus Domna pudiera reunirse en varias ciudades de todo el globo sin atraer la atención ni utilizar el nombre real del grupo. Para el mundo exterior, el Club Monition era una organización filantrópica que se interesaba por los progresos de la antropología y las filosofías antiguas. Era un mundo herméticamente cerrado en el que los miembros secretos del grupo podían moverse, reunirse, comparar trabajos y planear iniciativas.

Idir había tenido sus propias ideas sobre el poder y la sucesión, pero antes de tener la oportunidad de actuar, Benjamin El-Arian había ocupado el vacío de poder que se había creado con la huida del hermano de Jalal Essai. Ahora que éste había descubierto sus verdaderas intenciones, la familia Essai estaba muerta y enterrada en lo que concernía a Severus Domna. Su deserción había tenido lugar bajo la vigilancia de El-Arian. Idir había tenido varias conversaciones con Marlon Etana, el miembro de más alto rango de la organización en Europa. Juntos, le había dicho a Etana, eran muy superiores a Benjamin El-Arian. Etana no estaba tan seguro, claro que tantos años en Occidente le habían vuelto cauteloso, incluso tímido, en opinión de Idir. Rasgos no deseables en un líder. Él tenía planes para Severus Domna, grandes planes, lejos del alcance de cualquier cosa que El-Arian o Etana pudieran concebir. Había intentado negociar, razonar y, finalmente, apelar a la vanidad y al amor propio de los líderes. Sin resultado. Aquello sólo le dejaba abierto el camino de la violencia.

Satisfecho tras su inspección final, cerró la casa con llave y se fue. Pero no muy lejos. El espectáculo estaba a punto de comenzar y se había reservado una butaca en primera fila.

En el momento en que Arkadin había actuado de acuerdo con sus sospechas, en el momento en que le había cortado los tendones a Moira, el idilio de su estancia en Sonora se hizo añicos. Lo veía como la ilusión que había sido. El ritmo lento y el sol caliente, las bailarinas sensuales y las tristes rancheras no eran para él. Su vida estaba en otra parte. Desde aquel momento, se moría de impaciencia por salir de México. Había sido amargamente traicionado. Sonora le había puesto delante el espejo en que había visto su vida, la vida a la que estaba condenado, sin que importara cuánto suspirase por salir de allí.

En Marruecos había vuelto a su elemento, él, un tiburón que se movía en aguas profundas y peligrosas. Pero los tiburones llevaban miles de años acostumbrados a sobrevivir en aguas profundas y peligrosas. Y Leonid Arkadin también.

Armado y más peligroso que nunca, salió en coche de Marraquech con Soraya, la mujer que tanto lo desconcertaba. Hasta que Tracy lo había embaucado, su norma había sido dominar a las mujeres en todos los sentidos imaginables. Había olvidado ya, muy oportunamente, a su propia madre, que lo había controlado manteniéndole encerrado en un armario donde las ratas le habían devorado tres dedos; hasta que se enfrentó a ellas lleno de furia, arrancándoles la cabeza con los dientes. Luego había matado a su madre. La despreciaba tanto que la había expulsado de su conciencia y de su memoria. Los recuerdos que le quedaban eran como escenas de una película barata y defectuosa que hubiera visto de joven.

Y pese a todo, había sido su madre quien le había hecho ver a las mujeres a través de una lente particular. Flirteaba sin descanso. Y desdeñaba a las que sucumbían a sus encantos masculinos. A éstas se las comía y las escupía en cuanto se aburría de ellas. En las raras ocasiones en que encontraba resistencia —Tracy, Devra, la pinchadiscos que había conocido en Sebastopol, y ahora Soraya— había reaccionado de forma diferente, con menos seguridad, y las dudas sobre sí mismo se habían extendido en su interior como el humo, resultando todo en un fracaso. No había atinado a ver tras la fachada de Tracy; no había conseguido proteger a Devra. ¿Y Soraya? Todavía no lo sabía, pero no podía dejar de pensar en lo que ella había dicho sobre que su vida era una lucha por ser un hombre, no un animal. Hubo un tiempo en que se habría reído de cualquiera que hubiera hecho semejante acusación, pero algo había cambiado en su interior. Para bien o para mal, se había vuelto consciente de sí mismo, y este conocimiento conllevaba la certeza de que lo que ella había dicho no era una acusación en absoluto, sino la afirmación de un hecho.

Todo esto cruzó su mente mientras Soraya y él se dirigían a Tineghir. En Marraquech hacía frío, pero allí, en los montes del Alto Atlas, cubiertos de nieve, un viento helado acuchillaba las cañadas, llenando la vaguada de aire frío.

—Estamos llegando al final del camino —anunció.

Soraya no respondió; no había dicho una palabra en todo el trayecto.

—¿No tienes nada que decir? —añadió.

Su tono era deliberadamente burlón, pero la mujer se limitó a sonreír y volvió a mirar por la ventanilla. Aquel brusco cambio en su conducta lo inquietaba, pero no estaba seguro de qué hacer al respecto. No podía seducirla ni podía intimidarla. ¿Qué le quedaba?

Entonces, con el rabillo del ojo, vio una figura alta, demasiado alta para ser bereber, con una chilaba de rayas negras y pardas. La capucha le ocultaba el rostro, pero cuando el coche pasó por su lado, vio que no lo tenía desfigurado. La figura se movía como Oserov, pero ¿cómo iba a ser él?

—Soraya, ¿ves al hombre de la chilaba de rayas negras y pardas?

La mujer asintió con la cabeza.

Arkadin detuvo el coche.

—Baja y acércate a él. Haz lo que tengas que hacer. Quiero que averigües si es ruso y, si lo es, si se llama Oserov. Vylacheslav Germanovich Oserov.

—¿Y?

—Yo me quedaré aquí, vigilando. Si es Oserov, hazme una seña —indicó— y lo mataré.

Soraya esbozó una enigmática sonrisa.

—Me preguntaba cuándo volvería a verla.

—¿El qué?

—Tu ira.

—Tú no sabes lo que ha hecho Oserov, ni sabes de lo que es capaz.

—No importa. —La mujer abrió la portezuela del coche y bajó—. He visto de lo que eres capaz tú.

Soraya se abrió paso en la calle atestada de gente hacia el hombre alto de la chilaba de rayas negras y pardas. Sabía que lo mejor para ella era permanecer en calma y andarse con ojo. Arkadin ya la había utilizado una vez; no iba a dejarse pillar de nuevo. Durante el viaje había habido ocasiones en las que había podido escapar, pero no lo había hecho por dos razones. La primera era que no confiaba por completo en su capacidad para despistar a Arkadin. La segunda y más importante era que se había jurado a sí misma que no abandonaría a Jason. Éste le había salvado la vida más de una vez. No importaba qué calumnias se contaran en la CI sobre él, ella sabía que podía contar con su ayuda para cualquier cosa. Ahora que su vida corría un peligro inminente, no iba a echar a correr para esconderse. Más aún, tenía que hacer algo para frustrar las intenciones de Arkadin.

Al acercarse al hombre, se puso a hablarle en árabe con acento egipcio. Él, al principio, no le hizo caso. Era posible que en medio del barullo de la calle no la oyera, o creyera que estaba hablando con otra persona. Se puso delante de él y volvió a hablar. El tipo mantuvo la cabeza ligeramente inclinada y no le respondió.

—Necesito ayuda. ¿Entiende el inglés? —preguntó.

Él negó con la cabeza. Soraya se encogió de hombros y dio media vuelta para irse. Luego se volvió de nuevo y dijo en ruso:

—Lo reconozco, Vylacheslav Germanovich. —El hombre levantó la cabeza—. ¿No es usted colega de Leonid?

—¿Es usted amiga de Arkadin? —Su voz era espesa y pastosa, como si tuviera algo en la garganta que no pudiese tragar—. ¿Dónde se encuentra?

—Ahí mismo —dijo, señalando el coche—. Sentado al volante.

Todo ocurrió en un momento. Soraya retrocedió andando de espaldas, Oserov se volvió al mismo tiempo que se agachaba. Debajo de la chilaba llevaba un fusil de asalto AK-47. Con un ágil movimiento, levantó el AK-47, apuntó y disparó al coche. La gente se dispersó gritando en todas direcciones. Oserov siguió disparando mientras avanzaba por la calle, acercándose al coche, cuya carrocería se bamboleaba movida por los balazos.

Cuando llegó al vehículo, se detuvo. Intentó abrir la puerta del conductor, pero estaba tan destrozada que ni se movió. Maldiciendo, volteó el AK-47 y descargó un culatazo en lo que quedaba de ventanilla. Miró dentro. Estaba vacío.

Dio media vuelta y apuntó a Soraya con el fusil.

—¿Dónde está? ¿Dónde está Arkadin?

Ella vio que Arkadin asomaba por debajo del coche, se levantaba y rodeaba el cuello de Oserov con el brazo. Tiró hacia atrás con tanta fuerza que lo levantó del suelo. El asesino con la careta de látex quiso hundirle la culata del fusil en las costillas, pero él esquivó el golpe. Oserov sacudió la cabeza para impedir que le hiciera una llave. Al hacerlo, la careta empezó a resbalarle. Arkadin se dio cuenta y se la arrancó, dejando al descubierto el rostro hinchado y horriblemente desfigurado que había debajo.

Soraya cruzó la calle, ahora vacía, y se aproximó a los dos antagonistas con paso deliberadamente lento. Oserov soltó el AK-47 y sacó una daga de aspecto mortal. Ella advirtió que Arkadin no podía verla, que no se daba cuenta de que su sempiterno enemigo estaba a punto de clavársela en el costado.

Arkadin, absorto en aquella lucha a vida o muerte con su odiado enemigo, aspiró profundamente el aire fétido que salía de un albañal abierto y comprendió que en realidad procedía de Oserov, como si la gente que había matado se hubiera abierto camino con las uñas para salir del fondo de la tierra, arrastrando tras de sí hilachas de suciedad y podredumbre. Oserov parecía estar pudriéndose de dentro hacia fuera. Apretó con más fuerza y el otro siguió forcejeando, tratando de soltarse de la tenaza que lo inmovilizaba. Pero una vez enzarzados, ninguno de los dos tenía intención de soltar al otro, como si aquel combate épico fuera de una sola persona con dos cuerpos. Dos hombres forcejeando por vencer al otro, enfrentados en el abismo de su cólera irracional e ingobernable. El conflicto no sólo era contra los crímenes de Oserov, sino también contra el inhumano pasado de Arkadin, un pasado que él mismo intentaba borrar diariamente de su cerebro, enterrarlo lo más profundamente que pudiera. Y que a pesar de todo, zombificado, seguía levantándose de la tumba.

«Ésa es tu vida —había dicho Soraya—, la lucha por ser un hombre, no un animal.»

En su pasado había figuras que habían conspirado para hundirlo, para reducirlo al estado animal. Su única oportunidad de ser algo más había llegado bajo la forma de Tracy Atherton. Tracy le había enseñado muchas cosas, pero al final lo había traicionado. Le había deseado la muerte y ahora estaba muerta. Oserov, su enemigo, representaba a todos los que alguna vez habían conspirado contra él y ahora que lo tenía sujeto, pensaba quitarle la vida, lenta e inexorablemente.

Con el rabillo del ojo vio un movimiento que atrajo su atención. Soraya corría hacia ellos. Cuando llegó, propinó a Oserov un golpe en la muñeca izquierda que le paralizó la mano. Arkadin vio la daga cuando cayó a los pies de su enemigo.

Durante un breve instante miró fijamente a Soraya, a los ojos. Entre ellos se estableció una comunicación secreta, silenciosa, que se desvaneció de repente, una comunicación de la que nunca se hablaría, que nunca se mencionaría en voz alta. Arkadin, con el corazón acelerado por la ira almacenada durante tanto tiempo, golpeó la sien de Oserov con el canto de la mano. La cabeza chocó con fuerza contra la pared que formaba el brazo doblado de Arkadin. Las vértebras crujieron y se sacudió como una marioneta demente. Clavó las uñas en el brazo de Arkadin, dibujando unos riachuelos de sangre. Bramaba como un toro y durante un momento su fuerza adquirió tales proporciones que casi consiguió soltarse.

Arkadin volvió a torcerle el cuello, esta vez con más fuerza, y la energía que le quedaba a Oserov se fue al arroyo al tiempo que lanzaba un grito terrible, un grito ahogado. Intentó decir algo que parecía de vital importancia para él, pero lo único que salió de su boca fue la lengua y un poco de sangre.

El otro no lo soltó inmediatamente. Siguió golpeándole la cabeza como si el cuello de su presa no hubiera sufrido ya múltiples fracturas.

—Arkadin —avisó Soraya con suavidad—. Está muerto.

El hombre la miró con una chispa de locura en los ojos. Ella le había puesto las manos en los brazos, tratando de que dejara en paz a Oserov, pero él no sentía nada. Era como si sus terminaciones nerviosas se hubieran anestesiado en el último momento de la pelea, como si su voluntad de destruir a Oserov no tuviera fin, no le permitiera soltarlo. Pensaba: «Si lo sigo sujetando, podré matarlo una y otra vez».

Por fin, gradualmente, el huracán de emoción comenzó a remitir. Sintió las manos de Soraya sobre él. Luego oyó su voz, que repetía:

—Está muerto.

Retiró el brazo. El cadáver cayó al suelo formando un bulto grotesco.

Miró el rostro destrozado de Oserov y no sintió ni triunfo ni satisfacción. No sintió nada en absoluto. Vacío. No había nada dentro de él, sólo un pozo de oscuridad y profundidad crecientes.

Mientras tecleaba una clave en su teléfono móvil, anduvo hacia la parte trasera del coche. Abrió el maletero y sacó del estuche el ordenador portátil.

Soraya miró a su alrededor y vio a un nutrido grupo de bereberes con su vestimenta habitual. Habían estado observándolos en las sombras. En cuanto Oserov se desplomó en el suelo, empezaron a acercarse al coche.

—Son de Severus Domna —anunció—. Vienen por nosotros.

En aquel momento, un coche frenó junto a ellos con un chirrido de neumáticos. Arkadin abrió la portezuela trasera.

—Sube —ordenó, y Soraya obedeció sin rechistar.

Arkadin se sentó a su lado y el coche partió. Había tres hombres dentro, todos armados hasta los dientes. Él les habló en ruso y Soraya recordó la conversación que habían sostenido en Puerto Peñasco.

«¿Qué quieres de mí ahora?», le había preguntado a Arkadin.

Y él había respondido:

«Lo mismo que tú de mí. Destrucción.»

Entonces oyó la expresión «tierra quemada» y supo que Arkadin había llegado a Tineghir preparado para la guerra.

30

Bourne llegó a Tineghir pertrechado con el conocimiento que le había dado Tanirt. Inevitablemente, le llamó la atención la multitud que se había congregado alrededor del coche cosido a balazos. El muerto era irreconocible. Sin embargo, aquel rostro cubierto de cicatrices de quemaduras tenía que ser el de Oserov.

No había policías rodeando el cadáver ni en ningún lugar cercano. Pero había muchos soldados de Severus Domna, que en aquella zona venía a ser lo mismo. Nadie había hecho nada por mover el cadáver. Las moscas zumbaban en cantidad creciente y el hedor a muerte empezaba a extenderse como una enfermedad contagiosa.

Bourne pasó junto al escenario del tiroteo, bajó del coche varias manzanas más adelante y siguió a pie. Lo que le había dicho Tanirt le había hecho cambiar de planes y creía que no para mejor. Pero no tenía elección, ella lo había dejado muy claro.

Levantó la cabeza. El cielo tenía el color pálido e insulso que solía tener a las cinco de la madrugada, aunque era por la tarde. En lugar de encaminarse a la dirección que le habían dado, la casa de Severus Domna, buscó una cafetería o un restaurante y, cuando lo encontró, cruzó el umbral, se sentó a una mesa de cara a la puerta y pidió un plato de cuscús y *whiskey* bereber, que era té con hierbabuena. Esperó con las piernas cruzadas, vaciando la mente, pensando en Soraya y en nada más. Pusieron sobre su mesa el pequeño vaso y le estaban escanciando el fragrante té sin derramar una gota cuando vio a un ruso que pasaba por la calle, mirando hacia el interior del establecimiento. No era Arkadin, pero era ruso; Bourne podía jurarlo por los rasgos y por su forma de mirar, que no era ni bereber ni musulmana. El detalle le informó de muchas cosas, aunque ninguna de ellas le sirviera.

Llegó el cuscús, pero se había quedado sin apetito. Soraya entró en el café con Arkadin pisándole los talones. Había esperado que ella tuviera aspecto de persona amedrentada, pero no era así, y Bourne se preguntó si no la habría subestimado, pues en tal caso sería la primera señal positiva de la jornada.

Soraya cruzó el café y tomó asiento sin pronunciar palabra. Arkadin se quedó unos momentos en la puerta, observándolo todo. Jason se puso a comer el cuscús con la mano derecha, como era la costumbre. Tenía la mano izquierda apoyada en el muslo.

—¿Cómo estás? —preguntó.

—Jodida.

Bourne le dedicó una débil sonrisa.

—¿Cuántos hombres hay con él?

Soraya pareció sorprendida.

—Tres.

Arkadin se acercó a ellos. Por el camino cogió una silla de una mesa próxima y se sentó en ella.

—¿Qué tal el cuscús?

—No está mal —replicó Bourne, acercándole el plato.

El recién llegado utilizó las puntas de los dedos de la mano derecha para probar el guiso. Asintió con la cabeza, se lamió el aceite y se limpió los dedos en el mantel. Acto seguido se inclinó hacia delante.

—Nos hemos estado persiguiendo durante mucho tiempo.

Bourne recuperó el plato.

—Y ahora estamos aquí.

—Tan cómodos como tres pulgas en una alfombra marroquí.

El norteamericano empuñó el tenedor.

—No sería buena idea que me disparases con el arma con que me apuntas por debajo de la mesa.

Un rápido tic cruzó la cara de Arkadin.

—No eres tú quien tiene que decidirlo, ¿no crees?

—Es cuestión de opiniones. Yo tengo una Beretta ochomil cargada con balas de punta hueca de nueve milímetros, apuntándote a los huevos.

La expresión sombría del hombre quedó borrada por la carcajada que lanzó. A Bourne le sonó como si nunca hubiera aprendido a reír.

—Como pulgas en una alfombra, desde luego —repitió Arkadin.

—Además —comentó el norteamericano—, conmigo muerto, nunca saldrías vivo de esa casa.

—Yo no lo creo así.

Jason Bourne hundió las púas del tenedor en el cuscús.

—Escúchame, Leonid, hay otras fuerzas operando aquí, fuerzas que ni tú ni yo podemos controlar.

—Yo puedo controlar cualquier cosa. Y he traído aliados.

—El enemigo de mi enemigo es amigo mío —sugirió Bourne, citando un proverbio árabe.

Arkadin entornó los ojos.

—¿Me estás proponiendo algo?

—Somos los dos únicos graduados de Treadstone. Nos adiestraron para situaciones como ésta. Pero no somos exactamente iguales. Imágenes especulares, quizá.

—Tienes diez segundos. Ve al grano de una puta vez.

—Juntos podemos vencer a Severus Domna.

Arkadin dio un bufido.

—Se te ha ido la olla.

—Piénsalo. Severus Domna nos ha traído aquí, ha preparado la casa para nosotros y cree que en cuanto nos veamos, uno terminará por matar al otro.

—¿Y?

—Y entonces todo irá de acuerdo con sus planes. —Bourne esperó un momento—. Nuestra única oportunidad es hacer algo inesperado.

—El enemigo de mi enemigo es amigo mío.

El norteamericano asintió con la cabeza.

—Hasta que deja de serlo.

Arkadin dejó sobre la mesa el Magpul que había estado empuñando y Bourne la Beretta que le había dado Tanirt.

—Somos un equipo —concluyó este último—. Los tres.

Leonid miró brevemente a Soraya.

—Desembucha.

—Lo primero y principal —empezó Bourne— es un hombre llamado Idir Syphax.

La casa estaba agazapada en mitad de la manzana, con los flancos rozando las viviendas vecinas. La noche había caído con rapidez y por completo, como una capucha sobre una cabeza. Las montañas que rodeaban el valle eran moles negras. Un viento helado acuchillaba la ciudad, arrastrando nieve y arena por calles y callejones. La luz de las estrellas era alucinante.

Idir Syphax estaba en cuclillas en una azotea de la calle que daba a la parte posterior de la casa. A su lado había dos magníficos tiradores de Severus Domna, apuntando con fusiles Sako TRG-22 y listos para disparar. Idir miraba la vivienda como si estuviera esperando que llegara su hija, como si sintiera el batir de las alas de un peligro procedente de lugares desconocidos, como si la casa misma fuera su hija. Y en cierto modo lo era. Había diseñado la vivienda por consejo de Tanirt. «Quiero construir una fortaleza», le había dicho. Y ella le había respondido: «Lo mejor que podrías hacer es imitar el templo de Baal. Fue la mayor fortaleza conocida por el hombre». Tras examinar lo que ella le había dibujado, estuvo de acuerdo y él mismo había ayudado a construirla. Cada tabla, cada clavo, cada ladrillo, cada barrote del esqueleto metálico, cada bloque de hormigón llevaba las huellas de su sudor. La casa no estaba hecha para personas, sino para una cosa, una idea, un ideal incluso; en cualquier caso, para algo intangible. En ese sentido, era un lugar sagrado, tan sagrado como una mezquita. Era el principio de todo, y el final. Alfa y omega, un cosmos autónomo.

Idir lo entendía así, pero otros miembros de Severus Domna no. Para Benjamin El-Arian, la casa era una planta carnívora. Para Marlon Etana, algo necesario para conseguir un objetivo. De cualquier modo, para los dos era algo muerto, un animal de carga a lo sumo. No era sagrada, no era una puerta hacia la divinidad. No entendían que Tanirt había elegido el lugar utilizando el antiguo encantamiento que ella poseía y él codiciaba. Una vez le preguntó qué lenguaje era aquél. Era ugarítico. Le dijo que lo utilizaban los alquimistas de la corte del rey Salomón, en lo que en el presente era Siria. Por ese motivo había colocado la estatua en el mismo centro de la casa, en el espacio desde el que emanaba su santidad. Tuvo que introducirla a escondidas porque aquella clase de estatuas estaban estrictamente prohibidas por la ley islámica. Y por supuesto, ni Benjamin El-Arian ni Marlon Etana sabían de su existencia. Lo habrían quemado vivo por hereje. Pero si Tanirt le había enseñado algo, era que existían fuerzas antiguas —quizás un término más apropiado sería misteriosas— que habían precedido a las religiones, a cualquier religión, incluso al judaísmo, pues todas eran invenciones de la humanidad para conciliarse de algún modo con el terror que producía la muerte. El origen de los misterios, le había dicho Tanirt, era divino, lo que según ella no tenía nada que ver con la idea humana de Dios. «¿Existió Baal?», había preguntado ella retóricamente. «Lo dudo. Pero existió algo.»

Salvo por el viento, la noche era tranquila. Sabía que tenían que llegar, pero no sabía por dónde aparecerían. Todos los intentos de seguirlos habían terminado en fracaso..., un fracaso, se dijo, que no era inesperado. Antes bien, había sido una atracción. Los tres hombres de Arkadin habían sido neutralizados a costa del sacrificio de cuatro de los suyos. Aquellos rusos eran feroces guerreros. No es que importara: Arkadin no entraría, intentara lo que intentase. Todas las casas tenían puntos vulnerables que podían ser puntos de acceso, desagües por ejemplo, o cloacas, o los conductos por los que entran los cables de la luz. Como aquella casa no estaba pensada para personas, no había desagües. Como no tenía calefacción ni aire acondicionado, ni frigoríficos, ni estufas que consumieran electricidad, todo el sistema eléctrico procedía de un generador gigante que estaba en una habitación protegida dentro de la casa. Literalmente, no había forma de entrar en la casa que no disparase las alarmas, que a su vez activarían otras medidas de seguridad.

Su hijo Badis había querido estar presente, pero Idir no quiso ni oír hablar del tema. Badis aún preguntaba por Tanirt, aunque a los once años ya tenía edad para entenderlo todo. El chico recordaba la época en que Tanirt amaba a su padre, o que al menos decía que lo amaba. En los últimos tiempos ella había engendrado en Idir un profundo terror que atormentaba sus noches, incluso su sueño, poblándolo de pesadillas indecibles.

Todo había empezado a ir mal cuando le pidió que se casara con él y ella se negó.

—¿Es porque no crees que te quiero? —había preguntado él.

—Sé que me quieres.

—Es por mi hijo. Crees que porque quiero a Badis más que a nada, no puedo hacerte feliz.

—No es por tu hijo.

—Entonces ¿por qué es?

—Si tienes que preguntarlo —había dicho ella—, entonces nunca lo entenderás.

Fue cuando cometió el error fatal. La había confundido con otras mujeres. Había intentado coaccionarla, pero cuanto más la amenazaba, más parecía elevarse su estatura, hasta que llenó toda su sala, asfixiándolo con su presencia. Y había huido jadeando de su propia casa.

El chasquido del cerrojo de los fusiles lo sacó de su abstracción. Escrutó la oscuridad. ¿Era aquello una sombra que saltaba a la azotea de la casa? Sus tiradores pensaron que sí. A la enloquecedora luz de la luna distinguió un borrón, luego nada. Silencio total. Y luego, con el rabillo del ojo, vio que la sombra se movía de nuevo. El corazón le dio un vuelco. La orden de disparar estaba ya en sus labios cuando oyó que pronunciaban su nombre a sus espaldas.

Se volvió y vio a Leonid Arkadin, de pie, con las piernas abiertas y un extraño subfusil en las manos.

—Sorpresa —canturreó el ruso, disparando con el Magpul dos ráfagas que volaron los sesos a los dos tiradores. Éstos se doblaron como marionetas.

—No me asustas —dijo Idir. Su rostro y sus ropas estaban manchados con la sangre y el cerebro de sus hombres—. No tengo miedo a la muerte.

—Quizás a la tuya no.

Arkadin hizo un gesto con la cabeza y Soraya apareció entre las sombras. Idir lanzó una exclamación. Llevaba a Badis delante de ella.

—¡Papá! —El chico intentó ir hacia su padre, pero la mujer lo asió por la ropa y tiró hacia ella—. ¡Papá! ¡Papá!

Una expresión de terrible desesperación cruzó el oscuro rostro de Idir.

—Idir —ordenó Arkadin—, arroja los cadáveres de tus hombres por el antepecho.

Él lo miró atónito.

—¿Para qué?

—Para que los que están abajo sepan lo que está pasando aquí arriba y teman las consecuencias de sus actos.

Idir negó con la cabeza.

Arkadin se acercó a Badis y le introdujo en la boca la punta del cañón del Magpul.

—Apretaré el gatillo y no lo reconocerá ni su madre.

Idir se puso pálido y arrugó la frente con impotencia. Se inclinó para mover a uno de los tiradores, pero había tanta sangre que el cadáver le resbaló de las manos.

Badis lo miraba con los ojos muy abiertos, temblando.

Idir llevó rodando el cadáver hasta el antepecho. Cuando lo tiró al vacío, oyeron el ruido sordo que produjo al estrellarse contra la calle. El niño se estremeció. Más rápido esta vez, Idir arrojó el otro cadáver a la calle. De nuevo aquel impacto sordo, casi viscoso. Badis dio un bote.

Arkadin hizo una seña. Soraya arrastró al muchacho hasta el antepecho de la azotea y le sacó la cabeza por el borde.

Idir se acercó hacia su hijo, pero Arkadin movió el Magpul, moviendo la cabeza en sentido negativo.

—Como ves, la muerte tiene muchos aspectos —comentó— y el miedo se apodera de todos nosotros al final.

Y así, al final, se desenvainaron los cuchillos. Bourne bajó de la azotea cuando oyó los dos disparos. Y al ver que Arkadin empujaba a Idir Syphax para que siguiese andando, fue a reunirse con ellos. El norteamericano y el ruso se miraron como si fueran agentes de distintos países a punto de intercambiar prisioneros en tierra de nadie.

—¿Soraya? —preguntó Bourne.

—En la azotea, con el niño —respondió Arkadin.

—No le habrás hecho daño.

El ruso miró a Idir y luego dirigió a Bourne una mirada de malestar.

—Si hubiera sido necesario, se lo habría hecho.

—Ése no era nuestro trato.

—Nuestro trato —dijo Arkadin con sequedad— era terminar este trabajo.

Idir se movía inquieto en medio del tenso silencio, mirando a uno y a otro.

—Vosotros dos tendríais que decidir cuáles son vuestras prioridades.

Arkadin le cruzó la cara.

—Cierra la boca.

Bourne acabó dando a Arkadin el portátil con el estuche. Luego se apoderó del bereber y le dijo:

—Tú nos llevarás dentro. Serás el primero que cruce todas las barreras, electrónicas o como sean. —Sacó el teléfono móvil—. Estoy en contacto permanente con Soraya. Si algo va mal... —Agitó el teléfono.

—Entiendo. —La voz de Idir sonaba apagada, pero sus ojos ardían de odio y cólera.

Los condujo a la puerta principal, que abrió con dos llaves. En cuanto entraron, marcó una clave en un teclado empotrado en la pared, a la izquierda de la puerta.

Silencio.

Un perro ladró, demasiado alto para ser de noche, y en aquella atmósfera sobrecargada la luz de la luna parecía caer sobre la casa con el rumor del aguanieve.

Idir tosió y encendió las luces.

—La primera barrera son los detectores de movimiento, la segunda los infrarrojos. —Rebuscó en el bolsillo y sacó un pequeño mando a distancia—. Puedo desactivarlas desde aquí.

—Sin el generador no funcionará nada —razonó Bourne—. Llévanos donde esté.

Cuando Idir echó a andar, el norteamericano se lo impidió:

—Por ahí no.

Una expresión de terror cruzó el rostro de Idir.

—Has hablado con Tanirt. —Se estremeció al pronunciar su nombre.

—Si conoces el camino —le espetó Arkadin a Bourne con voz irritada—, ¿para qué necesitamos a éste?

—Sabe cómo apagar el generador sin que la casa salte por los aires.

La aleccionadora noticia enmudeció a Arkadin por el momento. Idir cambió de dirección, llevándolos por una ruta que bordeaba las habitaciones exteriores. Llegaron al primer detector de movimiento, un ojo rojizo, vacío y oscuro.

Lo cruzaron, con Idir por delante, según habían establecido. Llegaron a una puerta. El hombre la abrió. Vieron otro pasillo que se abría como un abanico, doblando primero hacia un lado y luego hacia otro. Bourne recordó las cámaras de las grandes pirámides de Giza. Ante ellos apareció otra puerta. Idir la abrió igualmente. Otro pasillo, más corto que el anterior y totalmente recto. No pasaron por delante de ninguna puerta. Las paredes estaban desnudas, enlucidas con un color neutral que parecía carne. El corredor terminaba en una tercera puerta, ésta de acero. La cruzaron. Más allá entrevieron una escalera de caracol que se hundía en la oscuridad.

—Enciende las luces —ordenó Arkadin.

—No hay electricidad ahí abajo —replicó Idir—. Sólo antorchas.

Ledonid dio un paso hacia él, pero Bourne se interpuso.

—No dejes que se me acerque —rogó Idir—. Está loco.

Bajaron por la escalera, sumergiéndose en las tinieblas. Al llegar abajo, el bereber encendió una antorcha de juncos, se la entregó a Bourne e introdujo la mano en un agujero de la pared. Había más antorchas en una caja de hierro. Encendió otra.

—¿Dónde están los sistemas de alarma? —preguntó Bourne.

—Hay demasiados animales aquí abajo —repuso Idir.

Arkadin miró el suelo de hormigón sin pulir, que olía a polvo y a excrementos secos.

—¿Qué animales?

Idir siguió andando. A la trémula luz de las antorchas, aquel sótano parecía inmenso. No había nada, nada se veía, salvo las llamas que crepitaban en la oscuridad. El humo condensó aquella atmósfera sin aire. De súbito se encontraron en un estrecho pasadizo. Menos de cuarenta pasos después empezó a curvarse y torcieron a la derecha. Una vez más, las paredes eran totalmente lisas. El pasadizo seguía curvándose. Bourne tuvo la sensación de avanzar en espiral, de moverse en círculos concéntricos cada vez más reducidos y supuso que se estaban acercando al corazón de la casa. Era como si cargaran con un peso invisible que los obligaba a respirar con dificultad, como si se hubieran sumergido en un lago subterráneo.

Por fin terminó el corredor y accedieron a una habitación que tenía una vaga forma pentagonal; al menos tenía cinco paredes. Se oía un latido sordo, como el retumbo de un corazón gigantesco. Llenaba la habitación y su vibración agitaba el aire condensado.

—Ahí está. —Idir señaló con la cabeza lo que parecía un pedestal macizo que se alzaba en el centro de la habitación. Encima había una estatua de basalto del antiguo dios Baal.

Arkadin se volvió hacia el bereber.

—¿Qué clase de mierda es ésta?

Idir dio un paso hacia Bourne.

—El generador está debajo de la estatua.

El ruso sonrió con desprecio.

—Valiente gilipollez.

—Las instrucciones están ocultas dentro de la estatua.

—Bueno, eso es otra cosa. —Arkadin echó a andar hacia la estatua.

Idir aprovechó el momento para acercarse a Bourne.

—Está claro que os odiáis —susurró—. Cuando mueva la estatua, se activará una bomba de C-4 que hay adosada a un lado del generador y que estallará en tres minutos. Ni siquiera yo sabría desactivarlo, pero puedo sacarte de aquí con tiempo de sobra. Mata a ese animal, no quiero que le haga daño a mi hijo.

Arkadin alargaba ya la mano hacia la estatua. Bourne advirtió que Idir contenía la respiración; estaba preparado para echar a correr. Bourne vio claramente el significado de lo que sucedía: era el momento decisivo que habían predicho Suparwita y Tanirt. El momento en que podía vengar la muerte de Tracy. El momento en que sus dos personalidades enfrentadas lo desgarrarían definitivamente por dentro, el momento de su propia muerte. ¿Creía en lo que ambos le habían dicho? ¿No iba a haber en su vida ningún momento inequívoco? ¿Estaba todo determinado por el desconocimiento de la vida que no podía recordar? Podía dar la espalda a los peligros o podía enfrentarse a ellos y vencerlos. La decisión que tomara en aquel instante permanecería con él, lo cambiaría para siempre. ¿Traicionaría a Arkadin o a Idir? Y entonces se dio cuenta de que no tenía ninguna posibilidad de elegir, que su camino se abría ante él con tanta claridad como si lo iluminara la luz de la luna llena.

Idir le había propuesto una solución astuta, pero improcedente.

—¡Alto ahí, Leonid! —gritó Bourne—. Si mueves la estatua, habrá una explosión.

Arkadin se quedó petrificado, con los dedos a punto de rozar la estatua. Volvió la cabeza.

—¿Eso es lo que te ha dicho ese hijoputa a mis espaldas?

—¿Por qué lo has hecho? —gimió Idir con voz desesperada.

—Porque no me dijiste cómo se apagaba el generador.

El ruso miró a Bourne.

—¿Y por qué esa chorrada es tan importante?

—Porque el generador controla una serie de medidas de seguridad que nos impedirían salir de aquí.

Arkadin se acercó a Idir y le propinó un revés en la cara con el cañón del Magpul. El bereber escupió un diente con un poco de sangre.

—Se me ha acabado la paciencia —masculló—. Voy a hacerte pedazos poco a poco. Nos vas a decir lo que queremos saber tanto si quieres como si no. No temes a la muerte, pero ya me has dicho lo que temes. Cuando salga de aquí, pienso tirar a Badis al vacío con mis propias manos.

—¡No, no! —gimió Idir, acercándose al lugar donde estaba el generador—. Aquí, aquí —murmuró. Empujó una piedra en la base del pedestal que se deslizó hacia dentro. Pulsó un interruptor y el latido del generador cesó—. ¿Veis? Ya está apagado. —Se puso en pie—. He hecho lo que queríais. Mi vida no vale nada, pero os ruego que perdonéis la vida de mi hijo.

Arkadin, sonriendo de oreja a oreja, puso el estuche encima del pedestal, lo abrió y sacó el portátil.

—Ahora —exigió mientras encendía el ordenador—, el anillo.

Idir se acercó al pedestal y se las arregló para tocar con el dedo índice el portátil antes de que Arkadin lo tumbara de espaldas de un puñetazo.

Mientras Bourne sacaba el anillo, el bereber dijo:

—No servirá de nada.

—Cierra la boca —le espetó Arkadin.

—Deja que hable —concedió Bourne—. Idir, ¿a qué te refieres?

—No es el ordenador indicado.

—Es un embustero —dijo el ruso—. Mira —cogió el anillo de Bourne y lo insertó—, tiene la ranura para el anillo.

La risa de Idir ribeteó la histeria o la locura.

Arkadin introdujo una y otra vez el anillo en la ranura mientras trataba de abrir el archivo fantasma guardado en una partición del disco duro.

—¡Idiotas! —Idir no podía dejar de reír—. Alguien os ha tomado el pelo. Ya os he dicho que no es el ordenador indicado.

El ruso se volvió en redondo con un grito.

—¡Leonid, no!

Bourne saltó sobre él, demasiado tarde para impedir que disparase, aunque cayó sobre el hombro derecho de Arkadin. La ráfaga trazó un arco y dos proyectiles alcanzaron el pecho y el hombro de Idir.

Las antorchas cayeron al suelo chisporroteando. Estaban casi totalmente consumidas. Los dos hombres empezaron a atacarse con manos, pies y rodillas. Arkadin, con el Magpul en la mano derecha, se lanzó sobre Bourne, que se vio obligado a protegerse la cara con las manos para desviar los golpes. En sus muñecas aparecieron contusiones y cortes profundos de trazo irregular causados por el pesado cañón del subfusil. Propinó un rodillazo a su contrincante en el estómago, pero no pareció hacerle efecto. Cuando vio llegar el siguiente golpe, agarró el cañón, pero el otro se lo arrancó de la mano, abriéndole una herida en la palma. Arkadin le apuntó con el cañón, pero él le asestó un golpe en la nariz con el canto de la mano ensangrentada. Cuando el ruso echó atrás la cabeza, le brotó un chorro de sangre. Todavía retrocediendo, cayó de espaldas y su cráneo resonó al tocar el suelo. Dio un grito, que en aquel reducido espacio adquirió proporciones ensordecedoras. Bourne lo golpeó de nuevo, lanzándole la cabeza hacia la derecha. De allí surgió entonces un bulto borroso que se lanzó sobre él.

Una rata de buen tamaño, aterrorizada por el ruido, saltó ciegamente sobre el rostro de Arkadin, que se la intentó quitar de encima, pero no pudo. Rodó por el suelo, cogió una antorcha y golpeó salvajemente al animal. La rata dio un salto y pasó por encima del caído Idir. Las llamas prendieron en su cola, el animal chilló y lo mismo hizo el bereber, cuya ropa empezó a arder y a despedir un olor acre. Poniéndose en pie, tambaleándose, golpeó ciegamente las llamas con el brazo ileso, pero tropezó, perdió el equilibrio y cayó contra el pedestal. Su cabeza golpeó la estatua de Baal y ésta cayó de la caja del generador, haciéndose añicos contra el suelo.

Bourne se levantó y corrió hacia Idir, pero las coléricas llamas lo habían envuelto ya, haciendo imposible el acercarse. El nauseabundo olor a carne quemada, el resplandor de las llamas y luego un inquietante tictac, la cuenta atrás de los tres minutos de vida que les quedaban.

Arkadin disparó, pero Bourne se había puesto detrás de Idir y la ráfaga se perdió en el vacío. La antorcha se estaba apagando rápidamente. Cogió la otra y echó a correr hacia el pasillo. Cuando estuvo a cubierto, sacó la Beretta. Estaba a punto de disparar cuando vio al ruso a cuatro patas, buscando algo entre los restos de la estatua. Encontró una tarjeta de memoria SD, la limpió y, levantándose, la introdujo en la ranura del ordenador.

—Leonid, déjalo —le gritó Bourne—. Ese ordenador no sirve.

Como no obtuvo respuesta, le gritó de nuevo, esta vez de un modo más apremiante.

—Tenemos dos minutos justos para encontrar la salida.

—Eso quería hacernos creer Idir —replicó Arkadin. Parecía trastornado—. ¿Por qué iba a decirnos la verdad?

—Temía por la vida de su hijo.

—En el país de los ciegos —respondió el ruso— no hay incentivo para decir la verdad.

—¡Vamos, Leonid! ¡Déjalo! Estás perdiendo el tiempo.

No hubo respuesta. En el momento en que Bourne asomó la cabeza en el pentágono, Arkadin le disparó. La antorcha que empuñaba chisporroteaba y crepitaba, próxima a su fin. Echó a correr por el pasillo, en la dirección por la que habían llegado. A medio camino, la antorcha se apagó. La tiró al suelo y siguió corriendo, confiando en su memoria eidética, hasta que llegó a la base de la escalera de caracol.

Era una carrera contrarreloj. Según sus cálculos, le quedaban menos de dos minutos para salir de la casa antes de que explotara el C-4. Subió la escalera hasta el final, pero no vio luz. La puerta estaba cerrada.

Volvió al pie de la escalera, cogió otra antorcha, la encendió y subió a toda prisa. Veinte segundos desperdiciados. Quedaba minuto y medio. Levantó la antorcha para iluminar la puerta. No tenía picaporte por aquel lado. Ni siquiera una cerradura alteraba la tersura de su superficie. Pero tenía que haber una forma de salir. Se inclinó y pasó las yemas por la ranura formada por la hoja y la jamba. Nada. A cuatro patas, probó en el dintel y encontró un pequeño cuadrado que cedió a la presión de su dedo. Dio un salto cuando la puerta se abrió. Quedaba poco más de un minuto para encontrar el camino que llevaba a la salida en aquel laberinto de círculos concéntricos.

Corrió desesperadamente por el pasillo curvo, con la antorcha en alto. La luz eléctrica se había apagado cuando Idir pulsó el interruptor que desactivaba el generador. Se detuvo una vez y le pareció oír pasos detrás, pero no estuvo seguro y siguió corriendo por aquella espiral, hacia el exterior de la casa.

Cruzó las dos puertas abiertas y se encontró en el que sin duda era el último corredor. Treinta segundos. Y entonces vio la puerta principal delante de él. Llegó a ella y asió el picaporte. La puerta no se movió. La golpeó, pero no sirvió de nada. Maldiciendo entre dientes, se volvió a mirar el pasillo sin ventanas ni puertas.

«En esa casa todo es engañoso —le había dicho Tanirt—. Es el consejo más importante que puedo darte.»

Veinte segundos.

Al pasar pegado a la pared exterior, notó una corriente de aire a la altura de su cabeza. Si no había ventanas, ¿de dónde procedía? Pasó la mano por la pared que, según dedujo, tenía que ser la pared exterior de la casa. La golpeó con los nudillos, escuchando atentamente por si oía algún sonido distinto. Sólido, sólido. Siguió retrocediendo por el corredor.

Quince segundos.

Y entonces hubo un sonido distinto. Hueco. Se echó hacia atrás y golpeó la pared con el tacón. La atravesó de parte a parte. Otra vez. Diez segundos. No había tiempo. Introdujo la antorcha por el agujero que había hecho. Las llamas se comieron la pintura y la madera que había detrás. Soltó la antorcha, se cubrió la cabeza con los brazos y se lanzó por allí.

Oyó ruido de cristales y se vio rodando en la calle; se levantó y echó a correr sin pensarlo. Detrás de él, la noche parecía haberse incendiado. La casa se hinchó, la onda expansiva de la explosión lo elevó por los aires, lanzándolo contra la pared del edificio de enfrente.

Al principio no oyó nada. Se levantó como pudo, apoyándose en la pared, y sacudió la cabeza. Oyó gritos. Alguien pronunciaba su nombre. Reconoció la voz de Soraya y entonces la vio correr hacia él. No vio a Badis por ninguna parte.

—¡Jason! ¡Jason! —gritaba la joven mientras corría—. ¿Estás bien?

Él asintió, pero la mujer, al verlo de cerca, empezó a quitarse el abrigo. Rasgó una manga de su camisa y le vendó las manos ensangrentadas.

—¿Y Badis?

—He dejado que se fuera cuando la casa saltó por los aires —explicó, levantando la cabeza hacia él—. ¿Y su padre? —Bourne negó con la cabeza—. ¿Y Arkadin? —prosiguió Soraya—. Di la vuelta al edificio, pero no lo he visto.

Él observó el aparatoso incendio.

—No quiso dejar el ordenador portátil ni el anillo.

Soraya terminó de vendarle las manos y los dos se quedaron mirando la casa devorada por las llamas. La calle estaba desierta. Tenía que haber cientos de ojos observando la escena, pero no se veía a nadie. No se presentó ningún soldado de Severus Domna. Bourne sabía el motivo. Tanirt estaba al final de la calle, con una sonrisa de Gioconda en los labios.

Soraya asintió con la cabeza.

—Supongo que Arkadin consiguió finalmente lo que quería.

Bourne pensó que, después de todo, decía la verdad.

31

—¿No te dije —preguntó Peter Marks irritado— que no quería ver a nadie?

Era un reproche, no una pregunta. De todos modos, Elisa, la enfermera que lo cuidaba desde que había ingresado en el Centro Médico Walter Reed del Ejército, ni se inmutó. Marks yacía en la cama con la pierna herida vendada y que le dolía de un modo horroroso. Se había negado a tomar calmantes y estaba en su derecho, pero lo irritaba que su estoicismo no le hubiera granjeado el cariño de Elisa. Era una pena, pensó, porque era guapa e inteligente.

—Creo que debería hacer una excepción en este caso.

—Si no es Shakira ni Keira Knightley, no me interesa.

—Que tenga el privilegio de estar ingresado aquí, no lo autoriza a comportarse como un niño caprichoso.

Marks ladeó la cabeza.

—Sí, pero ¿por qué no se acerca y lo ve desde mi punto de vista?

—Sólo si promete no meterme mano —dijo la enfermera con una sonrisa pícara.

Él se echó a reír.

—De acuerdo, bueno, ¿quién es? —Elisa sabía sacarlo de su peor humor.

Se acercó y le ahuecó la almohada antes de elevar la parte superior de la cama.

—Quiero que se siente; hágalo por mí.

—¿También tendré que suplicar?

—Vaya, eso sería estupendo. —La enfermera dilató la sonrisa—. Pero asegúrese de no babearme encima.

—Aquí dentro tengo pocos placeres, no me los quite. —Hizo una mueca al incorporarse en la cama—. Joder, cómo me duele el culo.

Elisa se mordió el labio.

—Me lo pone todo tan fácil que no puedo humillarlo más. —Cogió un cepillo de una mesa lateral y empezó a peinarlo.

—Por el amor de Dios, ¿quién es? —preguntó él—. ¿El puto presidente?

—Casi. —Elisa fue hacia la puerta—. Es el secretario de Defensa.

«Santo Dios —pensó Marks—. ¿Qué querrá Bud Halliday de mí?»

Pero fue Chris Hendricks quien entró por la puerta.

—¿Dónde está Halliday? —preguntó, abriendo unos ojos como platos.

—Buenos días a usted también, señor Marks. —Hendricks le estrechó la mano, cogió una silla y, sin quitarse el abrigo, se sentó al lado de la cama.

—Disculpe, señor, buenos días —balbuceó Marks—. Yo no... Creo que debería decir enhorabuena.

—Es lo que toca. —Hendricks sonrió—. ¿Cómo se encuentra?

—Enseguida me pondré bien —repuso—. Tengo los mejores cuidados.

—No lo dudo. —Hendricks apoyó las manos en los muslos—. Señor Marks, el tiempo apremia, así que iré al grano. Mientras usted estaba de viaje, Bud Halliday presentó su dimisión. Oliver Liss está en la cárcel y, francamente, no creo que vaya a salir pronto. Su jefe inmediato, Frederick Willard, ha muerto.

—¿Muerto? Santo Dios, ¿cómo?

—Eso ya lo hablaremos otro día. Basta con que sepa que con tantos imprevistos, en la punta de la pirámide se ha formado un vacío de poder. —Hendricks se aclaró la garganta—. Al igual que la naturaleza, los servicios secretos odian el vacío. He estado pendiente de la sistemática desmantelación de la CI, su antiguo dominio, con cierta dosis de escepticismo. Me gusta lo que hizo su colega con Typhon. En estos días, una organización clandestina dirigida por musulmanes y centrada en el mundo radical musulmán parece una solución elegante para nuestros problemas más acuciantes.

»Por desgracia, Typhon pertenece a la CI. Sólo Dios sabe lo que se tardará en volver a poner a flote ese barco y no quiero perder el tiempo. —Se inclinó hacia Marks—. Por lo tanto, me gustaría que se pusiera al frente de un Treadstone renovado, que entre otras cosas englobaría la misión de Typhon. Usted nos informaría directamente a mí y al presidente.

Marks frunció el entrecejo.

—¿Algo va mal, señor Marks? —preguntó el nuevo secretario.

—Todo va mal. En primer lugar, ¿cómo es que ha oído usted hablar de Treadstone? Y en segundo lugar, si está tan enamorado de Typhon como asegura, ¿por qué no se ha puesto en contacto con Soraya Moore, la antigua directora de Typhon?

—¿Quién le dice que no lo he hecho?

—¿Ha rechazado la oferta?

—La pregunta pertinente —dijo Hendricks— es si está interesado usted.

—Por supuesto que sí, pero quiero saber qué opina ella.

—Señor Marks, confío en que esté tan impaciente por salir de aquí como por encontrar respuesta a sus preguntas. —Hendricks se levantó, fue hacia la puerta y la abrió. Hizo una seña y entró Soraya.

—Señor Marks —dijo el secretario Hendricks—, es un placer presentarle a su codirectora. —Cuando Soraya se acercó a la cama, añadió—: Estoy casi seguro de que ustedes dos tendrán muchos temas de que hablar, de organización y otros, así que me retiro.

Ni Marks ni Soraya le prestaron la menor atención cuando salió de la habitación, cerrando suavemente la puerta.

—¡Vaya, mira a quién ha traído el viento! —Deron se apartó de la puerta para que entrara Bourne. En cuanto estuvo dentro, le dio un fuerte abrazo—. Maldita sea, hombre, eres peor que un dolor de muelas, hoy te veo, mañana desapareces.

—Ésa es la idea, ¿no?

Deron se fijó en sus manos vendadas.

—¿Qué te ha pasado?

—Tuve un encontronazo con algo que intentaba comerme.

Deron se echó a reír.

—Bueno, entonces debes de estar bien. Vamos —añadió, conduciendo a Bourne por su casa del noreste de Washington. Era un hombre alto y delgado, atractivo, con una tez del color del cacao aguado. Tenía un acento marcadamente británico—. ¿Quieres beber algo o prefieres comer?

—Lo siento, querido amigo. No tengo tiempo. He de coger esta noche un vuelo para Londres.

—Vale, tengo el pasaporte perfecto para ti.

Bourne rió.

—Esta vez no. He venido a recoger el paquete.

Deron dio media vuelta y lo miró.

—Vaya, después de tanto tiempo.

Bourne sonrió.

—Por fin encontré el sitio adecuado para dejarlo.

—Excelente. Los indigentes me ponen triste. —Le condujo hasta su amplio estudio, que olía a pintura al óleo y a aguarrás. Había un lienzo sobre un caballete—. Echa un vistazo a mi nueva criatura —invitó antes de desaparecer en otra habitación.

Bourne se acercó a mirar el cuadro. Estaba casi terminado, o al menos lo bastante para dejarlo sin respiración. Una mujer vestida de blanco, con una sombrilla para protegerse del sol cegador, paseaba entre la alta hierba mientras un niño, posiblemente su hijo, adoptaba una expresión soñadora. La luz era sencillamente extraordinaria. Se acercó a mirar más de cerca las pinceladas, que eran exactamente iguales a las de Claude Monet cuando había pintado la versión original de *La Promenade* en 1875.

—¿Qué te parece?

Bourne se volvió. Deron había reaparecido con un maletín.

—Magnífico. Mejor que el original.

Su amigo se echó a reír.

—Hombre, espero que no. —Le entregó el maletín—. Aquí lo tienes, sano y salvo.

—Gracias, Deron.

—Oye, fue un reto. Falsifico cuadros y, para ti, pasaportes, visados y lo que sea. Pero ¿un ordenador? Si quieres que te diga la verdad, fabricar el estuche de resina compuesta fue complicado. No estaba muy seguro de imitarlo bien.

—Hiciste un gran trabajo.

—Otro cliente satisfecho —replicó Deron, riéndose.

Fueron hacia la salida.

—¿Qué tal está Kiki?

—Como siempre. Ha vuelto a África. Estará trabajando seis semanas, para mejorar la vida de los que viven allí. Esto está muy solitario sin ella.

—Deberíais casaros de una vez.

—Serás el primero en enterarte, amigo. —Estaban en la puerta. Deron le estrechó la mano—. ¿De vuelta a Oxford?

—La verdad es que sí.

—Dale recuerdos de mi parte a la Matriarca.

—Lo haré. —Bourne abrió la puerta—. Gracias por todo.

Su amigo hizo un gesto de despedida con la mano.

—Buen viaje, Jason.

Bourne, en el vuelo nocturno de Londres, soñó que había vuelto a Bali, a la cima de Pura Lempuyang, y miraba a través de las puertas que enmarcaban Monte Agung. En el sueño veía a Holly Marie moviéndose lentamente de derecha a izquierda. Cuando pasaba por delante de la montaña sagrada, él echaba a correr hacia ella y, cuando la empujaban, la cogía antes de que cayera por la empinada escalera de piedra y se matara. Mientras la tenía en brazos, bajaba la cabeza para mirarle la cara. Pero era la cara de Tracy.

Tracy se estremecía y él veía la astilla de cristal que la atravesaba. La sangre empapaba su cuerpo, le chorreaba por las manos y los brazos.

—¿Qué ocurre, Jason? No me toca morir.

No era la voz de Tracy la que resonaba en su sueño: era la de Scarlett.

Londres lo recibió con una mañana inusual, soleada y vigorizante. Chrissie había insistido en ir a recogerlo en Heathrow y lo estaba esperando al otro lado de la puerta de seguridad. Sonrió y le dio un beso en la mejilla.

—¿Equipaje?

—Sólo lo que llevo encima —respondió Bourne.

Chrissie lo cogió del brazo y le dijo:

—Qué alegría verte de nuevo tan pronto. Scarlett se emocionó mucho cuando se lo dije. Iremos a comer a Oxford y luego la recogeremos en la escuela.

Fueron al aparcamiento y subieron al destartalado Range Rover.

—Qué tiempos —comentó la joven riéndose.

—¿Cómo se ha tomado Scarlett la muerte de su tía?

Chrissie suspiró y puso el coche en marcha.

—Tan bien como se podía esperar. Estuvo totalmente hundida durante veinticuatro horas. No podía ni acercarme a ella.

—Los niños son fuertes.

—Eso es una bendición. —Tras salir del aeropuerto, se introdujo en la autopista.

—¿Dónde está Tracy?

—La enterramos en un cementerio muy antiguo, en las afueras de Oxford.

—Me gustaría ir allí ahora, si no te importa.

Chrissie se volvió a mirarlo durante un segundo.

—No, en absoluto.

El viaje a Oxford fue rápido y silencioso; ambos estaban sumidos en sus pensamientos. Una vez en Oxford, se detuvieron al lado de una florista. Al llegar al cementerio, aparcaron, bajaron del vehículo y Chrissie lo condujo entre las filas de tumbas, algunas viejísimas, hacia un roble de copa ancha. Una brisa fresca soplaba del este, revolviéndole el cabello. Chrissie se mantuvo ligeramente retirada mientras él se acercaba a la tumba de Tracy.

Bourne se quedó unos momentos inmóvil y luego dejó el ramo de rosas blancas al pie de la tumba. Quería recordarla como había sido la noche anterior a su muerte. Quería recordar sólo sus momentos más íntimos. Pero para bien o para mal, su muerte había sido el momento más íntimo que habían compartido. Seguramente no olvidara nunca el tacto de su sangre en sus manos y sus brazos, el pañuelo de seda roja interpuesto entre ellos. Tracy lo había mirado a los ojos. Había deseado con todas sus fuerzas impedir que la vida escapara de aquel cuerpo. Había oído su voz susurrarle al oído y su vista se nubló. Las lágrimas le quemaban en los ojos, lágrimas que se acumulaban pero no querían caer. Cuánto deseaba oírla respirar a su lado.

Entonces sintió el brazo de Chrissie alrededor de su cintura.

Scarlett, alejándose de sus compañeras de clase, corrió hacia él. Bourne la levantó y dio varias vueltas con ella en brazos.

—Fui al funeral de tía Tracy —dijo la pequeña con gran seriedad infantil—. Me habría gustado conocerla mejor.

Él la abrazó con fuerza. Luego subieron todos al Range Rover y, a petición de Bourne, Chrissie se dirigió a su despacho de All Souls College, una habitación grande y cuadrada con ventanas que daban a los terrenos de la vieja universidad. Olía a libros antiguos y a incienso.

Mientras él y Scarlett se acomodaban en el sofá que Chrissie utilizaba para calificar exámenes, la muchacha preparó té.

—¿Qué llevas en el maletín? —preguntó la niña.

—Ya lo verás —respondió Bourne.

Chrissie llegó con el té en una antigua bandeja japonesa de color negro. Él esperó pacientemente mientras lo servía, pero Scarlett no dejó de dar la lata hasta que su madre le ofreció un bizcocho.

—Bien —repuso Chrissie, cogiendo una silla—. ¿De qué se trata?

Bourne se puso el maletín en las rodillas.

—Tengo un regalo de cumpleaños para vosotras.

Chrissie frunció el entrecejo.

—Mi cumpleaños es dentro de cinco meses.

—Considéralo un regalo por adelantado. —Abrió el maletín, sacó un ordenador personal y lo puso sobre la mesa de centro, al lado de la bandeja—. Ven a sentarte a mi lado —añadió.

Chrissie se levantó y se sentó en el sofá mientras Bourne abría el ordenador y lo encendía. Se había asegurado de cargar la batería durante el vuelo. Scarlett estaba sentada en el borde del sofá, para estar más cerca de la pantalla, donde aparecieron imágenes mientras se cargaban los programas.

—Scarlett —dijo Bourne—. ¿Tienes el anillo que te di?

—Lo llevo encima. —La niña lo sacó—. ¿Quieres que te lo devuelva?

Bourne se echó a reír.

—Te lo di para que te lo quedaras. —Alargó la mano—. Sólo será un momento.

Cogió el anillo y lo insertó en el puerto especialmente preparado para él. Era el ordenador que le había robado a Jalal Essai, el tío de Holly, por orden de Alex Conklin. No se lo había entregado porque había descubierto lo que contenía y decidido que era demasiado importante para dárselo a Treadstone o a cualquier otro servicio secreto. Así que le había pedido a Deron que hiciera una imitación, un ordenador falso. Cuando había acompañado a Holly en uno de sus viajes a Sonora para transportar mercancía a un narcorrancho, le habían presentado a Gustavo Moreno. Bourne había dejado que el ordenador de imitación cayera en manos del capo de la droga, con objeto de que, cuando saliera a la luz que estaba en posesión de Moreno, Conklin no sospechara de él.

Y algo parecido había hecho con el anillo de Salomón, cambiándolo por el que Marks le había quitado a su agresor de Londres. El hecho de que Scarlett encontrara el anillo de Marks cuando le dispararon a éste, le ofreció la ocasión perfecta para dar el cambiazo. Había estado en lo cierto al suponer que el anillo de Salomón estaría más seguro en manos de la niña que en las suyas propias.

Las dos piezas encajaron a la perfección. La misteriosa inscripción grabada en el interior abrió el archivo fantasma del disco duro y también un archivo PDF, duplicado perfecto de un antiguo texto hebreo.

Chrissie se inclinó hacia delante.

—¿Qué es? Parecen... ¿son instrucciones?

—Recuerda la conversación que tuvimos con el profesor Giles.

Ella lo miró.

—Es raro que lo menciones. Ayer vino una unidad del MI6 y se lo llevó detenido.

—Me temo que yo tuve algo que ver en eso —aclaró Bourne—. El buen profesor formaba parte de un grupo que nos creaba muchos problemas.

—¿Te refieres...? —Volvió a mirar el texto antiguo—. ¡Santo Dios, Jason, no irás a decirme...!

—Según este archivo —anunció Bourne—, el oro del rey Salomón está enterrado en Siria.

Chrissie se emocionó aún más.

—En la antigua Ugarit, que estaba en el monte Agraa o en los alrededores, y era donde se dice que vivía el dios Baal. —Chrissie arrugó la frente al llegar al final del texto—. Pero ¿dónde, exactamente? El texto está incompleto.

—Cierto —dijo Bourne, pensando en la tarjeta de memoria SD que Arkadin había encontrado entre los restos de la estatua de Baal—. La última parte se ha perdido. Lo siento.

—No, no lo sientas. —Chrissie se volvió y lo abrazó con fuerza—. Dios mío, qué regalo tan maravilloso.

—Si esto es cierto, antes de darme las gracias tendrás que encontrar el oro del rey Salomón.

—No, porque este texto en sí tiene un valor incalculable. Es por sí mismo un tesoro, un material de investigación que ayudará a diferenciar los hechos de la ficción en lo relativo a la corte del rey Salomón. Yo... yo no sé cómo agradecértelo.

Bourne sonrió.

—Dónalo a la universidad en nombre de tu hermana.

—Vaya, yo... por supuesto que sí. ¡Maravillosa idea! Ahora estará más cerca de mí, y además será parte de Oxford.

Bourne sintió el recuerdo de Tracy a su alrededor con un suspiro de alegría. Ahora podía pensar en ella, en todas sus encarnaciones, sin hundirse en el dolor.

Rodeó a Scarlett con un brazo.

—¿Sabes? Tu tía contribuyó un poco a este regalo.

La niña lo miró con la boca abierta.

—¿De verdad?

Bourne asintió con la cabeza.

—Deja que te lo explique y también..., también te contaré lo valiente que era.